Henri Lœvenbruck

Henri Lœvenbruck est né en 1972 à Paris. Naviguant entre thriller et polar historique, il est l'auteur de plus de quinze romans, traduits dans de nombreuses langues. Après, entre autres, la trilogie de *La Moïra*, *Le Rasoir d'Ockham* et *L'Apothicaire*, il a également publié *Nous rêvions juste de liberté*, en cours d'adaptation pour le cinéma. Qualifié de « nouveau maître du thriller français » par *L'Obs*, il se passionne aujourd'hui pour la littérature d'aventure et les grandes épopées historiques. *Le Loup des Cordeliers* (XO Éditions, 2019), un polar haletant situé au cœur de la Révolution française, est le premier volume autour de Gabriel Joly, brillant précurseur du journalisme d'investigation ; ses aventures se poursuivent dans *Le mystère de la main rouge* (XO Éditions, 2020).

LE LOUP
DES CORDELIERS

HENRI LŒVENBRUCK

LE LOUP
DES CORDELIERS

© XO ÉDITIONS, 2019
ISBN : 978-2-266-31357-5
Dépôt légal : octobre 2020

Avertissement

Ce livre est un roman. L'auteur, toutefois, s'est attaché à rendre le plus fidèlement possible la réalité historique de la Révolution française.

Dans l'intérêt du récit, quelques libertés ont été prises, notamment en romançant la vie de certains personnages, et en particulier celle d'Anne-Josèphe Terwagne, dont l'entrée dans la Révolution a été plus tardive qu'il ne l'est ici raconté. Quant à Charles-Antoine Duvilliers, s'il est en partie inspiré du colonel Dumouriez, c'est un personnage fictif.

Le lecteur, nous l'espérons, pardonnera ces quelques licences, qui ont été prises au seul bénéfice de son divertissement...

Prologue

Il s'étendait à Paris, en l'an 1789, entre la Sorbonne et l'abbaye de Port-Royal, une voie longue de trois cents pieds, traversant le quartier dit des Cordeliers, et que l'on appelait rue d'Enfer. L'origine de ce nom a fait jusqu'à nos jours l'objet de ces interminables disputes dont les historiens ont le secret, les uns affirmant qu'il était une déformation de *via Inferior* – son ancienne appellation supposée –, les autres qu'il venait du sobriquet donné à la porte de l'enceinte de Philippe Auguste à laquelle ladite rue conduisait : la « porte en fer ». En somme, nos savants ne s'entendent que sur un seul point : n'en déplaise aux suppôts de Satan, la rue ne devait pas son nom à quelque lien que ce fût avec le feu éternel des enfers, et l'on n'y voyait guère plus de diables que de revenants.

Pourtant, quand la jeune femme s'engouffra, en ce soir de mai 1789, dans cette rue d'Enfer, ce qui l'attendait ressemblait à s'y méprendre à la terreur des abîmes.

Claudine Fauche – que son nouvel entourage avait malicieusement surnommée Fauchette – était montée un an plus tôt à la capitale, où elle était entrée comme femme de chambre au service de Mme Marais, épouse d'un bourgeois qui s'était enrichi par la finance, jouissait de cinq cent mille livres de rente et occupait une maison cossue près de l'abbaye de Saint-Germain. On dénombrait en l'hôtel des Marais une douzaine de domestiques, sans compter les marmitons, les aides de cuisine et les trois femmes de chambre de Madame, dont Claudine était la plus jeune, la plus inexpérimentée, mais aussi la plus dévouée.

Paris frémissait alors au vent d'une révolte grandissante. Depuis les émeutes du faubourg Saint-Antoine, la ville bouillonnait. Ici on riait, on buvait, on célébrait le parfum d'une liberté promise mais, plus loin, on se battait, on pillait, chaque jour on conduisait la capitale un peu plus vers une inéluctable tempête.

Ainsi, Fauchette aurait préféré, à une heure si tardive, ne point se trouver seule dans les rues sombres de Paris. Seulement Madame, qui savait jouer du désir de lui plaire qu'éprouvait sa diligente femme de chambre, l'avait envoyée en mission secrète, la faisant sortir au cœur de la nuit par la porte de service pour aller récupérer chez un colonel le collier en or émaillé qu'elle y avait oublié. Si Fauchette ne rapportait pas à Madame le bijou avant l'aube, M. Marais risquait de s'étonner de ne pas voir la parure au cou de son épouse lors du déjeuner qu'ils avaient chez le fermier général, et alors l'adultère menaçait d'être mis au jour ; et avec lui peut-être un ou deux antécédents.

La femme de chambre, au si bon cœur, n'avait su porter le moindre jugement à l'encontre de sa maîtresse et s'était empressée de braver les dangers de la nuit pour la prévenir d'une funeste humiliation. Après tout, pensait Fauchette, comment blâmer cette femme, issue d'une noblesse appauvrie, riche d'une syllabe seulement, et qui n'avait épousé un financier que pour assurer à sa descendance une rente salvatrice ? C'était alors chose courante que de voir un riche bourgeois demander la main d'une fille de qualité. Souvent, la jeune épouse obligée se lamentait et s'ennuyait auprès du mari bedonnant, suppliait les portraits de ses ancêtres de fermer les yeux sur cette mésalliance, et allait secrètement chercher du réconfort dans les bras plus virils d'un glorieux homme d'épée.

Ainsi, il fallait voir notre zélée Fauchette remonter, tremblotante, la sombre rue d'Enfer, ses pas claquant sur le pavé, son visage enfoui sous une capuche de feutrine, et longer les murs du couvent des Chartreux en tenant le précieux bijou pressé contre sa poitrine pour le rapporter à Madame.

On trouvait en ce temps dans Paris à peine plus de mille réverbères à huile, qui éclairaient bien mieux que les anciennes lanternes à chandelle de suif, mais ne suffisaient pas à rendre la ville assez lumineuse aux heures où le soleil ne la frappait plus. Or, dans cette rue d'Enfer, les rares réverbères avaient été brisés quelques jours plus tôt par des malfrats, comme ceux-ci le faisaient souvent pour plonger la capitale dans les ténèbres dont leurs méfaits nocturnes avaient besoin. Aussi Fauchette était-elle là, qui marchait, vive et inquiète, dans l'obscure clarté de la lune, quand, soudain, sa course fut interrompue par l'apparition de deux brigands, qui semblaient sortis de nulle part.

Saisie de terreur, la jeune femme ne trouva point le souffle pour crier et ne pensa qu'à une seule chose :

protéger le collier de Madame, qu'elle serra au creux de ses paumes !

L'attrapant par l'épaule d'une main et lui bâillonnant la bouche de l'autre, l'un des deux aigrefins l'obligea à reculer jusque dans une petite allée qui menait au jardin du palais du Luxembourg.

Ce jardin, parsemé jadis de si belles plantations, était désormais en grande partie à l'abandon. La nature, plus rebelle que l'homme encore, y avait repris ses droits et, en dehors des quelques amoureux qui venaient s'enlacer sur la promenade des Soupirs, on ne trouvait là que bandits et malandrins, de ce genre d'hommes auquel, justement, appartenaient les deux agresseurs de notre épeurée Fauchette.

— Qu'est-ce que c'est que tu caches là entre tes mains, mon hirondelle ? fit le premier, en essayant de lui faire ouvrir les doigts.

Fauchette résista si fort et se démena si fougueusement qu'elle finit par tomber à la renverse au milieu des bosquets.

Aussitôt, les deux gredins hilares se jetèrent sur leur proie et la maintinrent au sol, alors que dans leurs yeux brillait une lueur qui ne laissait guère présager la moindre issue heureuse à cette aventure. Pendant que l'un lui agrippait les épaules, l'autre vint se poser à califourchon sur ses fines jambes et, comme Fauchette se débattait, il la gifla, sans se départir d'un libidineux sourire.

La femme de chambre ferma les poings plus fort encore, et dans son esprit s'élabora une atroce résignation : qu'on lui vole sa candeur, s'il le fallait, mais le collier de Madame, elle ne le céderait pour rien au monde, dût-elle en mourir !

— Allez, laisse-toi faire, la soubrette ! Merde alors, mais c'est qu'elle a une belle place d'armes ! s'écria son tortionnaire, qui s'était mis à pétrir des deux mains la généreuse poitrine de Fauchette.

— Parbleu, mais c'est bien vrai, ça, la petite coureuse ! renchérit l'autre en constatant la chose par lui-même. Et sa mouniche ? Tu crois qu'elle est comment, sa mouniche ? Mets-y la main sous la robe pour voir un peu !

— Arrêtez ! Laissez-moi ! supplia la jeune femme, qui bataillait encore, incapable de repousser les assauts de la vile canaille.

Et alors, malgré elle, elle laissa tomber le collier en or émaillé de Madame. L'homme qui dominait la pauvre enfant glissa le bijou dans sa chemise. Loin de se contenter de cette prise substantielle, il était en train d'arracher les chausses de Fauchette, la main glissée sous son jupon quand, soudain, un grognement sourd retentit derrière lui, qui résonna à travers tous les jardins, jusqu'au palais du Luxembourg lui-même.

La lune projeta une ombre menaçante sur l'allée de terre et, en découvrant le visage terrifié de son complice – mais aussi de Fauchette –, l'homme qui était sur le point de dérober à la jeune femme une virginité qu'elle avait jusqu'ici fièrement conservée se retourna pour voir ce qu'il se passait dans son dos. Le spectacle qu'il découvrit lui procura sur-le-champ une frayeur plus immense encore que celle qu'il venait d'inspirer à sa victime.

13

Car c'était bien là une fantasmagorique et épouvantable apparition : dans la pénombre bleutée, une silhouette majestueuse se découpait sur les rayons de l'astre nocturne, portant une longue cape noire dont la capuche ne laissait pas même apparaître la lueur d'un regard. D'une main, telle une statue équestre, ce spectre crépusculaire brandissait un sabre d'infanterie, parcouru d'éclats lumineux. De l'autre, il tenait une laisse. Et, au bout de cette laisse, tendue à s'en rompre : un loup. Un grand loup gris aux yeux flamboyants d'ambre.

L'animal, les babines retroussées et gluantes de bave, montra des crocs acérés à travers lesquels sourdait ce redoutable grondement.

— Qu'est-ce… qu'est-ce…, balbutia le brigand, mais il ne put terminer sa phrase, car sans mot dire le fantôme lâcha sur lui son sauvage animal.

Le loup enragé bondit à la gorge du malandrin avec une monstrueuse férocité, déchirant la chair un peu plus à chaque coup de gueule, dans des gerbes de sang que la nuit faisait paraître noires.

Le deuxième bandit, les yeux écarquillés d'effroi, commença à reculer malhabilement sur les mains, mais il n'avait pas fait un mètre que la lame du sabre s'abattit sur lui et lui trancha la tête.

Combien de temps Fauchette – à qui cette vision d'horreur avait fait fermer les yeux – resta ainsi sans bouger ? Elle-même n'aurait su le dire. Mais quand elle se décida à rouvrir les paupières, le fantôme noir et son loup avaient tous deux disparu.

Oubliant le bijou de Madame, elle s'enfuit sans demander son reste.

Le lendemain, quand la garde de Paris trouva les cadavres, elle découvrit un signe étrange qui avait été gravé sur le front de l'un des deux brigands. Un triangle renversé.

Livre premier

Au district des Cordeliers,
où l'on voit comment
le jeune Gabriel embrassa
sa vocation et perdit sa virginité

1.

Le Paris murmurant

Quand il arriva enfin au milieu des faubourgs qui entouraient la ville après neuf jours d'un harassant périple, en distinguant au loin la multitude des colonnes de fumée qui s'élevaient des cheminées sur la capitale, le jeune Gabriel Joly éprouva un délicieux frisson et détacha les yeux de son livre. Il allait voir Paris !

— Préparez vos octrois ! lança le cocher.

Il tapa sur le toit de la voiture afin que ses passagers fussent prêts à payer la taxe dont il fallait s'acquitter pour passer *le mur murant Paris qui rendait Paris murmurant*[1].

Gabriel chercha les pièces au fond de sa bourse. À tout juste vingt-trois ans, ce fils de la petite bourgeoisie d'Évreux avait déjà vu du pays, lui qui avait quitté sa ville natale pour aller apprendre le métier

---

1. « Le mur murant Paris rend Paris murmurant », alexandrin anonyme repris par Beaumarchais, évoquant l'impopularité de la taxe imposée à l'entrée de la ville en 1785.

d'imprimeur à Cantorbéry, puis étudier la philosophie, l'histoire et la rhétorique chez les Jésuites à Liège. Pourtant, il s'apprêtait à pénétrer pour la première fois dans la ville des Lumières, de Voltaire et des encyclopédistes, et aucune autre cité au monde n'avait jamais tant fait rêver ce jeune homme, passionné de logique et de libre-pensée. Aussi, rien à cet instant n'aurait pu gâcher son plaisir, ni la taxe, ni la douleur et la fatigue que lui avait imprimées son expédition, ni même le souvenir de la colère de son père qui, dans une cinglante missive, lui avait ordonné de rentrer à Évreux pour reprendre l'imprimerie familiale. Gabriel, lui, était animé d'une tout autre ambition. Après ses études, il avait publié chez un libraire liégeois une critique approfondie de *L'Enquête* d'Hérodote, qui avait reçu un succès d'estime, et sa recherche acharnée de la vérité historique avait nourri chez lui une vocation dont plus rien ne pouvait le détourner.

Rentré de Liège par Bruxelles, il y était monté dans un carrosse de poste pour rejoindre Paris. À douze livres la place et neuf de plus pour le port de sa lourde malle, le voyage avait fini d'épuiser ses maigres économies, mais n'était-ce point là le prix à payer pour rallier la ville où il espérait embrasser son destin ?

Sur le trajet, il s'était émerveillé devant les splendeurs qu'offrait le nord du pays : la belle citadelle de Valenciennes, riche de ses manufactures de laine et de dentelle, l'hôtel de ville et les fortifications en brique de Cambrai, au milieu desquelles se mariait étrangement le goût espagnol au goût flamand, la forêt de Compiègne, les paysages aimables de Chantilly et de son château, où jamais l'art n'épousa si savamment la nature et, enfin, l'abbaye du bourg Saint-Denis, dans la plaine duquel notre jeune Joly se trouvait à présent, ses grands yeux d'émeraude scintillant de ravissement.

Pourtant, rien de tout ce qu'il avait vu jusqu'ici n'aurait pu l'emporter sur les splendeurs que la capitale – il en était certain – allait lui offrir.

Le jeune homme serra dans ses mains le roman de Louis-Sébastien Mercier, remarquable succès de ces dernières années, qu'il avait entamé en chemin, malgré les cahots de la voiture, et qui, sous le titre de *L'An 2440, rêve s'il en fut jamais*, narrait l'histoire d'un homme qui se réveillait soudain dans la France du XXVe siècle, une France libérée de toutes ses oppressions et dominée par la raison et ses lumières. Gabriel n'avait jamais rien lu de tel, et il tenait Mercier – dont il avait déjà dévoré les douze tomes du *Tableau de Paris* – pour l'un des plus grands écrivains de son temps. Comment ne pas songer à lui en voyant se dessiner cette ville dont l'auteur avait si finement et si malicieusement dépeint l'âme et les habitants ?

Après avoir traversé les vastes champs maraîchers des villages d'Aubervilliers et de La Chapelle, le carrosse arriva enfin à la barrière Saint-Denis qui, entre ses deux guérites, ouvrait un passage à travers les nouveaux murs des fermiers généraux. Les passagers – des compagnons de route auxquels Gabriel, tout absorbé par son livre ou par le paysage, avait à peine parlé – payèrent l'octroi au commis, non sans manifester leur mécontentement. Cette frontière passée, on était dans Paris. Gabriel découvrit enfin le cœur de la ville dense et folle, orgueilleuse et opulente, pareillement splendide et miséreuse, sale et lumineuse, dont il attendait tant.

En cette fin d'après-midi, l'agglomération grouillait de ses habitants comme de ses visiteurs. De part et d'autre de la rue Saint-Denis, alors que d'imprudents piétons se croisaient dans le ballet frénétique des voitures, des cabriolets, des fiacres, des vinaigrettes et des chevaux, il vit se succéder les demeures en pierre blanche des notables, quelques luxueux hôtels particuliers et, par les ruelles adjacentes, de plus sobres maisons à colombages, étroites mais d'une très grande élévation, engoncées les unes contre les autres comme si chacune avait peiné à y trouver sa place, et dont les rez-de-chaussée étaient garnis d'échoppes à vantaux où se pressait une foule bruyante et colorée, sous une forêt d'enseignes, d'écussons et d'emblèmes. Le manque de travail poussait à la rue une population de plus en plus nombreuse, que la solidarité seule séparait parfois de la mendicité.

Jamais Gabriel n'avait vu pareil tumulte. La capitale comptait plus de six cent mille habitants, ce qui en faisait, après Londres, la plus grande de toute l'Europe ! Elle retentissait d'un vacarme sensationnel où – derrière le bruit des roues du carrosse sur les pavés – se mêlaient les cris des marchands et de leurs clients, ici et là dans certains patois des quatre coins de France, les claquements de pas pressés des porteurs d'eau, les mugissements mélancoliques et les tintements de sabots des troupeaux de bêtes qui étaient conduits chez les équarrisseurs de la rue du Roi-de-Sicile, le tapage infernal qui s'échappait des tavernes, des boutiques, des ateliers où apprentis et compagnons s'acharnaient à l'ouvrage, et tout ce chahut résonnait comme une chorale aux harmonies sibyllines entre les hauts murs de cette cité tout en verticalité.

Malgré le manque de pain, on cuisinait encore beaucoup dans les rues de Paris, et si certains mouraient de faim, les plus fortunés pouvaient toujours y trouver pitance. L'effluve des viandes crues et le fumet des viandes cuites se mélangeaient au parfum du suif à bougies, des fruits et des huiles, des liqueurs, aux fragrances du poivre, de la cannelle et du gingembre, aux aromates exotiques des herbes rares qui s'étalaient sur les tables des épiciers, aux exhalaisons du métal que l'on frappait, de la pierre que l'on taillait... À chaque tour de roue, le jeune homme avait l'impression que la ville, dévorante et jalouse, voulait solliciter à elle seule tous ses sens, et il s'y abandonna avec délectation.

Soudain, un relent nauséabond envahit la voiture et Gabriel vit ses compagnons de voyage se couvrir le nez avec leur mouchoir.

— Quelle horreur ! s'exclama l'un d'eux. Paris n'est décidément plus qu'un immense tas d'ordures !

— L'odeur est si forte qu'elle me fait pleurer ! pesta un autre.

Le jeune Joly, à l'inverse, se pencha vers la fenêtre pour humer l'air avec curiosité.

— Par quelque bizarrerie, il se trouve qu'une branche du nerf optique entre dans le nez, juste à côté du nerf olfactoire, ce qui explique que l'on pleure quand on y a reçu de fortes odeurs, affirma-t-il doctement tout en continuant de respirer les effluves du dehors. Il se dégage de chaque objet des milliers de particules odorantes invisibles, qui lui confèrent sa signature propre, et il est sage d'éduquer notre nez non seulement à en connaître un grand nombre, mais à savoir les distinguer.

— Seriez-vous médecin ? demanda son voisin en le dévisageant.

— Pas du tout ! Je suis curieux, tout au plus ! Ainsi, je puis vous dire que nous venons d'entrer dans le quartier des halles, puisque dans cet assemblage complexe se démarquent clairement l'odeur iodée des poissons – qui arrivent chaque nuit à la halle de la marée – et le parfum de viandes mortes, non pas celui qui s'exhale de l'étal d'un boucher, mais des peaux nouvellement tannées à la halle aux cuirs.

Gabriel sembla ne pas se rendre compte du regard effaré de ses voisins et continua son analyse, persuadé de les passionner.

— Remarquez justement, maintenant, cette seconde odeur de viande qui prend le dessus. Ah ! il reste à celle-ci la senteur métallique du sang ! Cette fois, nous arrivons bien chez les bouchers !

Le carrosse venait d'entrer dans le quartier de Saint-Jacques-de-la-Boucherie, qui portait bien son nom, et où était enterré l'alchimiste Nicolas Flamel, ce qui laissait toujours les nouveaux arrivants rêver à d'insignes fortunes…

Poussant un soupir de contentement, Gabriel leva les yeux vers le Grand Châtelet, siège de la prévôté de Paris, où cohabitaient les magistrats, le lieutenant général de police et les détenus d'une prison trop bien remplie. L'ancienne forteresse s'ouvrait sur le Pont-au-Change et semblait garder encore hardiment l'île de la Cité. Les chevaux de poste, toutefois, tournèrent bien avant le guet, autour de la place du Marché-des-Innocents.

Quand l'équipage s'arrêta enfin dans la rue des Fossés-Saint-Germain-l'Auxerrois, au pied du bruyant relais de la poste aux chevaux de Paris où se croisaient chaque jour tous les grands voyageurs, le jeune homme regretta que sa première visite de la capitale fût déjà terminée. En descendant du carrosse, il épousseta son bel habit à la française, culotte aux genoux, bas de soie, gilet fin et escarpins à boucle et, le corps engourdi, il se consola vite en songeant à ce qui l'attendait.

À cent pas de là, rue Plâtrière, il allait retrouver son oncle dans le bureau du *Journal de Paris*. Car si Gabriel était descendu à la capitale, c'était, n'en déplaise à son père, pour accomplir son rêve le plus ardent ; il voulait devenir journaliste.

— Voici deux porteurs pour votre malle, monsieur !

— Un seul ne suffirait pas ? grimaça Gabriel, pour qui chaque sou était compté.

— C'est qu'il est lourd, votre coffre ! Et, par les temps qui courent, mieux vaut que vos affaires soient bien protégées. Les rues de Paris ne sont plus sûres !

— Je n'ai que votre parole pour vous croire, répliqua le jeune Joly, et l'incrédulité est le premier pas vers la vérité mais, dans le doute, n'ayant point les moyens de savoir sur l'instant où se trouvent les limites du certain, du probable et du douteux, je prendrais plus de risques en ne vous croyant pas qu'en vous croyant…

— Hein ?

— Va pour deux porteurs ! conclut Gabriel en tendant de mauvais gré une seconde pièce.

2.

Par ordre ou par tête ?

En voyant entrer le roi Louis XVI et ses ministres dans leurs plus cérémonieux apparats, Anne-Josèphe Terwagne, perchée à la tribune numéro six de la salle commune de l'hôtel des Menus-Plaisirs, à quelques rues du château de Versailles, ne put ignorer le soupir à peine voilé que poussa une partie de l'assemblée : Sa Majesté s'était fait si longuement attendre ! Était-ce de la part du roi le signe d'un profond dédain ou celui d'une vive inquiétude ? Chacun l'interprétait à sa manière, mais Mlle Terwagne penchait pour la première explication.

Approchant la trentaine, cette femme n'avait rien perdu des charmes de son adolescence : douce et fine, riche d'une voluptueuse chevelure brune, elle avait au milieu de son charmant visage l'un de ces petits nez retroussés qui peuvent changer la face des empires, et ses grands yeux bleus brûlaient d'une passion ardente que nul à Paris ne pouvait encore comprendre, car elle venait seulement d'y arriver.

Il faudrait un livre entier pour raconter en détail ce que cette femme singulière avait déjà vécu avant de rejoindre la France. Fille de laboureur, elle avait grandi à Liège – dans la ville où Gabriel Joly, justement, avait étudié. À la mort de sa mère, alors qu'elle n'avait que cinq ans, la petite Anne-Josèphe avait été placée dans un horrible couvent, avant de devenir servante chez un bourgeois malfaisant. À dix-sept ans, toutefois, sa nature étonnante lui valut d'être remarquée par une riche Anglaise installée à Anvers, qui la sauva des griffes de la fatalité pour en faire sa dame de compagnie. Lors, par l'un de ces cadeaux que la vie n'offre que trop rarement aux petites gens, cette généreuse femme lui permit de connaître un destin formidable. Auprès de sa bienfaitrice, Anne-Josèphe Terwagne apprit à lire et à écrire, étudia les bonnes manières, s'éveilla à la musique et aux arts, puis épousa bientôt la cause des femmes, aspirant à leur légitime liberté. Alors commença pour elle une série d'aventures qui la conduisit d'abord à Londres, auprès d'un officier, puis en Italie auprès d'autres hommes encore, jusqu'à s'essayer à une courte carrière de cantatrice à Naples. De belles fortunes en mésaventures, d'amants éperdus en prétendants indélicats, elle connut la gloire et la misère, le faste et les maladies honteuses, jusqu'à ce qu'enfin, en ce printemps 1789, ayant eu écho du vent de liberté qui commençait à souffler sur Paris, elle se décidât à tout quitter pour venir partager le rêve et les audaces d'un peuple qui, comme elle, avait envie d'une chance nouvelle.

Aussi, en ce jour du 5 mai 1789, Mlle Terwagne n'aurait raté pour rien au monde, dans la tribune réservée aux simples spectateurs, l'ouverture des états généraux. Son cœur battait d'espoir.

À travers le dôme, la lumière d'un soleil radieux illuminait l'immense salle des Menus-Plaisirs. Face aux tribunes, le roi s'installa d'un pas solennel sur le trône que l'on avait disposé sur une estrade couverte de tentures somptueuses. Son épouse, Marie-Antoinette, prit place à sa droite, mais resta debout, puis à sa gauche le frère de Louis, comte de Provence, qu'on appelait Monsieur, et derrière eux, enfin, les ministres.

Quand Louis XVI, vêtu du manteau royal, souleva brièvement son chapeau à plumes rutilant de diamants pour saluer la foule, il n'échappa guère à ceux des députés qui étaient le plus près que sa main tremblait. Quant à la reine, dont la peau avait toujours été diaphane, elle était plus pâle encore qu'à l'accoutumée.

— Messieurs, ce jour que mon cœur attendait depuis longtemps est enfin arrivé, commença le roi d'une voix mal assurée, et je me vois entouré des représentants de la nation à laquelle je me fais gloire de commander.

Depuis plus de dix ans, la France traversait l'une des plus terribles crises de son histoire, lourdement endettée par les dépenses que lui avait coûté son soutien aux insurgés américains. Étouffé déjà par le despotisme de la monarchie absolue, écrasé par l'impôt, le petit peuple devait maintenant faire face à une misère plus grande encore : la disette. Aucun des ministres que Louis XVI avait appelés successivement à son secours n'était parvenu à sortir le pays de l'impasse dans laquelle il s'était engouffré. Ainsi, en dernier recours, voyant monter la colère de son peuple affamé, le roi s'était résolu à convoquer lesdits états généraux, à savoir une assemblée extraordinaire de représentants des trois ordres : la noblesse, le clergé et le tiers état. Ensemble, ces élus allaient devoir s'entendre pour remédier à la grave crise financière.

C'était précisément ce qui avait amené Mlle Terwagne à Paris : quelque chose d'exceptionnel, à l'évidence, allait se passer au royaume de France, et elle voulait en être !

— Un long intervalle s'est écoulé depuis la dernière tenue des états généraux, continua le roi, et, quoique la convocation de ces assemblées parût être tombée en désuétude, je n'ai pas hésité à rétablir un usage dont le royaume peut tirer une nouvelle source de bonheur.

Alors que Louis XVI tentait d'insuffler un vent d'optimisme dans les débats à venir, la question qui hantait les esprits de toutes les parties en présence, y compris celui de la belle Terwagne, était la même : laisserait-on ces états généraux voter par ordre, ou par tête ?

La coutume, en effet, voulait que chacune des trois coteries possédât une seule voix ; or, comme la noblesse et le clergé étaient presque toujours d'accord pour défendre leurs privilèges, le tiers état – qui représentait pourtant plus de quatre-vingt-dix pour cent du pays – n'avait pour ainsi dire aucun poids.

Tout en écoutant Louis XVI, Terwagne parcourut du regard la foule des élus. Sur le parterre, entre les hautes colonnes ioniques, on avait placé les députés de la noblesse d'un côté, ceux du clergé de l'autre et, parqués au fond de la salle, ceux du tiers état. Anne-Josèphe ne put s'empêcher d'observer, parmi les mille deux cents hommes réunis, les trois dont la présence était le plus remarquable.

Le premier était l'abbé Sieyès qui, bien que membre du clergé, s'était fièrement fait élire au tiers état. Anne-Josèphe nourrissait déjà pour cet homme une profonde admiration, certaine qu'il était de ces caractères courageux qui, bientôt, allaient entraîner le pays vers de nouveaux horizons. La quarantaine passée, ce tumultueux et brillant serviteur de l'Église s'était fait connaître du plus grand nombre par son pamphlet *Qu'est-ce que le tiers état ?* La brochure s'était vendue à plus de trente mille exemplaires. Sieyès y avait pris fait et cause pour le peuple dans une introduction hardie : « Qu'est-ce que le tiers état ? Tout. Qu'a-t-il été jusqu'à présent dans l'ordre politique ? Rien. Que demande-t-il ? À y devenir quelque chose. » Si cette saillie audacieuse avait fort contrarié les ordres du clergé et de la noblesse, elle avait offert à son auteur les sympathies des plus simples gens, et la place qu'il occupait ce jour-là tout au fond de la salle était riche de symboles.

Le deuxième, non loin de lui, était le comte Honoré-Gabriel Riqueti, qu'on appelait simplement Mirabeau. Destiné par son sang à siéger parmi les nobles, il avait lui aussi été élu au tiers état, mais Terwagne soupçonnait qu'il s'agissait là d'un choix par défaut plus que d'une revendication : son passé sulfureux avait sans doute dissuadé ses pairs de l'élire au rang des gens d'épée. Grand, corpulent et – il faut bien le dire – fort laid, ce comte à la tête démesurément large et à la peau dévorée par la petite vérole était célèbre pour ses lourdes dettes comme pour son libertinage. Il avait échappé de peu à la peine de mort, séjourné trois ans à la prison de Vincennes, fui le pays plusieurs fois pour se soustraire à ses créanciers, et publié lui aussi quelques pamphlets séditieux. Grandiose mais excessif, brillant mais rancunier envers son propre milieu, ce n'était pas, en somme, un homme que son rang obligeât. Il n'en restait pas moins qu'un noble assis sur les bancs du petit peuple faisait tourner bien des regards.

Le troisième, enfin, était le duc d'Orléans, cousin de Louis XVI. S'il siégeait bien, lui, parmi les députés de la noblesse, la chose n'en était pas moins étonnante, car se faire élire aux états généraux n'était pas une démarche ordinaire pour un premier prince du sang, et c'était, à l'évidence, un affront de plus fait au roi, dont nul n'ignorait qu'il était l'un des plus farouches adversaires. Louis-Philippe d'Orléans, grand maître de toutes les loges de francs-maçons du pays et propriétaire du très populaire Palais-Royal, jouissait d'une aura considérable, qui faisait trembler la Cour.

Une chose était sûre : il régnait en cette salle une atmosphère particulière, et Terwagne se félicita de figurer parmi les spectateurs d'un moment si unique.

Louis XVI, fort mal à l'aise, céda la parole au ministre Necker, qui rendit compte de l'état catastrophique des finances du royaume. Quand son soporifique discours toucha à son terme, à l'image du roi lui-même, il s'était bien gardé de répondre à la question que tout le monde se posait : allait-on donc voter par ordre, ou par tête ?

Aussi, quand le roi s'en alla et qu'on demanda aux trois groupes de se retirer chacun dans une salle différente pour délibérer séparément à huis clos, un murmure d'indignation parcourut les rangs du tiers état, car c'était, sans le dire, une façon de signifier que la coutume inéquitable du vote par ordre était maintenue. Le clergé et la noblesse s'éclipsèrent en silence.

Mlle Terwagne songea qu'en manquant, faute de courage, son rendez-vous avec l'histoire, le roi de France venait de commettre une terrible erreur.

3.

Au bureau du journal

— Mon cher neveu ! Je me souviens de vous enfant, et vous voilà devenu un homme !

Quand Antoine-Alexis Cadet de Vaux vint l'accueillir avec un large sourire à l'entrée du bureau du *Journal de Paris*, Gabriel se garda de dire à son oncle qu'il ne se rappelait pas, lui, l'avoir jamais vu. Il connaissait néanmoins la réputation du frère de sa mère qui, du haut de ses quarante-six ans, avait accompli de belles choses.

C'était un homme élégant, au regard brillant, et qui semblait toujours sourire. Après s'être enrichi en ouvrant une pharmacie rue Saint-Antoine, Cadet de Vaux avait fait fructifier sa fortune en fondant le *Journal de Paris*, premier quotidien de l'histoire de France, qui avait rencontré dès ses débuts un succès colossal. Ce chimiste philanthrope, tout en continuant d'administrer le journal, avait été promu commissaire général des voiries et inspecteur des objets de salubrité de Paris, et à ce titre il avait œuvré pour l'amélioration de l'hygiène dans la capitale, dirigeant l'assainissement des fosses d'aisances, des prisons et des hôpitaux.

— Vous me faites tellement penser à ma sœur, votre regrettée mère, continua Cadet de Vaux en serrant les épaules du jeune homme. Vous avez hérité de ses grands yeux verts et de ses beaux cheveux roux !

Tout autour, le bouillonnement du bureau laissait entrevoir l'ampleur que le *Journal de Paris* avait prise en un peu plus de dix ans. C'était sans conteste l'une des plus importantes affaires de presse de toute l'Europe.

— Tous vos bagages sont là ? demanda le chimiste en désignant la malle que les porteurs avaient montée sur le palier.

— Oui, tout est là, mon oncle, répondit Gabriel.

— Mais… c'est un livre de Mercier ! s'exclama Cadet de Vaux en apercevant l'ouvrage que son neveu tenait entre ses mains.

— Vous l'avez lu ?

— Si je l'ai lu ? Louis-Sébastien est mon frère ! Et il collabore parfois au journal…

— Votre frère ? répéta Gabriel, perplexe.

— C'est une expression ! Rassurez-vous, vous n'avez pas d'oncle caché ! Disons que nous nous reconnaissons comme tels. Mercier est membre, comme moi, de la respectable loge des Neuf Sœurs, voilà tout.

— Vous êtes franc-maçon ? s'étonna le jeune Joly. Comme Voltaire, Mozart et Mirabeau ?

— Mirabeau ? Certainement pas ! Mozart, oui ! Quant à Voltaire, nous l'avons initié à nos mystères, c'est vrai, mais quelques semaines avant sa mort…

Ce n'était pas ce qu'on peut appeler un maçon très actif ! Ah, mon pauvre neveu ! Ne croyez pas tout ce que l'on dit de la maçonnerie. Il y a bien moins de maçons que certains veulent le croire, et il y en a bien plus que je ne le voudrais. Mais ce n'est pas pour parler de ces choses-là que vous êtes venu, n'est-ce pas ? J'ai reçu hier matin un message de votre père. Je ne vous cache pas que j'ai déjà lu des lettres de recommandation plus engageantes ! Mon pauvre beau-frère me supplie de vous renvoyer auprès de lui pour travailler dans l'imprimerie familiale.

— J'ai étudié bien d'autres choses après avoir appris le métier d'imprimeur à Cantorbéry, mon oncle. Je viens même de publier un ouvrage sur Hérodote que je vous ai apporté, et je ne compte pas m'arrêter là. Imprimeur est certes un métier noble et passionnant, mais ce n'est pas la carrière que j'ai envie d'épouser, et…

— Et il faut suivre ses envies, mon neveu ! Vous avez raison, et vous avez bien fait de venir me voir !

Gabriel poussa un soupir de soulagement. Il avait craint, un instant, que son parent ne veuille le renvoyer sur-le-champ à Évreux, auprès d'un père que, pour d'intimes raisons, il n'avait plus jamais envie de voir.

— Allons, venez avec moi, je vais vous présenter à notre directeur.

Passant au milieu de la demi-douzaine d'employés qui s'affairait dans le bureau, il suivit son oncle jusqu'à l'office de Jean-Michel Xhrouet, que les propriétaires du journal avaient nommé directeur trois ans plus tôt.

— Voici mon neveu, dont je vous parlais hier ! annonça Cadet de Vaux en tenant Gabriel par l'épaule.

Le directeur releva la tête et ne sembla faire aucun effort pour cacher qu'on le dérangeait en plein travail.

— Bonjour, monsieur, fit Joly en inclinant le front.

Xhrouet ôta le binocle qui lui pinçait le nez, posa sa plume et poussa un soupir.

— Votre oncle me dit que vous avez appris le métier d'imprimeur en Angleterre ?

— Je suis resté un an chez Simmons & Kirkby, qui fabriquent à Cantorbéry la *Kentish Gazette*, mais…

— Notre journal compte déjà trois commis et trois garçons de bureau, deux gens de peine, trois compositeurs, trois apprentis et un prote[1]…

— Cela tombe bien car, voyez-vous, après mon apprentissage de l'imprimerie, je suis allé étudier la philosophie, l'histoire et la rhétorique chez les Jésuites, à Liège, et je viens de publier…

— Je crois que mon neveu, intervint Cadet de Vaux, aimerait mieux travailler à la rédaction du journal.

— Pardon ? s'exclama Xhrouet, offusqué.

— En effet, confirma le jeune homme. Je me destine plutôt à l'écriture…

— Dans notre journal ? Mais vous n'y pensez pas ! Quel âge avez-vous ?

— J'ai vingt-trois ans[2].

---

1. Le prote exerçait le métier de contremaître dans l'imprimerie : il dirigeait le travail des compositeurs et des apprentis imprimeurs.

2. Contrairement à ce que l'on croit souvent, la majorité civile en France – âge auquel un individu est considéré juridiquement comme responsable et pouvant exercer ses droits sans l'aval de parents ou de tuteurs – était, jusqu'en 1792, fixée à vingt-cinq ans. Elle passa à vingt et un ans en 1792.

— Vingt-trois ans ! La belle affaire ! Vous ignorez peut-être qui sont les rédacteurs du *Journal de Paris*, jeune homme ! Il y a d'abord nos propriétaires, dont votre cher oncle ici présent, qui se charge des sciences, M. de Romilly qui s'occupe de la météorologie, et M. de Corancez de la littérature. Nous avons notre rédacteur salarié, M. Sautreau de Marsy, et d'autres hommes illustres qui nous envoient régulièrement leurs savantes contributions. Pensez-vous pouvoir figurer auprès de Louis-Sébastien Mercier, du marquis de Condorcet ou de l'astronome Lalande ?

— Ce serait un honneur, répondit Gabriel, comme s'il n'avait pas compris.

— Allons, allons, Jean-Michel ! glissa Cadet de Vaux d'un ton paternaliste. Nous n'avons plus personne pour s'occuper des spectacles, depuis que Dussieux a quitté le *Journal*. C'est une rubrique importante, mais qui ne nécessite point que l'on soit un homme illustre ; seulement méticuleux. Et, puisqu'il a étudié chez les Jésuites, je suis certain que mon neveu est un garçon minutieux et méthodique. Ne devriez-vous pas donner leur chance à de jeunes esprits ?

Si autoritaire qu'il fût, le directeur pouvait difficile-ment refuser un service au propriétaire du journal qui l'avait embauché…

— L'idée ne m'enchante guère, maugréa-t-il.

— Laissons-lui au moins une chance, insista Cadet de Vaux.

Xhrouet secoua la tête puis remit son binocle sur son nez.

— Je vais voir ce qu'il est possible de faire. Revenez ici demain matin à onze heures, jeune homme.

4.

Le balafré

Il ne faisait aucun doute, à la manière dont étaient cachés leurs visages, que les deux hommes qui se présentèrent ce soir-là devant le gouverneur de la prison de la Bastille ne voulaient pas être reconnus. Les soldats et employés du fort eux-mêmes ne furent point mis dans la confidence, et un voile mystérieux demeura sur cette scène peu ordinaire qui se jouait en plein cœur de Paris.

Le jour commençait à tomber et les boutiques du passage venaient de fermer leurs vantaux quand ces deux silhouettes nébuleuses pénétrèrent dans la cour du Gouvernement en longeant les murs d'un pas furtif, sous l'ombre menaçante du fort. La tête enfoncée dans les épaules et enfouie sous leurs larges capuches, on eût dit deux religieux traversant en silence le cloître de leur monastère pour se rendre aux vêpres.

Le premier leva le bras et sa main apparut de sous la cape pour frapper deux coups secs contre la vitre.

Le marquis de Launay, qui les avait attendus tout le jour, sortit prestement, leur adressa un regard entendu, puis conduisit discrètement et sans escorte les deux anonymes à travers la première cour de la Bastille, vers la terrasse arborée qui surplombait le jardin de l'Arsenal. Derrière un bosquet de chênes, il leur indiqua l'entrée d'un souterrain connu des seuls gouverneurs successifs de la prison. L'un des bras de ce tunnel secret conduisait directement à l'intérieur du fort, dans le dépôt des archives, entre deux des huit tours de l'édifice : celles de la Bazinière et de la Bertaudière.

À l'abri du regard de ses propres hommes, le gouverneur de Launay accompagna donc ses visiteurs sous terre puis, après avoir marché le long d'un couloir humide à la lumière d'une torche, ils sortirent par la Bazinière.

Avant de traverser la cour, le gouverneur leur fit signe d'attendre, s'assura que les soldats invalides postés en haut des murs ne regardaient pas vers l'intérieur, puis il invita les deux hommes à le suivre en vitesse et ils gagnèrent la tour de la Bertaudière, dans les étages de laquelle ils montèrent d'un pas rapide, se soustrayant vite à d'éventuels regards.

Quand ils arrivèrent au troisième étage devant une cellule vide, le plus grand des deux visiteurs tendit au marquis une bourse bien remplie, puis le second, qui portait sur la joue gauche une vilaine cicatrice, entra de lui-même dans le cachot, où il se laissa enfermer de son propre gré.

— Bon courage, mon ami. Vous savez ce que vous avez à faire.

Le balafré acquiesça et partit s'asseoir au fond de la cellule, où il savait qu'il allait rester longtemps emmuré, tel un authentique prisonnier.

5.

À la table de Voltaire

Gabriel s'empressa de vider sa malle dans la commode de la petite chambre, au dernier étage de cette maison de la rue Haute-Feuille où son oncle lui avait prêté un logement sous les toits. Quand il eut terminé, il s'avança vers la fenêtre.

Paris… Enfin, il vivait à Paris ! Ici étaient les lettres, la politique et la révolte, la science et le savoir, ici était l'Histoire ! De là où il se tenait, il put apercevoir les hauteurs du célèbre couvent des Cordeliers, ainsi nommé d'après le sobriquet que l'on donnait aux moines franciscains, dont la ceinture était une simple corde. Se hissant sur la pointe des pieds, il distingua le cloître de trois étages, la sacristie et l'église effilée, sans transept, l'une des plus grandes de la capitale. Dans les ruelles qui entouraient le couvent régnait encore, en cette fin d'après-midi, une belle agitation, et il ne fallut guère longtemps au jeune homme pour qu'il se décidât à descendre découvrir son nouvel environnement.

Ce n'était sans doute pas un hasard si le bon Cadet de Vaux – qui habitait, lui, hors de Paris, un château du village de Franconville – avait décidé de loger son neveu dans cette maison au cœur du district[1] des Cordeliers. À quelques pas du jardin du Luxembourg et du Théâtre-Français, c'était là le quartier du collège de Sorbonne, et donc des hommes de lettres, des étudiants, des libraires, des journalistes et des imprimeurs. En somme, Gabriel n'aurait pu se sentir nulle part plus à sa place et, en s'y promenant, il mesura son immense privilège.

Remontant la rue des Cordeliers, sa chevelure rousse battue par le vent, il se laissa griser par le tumulte de la ville. Il passa le long des échoppes parfumées des épiciers et des droguistes, s'arrêta devant les vitrines des libraires, garnies de volumes admirables, se faufila entre des enfants qui sortaient d'une leçon de dessin en criant, et dut s'écarter du chemin d'un groupe de garçons perruquiers qui s'en revenaient de l'école de chirurgie où, par quelque étrangeté, on les autorisait à opérer, sous le prétexte qu'ils savaient manier le rasoir ! Comme près d'un tiers des Parisiens s'enorgueillissaient de porter des perruques faites de crin et de cheveux de pauvres femmes mortes, que l'on couvrait ridiculement de poudre et d'essences, les coiffeurs, friseurs et barbiers pullulaient dans la ville, et l'on disait en persiflant qu'il n'y avait guère que les rats pour être

---

1. En avril 1789, dans le cadre des élections pour les états généraux, la ville de Paris avait été divisée en soixante districts. Le district des Cordeliers, rattaché au quartier du Luxembourg, englobait une grande partie de l'actuel quartier Saint-André-des-Arts.

plus nombreux. Pour se moquer davantage encore, on les surnommait « merlans », parce que, à l'image de ces poissons enfarinés, les perruquiers étaient couverts de poudre de la tête jusqu'aux pieds, si bien qu'on se retrouvait enveloppé soi-même de particules blanches quand, par malheur, on les croisait d'un peu trop près.

Traversant la rue des Cordeliers, Gabriel pesta en marchant par mégarde dans la fange infâme qui coulait au milieu de la chaussée, ici comme dans toute la ville. Les rues étaient partout le réceptacle de toutes sortes de déchets. Paris était si sale que le service des Boues & Lanternes devait régulièrement charrier hors les murs des tonnes d'une boue puante, qui laissait sur les vêtements de si fortes taches qu'elle avait donné naissance à une expression : « tenir comme boue de Paris ». Les habitants des maisons qui ne disposaient pas de fosses d'aisances jetaient sans vergogne leurs immondices par les fenêtres, sans toujours s'assurer qu'aucun passant ne risquait de les recevoir sur le crâne. Chaque jour, les ordures se renouvelaient dans un cycle éternel, et Gabriel était en train de frotter ses bottes sur le pavé pour les décrotter quand un fiacre qu'il n'avait pas entendu arriver manqua de l'écraser.

Le jeune homme fit un bond de côté et regarda, outré, la voiture qui filait sans avoir même ralenti. Quand il eut passé la rue du Paon, encore un peu fâché, il se lava les mains à la fontaine Saint-Germain avant de reprendre sa promenade, plus prudemment cette fois.

Dans les yeux des enfants, dans les mains des mendiants, Gabriel vit la misère qui, depuis des années, ne cessait de croître dans la capitale ; pourtant, il y avait partout une atmosphère sinon joyeuse au moins vigoureuse, comme si les Parisiens, à défaut de pain, se nourrissaient de leur propre hardiesse.

Il entendit deux femmes qui chantaient.

Ces grands états généraux
F'ront-ils du brouet d'andouille ?
Ces messieurs s'ront-ils si sots
Que d's'en r'tourner chez eux bredouilles...
C'n'est pas dans les plus petites gens
Qu'est la plus grande canaille,
C'est dans ces chiens d'Parlement,
Dans c'te noblesse et c'te mitraille...

C'est alors qu'il arriva à l'entrée de la cour du Commerce-Saint-André, un long rectangle effilé, comme la nef d'une cathédrale à ciel ouvert, une clairière au cœur de la forêt, bordée de boutiques et de maisons étroites. À l'évidence, le centre névralgique du district des Cordeliers, et plus précisément du quartier Saint-André-des-Arcs[1].

Gabriel progressa à petits pas dans cette cour pittoresque, se faufilant, invisible, au milieu d'une foule agitée. Au-dessus des boutiques s'alignaient les enseignes des commerçants, et il était incroyable qu'une seule cour pût en compter autant : il y avait là le libraire Duplain, l'éditeur et marchand de musique

---

1. Saint-André-des-Arts était ainsi orthographié au XVIIIᵉ siècle, non pas parce qu'on y aurait vendu des arcs, comme certains l'ont affirmé, mais simplement par déformation de son ancienne appellation, Saint-André-de-Laas, « Laas » ayant été jadis le nom du territoire sur lequel ces rues furent bâties.

Lawalle-Lecuyer, le tailleur Durieux, le corroyeur[1] Bodet, le menuisier Clairin, le facteur d'instruments de musique Tournatory, le fabricant de bougies Bourjot, le graveur Decaché, le sculpteur Meunier, un chirurgien, du nom de Château, dont la pancarte affirmait qu'il était expert pour couper les cors, durillons et ongles qui entraient dans les chairs, un imprimeur, Chevet, et trois avocats, Boudeau, Paré et un certain d'Anton…

Au centre de la cour, on apercevait les vestiges d'une tour de l'ancienne enceinte de Philippe Auguste, qui rappelait combien Paris s'était agrandie au cours des siècles. Arrivé au milieu de cet atrium, Gabriel sentit son cœur battre en apercevant la façade boisée du café Procope.

Cet établissement était assurément l'un des plus célèbres de Paris, d'Europe même. Jusque très récemment, la proximité du théâtre de la Comédie-Française lui avait permis de prospérer. On venait y boire un moka avant le spectacle, et on revenait y disserter à son issue. Petit à petit, le Procope était devenu le point de ralliement favori de toute la république des Lettres : s'y réunissaient l'écrivain, le poète, le philosophe et le moraliste, qui aimaient venir entretenir leur esprit dans ce tribunal où l'on jugeait librement les œuvres et les pensées de son temps. On put y croiser tant Molière que La Fontaine, Beaumarchais que Rousseau ou Voltaire, et ce fut sous les lustres de son salon que Diderot et d'Alembert conçurent ensemble le projet de l'*Encyclopédie*. Il s'était réuni ici tant de

---

1. Ouvrier qui « corroie » les cuirs, c'est-à-dire les assouplit et les apprête après qu'ils ont été tannés.

littérateurs qu'on disait du Procope qu'il était une succursale de l'Académie, quoique bien plus ouverte aux libres-penseurs, en un temps où la censure supprimait sans recours tant d'écrits déclarés dangereux !

Gabriel sourit. Combien de fois, lors de ses études à Liège, s'était-il rêvé là, discutant d'art et de philosophie avec une clientèle éclairée ?

Le Procope était ainsi fait qu'on y pouvait accéder par l'une ou l'autre de ses deux façades, par la cour du Commerce ou par la rue des Fossés-Saint-Germain, mais les connaisseurs préféraient son côté cour, plus intime, cédant volontiers l'autre entrée aux promeneurs attirés par la réputation des lieux… Quand Gabriel arriva à la hauteur du café, il assista, stupéfait, au spectacle autour duquel une petite foule s'était assemblée : Zoppi, l'extravagant entrepreneur italien qui avait racheté le Procope quelques années plus tôt, avait allumé un feu juste devant la porte à l'arrière de sa boutique et y jetait des feuilles imprimées en haranguant les badauds.

— Et la deuxième page de la *Gazette de France*, le journal des rois et des puissants, où ces pisseurs d'encre qui pourlèchent le derrière du grand cornard de Versailles et de sa Madame Déficit nous barbent avec leurs fausses nouvelles venues de Francfort ou de je ne sais quel trou du cul d'un âne ! hurla Zoppi en brandissant la feuille devant son public amusé. Quel sort dois-je lui réserver ?

— Au feu ! crièrent-ils tous en chœur.

Le patron du Procope jeta gaiement la feuille du journal dans les flammes. Puis il en exhiba une autre.

— Et cette page-là, où je lis que Monsieur le grand serrurier[1] admet nos pauvres élus à « l'honneur de lui être présentés », sous les courbettes cabotines du braillard marquis de Brézé, grand maître des cérémonies de France et de mes deux triquebilles ? Que dois-je faire de cette page-là, mes amis ? Mérite-t-elle qu'on l'épargne ?

— Non ! Au feu ! Au feu !

De nouveau, le jovial cabaretier jeta un feuillet dans les flammes, et on l'applaudit de plus belle.

Ce n'était certes pas une scène à laquelle il s'était attendu devant un café si prestigieux, mais Gabriel dut admettre que le rituel avait quelque drôlerie, et sans doute la *Gazette de France*, si lâchement inféodée au pouvoir royal, ne méritait-elle pas beaucoup mieux. Cette vieille feuille, en tout cas, ne rendait point honneur à l'idée que le jeune homme se faisait du journalisme, et il se surprit à applaudir avec les autres en voyant l'inénarrable Zoppi brûler une dernière page.

— Allons, à présent qu'il ne reste plus sur la table de Voltaire que de la bonne littérature, rentrons ! J'offre une liqueur d'anis à tous les bons patriotes !

Gabriel regarda la troupe s'engouffrer gaiement derrière le propriétaire pyromane, jusque dans la grande salle du Procope. Alors qu'il s'apprêtait à les suivre, il fut durement bousculé par un garçon, qui ne devait pas avoir douze ans, et qui était sorti du café en courant comme un diable. Manquant de perdre l'équilibre, Joly

---

1. Surnom donné par le peuple à Louis XVI, à cause de son amour pour la serrurerie…

se rattrapa de peu au mur de l'établissement et regarda, stupéfait, le gamin qui filait dans la cour.

— Arrêtez-le ! Arrêtez-le ! cria un bourgeois perruqué et bedonnant qui venait d'apparaître à la porte du Procope.

Plus loin, le sieur Bourjot, fabricant de bougies, sorti de son échoppe à la hâte, fit un croc-en-jambe au garçon, lequel s'étala sur la chaussée et, déjà, assisté de son apprenti, l'artisan le rouait de coups. Ce n'était pas une paternelle fessée, mais de violentes bugnes.

Gabriel, que ce spectacle contraria aussitôt, accourut. Arrivé à leur hauteur, il saisit Bourjot par les épaules et le tira en arrière.

— Monsieur ! Il suffit ! cria-t-il.

Il attrapa ensuite par le bras l'apprenti qui continuait de rosser le galopin étendu sur le pavé.

— De quoi j'me mêle, poil de brique[1] ? lui lança l'artisan furibond.

— Vous cognez cet enfant sans même savoir ce qu'on lui reproche ! répliqua Gabriel.

— Y a pas besoin de savoir ! Foutre ! Ça s'voit tout de suite qu'c'est un voleur ! C'est un bohémien !

À ces mots, Joly sentit une colère plus grande encore lui monter aux oreilles, lui qui avait lu Rousseau, et qui connaissait l'injustice dont le peuple tzigane était victime au royaume de France comme ailleurs. Louis XIV lui-même n'avait-il pas ordonné que tous les bohémiens fussent condamnés aux galères à perpétuité, qu'on rasât leurs femmes et qu'on envoyât leurs enfants aux hospices, pour la seule faute d'être nés tziganes ?

---

1. Surnom péjoratif que l'on donnait aux personnes rousses.

— Et vous êtes un barbare, monsieur ! s'emporta donc Gabriel. Celui qui punit sans juger, qui confond justice et impulsion, n'est pas un être civilisé ! Comme le dit le bon Restif de la Bretonne : « Qui juge trop tôt calomnie » !

— Hein ? C'est qui, cette Bretonne ?

Sur ces entrefaites, le bourgeois perruqué du Procope était arrivé, et il gesticulait en pointant du doigt le garçon à terre, alors qu'un attroupement commençait à se faire.

— Il m'a volé mon argent ! C'est lui ! Il m'a volé mon argent !

— Aha ! s'exclama crânement le fabricant de bougies. Tu vois, tête de bûche ! Qu'est-ce que j'disais ! C'est un voleur !

Gabriel ne désarma pas et se tourna vers le plaignant.

— Vous dites, monsieur, que ce jeune garçon vous a volé ?

— Parfaitement !

— Et vous l'avez laissé faire ?

Le bourgeois écarquilla ses gros yeux.

— Comment ça, je l'ai « laissé faire » ?

— Vous avez laissé quelqu'un vous voler ?

— Eh bien, sombre idiot ! Je ne l'ai pas vu ! Si je l'avais vu, je l'en aurais empêché !

Gabriel sourit.

— Ainsi, vous reconnaissez que vous ne l'avez pas vu vous voler. Comment alors pouvez-vous affirmer qu'il l'a fait ? Dans la recherche de la vérité, il convient, comme nous l'a appris Hérodote, de respecter une méthodologie particulière. Il faut mener une enquête, recueillir des informations et les ordonner avant d'en faire émerger la moindre certitude.

— Vous… vous êtes fou ?

— Et vous ? Vous accusez de vol quelqu'un que vous n'avez pas vu voler ! Seriez-vous devin ? Cartomancien, peut-être ? C'est à se demander lequel des deux est le bohémien !

Le public qui s'était formé autour d'eux commença à rire, qui appréciait l'esprit espiègle du grand rouquin.

— Mais ! Enfin ! s'offusqua le bourgeois. J'ai senti qu'on cherchait dans ma bourse, et j'ai vu ce petit vaurien s'enfuir !

— Cela ne constitue en rien une preuve formelle, monsieur, sinon celle de votre inclination à faire de bien hâtives déductions. Avez-vous au moins vérifié s'il vous manquait des pièces ?

Le client, les joues et le front empourprés de colère, prit la bourse à sa taille et regarda à l'intérieur.

— Ah ! Voyez ! J'avais vingt sous, et il n'en reste que dix !

— Il ne reste que dix sous ? railla Gabriel. Tenez, comme c'est étrange !

Le jeune homme, qui avait discrètement glissé la main dans la pochette qu'il gardait en bandoulière sous sa veste, y attrapa une poignée de pièces de cuivre qu'il serra dans son poing, puis il s'approcha du bourgeois et fit mine de fouiller dans sa perruque.

— Mais ! protesta celui-ci en reculant. Que faites-vous là ?

Gabriel, sous les fous rires de son audience, continua de triturer le postiche plein de poudre blanche comme s'il y cherchait des poux.

— Oh ! Mon Dieu ! Regardez !

Une à une, il laissa ses propres pièces glisser de sa main, de telle sorte qu'elles semblèrent tomber de la perruque. Notre jeune Joly n'ayant aucun talent particulier pour la prestidigitation, la manœuvre était grossière, et il n'échappa à personne que c'était une farce, à part peut-être au bourgeois, qui se précipita à quatre pattes pour récupérer la monnaie devant un parterre hilare.

Pendant ce temps-là, Gabriel tendit la main au bohémien, l'aida à se relever et lui glissa à l'oreille :

— La cambriole est un art comme les autres : celui qui croit qu'on peut en faire sans l'avoir travaillé ne risque pas d'accomplir des chefs-d'œuvre… Entraîne-toi mieux, avant de montrer ton labeur ! File !

Le garçon lui retourna un regard perplexe puis, blessé à la jambe par sa chute, s'enfuit en boitant sans demander son reste.

Au même moment, une main tapota sur le bras de Gabriel.

— Dis-moi, tu… tu ferais un bon avocat !

L'homme qui apparut alors devait avoir tout juste trente ans. Les traits fins, il avait un sourire aimable, les yeux pétillants, noirs et ardents, et de longs cheveux bruns ondulés qui lui tombaient jusqu'aux épaules.

— J'aspire plutôt à être journaliste, répliqua Gabriel.

— Jour… journaliste, c'est bien aussi. Mais tu sembles avoir le cœur pour dé… défendre les hommes.

— Ne peut-on être journaliste et avoir du cœur ? Ne faut-il pas aimer les hommes pour travailler à ce qu'ils s'élèvent par la connaissance ?

— Certes. Mais j'ai rencontré des jour... journalistes dont la principale préoccupation semblait être davantage de mentir au peuple et de l'abêtir que de l'élever !

— Quand on rêve que le peuple se libère et se gouverne par lui-même, mieux vaut qu'il soit instruit !

— Et toi, donc, tu rêves que le peuple se libère ?

— À l'évidence ! L'Homme ne devrait avoir pour souverain que la raison ! Ce ne sont pas les princes mais la morale et l'entendement qui assureront l'égalité entre les citoyens !

— À la bonne heure ! Tu... Tu me plais, le rouquin ! Viens nous voir dimanche, au cloître des Cor... des Cordeliers !

— Je veux bien, répondit Gabriel, intrigué, mais pour y faire quoi, au juste ?

— C'est... c'est l'assemblée populaire du district. On y parle de politique et de li... de liberté !

— Et comment vous appelez-vous ?

— On... on se tutoie, ici ! balbutia le bègue. Je m'appelle Camille Desmoulins. À dimanche !

Alors que Gabriel retournait vers le Procope, au loin, l'homme singulier qui l'observait en cachette depuis de longues minutes sortit de l'ombre. La peau brune, un tricorne sur la tête, il avait un regard mystérieux, une chevelure noire frisée qui laissait apparaître des anneaux d'or à ses oreilles, et de sa redingote rouge à larges manches dépassaient les crosses de deux longs pistolets qui se croisaient sur sa taille.

6.

Femme, réveille-toi !

— *Nous allons vivre pour nous aimer ; plus de chagrin pour nous ; nous serons toujours heureux ? Toujours, toujours ?*

— *Oui, toujours, toujours !*

La vingtaine de personnes assemblées dans le vaste salon de l'hôtel de Lussan, rue Croix-des-Petits-Champs, se leva d'un seul élan pour applaudir la troupe d'acteurs itinérants qui venaient de jouer devant elle *Zamore et Mirza, ou l'Heureux Naufrage*.

Au dernier rang, Anne-Josèphe Terwagne, les yeux brillants d'une sincère émotion, se hissa sur la pointe des pieds afin de mieux voir la dramaturge qui, timidement, s'était mêlée aux comédiens pour accueillir avec eux de si chaleureuses acclamations.

Mme Olympe de Gouges, à quarante ans passés, n'avait rien perdu de sa beauté, même si ses traits peinaient à masquer les épreuves que la vie lui avait fait endurer. Fine et élégante, la peau à jamais brunie par le soleil de son Sud natal, elle était tout à la fois rayonnante et triste, et son visage délicat avait fait chavirer le cœur de beaucoup d'hommes, mais à ceux-là elle succomba bien moins que ne le disaient les gazettes.

Le drame subversif de Mme de Gouges dénonçait le sort réservé aux esclaves dans les colonies et lui avait valu menaces de mort et calamités. Inscrit au répertoire de la Comédie-Française, il n'y fut pourtant jamais joué, et quand Olympe eut l'audace de s'en plaindre, elle manqua de se faire enfermer à la Bastille. Depuis, son *Zamore et Mirza* se jouait en secret en province ou – comme ce soir-là au siège de la Société des amis des Noirs – dans l'intimité discrète de quelques salons éclairés.

N'y tenant plus, Terwagne, qui était accompagnée de son ami et bienfaiteur le banquier Perrégaux, lâcha le bras de ce dernier et se faufila sur le côté pour s'approcher de l'estrade de fortune et féliciter la dramaturge.

— Merci, chuchota Olympe de Gouges en inclinant la tête.

— Mais c'est nous, madame, qui vous remercions ! répondit Terwagne, sans cesser d'applaudir.

Les membres illustres de la Société des amis des Noirs, première association politique de l'histoire à avoir admis des femmes en son sein, commencèrent bientôt à s'agglutiner autour de Mme de Gouges. C'était l'un de ces clubs comme la France en voyait fleurir chaque mois un peu plus et où, faute de légiférer, les citoyens les plus avertis avaient au moins la liberté de causer. Il y avait là ses fondateurs, Jacques Pierre Brissot et l'abbé Grégoire, de nombreux députés que Terwagne avait vus l'après-midi même aux états généraux, comme le marquis de La Fayette et l'abbé Sieyès, mais aussi le prolifique écrivain Louis-Sébastien Mercier et, enfin, le marquis Nicolas de Condorcet, mathématicien philanthrope et secrétaire de l'Académie française.

Devant une si prestigieuse compagnie, Terwagne n'osa pas se faire remarquer et attendit, espérant que tout ce beau monde finirait par s'écarter un peu pour qu'elle pût enfin échanger quelques mots avec Mme de Gouges. Elle n'eut pas à patienter longtemps, car ce fut la dramaturge elle-même qui, se glissant entre ses hôtes, vint à sa rencontre.

— Je ne crois pas que j'aie eu l'honneur de vous rencontrer, madame, dit Olympe en attrapant la main de la Liégeoise avec la tendresse d'une femme qui reconnaît une âme sœur sur l'instant. Êtes-vous membre de la Société ?

— Oh, non ! s'excusa Terwagne. Je ne suis qu'une admiratrice ! J'ai tellement entendu parler de vous, de votre engagement pour notre condition… C'est M. Perrégaux qui a bien voulu m'accompagner.

— Et comment vous appelez-vous ?

— Anne-Josèphe Terwagne. Votre pièce, madame, m'a profondément touchée. Je partage depuis si longtemps ce dégoût de l'esclavage et je déplore comme vous le sort abominable que l'on réserve à ces pauvres hommes dans nos colonies…

— Sans doute est-il naturel aux femmes d'éprouver quelque compassion pour ceux qui, comme elles, sont les victimes de la force et des préjugés, et parfois même du commerce des hommes. Nous sommes au siècle des encyclopédistes, et l'on continue sans jugement de faire partout la traite des femmes et des Noirs…

— Cette compassion ne devrait-elle pas être tout aussi naturelle aux hommes qu'elle l'est aux femmes ? répliqua Terwagne.

— Elle ne l'est qu'aux plus éclairés d'entre eux, et c'est un réconfort de les voir si nombreux ce soir.

— Il y a en effet ici de bien grands hommes, reconnut la Liégeoise. Mais j'ai vu que mon ami Perrégaux n'était pas seul dans le public à représenter le monde de la finance…

Un sourire entendu se dessina sur le visage d'Olympe.

— Je vois que vous avez le regard aiguisé, Anne-Josèphe. N'ayez crainte, murmura-t-elle, je ne suis pas dupe, moi non plus. Certains membres de cette Société, qui ont des intérêts dans les colonies, sont certes davantage motivés par la peur de la crise qui s'y annonce que par une véritable sympathie pour le sort des Noirs. Mais qu'importe, si cela peut servir notre cause ! Et ce club compte malgré tout d'authentiques humanistes, comme mon doux ami Louis-Sébastien qui, tenez, arrive justement !

Le grand Mercier venait de les rejoindre. L'auteur du *Tableau de Paris* était un homme d'une belle physionomie, même s'il avait un peu forci avec l'âge, et l'on devinait derrière son front, long et fuyant, toute la sagacité de son âme facétieuse. La partie droite de sa bouche semblait atteinte d'une légère paralysie, ce qui lui donnait un air un peu moqueur. D'ailleurs, il l'était souvent. Vêtu d'une longue veste noire, Mercier portait comme tous les jours un chapeau rond de la même couleur. Il l'ôta pour saluer les deux femmes.

— J'ai beau la connaître par cœur, je me régale chaque fois que j'entends votre pièce, Olympe ! s'exclama-t-il d'un air exagérément admiratif.

— Oh ! Louis-Sébastien ! Ne dites pas de sottises ! Sans vos savantes corrections, cette pièce serait restée parfaitement illisible !

La dramaturge, qui avait appris à écrire sur le tard, n'avait jamais caché dans la sphère privée que M. Mercier jouait pour elle au « teinturier » en repassant sur tous ses textes.

— Ma douce amie ! Écrire avec ses pieds n'empêche pas de le faire aussi avec le cœur !

Mme de Gouges éclata de rire.

— Ah ! Louis ! Vous seul parvenez si bien à vous montrer tout à la fois enjôleur et mufle en une seule phrase !

— Vous ne me présentez pas ? fit Mercier en se tournant vers Terwagne.

— Comment ? se moqua Olympe. Se pourrait-il qu'il se trouve à Paris une femme que vous ne connaissiez pas ?

— Je n'ai d'yeux que pour vous, de Gouges !

— Allons, vos yeux se promènent tant qu'ils connaissent plus intimement Paris que toutes les mouches[1] de la police réunies.

— Anne-Josèphe Terwagne, se présenta la Liégeoise.

— Voilà un drôle de nom ! s'amusa l'écrivain en baisant sa main avec grâce.

— Tout le monde ne peut pas porter le nom d'un colporteur[2], répliqua celle-ci.

---

1. Espions.
2. La plupart des merciers, en ce temps, étaient des colporteurs, qui transportaient sur eux toute leur marchandise.

— Mon nom est très commun, mais je rime en acier. Suggérez-vous que j'eusse dû adopter un nom de plume, tels Poquelin[1] et Arouet[2] ?

— Si vous aviez eu un peu de leur talent, peut-être, lâcha Terwagne, sans perdre contenance.

Mercier partit d'un rire bon enfant.

— Mais d'où vous vient cet esprit si espiègle ?

— Il vient de Liège, monsieur, comme mon nom.

M. de Condorcet lui ayant fait signe de le rejoindre de l'autre côté de la pièce, Olympe de Gouges s'excusa et s'éloigna vers l'académicien, si bien que Terwagne et Mercier se retrouvèrent en tête à tête.

— Et dire que tout Paris me croit l'amant de cette femme, alors qu'elle m'abandonne, vous le voyez, à la première occasion !

— Le privilège des amants n'est-il pas justement de pouvoir s'abandonner ? demanda Terwagne.

— Qu'en sais-je ? Vous semblez bien mieux informée que moi.

— Oh ! Monsieur Mercier, j'ai eu tellement d'amants dans ma vie qu'aujourd'hui je n'en veux plus qu'un seul.

— Fichtre ! Et qui est l'heureux élu ?

— Le peuple, monsieur !

— Le peuple tout entier ? Seigneur Dieu ! Cela risque d'être épuisant !

— Vous êtes terriblement potache, pour un homme de lettres ! répliqua Anne-Josèphe en souriant.

---

1. Molière.
2. Voltaire.

— Et vous êtes charmante, pour une Liégeoise !
Quel dommage, toutefois, que vous ne sachiez point
vous habiller !

— Pardon ?

— Mademoiselle Terwagne, faites-moi confiance :
si vous voulez séduire le peuple, il va vous falloir un
costume.

— Un costume ?

— Quelque chose avec un peu de panache !
On n'entraîne pas les foules avec une robe à paniers.
Il faut suggérer l'aventure, l'impétuosité, que diable !

Cette fois, Terwagne ne put s'empêcher de rire fran-
chement.

— Eh bien, j'y songerai, promit-elle.

7.

La Ponante

— Sauvez-vous ! Sauvez-vous ! V'là l'sergent et les tristes à pattes[1] ! hurla un jeune homme à l'entrée de la rue Galande, avant de disparaître dans la nuit.

En un instant, les uniformes bleu ciel et blanc de la garde de Paris apparurent dans la pénombre, à l'angle de la rue Saint-Jacques. Aussitôt, les filles se mirent à courir en sens inverse, comme un troupeau de brebis affolées, et filèrent en direction des Bernardins, dans le dédale desquels il était plus facile de disparaître.

Le quartier de la place Maubert était, avec le Palais-Royal, l'un des hauts lieux de la prostitution parisienne. Du côté du Palais, les filles étaient jolies et les clients fortunés, mais de ce côté-ci, les unes et les autres étaient bien plus miséreux, marchandes et clients de ce qu'on appelait la basse prostitution, dans le brouillard des ruelles les plus sordides de la capitale.

---

1. Surnom péjoratif donné aux gardes de Paris.

La ville, en ce temps, comptait près de trente mille filles de joie – à qui l'on donnait presque autant de sobriquets : catins, biches, cocottes, rivettes, grues, horizontales, ponantes ou poniffes, corbillards à nœuds, paillasses de corps de garde, éponges à mercure, persilleuses, bergeronnettes, brancards, digues, camelotes, pouffiasses, putes ou putains – et la police, selon les époques, tantôt les tolérait, profitant alors de leurs bons services, tantôt les soumettait à la plus ferme répression. La grande majorité de ces pauvres filles avoisinait les vingt-cinq ans, mais Antonie – que l'on surnommait la Picarde, comme elle venait d'Amiens – ne courait plus aussi vite que ses jeunes collègues depuis longtemps.

Arrivée à dix-sept ans dans la capitale, elle avait commencé sa carrière sous les toits d'un élégant bordel du Louvre, où elle avait fait office de galante pour le haut du trottoir, livrant le plaisir de sa chair printanière aux bourgeois comme aux ecclésiastiques, aux hommes mariés comme aux puceaux aisés. La provinciale, décidée à s'extirper du sort misérable où Amiens l'avait laissée, s'était imaginé qu'en quelques mois elle pourrait réunir assez d'argent pour se loger et trouver un emploi convenable… Mais les mois étaient devenus des années et, voyant sa peau se flétrir et son regard s'éteindre, Antonie avait fini par comprendre qu'elle était entrée dans un tunnel d'où on ne sortait presque jamais. De la maison, elle était passée à la chambre, puis de la chambre au boulevard, et du boulevard à la rue, de la rive droite à la gauche, ses charmes fanés, ne faisant plus danser que la petite misère. Elle avait vu passer les édits royaux régissant son métier, les grands coups de filet des lieutenants généraux de police successifs, elle avait avalé plusieurs fois des mixtures de graines de fougère, de gingembre, de feuilles de saule et de persil pour perdre un enfant qu'elle n'aurait pu nourrir, elle avait vu bannir beaucoup de ses compagnes d'infortune, d'autres se faire flageller sur la place publique, et de nombreuses encore disparaître à jamais. Elle avait échappé souvent au Bureau des mœurs, mais s'y était fait prendre aussi, multipliant les séjours entre les murs de l'infâme Salpêtrière. Et, chaque fois qu'elle y retournait, il lui devenait plus difficile de convaincre la mère supérieure qu'elle s'était enfin repentie et qu'on pouvait la relâcher…

La Salpêtrière – que l'on appelait aussi tout simplement l'Hôpital – se trouvait au sud de Paris, non loin de là, entre le mur des fermiers généraux et la Seine. Cet ancien arsenal, comme son nom l'indiquait, avait été transformé en 1656 en hôpital général. On y plaçait ordinairement les orphelins, les pauvres, les infirmes et les vieillards abandonnés, mais Louis XIV avait un jour ordonné que toutes les prostituées de Paris y fussent séquestrées elles aussi. Et alors la Salpêtrière, tenue par des prêtres et des religieuses, était devenue une maison de privation de liberté pour ces femmes que l'on décrétait hâtivement folles, débauchées, voleuses ou sorcières…

Aussi, bien plus que la pauvreté, la saleté, la faim ou les maladies vénériennes, les prostituées de Paris ne craignaient rien tant que d'être envoyées à la Salpêtrière, d'y être soumises à la correction – destinée à les guérir de leur débauche – ou, pis encore, d'y être enfermées à la Grande Force, celui de ses bâtiments qui servait de prison pour les femmes condamnées par la justice – laquelle, il faut bien le reconnaître, portait fort mal son nom.

Malgré sa grande fatigue et les varices douloureuses qui, à force d'arpenter les ruelles de Maubert pour y trouver les derniers clients qui voulussent encore d'elle, lui lacéraient les jambes, en voyant arriver la garde de Paris, notre pauvre Antonie se mit donc à courir aussi vite qu'elle le put, c'est-à-dire assez peu.

Constatant que toutes les filles, déjà loin devant elle, filaient dans la même direction, elle décida d'obliquer soudainement à droite, espérant que le sergent et ses gardes choisiraient de continuer tout droit afin de pourchasser le plus grand nombre. Le cœur battant, elle s'engouffra dans la petite rue des Lavandières, pour revenir en arrière par celle des Noyers. Son espoir, toutefois, ne fut guère récompensé : bientôt elle entendit approcher dans son dos le terrible bruit des bottes. À bout de souffle, elle traversa la rue Saint-Jacques et continua vers le quartier des Cordeliers, où les allées, plus sombres et plus tortueuses, lui permettraient peut-être de semer ses poursuivants. Elle venait d'entrer dans la rue Haute-Feuille – celle-là même où logeait notre bon Gabriel – quand elle sentit un violent coup de pied lui faucher les jambes et la faire trébucher.

Antonie, emportée par son élan, roula plusieurs fois sur le pavé boueux, si fort qu'elle s'ouvrit le front et se taillada les paumes des mains. Lorsqu'elle se redressa, sonnée et blessée, elle vit le visage des cinq hommes qui la regardaient de haut.

— Oh, mais je la reconnais, la ponante ! s'exclama l'un des gardes, la main sur le pommeau de son sabre. C'est la vieille Picarde !

La prostituée, elle aussi, reconnut le sergent et deux des hommes de la garde. Il était certains faciès qu'elle ne pouvait pas oublier...

— En effet ! s'étonna Foulon. Tu travailles encore, à ton âge ? Depuis le temps qu'on t'embarque, il faut reconnaître que tu as une sacrée résistance !

— C'est pas de la résistance, répondit Antonie en essuyant le sang sur son front. C'est de l'expérience, mon joli !

La femme se releva et, dans ses yeux, malgré la boue qui avait taché sa robe, malgré la crasse sur ses joues, et malgré le désordre dans sa longue chevelure, il y avait quelque chose comme une inébranlable dignité, l'impassibilité d'une misérable qui n'a plus rien à perdre, pas même son honneur, qu'on lui a depuis si longtemps dérobé.

— Eh bien, tu vas pouvoir parfaire ton expérience de l'Hôpital, maintenant, la Picarde ! Allez ! ordonna le sieur Foulon. Emmenez-moi ça !

La prostituée serra les dents. Elle n'ignorait pas qu'à son âge, entrer à la Salpêtrière, c'était n'en plus sortir vivante.

— Qu'est-ce que tu dirais, mon bon flique, si toi et tes hommes, j'vous emmenais derrière pour vous pomper le canal, un par un ? On dira qu'on est quittes ?

Le policier éclata de rire.

— Non, mais t'as vu ton âge, catin ?

Antonie encaissa le coup, le front haut. Elle se souvenait d'un temps où les Parisiens – dont bien des notables – payaient le prix fort pour obtenir ses faveurs, elle qui avait été si jolie. Mais ce métier – et ces hommes – l'avait tant abîmée qu'elle peinait à se regarder dans une glace sans éprouver une profonde tristesse.

— C'est pas de l'âge, que j't'e dis, c'est de l'expérience ! Tu peux demander au blondinet derrière toi, j'suis la meilleure aiguillonneuse de tout Paris. Hein qu'c'est vrai, gamin ?

Le sergent haussa un sourcil et se retourna vers les quatre gardes qui le secondaient.

— Il y en a ici qui ont envie de se faire dorloter la bougie à l'œil par ce vieux machin ? demanda-t-il d'un air dubitatif.

Après un instant de silence, l'un des hommes haussa les épaules.

— Ben, moi, j'dis pas non. Faut reconnaître qu'elle a du métier…

— Eh bien ! Vas-y ! Profite ! Puisque la dame te propose gentiment !

Antonie s'efforça de sourire et, songeant que c'était un prix raisonnable à payer pour conserver sa dernière richesse, la liberté, elle fit signe au jeune garde de la suivre. Elle l'emmena dans un recoin de la rue Sarrazin pour lui faire son affaire, pendant que les autres regardaient de loin. Quand elle eut terminé – plus vite qu'elle ne l'avait craint –, elle grimaça en voyant un deuxième garde venir chercher lui aussi sa récompense, puis le troisième, puis le quatrième. Le dernier fut si long à aboutir qu'elle crut n'y parvenir jamais. Quand le bougre eut enfin dit *Amen*, Antonie ne put retenir un long soupir. À genoux contre le mur de chaux, elle les avait contentés tous les quatre, ignorant les moqueries de ces imbéciles qui masquaient maladroitement leur honte derrière cette goguenardise. Puis elle se releva, fourbue, essuya sa bouche d'un revers de manche et soutint le regard du sergent, se refusant à laisser paraître dans le sien la moindre trace de son humiliation.

— Tout le monde a eu son compte ? lança alors le policier. Parfait. Emmenez-la !

À ces mots, Antonie sentit son cœur s'arrêter.

— Mais, protesta-t-elle, on avait un marché ! Que voulez-vous de plus ?

— Tais-toi donc, pauvre sotte ! Tu crois quand même pas que j'ai couru tout le soir pour rien ? Je rends service aux Parisiens en t'envoyant à l'Hôpital ! Embarquez-moi cette vieille bique ! répéta le sergent Foulon avec dédain.

Comprenant qu'elle était perdue, la pauvre femme se mit à courir vers la rue de la Harpe, mais elle n'avait pas fait cinq pas que les gardes, déjà, lui tombaient dessus.

— Lâchez-moi ! Salauds ! Ordures !

La prostituée se débattit en vain alors que les quatre jeunes hommes qu'elle venait d'ouvrager docilement lui tenaient les bras et la bousculaient sans vergogne. On eût dit que la cogner soulageait ces mauvaises troupes d'une inavouable culpabilité, comme si c'eût été leur propre faute qu'ils punissaient. Ils ne s'en privèrent pas.

— Fais pas ta sauvage, la Picarde ! dit l'un en la rossant bien fort.

— Ça va te reposer, un peu de vacances ! dit l'autre en la tirant par les cheveux.

Le troisième était sur le point d'en ajouter encore quand un grognement terrible retentit, qui leur glaça le sang.

Tout le monde s'immobilisa d'un coup.

Ce qui se passa alors fut si rapide et si confus qu'Antonie se demanda si elle n'avait pas perdu la raison, en proie à quelque vision fantasmatique. Car un loup, un loup immense avait surgi des ténèbres et se jeta, gueule ouverte, sur les quatre gardes.

Alors que la bête sauvage bondissait d'une gorge à l'autre, une silhouette lugubre apparut à son tour, drapée dans une longue cape noire, et le sergent eut à peine le temps de crier sa peur que ce spectre funèbre lui trancha la gorge d'un seul coup de sabre.

Pétrifiée, la prostituée assista à cet assaut extraordinaire. Des gerbes de sang jaillirent autour d'elle, des hurlements de douleur s'élevèrent au milieu de grognements hargneux... En quelques secondes, les cinq hommes furent à terre, tremblant de leurs derniers soupirs, et déjà l'animal et son maître fantastique s'effacèrent comme deux chimères dans les noirceurs secrètes de la nuit.

Antonie, médusée, regarda un instant le spectacle macabre qu'offrait le pavé autour d'elle, dans un silence aussi assourdissant que l'avaient été les grognements de l'animal, puis, entre terreur, incompréhension et soulagement, elle s'enfuit sans mot dire sous la voûte brumeuse du quartier des Cordeliers...

8.

Il y a toujours moyen
de dire du bien

Le lendemain, après avoir traversé la Seine par le Pont-Neuf, Gabriel Joly arriva, comme on le lui avait demandé, un peu avant onze heures au bureau du *Journal de Paris*. En voyant tous les employés rassemblés autour du directeur dans la pièce principale, il comprit que quelque chose se passait. Il régnait là une agitation qui ne lui échappa guère, et il en éprouva une vive excitation. Voilà exactement ce qu'il attendait de la vie de journaliste : cette ferveur !

— Cela n'a aucun lien avec les états généraux ! s'emporta Xhrouet en agitant en l'air le binocle qu'il tenait dans sa main.

— Reconnaissez qu'une chose pareille qui arrive le même jour, c'est une coïncidence suffisamment grande pour se poser la question, répliqua Sautreau de Marsy, le rédacteur salarié du journal.

Gabriel se glissa au milieu des commis et des garçons de bureau, puis vint se placer à côté de son oncle, qui écoutait les débats sans rien dire.

— Que se passe-t-il ? chuchota le jeune homme à son oreille.

— Ah, vous voilà, mon cher neveu ! répondit Cadet de Vaux, à voix basse lui aussi. Vous n'avez rien entendu cette nuit ?

— Comment cela ?

— C'est terrible, mon garçon ! Terrible ! Peut-être devrais-je écouter votre père et vous renvoyer auprès de lui ! Paris est devenue une ville bien trop dangereuse !

— Que s'est-il passé ? insista le jeune homme.

— Un sergent de la garde de Paris a été assassiné d'atroce manière au milieu de la nuit, à une foulée à peine de la maison où je vous ai installé, ainsi que quatre de ses hommes !

— D'atroce manière ?

— Ils ont été sauvagement égorgés !

— Je n'ai rien entendu !

De l'autre côté de la table, Xhrouet remit son binocle sur son nez et tapa dans les mains d'une façon qui suggérait que les débats étaient clos.

— Allons ! Je ne veux plus entendre parler de cela ! C'est l'œuvre d'une bande de brigands, un homicide certes odieux, mais devenu malheureusement banal, et son annonce n'a rien à faire dans notre journal : cela relève d'une rubrique judiciaire. Oust ! Tout le monde se remet au travail ! Nous avons pris du retard !

Puis il pointa le doigt vers Gabriel.

— Vous, dans mon bureau, tout de suite !

Le jeune rouquin acquiesça puis se tourna vers son oncle.

— Pourquoi le *Journal* ne possède-t-il pas de rubrique judiciaire ? demanda-t-il, toujours en chuchotant.

— Cela nous a été interdit dès notre création, expliqua Cadet de Vaux. Un journal comme le nôtre se doit de respecter scrupuleusement ses privilèges et ceux de ses concurrents.

— Les occasionnels[1] ne se gênent pas, eux !

— C'est justement parce qu'ils n'ont pas de censeurs que ces charlatans publient tout et n'importe quoi !

Pour paraître, un livre ou un journal devaient être d'abord étudiés par un censeur royal, qui pouvait couper le texte ou l'interdire formellement. Pourtant, depuis près d'un an, afin de préparer les états généraux, un décret royal avait permis aux « personnes instruites » de publier à titre personnel leur opinion, les libérant provisoirement des contraintes de la censure. Ainsi, alors que la presse était toujours soumise, elle, à la lecture d'un censeur, on voyait se multiplier les pamphlets, les libelles et les brochures, publiés sans autorisation préalable. Cette soudaine profusion de textes était perçue par certains comme un grand pas vers la liberté d'expression, par d'autres comme une incontrôlable diffusion des plus folles idées, et par les journaux comme une déloyale concurrence.

— Vous n'annoncez jamais les meurtres qui ont lieu en ville ? insista Gabriel.

— Ce n'est pas notre objet. Nous parlons de littérature, de sciences, d'art, des fêtes et des spectacles, de la mode, des cérémonies, des célébrités, de la vie de la Cour, et nous publions un bulletin météorologique

---

1. Nom que l'on donnait aux chroniques ou aux pamphlets publiés sous forme de brochures, de manière non périodique.

quotidien. Nous publions également les nouvelles administratives, les édits, et nous allons maintenant faire des comptes rendus précis des états généraux... Tout cela nous donne déjà beaucoup de travail, vous savez...

— Je ne peux m'empêcher d'être surpris que vous taisiez les grands événements qui se passent à Paris, répéta le jeune homme, presque sur le ton du reproche.

— Notre censeur nous autorise seulement à tenir une rubrique « Bienfaisance », où nous ne pouvons relater que les événements à l'issue heureuse. Un noyé qui a été sauvé dans la Seine, des citoyens secourus dans un incendie, ce genre de choses...

Cadet de Vaux tapota chaleureusement sur l'épaule de son neveu.

— Allons, dépêchez-vous maintenant, ne faites pas attendre le directeur. Je me suis porté garant de votre ponctualité.

Gabriel hocha la tête, regarda les employés du journal qui étaient tous retournés à leur poste, puis partit d'un pas preste vers l'office de Jean-Michel Xhrouet.

— Je vous préviens, l'accueillit sèchement le directeur, les états généraux accaparent tout mon temps, je n'aurai pas le loisir de jouer au précepteur avec vous.

Gabriel s'installa en face de l'homme qui le regardait avec une détestable condescendance.

— Sachez que nous faisons ici un travail considérable. Il s'agit d'offrir chaque matin quatre pages à nos douze mille souscripteurs, et nous sommes les seuls en France à réussir une telle prouesse. Tous les articles doivent m'être remis avant neuf heures du soir, afin que nous ayons le temps de travailler à leur composition.

Notre imprimeur, qui se trouve de l'autre côté de la Seine, commence l'impression à cinq heures du matin, et les jurés crieurs nous garantissent une livraison avant dix heures chez tous nos lecteurs. Nous tenons à ce que notre journal arrive entre leurs mains avant même qu'ils ne soient pris par leurs affaires courantes. En un mot, je n'ai pas de temps à perdre, et si vous n'êtes pas efficace d'ici quarante-huit heures, votre oncle devra vous trouver un autre emploi.

— Deux jours me suffiront grandement, répondit Joly d'un air catégorique. Vous ne me garderez pas pour mon oncle, mais pour la qualité de mon travail.

— Vous semblez bien sûr de vous !

— C'est que je suis sûr de mon choix, monsieur. Ma place est ici.

Le directeur hocha la tête, circonspect.

— Vous connaissez bien notre journal ?

— Comment ne pas connaître le seul quotidien de France ?

— Vous savez donc qu'il est destiné à un public plus large que toutes les publications littéraires qui nous ont précédés. Quand j'en ai pris la direction, je me suis attaché à en faire également le journal le plus qualitatif du royaume. J'ai exigé qu'il soit imprimé sur du papier de bonne facture. Nos compositeurs soignent la présentation du cahier, et je crois pouvoir dire qu'il est devenu le plus lisible de toute l'Europe. Mais puisque votre oncle insiste pour que vous puissiez écrire et non composer, parlons plutôt du contenu que du contenant. Je consens à vous mettre à l'essai sur la rubrique des spectacles.

— Je vous en suis infiniment reconnaissant.

— Votre tâche consistera à répertorier toutes les pièces et concerts qui se jouent chaque soir à Paris. Plus tard, si tout se passe bien, vous irez de temps en temps voir ceux qui semblent dignes d'intérêt, pour en dire, à de rares occasions, quelques mots.

— J'en serais ravi.

— Attention ! Le plus important est de faire quotidiennement un inventaire exhaustif, car les Parisiens consultent chaque matin notre journal pour savoir ce qu'on donne le soir. Et pour ce qui est de rendre compte d'une pièce, si nous vous le demandons un jour, il faudra le faire de manière concise et toujours positive.

— Même s'il s'agit d'une mauvaise pièce ?

— Il y a toujours le moyen de dire du bien, même d'une mauvaise pièce ! s'agaça Xhrouet.

— Je vois, répondit Gabriel en tentant de masquer sa déception.

Amoureux de la vérité, il se faisait, lui, une idée fort différente de ce que devait être le métier de journaliste, mais il mesurait la chance prodigieuse qu'il avait en obtenant, si jeune, le droit de participer au plus grand journal du royaume.

— Allons ! Ne perdez pas de temps. Allez voir Sautreau de Marsy, il va vous expliquer comment faire l'inventaire des spectacles de demain soir. Je veux votre papier avant neuf heures !

Gabriel retourna dans la pièce principale du *Journal*, où Marsy se montra bien plus chaleureux que le directeur, ce qui n'était guère difficile, et lui indiqua le bureau où il pouvait s'installer. Quand le rédacteur salarié eut achevé de lui détailler sa méthode de travail et de lui en donner les outils, le jeune homme risqua une question à voix basse :

— Le sergent de la garde et ses quatre hommes dont vous parliez tout à l'heure… Sait-on pourquoi ils ont été assassinés ?

— Pas à ma connaissance. C'est une drôle d'affaire ! Visiblement, le cadavre du sergent portait sur le front une marque étrange, dessinée du bout d'une lame.

— Quelle marque ?

— Un triangle renversé !

— La signature de l'assassin ? demanda Gabriel, le regard brillant.

Marsy haussa les épaules.

— Peut-être. Mais oubliez tout ça, maintenant ! Si le directeur nous entend parler de ces meurtres, vous risquez de commencer sur une fort mauvaise note. Vous avez dû remarquer qu'il n'est pas très arrangeant…

Le jeune homme acquiesça, mais il était trop tard : sa curiosité était piquée au vif.

9.

On veut museler le peuple !

Le jour suivant, Camille Desmoulins entra d'un pas alerte dans le cloître des Cordeliers.

Bien que les Frères franciscains y eussent maintenu leur esprit de pauvreté en offrant à son architecture une grande sobriété, le couvent était l'un des plus beaux de Paris, avec en son centre un parterre arboré, autour duquel on déambulait agréablement. Au rez-de-chaussée, quatre corridors voûtés, aux arcades surbaissées, entouraient le jardin et conduisaient aux pièces principales de la vie monacale : le scriptorium, la salle capitulaire, le cellier, l'hostellerie…

Tous ces bâtiments étaient loin d'être occupés, ces derniers mois, car le recrutement se faisait avec une peine grandissante, soit que la règle franciscaine fût trop ardue, soit que les jeunes novices fussent attirés vers des ordres religieux plus illustres. Ainsi, la situation financière des Cordeliers était déplorable ; leur misère était telle que la plupart des religieux qui vivaient là devaient assurer leur subsistance par leurs propres moyens, ce qui donnait souvent lieu à des dérives bien éloignées des préceptes de saint François d'Assise.

À côté de la salle capitulaire se trouvait une vaste pièce qui, comme l'indiquait une table de marbre noir scellée au-dessus de sa porte, était l'*aula theologica*, c'est-à-dire la salle théologique où, depuis des siècles, les disciples de saint François venaient livrer aux novices leur enseignement dogmatique. Garnie de bancs rangés en amphithéâtre et d'une tribune, cette salle, qui pouvait accueillir près de trois cents personnes, abritait une magnifique bibliothèque, dont nombre des ouvrages avaient été légués à l'ordre par le bon roi Saint Louis, à son retour de Terre sainte. Afin de renflouer ses caisses, l'ordre s'était désormais résolu à louer cet espace à différentes institutions profanes[1]. C'était aussi dans cette pièce que les habitants du district des Cordeliers étaient venus se réunir chaque jour pendant les élections des états généraux, et c'est dans cette même *aula theologica*, enfin, que Camille Desmoulins entra ce jour-là, fort agité, pour y retrouver son ami Georges Danton qui, par une indélicate coquetterie, orthographiait son nom à l'aide d'une particule apostrophique, s'octroyant une noblesse d'apparat.

— Eh bien, Camille ! Tu m'as l'air fort pressé ! lança ce dernier en voyant entrer son confrère.

---

1. Notamment la société dite du Musée de Paris, fondée par la loge maçonnique des Neuf Sœurs. Composé de savants, de gens de lettres et d'artistes, cet établissement libre d'enseignement supérieur donna naissance au lycée d'aujourd'hui.

— Georges ! Tu… tu n'es pas au courant ? s'étonna Desmoulins.

Avocat depuis quatre ans, son bégaiement empêchait Camille Desmoulins de rencontrer dans sa profession le succès qu'il méritait, si bien qu'il devait souvent se contenter d'aller plaider de mornes causes jusque dans sa Picardie natale, et le soutien occasionnel de son confrère et ami Danton était bienvenu : ledit Georges, ayant toujours été disposé à montrer sa générosité à ses amis, et n'étant pas lui-même un bourreau de travail, lui confiait parfois ses dossiers. Quand il n'avait plus d'affaire, Desmoulins se consolait en faisant des vers, dont certains avaient eu les honneurs de l'*Almanach des muses* et du *Journal de Paris*.

Danton, qui avait épousé Mlle Charpentier, fille du riche tenancier du café Parnasse, avait pu payer avec la dot de celle-ci sa charge d'avocat au conseil et ouvrir son cabinet au numéro 1 de la cour du Commerce-Saint-André, dont il louait le deuxième étage. En vérité, cet homme, qui avait pour vraies passions la nage, l'escrime et l'équitation, se préoccupait bien peu des questions d'argent et d'honoraires, et souvent offrait gracieusement ses services aux clients les moins fortunés. Ainsi, ce que Camille ignorait, c'est que son généreux ami était plus endetté qu'il n'était riche. Son apparence, elle aussi, le distinguait nettement du frêle Desmoulins. D'une vilaine chute à cheval lors de son enfance, Danton avait gardé un nez écrasé et des lèvres déformées qui lui faisaient une bouche prodigieusement épaisse. Sa tête de taureau ancrée à son large cou surplombait un corps robuste, mais cette figure bestiale lui conférait finalement un charisme particulier et une jovialité ensorcelante. Le sang vermillon du bon vivant colorait ses bonnes joues, et la perruque poudrée de gris argent qu'il portait chaque jour achevait de lui donner cette allure si singulière que tout le monde connaissait au district des Cordeliers. Il n'était pas étonnant, d'ailleurs, que Danton eût facilement trouvé l'amour avec cette belle Gabrielle Charpentier, quand Camille, lui, se lamentait de ne pouvoir conquérir la main d'une prénommée Lucile, qu'il poursuivait du zèle de son cœur, sans succès, depuis de nombreuses années.

En somme, les deux amis étaient aussi proches l'un de l'autre qu'ils étaient différents.

— Au courant de quoi ?

— Necker vient de… de faire interdire la publication de Mi… Mirabeau !

— Son *Journal des états généraux* ? Déjà ? s'exclama Danton en riant. Eh bien ! Il n'aura eu le temps d'en faire que deux numéros ! Il faut dire qu'il n'y est pas allé de main morte, avec notre banquier de ministre !

— Mais… mais c'est un scandale, Georges ! Tu… tu te rends compte ? On veut mu… museler le peuple !

Ardent défenseur d'un idéal républicain, Me Desmoulins avait échoué à se faire élire aux états généraux, ce qui ne l'avait pas empêché de se rendre la veille à Versailles pour écouter les débats, à l'invitation de son ami de jeunesse Maximilien de Robespierre, avec qui il avait étudié au collège Louis-le-Grand et qui, lui, avait obtenu le titre de député d'Arras.

— Museler le peuple ? Comme tu y vas ! C'est du comte de Mirabeau que l'on parle, Camille, pas d'un roturier !

— Oui, oui, bien sûr, mais il est… il est avec nous, il est élu du tiers état ! Et Necker veut le faire taire, parce que Mirabeau invite les députés à ne pas statuer tant qu'on… qu'on ne nous accordera pas le vote par tête ! On… on ne peut pas accepter cela !

— Ah oui ? Et que voudrais-tu que l'on fasse ? s'amusa Danton.

— Il faut… il faut entrer en action ! Il faut rendre à la nation sa souveraineté ! Le peuple doit sortir de dessous l'herbe. Prendre les armes, s'il le faut !

— Les armes ! Tant que ça ?

— Oui ! Comme nos concitoyens l'ont fait dans… dans le Dauphiné, ou en Corse ! Les petites gens, les bourgeois et le… le bas clergé doivent s'unir, Georges, s'unir et se battre !

— Fort bien, mais se battre pour quoi ?

— Pour un nouvel ordre politique ! La… la fin des privilèges !

— Ah, mon bon Camille ! Quel éternel rêveur ! Tu ferais mieux de te trouver des clients !

À cet instant, une jeune femme sortit des ombres de la salle théologique et s'approcha de la table où s'était installé Danton. Silencieuse, elle lui fit d'étranges signes avec les mains.

— Qu'est-ce que tu veux, Lorette ?

La muette pointa du doigt l'épais ouvrage que Danton avait emprunté dans les rayons de la bibliothèque, puis l'horloge qui trônait au-dessus de l'entrée.

— Eh bien ! Qu'est-ce que vous avez tous à être pressés comme ça, aujourd'hui ? protesta gentiment l'avocat en lui tendant le lourd volume où étaient imprimés les quatre cent cinquante articles d'une ordonnance royale publiée au siècle précédent. Je te le rends, ce livre, ne crains rien, ma petite ! Ce que tu peux être possessive !

Lorette tapota ses lèvres de ses doigts pincés, laissant comprendre qu'elle devait aller manger.

La jeune femme avait été recueillie par les moines du couvent alors qu'elle n'avait pas huit ans. À cette enfant abandonnée dans les rues de Paris, et qui ne parlait pas, les Cordeliers avaient dû inventer un nom. En hommage à la Vierge Marie, ils la prénommèrent Lorette – qui était le nom de la ville italienne où était érigée la basilique de la Santa Casa – et, comme on était à la veille du printemps, ils lui donnèrent cette saison pour patronyme. Ainsi, adoptée par les Frères franciscains, Lorette Printemps avait grandi et étudié auprès d'eux, et s'était découvert une passion pour la lecture. Réservée, elle avait passé toute son enfance enfermée dans cette même salle théologique, à dévorer un par un tous les ouvrages de la bibliothèque ! Lorsqu'elle fut devenue adulte, les moines – qui la considéraient comme leur propre fille – s'étaient refusés à la congédier et, en échange du feu et du lieu, elle leur offrait à présent ses services de bibliothécaire. Ainsi, tous les gens de lettres du district des Cordeliers, qui venaient ici consulter des éditions rares, connaissaient cette timide jeune femme, chichement vêtue, discrète et serviable. D'ailleurs, on ne la voyait guère qu'ici, car Lorette, inhibée par son handicap, ou par un passé que personne ne connaissait, ne quittait presque jamais l'enceinte du couvent, se réfugiait le soir dans la petite cave qui lui servait d'appartements, de l'autre côté du cloître, et on ne lui connaissait d'autres amis que les livres.

— Allez ! Viens, mon Camille, laissons la Lorette se régaler avec les moines au réfectoire, lança Danton en se levant. Et nous, allons manger au Procope !

Lorette rangea le livre dans la bibliothèque et regarda les deux avocats disparaître. Elle faisait partie des murs, maintenant, et personne n'aurait songé à la voir comme une femme, elle qui soignait si peu son apparence et ne levait presque jamais le regard, si bien qu'on en oubliait, à tort, à quel point la nature l'avait rendue jolie.

10.

Un singulier homme de lettres

Gabriel était assis à son petit bureau, au milieu des commis et des garçons, et établissait consciencieusement la liste des spectacles du lendemain. Concerts, pièces de théâtre, comédies, variétés, il reportait méticuleusement sur le papier les programmes exhaustifs de l'Opéra, qu'on appelait Académie royale de musique, du Théâtre de Monsieur, du Théâtre-Français, du Palais-Royal ou des Boulevards...

Le matin même, en arrivant rue Plâtrière, il s'était précipité vers la pile de journaux disposée à l'entrée pour regarder sa toute première collaboration, qu'il avait rendue la veille au soir. Oh, bien sûr, ce n'était pas grand-chose : un simple inventaire. Mais c'était un début et il entrait dans le métier de journaliste par la grande porte : celle du *Journal de Paris* !

Le compte rendu des états généraux – dans lequel l'auteur s'était bien gardé d'aborder la question épineuse du vote par tête – occupait à lui seul la première page et un quart de la deuxième. Il fallait attendre la troisième pour trouver la rubrique rédigée par Gabriel, mais il s'était réjoui en découvrant ses propres mots imprimés sur le papier, songeant que douze mille lecteurs au moins allaient les voir dans la journée, quand à peine plus d'une centaine avaient lu, à Liège, son ouvrage sur Hérodote ! Du bout des doigts, il avait caressé la surface du papier, gaufrée par le poids de la presse.

SPECTACLES

ACADÉMIE ROYALE DE MUSIQUE. Demain 8 , CHIMÈNE , Trag. Lyrique en trois actes , paroles de M. Guillard , musique de Sacchini , & LA CHERCHEUSE D'ESPRIT, Ballet-Pantomine , par Gardel.

THÉÂTRE FRANÇOIS. Aujourd'hui 7 , la 11ᵉ repréf. des CHÂTEAUX EN ESPAGNE , Comédie nouvelle en cinq actes , en vers , & L'ÉCOLE DES MARIS , Comédie en trois actes , en vers , de Moliere.

Il eût préféré que le compositeur n'oubliât point l'accent grave sur le nom de Molière, et il y avait quelque enfantillage à éprouver de la fierté pour une si laconique publication, mais, fier, Gabriel l'était malgré tout, et c'était avec entrain qu'il travaillait maintenant quand on frappa à la porte du bureau.

Avec le zèle du nouvel employé, le jeune Joly se leva aussitôt, plutôt que de laisser les commis ouvrir. Derrière la porte, il vit apparaître un homme d'une belle stature, un chapeau noir fixé sur son large front, et dont la bouche semblait figée dans une sorte de sourire narquois.

— Tiens ! Un petit nouveau ! lança le quinquagénaire, avec son étrange rictus.

— Bonjour, monsieur, qui dois-je annoncer ?

— Annoncer ? Il me paraît inutile d'annoncer le nom et la qualité d'une personne quand l'un et l'autre sont déjà connus de la compagnie qu'il rejoint. À ce stade, mon garçon, il me semble que la charge ne vous revient pas d'annoncer, mais d'apprendre.

— Pardon ? bredouilla Gabriel, perplexe.

Au même instant, son oncle apparut dans son dos et se précipita vers le visiteur, les bras grands ouverts.

— Mon frère ! s'exclama Antoine-Alexis Cadet de Vaux en embrassant Louis-Sébastien Mercier par trois fois. Veuillez cesser d'importuner mon brave neveu !

Comprenant aussitôt que l'homme qui se tenait devant lui était le grand écrivain, Gabriel se figea.

— Et comment s'appelle donc votre rousseau neveu ?

— Gabriel Joly, se présenta lui-même le jeune homme.

— Et donc, vous êtes portier ?

— Journaliste ! rétorqua Gabriel, vexé.

— C'est pis.

— Louis ! Mon neveu vient justement de lire votre *An 2440*, expliqua Cadet de Vaux. Ayez donc un peu d'égards pour votre lectorat !

— Et qu'en pense-t-il donc, de ce vieux bouquin ?

— Eh bien… C'est assez étonnant, se contenta de répondre Gabriel, renonçant par fierté à dire tous les éloges que le livre lui inspirait pourtant.

— Assez étonnant ? Si vous écrivez aussi mal que vous parlez, jeune homme, vous avez en effet toutes les qualités requises pour être journaliste.

Cadet de Vaux étouffa un rire et posa affectueusement sa main sur l'épaule de son neveu.

— Ne vous en faites pas, Gabriel, c'est plutôt bon signe : quand M. Mercier est aussi désagréable, cela veut dire qu'il vous apprécie déjà.

— N'écoutez pas votre oncle, je déteste tout le monde.

— Louis ! Vous êtes incorrigible. Allons, venez dans mon bureau, mon neveu a du travail. Et méfiez-vous ! Il tient maintenant notre rubrique des spectacles. Il se peut un jour qu'il ait à dire quelques mots de l'une de vos pièces…

— Et alors ? C'est mal connaître mon goût du risque, Antoine-Alexis ! J'ai toujours aimé à faire japper les feuillistes ! En outre, il y a peu de chances qu'on me joue encore. Je vous rappelle que les pièces de théâtre sont comme les romans : quand elles sont bonnes, elles sont prohibées.

— Certaines de vos pièces seront donc sûrement jouées pendant fort longtemps ! rétorqua Gabriel.

Mercier, qui ne s'était sans doute pas attendu à cette repartie, se mit enfin à sourire.

Le propriétaire du journal l'attrapa par le bras et l'obligea à le suivre vers son bureau, soucieux d'épargner à son neveu les railleries fameuses de ce drôle de littérateur.

Gabriel les regarda s'éloigner, puis retourna lentement vers son bureau, gagné par une irritante frustration. Un jour, il se le promit, on ne lui parlerait plus

85

comme à un jeune apprenti, mais comme à un véritable homme de lettres !

Théâtre Italien. Aujourd'hui 8 , Sophie et Derville , Comédie en un acte , en prose , par Mlle de Saint-Léger.

11.

Les liaisons dangereuses

— Levez-vous ! Face au mur ! s'écria le père administrateur en entrant, furieux, dans le dortoir des jeunes
orphelines de Saint-Sulpice, un martinet à la main.

Les quatorze jeunes filles, qui avaient entre huit et
quinze ans, réveillées en sursaut, se levèrent aussitôt et
s'alignèrent contre le mur de pierre, les mains croisées
dans le dos.

Le couvent de Saint-Sulpice, sis dans le quartier des
Cordeliers, avait été fondé en l'an 1648 afin d'y recevoir les orphelins de la paroisse, ces pauvres enfants
que la mort précoce de leurs parents laissait sans autre
ressource que la charité des fidèles. Le nombre des
enfants esseulés était dans la capitale tristement élevé ;
on estimait que, sur cent Parisiens de moins de dix ans,
plus de deux étaient orphelins de père et de mère, et
il n'existait alors pour ceux-là que trois solutions : la
famille éloignée, l'errance ou les hôpitaux, tel celui-ci,
vers lesquels les dirigeait le Bureau des pauvres quand

une place s'y libérait. Ces établissements religieux prenaient alors les enfants à leur charge, leur donnaient une éducation et un apprentissage professionnel, et ce jusqu'à leur majorité.

S'il est indéniable que ces institutions charitables accordaient aux orphelins la chance d'échapper à la rue et à la misère, si elles leur permettaient aussi le plus souvent de trouver un métier à l'issue de leur long séjour, c'était toutefois au prix d'une éducation rude, austère et parfois cruelle. Le couvent des orphelins de Saint-Sulpice n'échappait pas à cette règle.

Ici, la journée était organisée selon un emploi du temps strict, soumis aux seules décisions du père Charon. Toutes les activités se faisaient en commun, à l'écart du monde et de ses tentations. On interdisait tout contact entre deux individus, de quelque âge ou de quelque sexe qu'ils fussent, le silence était de règle et même les repas devaient se faire sans échanges verbaux. La journée, fort studieuse, était ponctuée par la lecture de textes religieux, les prières, les messes et les séances de catéchisme. Aux orphelins on n'accordait nulle vacance, ni récréation, ni promenade en dehors des murs de l'établissement, dont les portes étaient soigneusement barrées. Dans les rues, ces pauvres enfants eussent été, de toute façon, frappés de l'opprobre que l'on réservait à ceux qui portaient les stigmates de la pauvreté. Car l'orphelinat s'attachait à rappeler, à inculquer même, à ses résidents leur statut de miséreux : ils devaient apprendre à accepter leur sort humblement, à obéir à leur condition et à fuir en chaque chose le superflu. L'hygiène était déplorable, les enfants n'ayant le droit de se laver qu'une seule fois la semaine, et on les obligeait à ne porter qu'une chemise blanche, dont on disait, sottement, que la seule couleur permettait de nettoyer la peau ! Aux garçons, la nuit, on attachait fort inconfortablement les mains, afin qu'ils ne pussent – croyait-on – se livrer aux plaisirs solitaires. Quand on estimait que l'un des orphelins avait fauté, les punitions allaient de la privation de nourriture à l'enfermement dans l'un des cachots qui occupaient le sous-sol de l'immeuble.

Ainsi, cette nuit-là, quand les jeunes filles furent réveillées par l'entrée furibonde de l'administrateur, elles comprirent aussitôt que l'une d'elles risquait d'avoir droit à cet affreux châtiment.

Sans dire un mot, le père Charon souleva frénétiquement, une par une, les couvertures posées sur les couches rudimentaires des jeunes orphelines et les jeta en l'air. Il cherchait quelque chose. Quand il arriva au niveau de la petite Péronnelle, celle-ci ferma les yeux et se mit à trembler de tout son frêle corps de douze ans, ayant déjà compris ce qu'il se passait.

Le silence qui se fit dans son dos ne lui laissa aucun doute sur son inculpation, et elle poussa un déchirant cri de douleur quand les lanières du martinet vinrent lui fouetter l'arrière des cuisses. Accablée par les morsures du cuir sur sa peau délicate, la fille se laissa glisser vers le sol, et le deuxième coup, plus puissant encore, l'atteignit entre les omoplates, déchirant le tissu de sa chemise blanche.

— Retournez-vous ! hurla le père Charon. Retournez-vous toutes !

Les enfants obéirent, épouvantées, et quelques-unes pleuraient, de peur ou de compassion, peut-être.

Elles découvrirent alors l'objet du délit, que l'administrateur tenait d'une main crispée et brandissait au-dessus de lui d'un air accusateur : c'était un livre. Une édition reliée en plein veau brun marbré des *Liaisons dangereuses*, cette œuvre de Choderlos de Laclos dont la publication, sept années plus tôt, avait fait scandale, et qui continuait d'être décriée pour sa morale peu recommandable. L'auteur, accusé de faire l'apologie du libertinage contre la chasteté, y regrettait notamment l'éducation des jeunes filles que l'on plongeait dans l'ignorance et l'isolement…

— Où avez-vous déniché cette monstruosité ? hurla le père Charon.

La petite Péronnelle, envahie par la honte, ne trouva pas la force de répondre, refusant en outre d'incriminer la voisine de chambrée qui lui avait passé l'ouvrage.

La punition pour son silence ne tarda pas à venir, et elle reçut encore trois coups de *flagellum*. Les supplications de la petite, pas plus que ses deux mains croisées devant son visage, ne purent lui épargner la cruelle correction.

Devant la porte du dortoir, celle des religieuses qui avait découvert l'existence du livre coupable, et qui en avait informé le père Charon, se signait en silence et posait sur les autres orphelines un regard accusateur.

Quand il eut fini de défouler sa rage sur la pauvre enfant, l'administrateur l'attrapa par le bras et la souleva au-dessus du sol pour l'emmener dans un cachot du couvent.

Péronnelle, qui avait déjà connu le supplice de l'isolement, se mit à hurler plus fort encore que sous les coups de martinet. Car les blessures physiques n'étaient rien à côté de la torture morale qu'imposait à ces si jeunes filles l'enfermement dans ces cellules insalubres et sans fenêtre. Et, aujourd'hui, la faute était si grave – aux yeux du prêtre en tout cas – que Péronnelle risquait fort de rester dans son oubliette bien plus long-temps que la première fois.

Traînée par la main vengeresse de l'administrateur, la petite se débattit, tira en sens inverse, s'accrocha au lit, à la porte, à tout ce qui aurait pu la retenir, mais la force d'une enfant de douze ans était bien insuffisante comparée à celle d'un quadragénaire fanatique. Voyant qu'elle résistait, le prêtre se remit à fouetter la petite quand, soudain, elle lui échappa.

Libérée de cette emprise ecclésiastique, Péronnelle eut le réflexe de s'enfuir. Sans réfléchir, elle partit tout droit dans le couloir, oubliant la douleur de son corps lacéré.

— Petite peste ! hurla le père Charon en courant à sa poursuite. Tu ne m'échapperas pas !

De fait, les portes du couvent étaient toutes fer-mées et, comme portée par un sursaut de folie, ou au moins un instinct de survie qui eût fait tomber toutes les barrières de sa raison, Péronnelle, arrivée dans le réfectoire, se jeta en boule à travers l'une des fenêtres du rez-de-chaussée. *Plutôt mourir que retourner au cachot !* semblaient lui dicter d'horribles souvenirs. Dans un fracas immense, le verre éclata, cisaillant la chair de la petite fille qui roula sur le pavé au milieu de la rue obscure. Il pleuvait cette nuit-là, une pluie grasse de printemps, et Péronnelle peina à se relever sur le sol glissant.

— Garce ! Maudite garce ! hurlait Charon.

Il n'abandonna pourtant pas et, passant à son tour par la fenêtre, il se coupa la paume de la main gauche, ce qui n'eut pour effet que de l'enrager davantage.

L'enfant, dont le corps était maintenant couvert de pluie et de sang de la tête jusques aux pieds, lesquels étaient nus, se mit à courir dans la rue des Fossoyeurs, se dirigeant droit vers l'église Saint-Sulpice, qui resplendissait au cœur de la nuit.

Enjambant d'un bond les marches trempées, la petite passa entre les statues indifférentes de saint Jean et de saint Joseph, confortablement abrités dans leurs niches, et pénétra dans la fraîcheur de l'église.

À une heure si tardive, il n'y avait plus personne entre ces murs mais, en cette époque, le supérieur n'hésitait pas à laisser les portes ouvertes toute la nuit, car rares étaient ceux qui osaient souiller la sainteté des lieux. À part, peut-être, ce soir-là, le père Charon.

Péronnelle arriva, à bout de souffle, devant le chœur carré. Tout, ici, aurait dû inspirer la quiétude et la paix : l'harmonie du chevet, les majestueux pilastres corinthiens, l'écho silencieux qui emplissait la croisée, et les paisibles statues de pierre ornant chaque pilier, qui semblaient veiller à toute heure sur la tranquillité des lieux. Toute église n'était-elle pas, d'ailleurs, un asile sacré, inviolable, où les enfants de Dieu pouvaient chercher refuge quand ils se sentaient en danger ? Pourtant, le père Charon ne s'arrêta pas au portail et, une main ensanglantée, l'autre brandissant son fouet, il se rua vers la jeune orpheline qui, horrifiée, s'était retournée vers lui en l'entendant crier.

— Tu vas me le payer, petite traînée ! Tu vas me le payer !

Ses cheveux écrasés par la pluie, il avait le regard d'un aliéné.

Péronnelle poussa un cri aigu, fit volte-face, traversa le chœur et courut le long des chapelles qui s'alignaient au bout de l'église. Quand elle arriva devant celle de la Sainte Vierge, sous la protection particulière de laquelle avait jadis été placée cette paroisse, elle s'immobilisa, comme frappée par la foudre.

Car, si majestueuse qu'elle fût, la silhouette prodigieuse qui venait de se dresser devant elle, au milieu de l'abside, ne pouvait pas être une nouvelle statue de pierre, pas plus que la bête féroce qu'elle tenait en laisse n'eût pu être une gargouille égarée. Non. C'était un fantôme, et c'était un loup, et tous deux semblaient sortis des enfers.

Le corps tremblant, les jambes paralysées, la petite fille balbutia d'incompréhensibles paroles.

Lorsque le père Charon apparut derrière elle, il se pétrifia à son tour devant ce spectacle effroyable.

Le spectre nocturne, ses yeux à peine visibles sous l'ombre d'une ample capuche, s'avança doucement vers eux, soulevant à chaque pas les pans de sa longue cape noire, pendant que l'animal, babines retroussées, grognait en marchant à ses côtés avec une lenteur égale.

Péronnelle, les yeux écarquillés, vit la lame d'un sabre monter vers elle et se poser, par le plat, sur son épaule, pour l'écarter du chemin. Le fantôme, d'un geste solennel, lui faisait signe de disparaître. Elle ne se fit point prier. Puisant au fond de son âme les dernières gouttes de courage, elle se remit à courir vers la sortie de l'église.

Quand elle fut hors les murs de Saint-Sulpice, la petite fille tressaillit en entendant l'écho de hurlements atroces qui s'élevaient sous la nef. Car, dit-on, quand la bête lui sauta dessus, le père Charon cria pitié plus fort que Péronnelle ne l'avait fait elle-même lorsqu'il l'avait fouettée. Le loup n'en fit qu'une bouchée.

12.

Sur les lieux du crime

— Eh bien, qu'est-il arrivé aujourd'hui, maître Danton ? Tout le monde a l'air bien agité ! demanda Gabriel alors qu'il passait, comme chaque matin désormais, par la cour du Commerce-Saint-André pour aller franchir le Pont-Neuf et se rendre au *Journal*.

Ce n'était certes pas le chemin le plus direct, mais Joly aimait traverser cet îlot si particulier, dont il saluait maintenant les habitants tel un vieil habitué. Au Procope, il avait rapidement été adoubé par Desmoulins et Danton, qui semblaient apprécier son esprit sagace et sa bonne nature, et les deux avocats, s'ils raillaient sa rhétorique souvent ampoulée, n'avaient pas hésité à lui présenter les grandes figures des Cordeliers.

— Tu n'es pas au courant ? répondit Danton qui, comme à son habitude, commençait sa journée en buvant un moka à la porte de son cabinet pour prendre la température du quartier. Eh bien ! Pour un journaliste !

— Au courant de quoi, Georges ?

— C'est le troisième meurtre étrange dans le quartier ! Le troisième en trois jours, mon garçon ! D'abord deux brigands au jardin du Luxembourg, puis avanthier un sergent de la garde de Paris et quatre de ses hommes, et cette nuit, enfin, l'un des prêtres de Saint-Sulpice, qui vient d'être retrouvé à l'intérieur même de l'église ! À chaque fois, les victimes, qui ont été égorgées sauvagement, portent, dit-on, des traces de morsures sur le corps et une marque étrange sur le front.

— Un triangle renversé ? demanda Gabriel, interdit.

— Ah ! tu vois que tu es au courant ! Certains disent qu'un fantôme rôde dans le quartier avec un chien enragé !

— Un fantôme ? s'exclama Gabriel. La belle affaire !

Danton, les bras croisés sur sa large poitrine, ouvrit un sourire narquois.

— Tu ne crois pas aux fantômes ?

— Je me garderais de me prononcer publiquement sur la possibilité d'une vie après la mort, mais pour ce qui est d'un fantôme qui tiendrait en laisse un chien enragé dans les rues de Paris, non, cela, je puis affirmer sans crainte que je n'y crois pas.

— C'est dommage ! Cela ferait un bel article ! s'amusa l'avocat.

Gabriel le salua et, sans attendre, cet adepte des préceptes d'Hérodote, convaincu qu'il ne suffisait pas de se faire conter une histoire pour y croire, décida d'aller voir sur place pour constater la chose par lui-même.

En se dirigeant vers Saint-Sulpice, il découvrit l'agitation qui régnait dès le haut de la rue de Tournon. Les habitants du quartier, attirés par la rumeur, se pressaient tous vers l'église en proférant d'inquiètes paroles, et ce rassemblement inquisiteur qui ne cessait de grossir offrait au regard l'aspect d'une mer déchaînée.

Jouant des coudes et des épaules, le jeune homme parvint à traverser la foule pour arriver devant le cordon de gardes de Paris qui barraient l'accès à la grande place.

— Que s'est-il passé ? demanda-t-il à un soldat.

— Ce n'est pas tes affaires.

— Auriez-vous l'obligeance de bien vouloir me laisser approcher de l'église ? Je suis journaliste, monsieur…

Le garde secoua la tête d'un air blasé.

— Et tu crois que ça va m'foutre des ampoules au cul ? Allez ! Du vent !

— Mais, enfin…

— M'emmerde pas, ou je t'envoie à la Bastille !

Gabriel dévisagea le soldat, sembla réfléchir puis murmura :

— Tenez-vous vraiment à ce que j'écrive un article sur ce garde de Paris qui cache à son épouse qu'il a été dégradé de son rang de major et relégué à la simple surveillance des boulevards ?

— Co… comment…, balbutia le soldat.

— Il ne reste qu'une épaulette blanche à votre habit, monsieur, et la marque que je vois à l'endroit où se trouvait jadis la seconde indique que vous l'enlevez et la remettez matin et soir, pour cacher à votre épouse – dont l'existence m'est confirmée par votre alliance – que vous avez été destitué de votre grade, ce qui explique, sans la justifier, l'agressivité dont vous faites preuve à mon endroit.

Le garde, décontenancé, jeta un coup d'œil à son épaule en rougissant.

— Aussi, je le répète : auriez-vous l'obligeance de bien vouloir me laisser approcher de l'église ? insista Gabriel avec une pointe de fourberie.

L'homme grogna, puis s'écarta pour le laisser passer discrètement en essayant de masquer son embarras.

Joly, tête haute, pressa le pas et traversa la place qui bordait l'église. Il fit plusieurs fois le tour de celle-ci, s'arrêtant ici et là, resta un long moment devant l'entrée qui se trouvait au bout de la rue des Fossoyeurs, hocha la tête comme s'il avait remarqué quelque chose qui confirmait une supposition préalable, puis entra dans l'édifice en se grattant le front.

Traversant le transept, il sourit quand ses pieds franchirent au sol la longue règle de laiton qui marquait le trajet d'une méridienne. Le gnomon de Saint-Sulpice, composé de deux discrets œilletons percés dans le vitrail sud, permettait aux rayons du soleil de se projeter successivement sur un disque d'or tracé au sol et sur un obélisque érigé à l'autre bout du méridien. La construction récente de ce dispositif de mesure astronomique montrait comment Rome, après un siècle de déni, avait fini par se ranger du côté des théories de Galilée. Un jour, songea le jeune homme, science et religion se donneraient peut-être enfin la main pour résoudre les plus grands mystères de l'univers…

Contournant le chœur de l'église, il remonta dans le déambulatoire et arriva à la hauteur de la chapelle de la

Sainte Vierge, devant laquelle un petit groupe d'individus s'affairait autour d'un cadavre. À leurs uniformes, Gabriel reconnut deux gardes de Paris, un inspecteur et un commissaire de police.

— … et donc, c'est probablement un chien qui a été dressé pour attaquer, affirma le petit homme au crâne dégarni et vêtu de l'habit noir de commissaire, tout en prenant des notes sur un carnet.

— Je pencherais plutôt pour *Canis lupus*, glissa Gabriel, qui venait de se porter derrière lui.

Les quatre hommes sursautèrent, qui ne l'avaient pas entendu arriver.

— Qui… qui êtes-vous ? bredouilla l'officier en se retournant.

— Gabriel Joly, journaliste, répondit très naturellement celui-ci tout en regardant la mystérieuse marque triangulaire gravée sur le front de la victime à la pointe d'une lame.

Le prêtre était étendu dans une mare de sang, le corps couvert de blessures et affreusement mutilé.

— Et que faites-vous là ? s'agaça le commissaire, alors que les deux gardes venaient d'attraper Gabriel par les épaules.

— Vous avez de la chance qu'il ait plu hier soir et que le service des Boues & Lanternes soit si peu efficace…

— Pardon ?

— L'animal a laissé de nombreuses traces de pas dans le transept.

D'un geste de la main, le commissaire fit signe aux gardes de relâcher l'impromptu visiteur.

— Je les ai vues, et alors ?

— Les empreintes des pattes antérieures sont alignées sur celles des pattes postérieures, ce qui doit nous faire pencher pour un loup plutôt que pour un chien. En outre, la piste est rectiligne. Un chien aurait davantage tendance à papillonner à droite et à gauche.

L'officier de police observa Gabriel un instant.

— Vous êtes sûr de ce que vous dites ?

Devant la mine perplexe des quatre hommes, le jeune Joly s'agenouilla près du cadavre pour l'étudier de plus près.

— M. Brisson est formel à ce sujet dans son étude, *Le Règne animal,* poursuivit-il sur le même ton, tout en inspectant les blessures de la victime. On peut difficilement différencier la morsure d'un loup de celle d'un grand chien, je vous l'accorde, et il me paraît à moi aussi très étonnant qu'un loup puisse être promené en laisse dans Paris, mais les empreintes laissent malgré tout peu de doutes. Nous avons affaire à un loup.

Le jeune homme se releva et déambula autour du cadavre.

— Un homme de votre profession n'est pas sans savoir que les traces de pas nous disent beaucoup de choses, commissaire. Elles sont un message qui nous est directement adressé par le passé, et il convient de prêter attention à tous les signaux que l'histoire envoie à ses observateurs. Ici, les empreintes de pas nous confirment, par leur position, que l'animal était tenu en laisse par l'assassin, de la main gauche, mais surtout… qu'il y avait une troisième personne présente hier soir.

— C'est aussi ce qu'il m'a semblé, reconnut le policier. Mais…

— Un enfant, probablement, reprit Gabriel en désignant les empreintes qui se croisaient devant la chapelle. Pieds nus et blessé. Je dirais qu'il avait la plante des pieds entaillée par des morceaux de verre. En suivant les traces à partir de l'entrée de l'église, il m'apparaît que ledit enfant est arrivé le premier, suivi de la victime, alors que l'assassin et son loup sont entrés par la porte opposée, sans que je puisse dire si c'était avant ou après ces deux-là. Connaissez-vous l'identité de ce prêtre ?

— C'est le père Charon. Il est…

Le policier s'arrêta aussitôt de parler, comme s'il venait lui aussi de faire quelque déduction.

Au même instant, Gabriel se mit à quatre pattes et ramassa le fouet qui avait glissé sous la barrière séparant le chœur du déambulatoire, puis il se releva et le tendit au commissaire.

— L'administrateur du couvent des orphelins de Saint-Sulpice, n'est-ce pas ? demanda le jeune homme en retournant vers le cadavre.

Le policier regarda le fouet, de plus en plus stupéfié par son interlocuteur.

— J'ai remarqué tout à l'heure, dans la rue des Fossoyeurs, que l'une des fenêtres du couvent avait été fraîchement remplacée par une planche de bois, expliqua Joly. À votre place, j'irais poser une ou deux questions aux religieuses. Il s'est passé quelque chose cette nuit dans l'orphelinat. Et si ses employées ne se sont pas encore manifestées auprès de vous à cette heure, alors que leur administrateur a disparu, c'est qu'elles ont quelque chose à taire. Je ne serais pas étonné que l'un des jeunes résidents de l'orphelinat ait assisté à cette scène macabre…

— Eh bien ! Vous avez un sens de l'observation tout à fait remarquable !

— L'observation ne suffit pas. Elle n'est que la première étape vers la déduction.

Le commissaire sourit.

— M. Joly, c'est bien cela ? Pour quel journal m'avez-vous dit que vous travailliez ?

— Je ne vous l'ai pas dit, monsieur…

— Guyot. Commissaire Guyot, répondit l'officier en lui tendant la main.

Michel Guyot, qui avait acheté pour soixante mille livres sa charge de commissaire vingt ans plus tôt, après avoir obtenu sa licence de droit à la faculté de Paris, avait commencé sa carrière dans le quartier de Saint-Germain-des-Prés, puis avait été nommé dans celui du Luxembourg, en récompense de plusieurs succès fort appréciés par la lieutenance. Des quarante-huit commissaires que comptait Paris, il était réputé pour être l'un des plus intègres, privilégiant les enquêtes judiciaires plutôt que les affaires civiles et les scellés, qui étaient pourtant bien plus lucratifs pour un homme de sa charge. Contrairement à beaucoup de ses collègues, on le disait incorruptible, et il était de notoriété publique qu'il refusait systématiquement les présents que donnaient parfois les Parisiens aux commissaires pour échapper à la sévérité d'une ordonnance de police. En plus du quartier du Luxembourg, le Châtelet lui avait confié la charge spéciale des cabarets, et on venait de lui demander de mener l'enquête sur cette étrange série de meurtres.

— Je vous aurais volontiers accompagné à l'orpheli-nat, reprit Gabriel. Il y a là un joli mystère à résoudre, mais cela me mettrait en retard. Je dois malheureuse-ment vous fausser compagnie.

— Nous nous reverrons sans doute, lança Guyot en le regardant s'éloigner.

— J'en suis convaincu.

— La prochaine fois, demandez tout de même mon autorisation, avant de vous introduire sur les lieux d'une enquête…

— Je n'y manquerai pas !

Ainsi, sous le regard médusé des quatre hommes, Gabriel sortit de l'église et retourna vers la foule qui, assoiffée de sang, n'avait toujours pas diminué sur le parvis de Saint-Sulpice.

Noyé dans la masse des badauds, un étrange indi-vidu regarda le journaliste se diriger vers la Seine. Cet homme, qui portait un tricorne, une redingote rouge et deux longs pistolets à la ceinture, était celui qui, quelques jours plus tôt, avait déjà épié Gabriel dans la cour du Commerce-Saint-André, avec dans les yeux cette même lueur d'intrigue…

Joly, inquiet à l'idée de manquer à ses devoirs, tra-versa la ville au pas de course pour se rendre enfin dans les locaux du *Journal de Paris*.

— Alors, mon neveu ? l'accueillit Cadet de Vaux, comme le jeune homme avait frappé à la porte de son bureau. Êtes-vous heureux de votre nouvel emploi ?

— Bien sûr, mon oncle, bien sûr ! C'est formi-dable ! Je ne saurai jamais comment vous remercier.

— Xhrouet a l'air d'être satisfait de vous. Et ce n'est guère homme aisé à satisfaire. Je ne manquerai pas de dire à votre père que vous faites honneur au nom de Joly.

— Merci, mon oncle, répondit Gabriel qui, en réalité, se moquait éperdument de ce que son père pouvait penser de lui. Mais je voulais vous demander quelque chose. Avez-vous entendu parler du nouveau meurtre qui a eu lieu cette nuit ?

— Diantre ! Le prêtre de Saint-Sulpice ? Oui, c'est horrible !

— Je suis allé vérifier l'information par moi-même et, en effet, la chose est édifiante. Il semblerait que le meurtre ait eu lieu exactement dans les mêmes circonstances que les deux précédents... À chaque fois, on aurait trouvé la même marque sur le front des victimes, ce fameux triangle renversé ! L'assassin, que les habitants du quartier décrivent comme un fantôme, tiendrait un loup en laisse...

Cadet de Vaux secoua la tête.

— Allons, allons ! Il ne faut pas croire les ragots des gens de la rue !

— Bien sûr ! Mais la chose est en tout cas suffisamment singulière pour qu'on cherche à en percer le mystère, ne pensez-vous pas ? Aussi, j'aimerais beaucoup enquêter sur cette série de meurtres. Cela pourrait faire un article remarquable !

Le propriétaire du journal écarquilla les yeux.

— Gabriel ! Vous n'y pensez pas ? Enfin ! Je vous l'ai déjà dit, ce n'est pas dans les habitudes du *Journal* !

— Le temps n'est-il pas favorable aux changements d'habitudes ? Les lecteurs, j'en suis certain, seraient passionnés par cette histoire ! Et puis, nous ne pouvons pas passer sous silence...

— Mon neveu ! le coupa Cadet de Vaux. Je comprends votre ferveur mais, si vous voulez réussir dans ce métier, il faut que vous appreniez à tenir votre place, à écouter non seulement les conseils de votre vieil oncle mais surtout les ordres de votre directeur et, enfin, à ne pas vous rabaisser au niveau des nouvellistes du Palais-Royal ! Ce genre d'histoires scabreuses, ils en font leur affaire !

— Mais ils le font mal ! protesta Gabriel. Le sujet mérite un long travail d'enquête, un recueil d'informations, de témoignages, une analyse méthodologique des faits… Hérodote disait que la hâte engendre l'erreur, et que de l'erreur naît bien souvent le désastre !

— Oh ! vous m'agacez avec votre Hérodote, à la fin ! Il suffit, Gabriel ! Je ne veux plus entendre parler de ce projet ridicule. Dépêchez-vous de vous mettre au travail et, surtout, ne parlez pas de cette idée loufoque à notre directeur, il prendrait fort mal la chose et, cette fois, je ne pourrais pas vous défendre !

Le jeune homme, comprenant qu'il était inutile d'insister, et craignant surtout de perdre si tôt une place dont il avait tant rêvé, retourna, dépité, au milieu des commis.

THÉÂTRE FRANÇOIS. Aujourd'hui 9, INÈS DE CASTRO, Tragédie de la Motte, & AMPHITRYON, Comédie en trois actes, en vers, de Molière…

13.

Les souffrances d'un père
et d'une mère

— Pauvre petit, mon pauvre, pauvre petit…

Le roi et son épouse Marie-Antoinette, la mine triste, étaient tous deux au chevet de leur fils aîné, Louis-Joseph, premier dauphin de France, qui, du haut de ses huit ans, était atteint d'un mal terrible. Ces dernières semaines, la maladie s'était grandement aggravée, lui causant d'atroces fièvres, et l'on craignait le pire. N'ayant point reconnu à temps les symptômes de la tuberculose, les médecins avaient diagnostiqué bien tard à cet enfant qui ne pouvait se tenir droit ce qu'on appelait alors une « carie vertébrale », à laquelle on ne connaissait nul remède. La mort, qui avait déjà enlevé au couple royal leur deuxième fille, semblait hanter de nouveau les couloirs du palais à la recherche de son prochain otage…

Selon la rumeur, indisposé par une douleur mal placée, Louis XVI n'était pas homme friand des jeux de l'amour, et la France entière avait longtemps attendu cet héritier. Aussi le couple se demandait-il à présent comment Dieu pouvait menacer de leur enlever un fils qu'ils avaient eu tant de peine à concevoir.

Ce petit garçon, qui avait été élevé pour devenir roi, était intelligent et cultivé, et avait souvent fait preuve, par ses reparties, d'un caractère plus fort que celui de son père. Mais, aujourd'hui, le corps tremblant et le front trempé de sueur, il faisait peine à voir, et la chose tourmentait Louis XVI bien plus que la mauvaise tournure des états généraux.

À trente-quatre ans, ce roi qui n'avait point voulu l'être fuyait la Cour dès que possible. À vrai dire, en invitant la nation à se réunir en états généraux, Louis XVI n'était pas mécontent de se décharger sur elle des difficultés du gouvernement... Il n'était certainement pas l'idiot que ses détracteurs l'accusaient d'être, et ce grand lecteur des Lumières avait en réalité une assez bonne compréhension du peuple et de son temps, mais pour gouverner il lui manquait l'essentiel : la volonté.

Aussi, quand Jean-Baptiste de Brémond fut introduit dans la chambre du dauphin, Louis XVI poussa un long soupir de lassitude. Car si M. de Brémond, officiellement, était son secrétaire particulier, il jouait surtout, en réalité, le rôle de directeur du Secret du roi, et ses apparitions imprévues étaient rarement porteuses de bonnes nouvelles.

— Y a-t-il, monsieur de Brémond, une urgence telle que vous dussiez déranger mon mari quand nous sommes auprès du dauphin ? s'agaça Marie-Antoinette en voyant l'homme approcher.

— J'en ai bien peur, Sire, répondit le secrétaire, s'adressant non pas à la reine, mais au roi.

— Qu'y a-t-il donc ? demanda Louis, de sa voix tremblotante.

— Il s'est distribué ce matin dans tout Paris, alors que M. Necker avait fait interdire son journal, un texte intitulé *Lettre du comte de Mirabeau à ses commettants*. Le tonitruant député y entend de nouveau rendre compte au peuple de ce qui se dit aux états généraux, il y critique vertement l'interdiction dont son journal a fait l'objet et y attaque rudement les ministres de Sa Majesté, qu'il traite d'inquisiteurs ! Enfin, il accuse les ordres du clergé et de la noblesse de tenir des séances qu'il déclare irrégulières, prétextant que les ordres ne devraient guère statuer séparément aux états généraux, comme c'est pourtant la coutume et votre volonté. En somme, il se moque de la censure et la contourne sans vergogne pour soulever le peuple, avec, je dois le dire, un succès peu rassurant.

— Ainsi, cet horrible personnage continue son marchandage ! s'indigna Marie-Antoinette, sans lâcher la main de son fils. Il nous menace d'un soulèvement du peuple pour obtenir ce qu'il désire. Qu'on lui donne l'ambassade qu'il réclame, à Constantinople, et que cesse enfin cette odieuse négociation qu'il fait avec la Cour !

Mme la reine, fille de l'empereur François Ier et de Marie-Thérèse d'Autriche, était, à trente-trois ans, une fort belle femme. Si sa grâce avait d'abord séduit les Français, sa frivolité et ses excès en avaient fait une figure que les pamphlets et les libelles, souvent obscènes, vilipendaient bien plus que le souverain lui-même. On lui prêtait tous les vices et toutes les trahisons, adultère et libertinage, on blâmait ses dépenses inconsidérées et, si ces graves accusations furent malheureusement fondées en quelques occasions, ce n'était pourtant pas le monstre que beaucoup voulaient dépeindre… Elle avait, néanmoins, la fâcheuse habitude de vouloir influer sur les décisions d'un roi trop hésitant.

— Sait-on qui a imprimé cette lettre ? demanda Louis XVI, le front soucieux.

— Le Jay fils, dont l'imprimerie est rue de l'Échelle-Saint-Honoré, Sire.

— Eh bien, dans ce cas, faites-lui donc fermer boutique, et saisissez la lettre, monsieur de Brémond !

— Il en sera fait selon les désirs de Sa Majesté, mais je crains que le mal ne soit déjà répandu, et qu'il en faille beaucoup plus pour réduire M. de Mirabeau au silence.

Le roi fit de la main un geste fatigué.

— Allons, le comte finira bien par se ridiculiser tout seul. C'est un libertin, couvert de dettes ; mon bon peuple ne sera pas dupe longtemps, et s'il continue à défier mes ministres dans l'espoir d'obtenir mes faveurs, Mirabeau finira à la Bastille. L'œuvre des francs-maçons, plus discrète mais plus pernicieuse, m'inquiète davantage que la plume de Mirabeau, voyez-vous ? Avez-vous mené l'étude que je vous ai demandée ?

— Bien sûr, Sire, répondit Brémond en sortant un papier de la poche de son haut-de-chausses. Sur mille deux cents députés, environ deux cents appartiennent à des loges maçonniques. On en compte dix-huit au sein du clergé, soixante-dix-neuf au sein de la noblesse et cent dix-sept au tiers état. Ainsi, c'est dans la députation de la noblesse que la proportion est la plus élevée, avoisinant les trente pour cent...

— C'est bien ce qui m'inquiète, se lamenta Louis XVI. On aurait tort de croire que le peuple est mon pire ennemi. Les Français aiment leur roi, et leur colère n'est que passagère : ils ont faim, voilà tout. Ce que je crains, ce sont les intentions secrètes de la noblesse, et en particulier celles de mon cousin, le duc d'Orléans. Il a toujours brigué ma place, et je crois qu'il se sert de son titre de Grand Maître du Grand Orient de France pour unir les loges maçonniques contre ma personne. Plutôt que les imprimeurs, ce sont peut-être les ateliers de maçons que nous devrions fermer, ceci afin de nous protéger de mon cousin !

— Allons ! intervint Marie-Antoinette. Que le duc d'Orléans brigue votre place, la chose est indéniable, mais il est loin de faire la loi au sein de la franc-maçonnerie. Son titre n'y est qu'honorifique. C'est le duc de Montmorency-Luxembourg, administrateur du Grand Orient, qui en tient véritablement les rênes. Il fut maréchal de camp de vos armées et vous savez que nous avons tout son soutien ! Vous faites trop grand cas de cette maçonnerie, mon cher époux. Vos frères, les comtes de Provence et d'Artois, n'ont-ils pas eux-mêmes été initiés ?

— Dans une loge militaire où ils n'ont dû mettre les pieds qu'une ou deux fois, tempéra le roi.

— Eh bien, cela prouve à la fois que l'institution n'est pas très sérieuse et qu'elle ne veut aucun mal à notre famille. Mon avocat, le comte de Sèze, qui m'a porté secours lors de l'affaire du collier, est maçon ; mon tendre ami Mozart, qui m'avait ingénument demandé en mariage à Vienne quand nous étions enfants, l'est aussi ; quant à ma douce et fidèle amie, la princesse de Lamballe, elle est Grande Maîtresse des loges féminines ! Je vous assure que vous n'avez rien à craindre de la franc-maçonnerie. Elle est loin d'avoir en France l'importance qu'elle peut avoir en d'autres parties d'Europe. Ici, tout le monde en est ! Ce n'est plus qu'une société de bienfaisance et de plaisir…

Le roi dodelina de la tête d'un air sceptique.

— Qu'en pensez-vous, monsieur de Brémond ?

— Je ne saurais contredire Mme la reine, et la franc-maçonnerie n'est certes pas aussi mystérieuse ou diabolique qu'on le dit ici et là. Elle s'est toutefois laissé pénétrer par la pensée de Voltaire et des encyclopédistes, et de nombreuses loges rêveraient de modeler les institutions de notre pays à l'image de la leur, en faisant adopter au peuple de France le principe de suffrage universel…

— Et donc, me renverser ?

Le secrétaire répondit d'un abaissement du regard.

— Alors nous devons surveiller les loges de plus près et obtenir l'assurance du duc de Montmorency-Luxembourg que rien ne sera fait par le Grand Orient qui puisse nuire à ma personne, à ma famille, à la royauté et au pouvoir que je tiens de droit divin !

M. de Brémond hocha la tête en silence et tira sa révérence.

14.

Liberté et libertinage

C'était déjà dimanche et, comme il l'avait promis à Camille Desmoulins, Gabriel se rendit au couvent des Cordeliers. Quand il arriva dans le cloître, il fut immédiatement saisi par son atmosphère particulière, où la piété semblait se mêler au mystère. On eût dit que les âmes de tous les grands hommes qui avaient visité ce couvent continuaient, comme autant de fantômes en peine, à déambuler autour de son parterre. En s'avançant dans la galerie, Gabriel fut parcouru d'un étrange frisson. Il ne sut si c'était l'effet de la sainteté des lieux, celui des nombreuses sépultures voisines, ou bien celui de quelque secret enfoui sous terre depuis la nuit des temps, mais tout cartésien qu'il fût, il ne put s'empêcher de penser que ces arcades résonnaient de vibrations mystiques.

Chassant cette idée saugrenue de son esprit rationnel, il se dirigea vers l'*aula theologica*, où se tenait l'assemblée populaire. Il aperçut les dix électeurs du district qui, sous la direction de leur président, l'avocat

François-Laurent Archambault, s'entretenaient avec plus d'une centaine d'habitants du quartier, commerçants, artisans, tous animés du même espoir de voir le pays se réformer pour les sortir de la misère.

Les élections avaient donné un nouvel élan au peuple de Paris et, ici, on avait conservé l'habitude de se retrouver une fois par semaine avec les électeurs. Dans ce quartier, on se disait à présent citoyen, on rêvait d'une plus grande justice, on parlait de fraternité et, le dimanche, on allait à ces réunions comme on allait à la messe. On s'entraidait, on parlait des actualités, de politique, de subsistances, de bois de chauffe… Ceux qui le pouvaient venaient au secours des plus démunis, on apportait à manger, on apportait à boire, on apportait des vêtements, on échangeait des informations sur les moyens de trouver du pain et on disposait à l'entrée une petite caisse où tous ceux qui en avaient la liberté pouvaient laisser de l'argent, que l'on redistribuait aux plus nécessiteux.

— Gabriel, je te présente… Gabrielle, mon épouse ! s'exclama Georges Danton en désignant fièrement la jeune femme à ses côtés qui, sous une chevelure noire et bouclée, cachait des yeux malicieux et des joues aussi généreuses que l'étaient ses hanches et sa poitrine. N'est-elle pas la plus belle femme de tout Paris ?

Les époux, que la mort de leur premier enfant, deux mois plus tôt, alors qu'il n'avait pas même un an, avait rapprochés plus encore qu'ils ne l'étaient déjà, n'avaient point fait mariage de raison – comme de mauvaises langues l'affirmaient eu égard à la dot généreuse que Gabrielle avait apportée au jeune avocat – mais bien d'amour. Ils étaient liés par une évidente complicité et leur affection se traduisait par des gestes tendres et de douces prévenances.

— Bonjour, madame, fit Joly avant que de baiser la main de son homonyme.

— N'écoutez pas mon mari, s'excusa Gabrielle Danton. Il veut me faire plaisir et il oublie qu'une dame préfère qu'on vante son esprit, plutôt que son apparence…

Mais Joly savait déjà, comme Desmoulins le lui avait confié, que l'épouse de Danton était subtile, instruite et avisée, et qu'elle apportait à son mari le calme et l'économie dont il manquait souvent.

— Mon amour, tu as tellement d'esprit que tu es la seule sur terre à me trouver beau !

Mme Danton l'embrassa en riant et, de fait, à la lumière dans ses yeux, on eût dit qu'elle embrassait le plus charmant des hommes.

— Tu ne participes pas aux débats, Georges ? demanda Gabriel en se tournant vers la tribune.

— Oh, non ! Tu sais, moi, la politique… Je laisse ça à Archambault et Desmoulins, que la chose passionne bien plus.

En effet, ces deux-là, debout à la tribune, maîtrisaient l'art de captiver la foule. Comme par magie, quand il était sur scène, Camille Desmoulins perdait presque totalement son célèbre bégaiement.

— Nos députés du tiers état ont changé de nom. Ils ne sont plus députés du tiers, mais des communes, et notre bon sieur Bailly, député de Paris, en a été nommé le doyen ! Ils appellent maintenant les élus du clergé et de la noblesse à les rejoindre, pour faire une grande et unique Assemblée des communes, à l'image de l'Angleterre ! La noblesse et le clergé, retirés dans leurs salles respectives, croient pouvoir délibérer à l'écart de nos représentants ? Ils se fourvoient ! Nous ne l'accepterons pas ! Que… que demande-t-on ?

— Le vote par tête ! cria le public, sous la voûte de la salle théologique.

— Et du pain ! ajouta l'une des habitantes du district en montant à la tribune, entre les deux orateurs. On veut du pain pour nourrir nos gosses !

— Eux, ils ont les privilèges, et nous, foutre, on a la famine ! s'exclama le boucher Legendre, qui était sans doute l'un des habitants les plus tumultueux du district.

— Il faut abolir les abus ! cria une autre femme près de lui. Tout est privilèges ! Et on veut l'éducation gratuite pour nos filles !

— Tu as raison, citoyenne ! répondit Desmoulins. Les lois ont été écrites *par* les puissants, *pour* les puissants. Tout leur est réservé : les grandes entreprises, la gestion des revenus publics et le privilège exclusif de piller l'État ! Combien est réduite, en ce bas monde, la part du simple citoyen ! Les dignités, les nobles charges, l'argent, tout est entre les mains des privilégiés, et les vôtres ne sont bonnes qu'à les servir ! Vous payez des impôts au roi, des droits féodaux aux nobles, la dîme au clergé ! À vous le labeur, à eux les richesses !

— Et nous ne pouvons plus accepter les lettres de cachet, qui ridiculisent la justice, surenchérit le président Archambault à ses côtés.

— Ni la censure de la presse ! continua Camille. Le roi devrait entendre la colère de son peuple, mais ses ministres nous bâillonnent ! Liberté de la presse !

— Liberté de la presse ! répondit la foule.

Gabriel, sincèrement ému par cette complicité qui semblait souder le petit peuple de Paris, parcourut l'assemblée du regard. Il s'aperçut qu'il y avait là plus de femmes qu'il n'y avait d'hommes, et que celles-ci n'hésitaient pas à donner de leur voix.

— Archambault ! cria l'une d'elles à l'électeur qui les écoutait religieusement. Dis-y, au serrurier, qu'il les oblige à nous donner d'la farine ! Sinon, ça va refaire comme au faubourg Saint-Antoine, y vont voir ! Nous, les femmes, on n'a pas peur d'aller dans la rue !

— Si vous voulez vous faire entendre, il faut que le roi impose aux états généraux le vote par tête ! insista le président du district. Le comte de Provence, son frère, a fait doubler le nombre de nos députés. C'est bien ! Mais ils pourraient multiplier nos députés par mille que ça n'y changerait rien, tant que chaque ordre n'aura qu'une seule voix !

Au milieu de la foule, Gabriel se pencha vers Danton et lui glissa à l'oreille :

— Je ne suis pas sûr que le frère du roi ait œuvré *pour* le peuple, mais plutôt *contre* la noblesse, dont il sait qu'elle veut reprendre un peu de pouvoir à la Cour… La famille royale se méfie bien plus des aristocrates qui la jalousent que du peuple.

Danton lui adressa un clin d'œil.

— T'es un petit malin, toi, hein ? Tu veux monter à la tribune ?

— Oh, non ! Je ne suis qu'un observateur, Georges. Je ne suis pas là pour donner mon opinion, mais pour connaître la vérité et la restituer.

À cet instant, Gabriel remarqua, de l'autre côté de la pièce, une demoiselle qui devait être à peine plus jeune que lui et qui, esseulée, restait discrètement près de la bibliothèque sans se mêler à la foule. Il fut saisi par la touchante mélancolie qu'il crut lire dans le regard de cette jeune femme à la peau mate et aux longs cheveux frisés. Il se hissa sur la pointe des pieds pour la voir mieux, mais elle était un peu loin, alors il entreprit de se glisser au milieu du nombre pour s'approcher. Il n'était plus qu'à quelques mètres de la demoiselle quand une main lui tapa sur l'épaule.

— Te mets pas martel en tête, poil de brique !

Gabriel se retourna et reconnut Guillemette, une habituée de la cour du Commerce-Saint-André, tête blonde et belles formes, qu'il voyait chaque soir en rentrant du *Journal*.

— Pardon ?

— Arrête de la zieuter comme ça ! Tu perds ton temps ! C'est Lorette, la bibliothécaire du couvent. Elle est muette et elle n'est pas intéressée par les garçons !

Puis elle s'approcha de lui d'un air espiègle. Passant hardiment sa main dans le bas du dos du jeune homme, elle lui glissa à l'oreille :

— Moi, par contre, si tu veux, je peux m'occuper de toi...

Gabriel, qui avait consacré sa vie à ses études, à la lecture et à l'écriture, était encore étranger, malgré ses vingt-trois ans, aux mystères de la femme. Non pas qu'il eût été retenu par quelque timidité mais, plus intéressé par la philosophie que par le badinage, il n'avait jamais cherché à percer ce mystère-là, et son long séjour dans un collège jésuite ne lui en avait guère donné l'occasion. Devant l'incongruité de cette proposition, il eut un instant de stupeur, d'hésitation, puis une sorte de sourire curieux se dessina sur son visage. Diable ! Ses études étaient terminées ! Il était à Paris ! Sans doute était-il temps qu'il découvre, après les plaisirs de l'esprit, ceux de la chair ! L'amour ne méritait-il pas, après tout, qu'on s'y intéressât tout autant qu'à l'esthétique ou à la métaphysique ? Aussi, décidant de céder à cet appel qu'il avait trop longtemps repoussé, il haussa les épaules et se laissa entraîner, oubliant la première jeune femme qu'il s'était apprêté à aborder.

La gaillarde Guillemette le poussa parmi la foule. S'extirpant de la salle, ils arrivèrent bientôt dans le jardin du couvent des Cordeliers.

Le soleil achevait sa course diurne et enrobait Paris d'une douce lumière rosée en disparaissant peu à peu derrière les toits des maisons. La blonde, qui étouffait des petits rires polissons, entraîna Gabriel à travers le cloître. Derrière un bosquet d'arbres, elle le plaqua contre un mur et commença, sans ambages, à lui enlever son haut-de-chausses.

Les mains levées, le jeune homme fit une grimace embarrassée.

— Tu… Tu es sûre que l'endroit est approprié ? Un couvent…

— On s'en bat l'œil ! Allez ! Défrusquine-moi ça !

— Soit, soit. Mais je te prierais de m'accorder un peu d'indulgence dans cette affaire, n'ayant pour ma part aucune expérience directe…

La jeune femme écarquilla les yeux.

— Hein ? Ne m'dis pas que t'es puceau !

— Eh bien ! Chacun ses priorités, Guillemette ! As-tu lu les œuvres complètes de Rousseau, toi ? Et Homère dans le texte ?

— Mais tais-toi donc et fous-toi à poil !

Quand elle fut parvenue à dévêtir sa proie et qu'elle découvrit le bas de son anatomie, Guillemette eut un instant d'étonnement ravi.

— Palsambleu ! Mais avec un pareil équipage, c'est un crime !

— Vraiment ? s'étonna Gabriel qui, n'ayant jamais eu l'occasion de comparer, ignorait combien la nature s'était montrée généreuse avec cette partie de son anatomie.

Guillemette, tout en relevant sa longue jupe d'une main, attrapa de l'autre le virginal et néanmoins considérable organe.

— Poil de brique, quand on a un machin pareil, on n'a pas le droit d'en priver la gent féminine !

— Je compte bien y remédier.

— Et ces grands yeux verts ! Ah ! t'es un vrai petit diable !

Elle se retourna et, d'une main savante, guida le jeune homme dans le droit chemin, tandis qu'autour d'eux, d'un côté débattait le peuple et de l'autre priaient les moines. Gabriel, alors, eut l'impression étrange que le couvent lui-même l'épiait. Mais il était trop tard pour renoncer, et il se laissa conduire volontiers. À l'abri du bosquet, sous le ciel assombri de Paris, les deux corps s'enchâssèrent à merveille, et l'extase qui envahit Gabriel dépassa largement celle que, dans ses rêves secrets et ses exercices solitaires, il avait pu concevoir.

La première fois fut un peu courte, mais Guillemette ne s'en contenta guère, et il y en eut une seconde.

15.

L'amazone

— N'avais-je point raison ? Voyez, grâce à moi, vous êtes devenue un personnage, une figure parisienne ! Les feuillistes vous ont même inventé un nom tout à fait superbe : *Théroigne de Méricourt*, écrivent-ils ! À la française !

Quand elle monta aux côtés de Louis-Sébastien Mercier dans la tribune numéro six de l'hôtel des Menus-Plaisirs, Anne-Josèphe Terwagne attira de fait bien des regards. Prenant à la lettre les conseils de l'auteur, elle s'était inventé un costume qui la transformait entièrement. Coiffée d'un chapeau de feutre noir, relevé et surmonté d'une plume de la même couleur, la belle Liégeoise portait une robe d'amazone de drap rouge, une paire de pistolets et un sabre à la ceinture qui lui donnaient une allure d'aventurière.

En prenant place auprès de l'écrivain, tout en haut des estrades, elle s'amusa de l'effet qu'elle produisit sur le public venu assister aux états généraux, et sur certains députés, même, qui, intrigués par la rumeur, levèrent les yeux vers elle depuis la salle commune.

— Ah, mon ami, chuchota-t-elle à l'oreille de Mercier. Que les hommes sont prévisibles…

— Certes, et en être consciente est une arme plus redoutable encore que celles que vous portez à la ceinture. Je vous l'ai dit : vous allez vous amuser !

— Je sais suffisamment bien me servir de ce sabre pour qu'il soit redoutable. Et ce n'est pas l'amusement que je cherche, monsieur Mercier. Ce que j'appelle de mes vœux, c'est une révolte à embrasser.

— Habillée comme vous êtes, c'est la révolte elle-même qui vous embrassera ! Et où donc avez-vous appris à vous servir d'un sabre ?

— Ah, si vous connaissiez tous mes secrets, mon ami…

Elle sourit et fit signe à son voisin de se taire alors qu'un homme, dans la pièce en contrebas, venait de monter sur l'estrade, éclairée par les rayons du soleil qui filtraient à travers le dôme des Menus-Plaisirs.

— Députés des communes ! Nous sommes les représentants de la nation, et c'est en son nom que nous devons nous unir ! Le moment est solennel, comme le pays doit décider de sa liberté, ou de sa servitude ! Je vois chaque matin aux portes de Versailles ces femmes et ces hommes braves qui attendent de nous que nous puissions leur offrir enfin la justice et l'égalité qu'ils réclament, ces valeurs si sacrées…

Terwagne, sans quitter l'orateur des yeux, se pencha vers son nouvel ami.

— Qui est ce jeune homme au teint si pâle ?

— Un obscur député d'Arras... Il se nomme Robespierre, si je ne m'abuse. Oui, c'est cela : Maximilien de Robespierre. N'est-il pas un peu trop petit pour s'appeler Maximus ? En tout cas, il n'a pas l'air très amusant.

Le petit homme aux membres grêles continua son discours de sa voix un peu aigre.

— ... et s'il est difficile, aujourd'hui, d'espérer de la noblesse qu'elle nous tende la main, il est dans les rangs du clergé d'authentiques citoyens, cheminant sur les routes de la vertu, et qui n'hésitent pas à franchir le seuil de notre porte pour tenter de trouver avec nous la conciliation que l'urgence appelle ! Au nom du peuple de France, saluons leur courage et accueillons parmi nous ces députés de robe, parmi lesquels se trouvent tant de bons curés qui souffrent, eux aussi, des injustices de notre temps.

Mirabeau, au milieu de la foule des élus, se leva d'un bond et applaudit des deux mains le jeune député, entraînant avec lui nombre de ses pairs.

On vit alors entrer une vingtaine de membres du clergé, accueillis par l'abbé Sieyès.

— Voilà une image que je n'oublierai jamais ! s'émut Anne-Josèphe, en voyant ainsi fraterniser les hommes du peuple et ceux de l'Église.

— Je n'aperçois aucun évêque, aucun prélat, tempéra Mercier, mais seulement quelques curés du bas clergé que ce bouillonnant abbé Sieyès a convaincus de venir montrer patte blanche. La victoire n'est pas encore acquise...

— C'est un début ! répliqua Anne-Josèphe.

— Ah, les débuts sont toujours magnifiques, murmura l'écrivain. Mais les fins…

Le comte de Mirabeau vint remplacer le jeune Robespierre à la tribune et, avec son charisme habituel, harangua à son tour la foule des députés.

— Nos cœurs s'emplissent de joie en voyant ces braves députés du clergé rompre avec des coutumes désuètes et nous tendre enfin la main ! Mais ne me suis-je point laissé dire que certains députés de la noblesse, tels le duc d'Orléans et le marquis de La Fayette, seraient disposés à en faire autant ? Signifions-leur que la porte de la nation leur est grande ouverte et qu'ils peuvent à leur tour suivre le digne exemple du clergé ! Ici, les trois ordres n'en feront plus qu'un, celui de l'équité !

— Il va un peu vite en besogne, fit remarquer Mercier. Ces curés ne sont pas venus s'unir au tiers ! Ils sont venus chercher un terrain d'entente…

— Alors, continua Mirabeau, nous devrons trouver un nom à cette formidable assemblée de la nation !

— *Assemblée des représentants connus et vérifiés de la nation française* ! proposa-t-on sur sa droite.

— C'est un peu long, grimaça le comte.

— *Assemblée active et légitime des représentants de la nation française* ! suggéra un autre. Nous montrerons ainsi que nous sommes déjà dans les actes !

— Ne devrions-nous pas tout simplement nous appeler *représentants du peuple* ? lança Mirabeau le doigt levé vers la voûte de l'hôtel. Car au fond, le peuple, c'est nous tous réunis ! Chacun d'entre nous, quel qu'il soit, n'est-il pas du peuple ?

En haut des tribunes de spectateurs, Mercier eut quelque peine à étouffer le rire qui lui monta aux lèvres.

— Louis ! le gronda Mlle Terwagne en lui tapant sur le genou. Ne vous moquez pas ! Le verbe est grandiloquent, certes, mais l'intention est bonne...

— Ah ! mon enfant ! Dieu fasse que le changement vienne de la rue, et non pas des hommes de cet acabit, qui n'ont d'autres intérêts que les leurs. Mirabeau est une mauvaise farce, qui n'a de louable que son éloquence de tribun.

— Vous êtes bien cynique, mon ami...

— C'est que je connais les hommes.

— Aussi bien que vous connaissez les femmes ?

— Quand je vois les armes à votre ceinture, Anne-Josèphe, je me dis que vous n'êtes pas si différentes de nous. Mais allons, sortons, ces armes vous seront plus utiles dehors que parmi cette lassante assemblée !

— C'est vous qui avez voulu m'accompagner !

— Pour vous faire plaisir et admirer votre nouveau costume. Mais on s'ennuie ici davantage encore qu'au Théâtre-Français ! Vous voulez embrasser la révolte, Terwagne ? Descendez dans la rue !

— Et qui vous dit que je n'y vais point, Mercier ?

16.

Où l'enquête de Gabriel
prend une tournure nouvelle

Cela faisait quinze jours maintenant qu'il accomplissait au *Journal* sa méticuleuse besogne, et Gabriel éprouvait déjà une certaine lassitude. Il n'osait pas s'en plaindre auprès de son oncle, mais cette tâche rébarbative entamait son enthousiasme. Combien de temps encore devrait-il se contenter de l'ennuyeuse rubrique des spectacles ? Pis : le journalisme dont il rêvait avait-il seulement sa place au *Journal de Paris* ?

Dans les rues parisiennes, il n'était question que de révolte et d'émancipation. On voyait naître ici et là de nouveaux journaux clandestins, où la voix du changement trouvait enfin son écho. À l'inverse, au *Journal*, on se contentait de rapporter une version adoucie des débats qui se tenaient à Versailles, et l'on n'annonçait guère que les fêtes à venir ou le retour du beau temps…

Quant au mystère dit du fantôme des Cordeliers, la chose passionnait les foules autant qu'elle désintéressait le directeur du quotidien. L'envie de mener sa propre enquête se faisait chez Gabriel chaque jour un peu plus pressante.

Aussi passait-il de plus en plus de temps au Procope, pour tromper l'ennui. Il aimait venir y lire les journaux d'Europe auxquels Zoppi, le patron, avait abonné l'établissement, et qu'il disposait pour ses clients sur cette table en marbre qu'on appelait la « table de Voltaire ». Au premier étage, où se succédaient de somptueux salons de miroirs et de lambris, il venait partager chaque soir une glace, une liqueur, un vin ou un cognac avec ses nouveaux amis. Et c'était justement avec eux qu'il jouait ce soir-là aux dominos, à la lumière des lustres imposants.

— Gabriel, tu as raté de peu le grand M. Mercier ! lança Danton en déposant sur la table un double six.

— Oh… Mercier, je l'ai vu au *Journal*, répondit le jeune homme d'un air blasé. Il m'a paru somme toute assez prétentieux…

— Peut-être mais, cette fois, il était accompagné de cette dame dont tout le monde parle à Versailles : Théroigne de Méricourt ! rétorqua Zoppi, qui prenait souvent le temps de venir jouer avec les habitués.

— Joli bout de femme ! affirma Danton.

— Je… je vais vous dire, cela ne m'étonnerait pas que ces deux-là fassent la bê… la bête à deux dos ! glissa Desmoulins sur le ton de la confidence.

Zoppi lui retourna un sourire en coin.

— Il faut dire qu'elle a une sacrée allure, avec son chapeau d'aventurière, ses pistolets et son sabre à la ceinture ! Mercier a dû se lasser des charmes passés de Mme de Gouges…

— Un sabre ? s'étonna Gabriel.

— Oui ! Je ne suis pas certain qu'elle sache s'en servir, mais il faut reconnaître que, sur une si jolie demoiselle, la chose a du panache !

— Et si c'était elle, le fan... fantôme qui tranche des têtes dans tout le quartier ? plaisanta Camille.

— Et pourquoi pas ? rétorqua Danton. Une femme n'en serait-elle pas capable ?

— On ne saurait prétendre découvrir l'identité de l'assassin par la méthode déductive si l'on ôtait aux prémisses plus de la moitié de la population, confirma Gabriel.

— Pardon ? bredouilla Zoppi, perplexe.

— Gabriel dit juste qu'il n'est pas impossible que l'assassin soit une femme, traduisit Danton en riant.

— Je n'y crois pas un instant ! répliqua l'Italien.

Le jeune Joly, ayant posé sur la table son dernier domino, remporta sa mise avec maestria. Il termina sa liqueur d'une gorgée et, se délectant de leurs soupirs dépités, ramassa l'argent des deux avocats et du limonadier.

— Messieurs, s'exclama-t-il en se levant d'un geste théâtral, ce fut un plaisir que de vous débarrasser de cette menue monnaie. À présent, le devoir m'appelle !

Danton fronça les sourcils.

— Le *Journal* te fait travailler le soir, maintenant ?

— Non, j'ai un rendez-vous !

— Oh ! Encore cette dé... dévouée Guillemette ! s'amusa Desmoulins.

Il n'était plus un secret pour personne que, chaque soir ou presque depuis dix jours, le jeune homme s'attachait à perfectionner sa connaissance des jeux de l'amour auprès de la blonde, avec autant d'entrain qu'il en avait mis jadis à apprendre la rhétorique.

— Ah, Camille ! Il n'y a que la jalousie pour faire confondre aux hommes le soupçon avec la vérité !

Sur ces mots, il sortit du Procope d'un pas magistral, non pas pour rejoindre sa blonde maîtresse, comme le croyaient ses amis, mais pour une affaire bien plus confidentielle.

Remontant la rue de Condé vers le palais du Luxembourg, il arriva à la tombée de la nuit dans la rue de Vaugirard et se présenta devant un hôtel sis au flanc du Théâtre-Français.

Le domestique qui vint lui ouvrir le conduisit à l'étage dans un bureau aux murs boisés et aux bibliothèques garnies de livres et de documents.

— Ah ! vous voilà ! s'exclama le commissaire Guyot en se levant pour l'accueillir.

Les deux hommes se serrèrent chaleureusement la main et prirent place dans des fauteuils installés autour d'une table de salon.

— J'ai été surpris, mais ravi de recevoir votre invitation, commissaire.

— Vous m'avez laissé un souvenir singulier, jeune homme, et je me devais de vous remercier : vos audacieuses déductions dans l'église Saint-Sulpice m'ont été d'une grande aide.

S'il savait combien il était périlleux de juger un homme sur son seul aspect, et si rien ne lui paraissait plus ignominieux que la physiognomonie – cette méthode qui, selon le théologien suisse Lavater, eût permis de se faire une opinion sur un individu par la seule observation de son apparence physique –,

Gabriel ne put s'empêcher d'éprouver une sympathie instinctive pour ce commissaire replet et chauve, dont le regard évoquait la sérénité de la sagesse.

— Avez-vous retrouvé l'enfant qui a assisté à la scène ? demanda le jeune homme, impatient.

— Oui. C'était une jeune orpheline. Mais, avant de vous en dire plus, je veux savoir ce qui motive votre intérêt pour cette affaire.

— Eh bien, l'amour de la vérité, monsieur !

— Allons ! Préparez-vous un article pour le *Journal de Paris* ? insista le commissaire. Je me suis un peu renseigné à votre sujet, et je sais que vos prérogatives se limitent à la rubrique des spectacles…

Gabriel soupira.

— Je n'ai pas encore convaincu notre directeur, qui est très à cheval sur les privilèges accordés à son journal…

— Et il a raison ! Par les temps qui courent, il est fort heureux qu'il reste en ce pays une presse respectueuse du droit !

— Certes, mais je regrette qu'enquêter sur une affaire criminelle ne fasse point partie du nôtre !

— Dans ce cas, pourquoi continuez-vous à vous intéresser à ces meurtres ?

— Je vous l'ai dit, commissaire ! Par amour de la vérité. Il y a là une énigme fascinante, et vous avez dû comprendre en lisant ma critique de *L'Enquête* d'Hérodote que j'éprouve une réelle passion pour l'exactitude historique. Oh, oui, je sais que vous l'avez lu. J'ai vu l'exemplaire posé sur l'étagère, derrière votre bureau.

Décidément, songea Guyot, *ce jeune homme possède un sens de l'observation prodigieux !*

— Je me suis procuré votre livre, en effet, mais comment pouvez-vous être sûr que je l'ai lu ? demanda-t-il en souriant.

— Il y a des pages cornées. Je serais curieux, d'ailleurs, de découvrir quels passages ont ainsi retenu votre attention.

— Elles ont peut-être été cornées par quelqu'un d'autre…

— Serais-je ici si vous ne l'aviez pas lu vous-même ? Je suppose qu'un homme comme vous ne laisse pas entrer n'importe qui chez lui, et que vous avez voulu en savoir davantage à mon sujet que ce que peuvent révéler mes assommants inventaires des spectacles parisiens dans le *Journal de Paris*.

— J'ai pris un certain plaisir à vous lire, avoua Guyot. Cela m'a confirmé que vous possédiez un esprit rigoureux. De ceux qui pourraient retenir mon intérêt…

— C'est-à-dire ?

Le commissaire s'enfonça plus profondément dans son siège et marqua une pause en croisant les mains sous son menton.

— Figurez-vous que je suis très mal entouré, monsieur Joly. Le clerc que m'a légué mon prédécesseur est un imbécile obscur, et l'inspecteur que le Châtelet m'a imposé ne trouverait pas d'eau à la rivière. Comme je me doute que vous n'abandonneriez à aucun prix votre vocation de journaliste pour le métier de clerc, je me suis dit que nous pourrions peut-être envisager… une collaboration amiable. Un échange de bons procédés, disons.

Un sourire se dessina sur le visage de Gabriel, qui avait attendu cette proposition aussitôt que le commissaire l'avait convoqué.

— Quels en seraient les termes ?

— Je travaille chaque semaine sur des dizaines d'enquêtes judiciaires. Toutes n'ont pas le même intérêt, mais toutes doivent être également traitées. Or je n'ai pas le temps de faire mon travail aussi méticuleusement que je le voudrais. Puisque ces meurtres semblent vous intéresser, je pourrais peut-être vous donner des pistes pour vous laisser enquêter de votre côté, à condition, bien sûr, que vous partagiez avec moi vos éventuelles découvertes. Si cette première collaboration s'avère profitable aux deux parties, nous pourrons la renouveler dans l'avenir.

— C'est une proposition alléchante.

— Mais il y aurait une condition *sine qua non*, jeune homme !

— Je suis tout ouïe.

Guyot s'avança vers lui avec une cérémonieuse gravité et plongea son regard dans le sien.

— Vous ne publiez rien sans mon accord.

— Tant que cette exigence se limite aux affaires que vous me confiez, c'est un marché conclu, fit Gabriel en tendant la main au commissaire.

Guyot la lui serra, puis se leva, partit chercher un dossier dans le tiroir de son bureau et le montra au jeune homme.

— Voici une copie des procès-verbaux que j'ai dressés dans le cadre de notre affaire. Vous y trouverez l'identité des victimes, des informations à leur sujet et les rapports établis sur leurs cadavres par le chirurgien du roi.

— Formidable ! Me confirmez-vous que la marque qui apparaissait sur le front du prêtre dans l'église

Saint-Sulpice était aussi présente sur les autres victimes, comme le veut la rumeur ?

— Sur le sergent et sur l'un des deux brigands, oui. Une seule victime à chaque fois. Vous en trouverez la description dans les rapports du chirurgien. Cette mystérieuse marque vous inspire-t-elle quelque chose ?

Gabriel haussa les épaules.

— Le triangle est une figure très fréquemment utilisée, ce qui ne permet pas de restreindre le champ de recherche. Il symbolise la Trinité dans la religion chrétienne, et l'étoile juive est constituée de deux triangles opposés. Il est également très présent dans l'imagerie de la franc-maçonnerie, à travers l'équerre et le compas, par exemple… Mais il semblerait ici que nous ayons affaire à des triangles renversés, n'est-ce pas ? Dans de nombreuses cultures, cette position particulière symbolise la femme, comme elle dessine la forme d'un pubis. Pour les alchimistes, le triangle renversé est la figure de l'eau. Mais on peut aussi lui trouver plusieurs interprétations négatives…

— Lesquelles ? demanda le commissaire, intrigué.

— Le triangle renversé, comme il repose sur sa pointe, n'est pas stable, ce qui exprime quelque notion de danger, d'insécurité. Et, puisqu'il est disposé à l'inverse du delta rayonnant, figure de Dieu, il peut représenter… eh bien… le diable ! Il pourrait aussi, pour les mêmes raisons, être la signature provocatrice d'un ennemi de la franc-maçonnerie. Mais je doute que les deux brigands aient pu appartenir à cette société secrète, et que ce soit dans cet ensemble-là que notre assassin choisisse ses victimes… Le témoignage de la petite orpheline ne vous a rien appris sur ce signe mystérieux ?

— Non. Vous en trouverez le procès-verbal dans le dossier. Il ne nous révèle pas grand-chose, sinon que le meurtrier tenait bien un loup en laisse, qu'il était de taille et de corpulence moyennes, portait une cape noire et une capuche qui cachait son visage, qu'il était armé d'un sabre, et que le père Charon était sur le point de rouer de coups cette pauvre enfant quand il a été assassiné.

— Ah ! Voilà qui est intéressant ! L'assassin aurait donc agi pour venir au secours de la petite ?

— C'est fort probable, acquiesça le commissaire.

Gabriel leva le front en plissant les yeux.

— Ce pourrait être un mobile récurrent, murmura-t-il comme pour lui-même.

Le commissaire, qui avait déjà envisagé cette hypothèse, hocha la tête en souriant et confia l'épais dossier au jeune homme.

— C'est une piste que je vous laisse poursuivre, monsieur Joly. Mais n'oubliez pas notre marché.

Gabriel, conscient du privilège dont on le gratifiait, et impatient de se mettre au travail, inclina la tête avec respect.

— Monsieur, je suis votre serviteur !

17.

Un triangle équilatéral ?

Le lendemain, comme il l'avait fait la veille, Gabriel passa la fin de l'après-midi dans sa chambre à étudier les notes et rapports du commissaire Guyot, tentant d'établir entre ses différentes constatations quelques liens implicites qu'il n'aurait point devinés à la première lecture.

À ce stade, trois choses reliaient formellement les meurtres : le territoire sur lequel ils avaient eu lieu, dans le district des Cordeliers ; la méthode employée, alliant l'attaque d'un loup à l'utilisation d'une arme tranchante, visiblement un sabre ; enfin, cette marque étrange laissée sur le front des victimes.

Si les observations de Gabriel dans l'église Saint-Sulpice avaient permis au commissaire de retrouver et d'entendre la petite Péronnelle, il n'y avait aucune preuve de la présence d'éventuels témoins lors des deux autres meurtres. Pourtant, à la lumière des faits, le jeune homme avait un pressentiment : l'assassin, à chaque fois, était intervenu pour défendre quelqu'un. D'abord contre deux brigands, puis contre le sergent Foulon et les quatre gardes, et enfin contre le père Charon. La correction que ce sinistre prêtre s'était apprêté à infliger à la jeune fille était exécrable, et il était tout à fait possible que ce fût aussi pour prévenir une injustice que l'assassin avait commis les autres meurtres.

Un élément, en particulier, retenait pour l'instant son attention : dans le jardin du palais du Luxembourg, un bijou avait été retrouvé dans la chemise de l'un des deux brigands. Un collier en or émaillé, que le commissaire Guyot avait pris la peine de dessiner dans son rapport. Rien ne permettait encore de l'affirmer catégoriquement, mais Gabriel ne pouvait écarter l'hypothèse que ce bijou eût été volé à une femme. Une femme que l'assassin serait venu secourir, alors qu'elle se faisait détrousser par les deux brigands. Retrouver la propriétaire de ce bijou, c'eût été retrouver, peut-être, un nouveau témoin.

Espérant découvrir un indice qui aurait pu échapper au commissaire Guyot, le jeune homme décida d'aller lui-même sur les lieux du premier meurtre.

À l'approche de l'été, il faisait encore jour à l'heure du souper, et il resta de longues minutes à arpenter l'endroit précis où l'on avait découvert les cadavres des deux brigands, scrutant le sol et la végétation environnante. Près de trois semaines avaient passé depuis l'assassinat, et les chances qu'il en restât des traces étaient infimes. La terre de la petite allée avait subi depuis lors quelques passages et une ou deux soirées de pluie. Alors qu'il était sur le point d'abandonner,

Gabriel reconnut sous les branchages d'un bosquet, préservées par le toit de végétation, quatre empreintes de loup.

Avec un sourire de satisfaction, il se mit à genoux et les inspecta de plus près. De forme ovale, les traces mesuraient quatre pouces de long et l'on distinguait nettement la marque des deux coussinets centraux et des quatre griffes. Mais le jeune homme trouva une chose plus intéressante encore : au fond de trois des quatre empreintes, il ramassa des résidus blancs. En les nettoyant délicatement au creux de sa main, il parvint aisément à les identifier : il s'agissait de poudre de calcaire !

Gabriel se releva d'un air songeur. Pour qu'il subsistât sous les pattes de l'animal autant de petits bouts de roche sédimentaire, celui-ci était forcément passé, juste avant de marcher ici, par un endroit où le calcaire se trouvait en très grande quantité. Il pencha aussitôt pour les carrières souterraines de Paris. Avaient-elles un accès à proximité ?

Il continua son inspection pendant quelques minutes encore. Quand il fut certain de n'avoir rien négligé, observant les lieux alentour une dernière fois, il se livra à une ultime constatation : il n'était pas loin de la rue d'Enfer. Il n'était pas saugrenu d'imaginer que les deux brigands eussent pu attaquer une femme dans ladite rue et l'entraîner ici pour la dépouiller de son collier à l'abri des regards…

En sortant des jardins, une question le tarauda : l'assassin était-il tombé sur ses victimes par hasard, ou bien étaient-elles des cibles choisies à l'avance ? Et la proximité des trois scènes de crime révélait-elle quelque chose ? Gabriel songea qu'étudier en détail un plan de Paris pourrait peut-être le mettre sur une piste, lui donner une indication supplémentaire sur l'assassin ou sur ses victimes, peut-être même lui révéler la présence d'entrées cachées aux carrières souterraines… Ne voulant pas perdre de temps, il se dirigea cour du Commerce-Saint-André, vers le cabinet de Georges Danton, dont il espérait qu'il aurait des cartes dans sa bibliothèque.

— Oh ! mon pauvre ami ! l'accueillit l'avocat. Je n'ai ici que d'assommants ouvrages juridiques ! Si tu veux un plan de Paris digne de ce nom, à cette heure, je ne vois guère que la bibliothèque du couvent des Cordeliers.

— Elle est encore ouverte ?

— Officiellement, non, mais la brave Lorette y travaille sûrement encore. Tu la connais, n'est-ce pas ?

— De vue, seulement.

— Jolie fille, hein ? Allons, viens, je vais te la présenter ! Notre chère bibliothécaire fera semblant de rouspéter au départ, comme à son habitude, mais en réalité elle est toujours ravie de nous aider.

Joly suivit volontiers son ami vers le couvent. La nuit commençait tout juste à tomber lorsqu'ils traversèrent le cloître et pénétrèrent dans la salle théologique. Là, à la lumière des bougies et des lampes à huile, Gabriel reconnut la jeune femme qui, comme l'avait prévu Danton, était en train de ranger les ouvrages rapportés par les religieux en fin de journée.

— Bonsoir, Lorette ! s'exclama l'avocat, tout sourire.

— Bonsoir, mademoiselle, fit Joly en s'approchant.

137

La muette leur répondit d'un geste vif de la main. Malgré son air contrarié, elle parut ce soir-là à Gabriel encore plus belle que la première fois. Ses sourcils étaient si fins qu'ils semblaient dessinés à l'encre de Chine, et ses yeux en amande si bleus qu'on y cherchait un soleil. Tout chez elle était délicatesse, jusqu'à sa soyeuse chevelure d'ébène, son petit nez étroit et le grain suave de sa peau cuivrée. Le jeune homme, charmé, imagina qu'il ne pouvait y avoir dans ce regard que les lueurs sibyllines de la solitude et de la mélancolie. Il se surprit à penser que le couvent et la jeune femme, aussi silencieux l'un que l'autre, se confondaient par quelque secrète complicité.

— Nous sommes désolés de te déranger si tard, Lorette, mais notre bon ami Gabriel cherche désespérément un plan détaillé de Paris et je me suis dit que tu aurais cela dans ta bibliothèque...

La jeune femme fit encore des gestes obscurs avec les mains en désignant l'horloge.

— Allons ! insista l'avocat. Tu ne peux pas refuser un service à ton vieil ami Danton ! Et Gabriel est passionné comme toi par les livres. Vous êtes faits pour vous entendre ! D'ailleurs, tiens, je vous laisse ! conclut-il avec un sourire malicieux, avant de sortir de la salle en leur adressant un salut de la main presque moqueur.

La bibliothécaire poussa un soupir. Elle regarda le rouquin de bas en haut, secoua la tête puis fit volte-face et partit chercher deux longs rouleaux à l'autre bout de la bibliothèque. Quand elle revint vers Gabriel, elle lui montra les dates inscrites sur le bord des cylindres de papier : 1785 et 1787.

— Eh bien, prenons le plus récent, répondit le jeune homme. Vous êtes bien aimable, je ne voulais surtout pas vous embêter…

Lorette lui fit signe de se pousser et déroula la feuille de papier sur le large pupitre qui jouxtait les étagères. Gabriel reconnut aussitôt le *Nouveau plan routier de la ville et faubourgs de Paris*, dessiné par le sieur Jacques Esnault. Une merveille dont il n'avait vu jusqu'ici que des reproductions réduites.

De l'index, la jeune femme désigna l'endroit où ils se trouvaient, le couvent, au milieu de la rue des Cordeliers. Joly s'approcha pour étudier le plan.

Il constata que les entrées des carrières souterraines de Paris n'apparaissaient nulle part, comme il s'y était malheureusement attendu. Du bout des doigts, il chercha un à un les trois lieux où étaient apparus le loup et son maître.

Lorette, qui s'était mise en retrait, prit une feuille et une plume sur le pupitre et écrivit :

« Que cherchez-vous ? »

Gabriel désigna les points sur la carte.

— Oh, je me renseigne un peu sur ce qu'il y a dans ce quartier, entre ces trois endroits.

La bibliothécaire les observa à son tour, haussa les épaules puis écrivit de nouveau.

« C'est un triangle équilatéral ! »

— Tiens… Oui… Vous avez raison. Cela fait un triangle équilatéral, avec la rue d'Enfer pour sommet.

Un triangle équilatéral renversé, qui plus est ! songea le jeune homme, avant de se rendre compte que la chose était sans doute un pur hasard. Voilà qu'il devenait un véritable cabaliste ! Il grimaça et inspecta encore la carte. Il constata que ledit triangle englobait une large partie de l'aile orientale du jardin du Luxembourg.

Il réfléchit un instant. Un jardin laissé à l'abandon depuis plusieurs années… Quel meilleur endroit pour cacher un animal sauvage, au cœur de Paris ? Oui, pourquoi pas… Mais un loup pouvait-il être apprivoisé et survivre dans une ville comme celle-ci ?

Certain qu'il ne trouverait rien de plus, il enroula le plan et le rendit à la bibliothécaire.

— Je ne voudrais pas abuser, Lorette, mais auriez-vous des livres sur les loups ?

La jeune muette écarquilla les yeux d'un air circonspect et ironique à la fois.

« Vous voulez savoir si les oreilles des loups sont de parfaits triangles équilatéraux ? »

— Non, répondit Gabriel en souriant à son tour. Encore qu'une tête de loup, il est vrai, ressemble un peu à un triangle renversé…

La jeune femme secoua la tête, tapota plusieurs fois sur sa tempe du bout de l'index comme pour lui signifier gentiment qu'il était un peu fou, puis elle leva les yeux au ciel et partit chercher dans la bibliothèque.

En la regardant fouiller dans les étagères, Gabriel ne put retenir un soupir d'exaltation. Il y avait une déchirante poésie dans les gestes de cette jeune femme qui avait grandi au milieu des livres et des moines, et qui partageait avec ces derniers un triste retrait du monde. Enfermée entre les murs du couvent, cette bibliothèque fabuleuse était la seule fenêtre que Mlle Printemps avait sur l'univers…

Elle revint bien vite avec plusieurs volumes qu'elle laissa tomber lourdement sur le pupitre.

— Merci, murmura Joly, qui n'en avait pas espéré autant.

La jeune femme lui tapota sur l'épaule dans un geste d'encouragement, puis elle retourna à son classement.

Gabriel ouvrit un premier livre et le feuilleta jusqu'à trouver la partie consacrée aux quadrupèdes, non sans jeter de discrets coups d'œil en direction de la bibliothécaire, mais celle-ci semblait l'avoir déjà oublié. Quand il tomba enfin sur le chapitre des loups, il tenta de rester concentré et se mit à lire. Après un portrait sommaire de l'animal, l'auteur répertoriait ses différentes espèces : loup doré, loup du Mexique…

Comprenant qu'il ne trouverait là rien qui pût lui servir, Gabriel passa au deuxième ouvrage, puis au troisième. Dans celui-ci, un paragraphe attira son attention : on y racontait l'entrée des loups dans Paris, après la guerre de Cent Ans.

En ce temps étaient les loups si affamés qu'ils entraient de nuit ès bonnes villes et faisaient moult et divers dommages, et souvent passaient la rivière de Seine et plusieurs autres à nu ; et aux cimetières qui étaient aux champs, aussitôt que l'on avait enterré les corps, ils venaient par nuit et les dévoraient.

Dans un autre, il découvrit l'histoire de la Bête du Gâtinais, un loup nécrophage qui, au XVIIe siècle, s'en fût même pris aux vivants autour de la forêt de Fontainebleau. Dans un autre encore, on racontait

les ravages de la Bête de l'Yveline, au même siècle.
Et dans son *Système de la nature*, Charles de Linné
révélait encore d'autres secrets :

Il ſ'éloigne d'une corde tendue, n'entre point
dans une porte mais franchit une haye & ne
ſouffre pas le ſon du cor. Preſſé par la faim &
le froid, il attaque l'homme & même ſa propre
eſpèce.

Cela faisait sans doute près d'une heure que Gabriel
était plongé dans ses recherches, dans le silence bien-
veillant du couvent, quand, de l'autre côté de la salle
théologique, Lorette commença à éteindre les lampes
à huile. Quand elle eut terminé, elle s'approcha de lui.
À son geste, le jeune homme comprit qu'elle le priait
aimablement de partir.

— Oh, oui… Pardon. Voulez-vous que je range les
livres ?

La muette fit non de la tête.

— Bien, d'accord. Merci infiniment de votre aide,
Lorette, et… eh bien, donc… au revoir ?

La jeune femme lui fit un vague geste d'adieu et,
l'âme un peu triste, Gabriel n'eut d'autre choix que
de s'en aller.

Arrivé de l'autre côté du jardin, dans l'ombre immobile des galeries, il jeta un dernier coup d'œil derrière
lui mais, au lieu du regard qu'il avait espéré croiser,
il ne vit que le dos de Lorette Printemps, s'engouf-
frant dans la petite cave du cloître qui lui servait
d'appartements.

Gabriel quitta le couvent en traînant les pieds. Tandis qu'il se dirigeait, songeur, vers son immeuble de la rue Haute-Feuille, il n'entendit pas arriver les deux hommes qui se jetèrent sur lui au cœur de la nuit.

18.

À la gloire
du grand architecte de l'univers

— Frère premier surveillant, êtes-vous maçon ?

Coiffé du chapeau de Vénérable Maître, le marquis Emmanuel de Pastoret, présidant la réunion sur le trône surélevé à l'extrémité du temple, tourna lentement la tête vers le comte de Lacépède.

— Mes frères me reconnaissent pour tel, répondit ce dernier.

— Quel est le premier devoir des surveillants en loge ?

— C'est de s'assurer que la loge est bien couverte.

— Faites-vous-en assurer, mon frère !

Ainsi commencèrent ce soir-là, selon le rituel traditionnel des francs-maçons, les travaux de la respectable loge des Neuf Sœurs.

La franc-maçonnerie avait pris en France une considérable ampleur et comptait près de trente mille membres dans tout le pays, répartis en loges d'une trentaine d'hommes chacune. Les maçons entendaient travailler à l'amélioration spirituelle et morale de l'humanité, lors de cérémonieuses causeries qui se faisaient sous le serment d'un inviolable secret, seul garant d'une parole libérée. En somme, c'était une société de pensée fraternelle, enrobée de mystères. Si l'on y prônait le respect des lois et du souverain, on y défendait toutefois des principes philosophiques qui se heurtaient, par nature, à ceux des institutions : ici, les privilèges de la naissance devaient être ignorés, on prêchait l'abolition des distinctions de couleur et de rang et l'égalité entre les hommes. Pour ainsi dire, on dénonçait les fondements mêmes de la monarchie et, si l'ordre comptait dans ses rangs de très nombreux membres de la noblesse, il suscitait toutefois la plus grande méfiance de la royauté. Son caractère secret inspirait les plus folles accusations, certains allant jusqu'à imaginer qu'on se livrait dans les temples aux plus épouvantables cérémonies sataniques ou orgiaques… À l'évidence, il n'en était rien ; on y débattait seulement.

La loge des Neuf Sœurs – l'une des plus illustres – conduisait ses tenues au siège principal de l'obédience, c'est-à-dire dans l'ancien noviciat des Jésuites, rue du Pot-de-Fer, qui se trouvait précisément entre Saint-Sulpice et le jardin du Luxembourg.

Ce bel hôtel parisien était resté pendant plus d'un siècle la maison des Jésuites, mais ceux-ci en furent expulsés en 1762, quand la Compagnie de Jésus fut interdite en France. Ainsi, par quelque étrange ironie du sort, ayant loué les lieux devenus vacants, les loges se réunissaient à présent en ces murs où avaient résidé leurs plus grands adversaires philosophiques.

Sis au premier étage du bâtiment, le temple était magnifiquement décoré. Le trône, élevé sur une estrade de trois marches, surplombait la salle et faisait face aux deux colonnes doriques qui bordaient l'entrée. De part et d'autre de ce fauteuil de velours bleu étaient disposés les pupitres des grands officiers de la loge, qui assistaient le Vénérable. La seconde partie du temple, où les autres frères faisaient leur audience, avait son plafond couvert d'un drap d'azur figurant une voûte étoilée par l'artifice de deux cents bougies placées sur des girandoles. Le long des murs, une série de petites niches abritaient plusieurs statues qui évoquaient des allégories chères à cette mystérieuse institution : la justice, l'amitié, la liberté, le silence, l'harmonie… De chaque côté de la salle se répartissaient enfin deux rangées de banquettes pour les membres de l'assemblée, ici les jeunes apprentis, là les compagnons, et plus loin les maîtres, qui portaient cordons et tabliers.

Le rituel d'ouverture achevé, les échanges commencèrent sous la présidence du Vénérable Maître, et l'on entendit alors parler les plus illustres frères de cette loge d'exception, qui avait longtemps été dirigée par Benjamin Franklin. Ainsi, en plus de l'écrivain Louis-Sébastien Mercier, de Cadet de Vaux, oncle de notre bon Gabriel, et de François-Laurent Archambault, président du district des Cordeliers, de fameux personnages apportèrent leur contribution à la conférence du jour : l'astronome Jérôme Lalande, le compositeur Piccini, l'auteur Nicolas Bricaire de La Dixmerie, les médecins Cabanis et Guillotin, le peintre Jean-Baptiste Greuze, le sculpteur Jean-Antoine Houdon, l'architecte Charles-Axel Guillaumot, l'inventeur Montgolfier…

La qualité de ces orateurs éclairés avait depuis long-temps fait la réputation de cette loge, qui était devenue pour les francs-maçons de toute l'Europe une sorte de salon où l'on aimait venir s'instruire sur les arts, les lettres, la science et la philosophie.

Si, d'ordinaire, on n'abordait jamais en franc-maçonnerie de sujet proprement politique, la loge des Neuf Sœurs dérogeait parfois à la règle, ce qui lui valait régulièrement les remontrances des plus hautes ins-tances. Aussi, dans ce contexte, l'assemblée ne put-elle éviter ce soir-là d'évoquer le vent de révolte qui souf-flait sur Paris. Respectant scrupuleusement les règles de la prise de parole, chacun y alla de son avis. Le Grand Orient de France devait-il prendre position ou, au contraire, rester en retrait ? Ne fallait-il point œuvrer pour que le royaume s'inspire enfin de la constitution même des loges, fondée sur le principe représentatif et le suffrage universel ? La révolte apporterait-elle le triomphe de l'égalité et de la fraternité, ou bien diviserait-elle plus profondément la nation française ?

Les circonstances entraînaient une véritable divi-sion au sein de l'obédience, avec d'un côté le clan du Grand Maître, le duc d'Orléans, qui aspirait au renver-sement de son cousin Louis XVI et, de l'autre, celui de l'administrateur général, le duc de Montmorency-Luxembourg, qui entendait soutenir le roi…

Il n'y avait qu'un seul point sur lequel tous les francs-maçons semblaient s'accorder, car il était au cœur même des valeurs maçonniques : les députés des états généraux, qu'ils fussent du tiers état, de la noblesse ou du clergé, devaient s'unir en une seule et même assemblée.

Les débats avaient atteint une ardeur peu coutumière quand un visiteur – venu assister aux travaux bien qu'il fût d'une autre loge, celle dite de Saint-Jean d'Écosse du Contrat social – leva la main.

— Vénérable Maître, annonça le comte de Lacépède, un frère visiteur de ma colonne demande la parole.

— Frère premier surveillant, donnez-lui la parole.

— Frère visiteur, vous pouvez parler.

Le marquis de La Fayette s'avança et, portant la main à plat devant sa gorge, il prit rituellement la parole. L'homme, qui avait participé de manière décisive à la guerre d'indépendance américaine contre le pouvoir colonial britannique, était revenu en France auréolé de gloire et investi d'un esprit réformateur.

— Vénérable Maître, et vous tous, mes frères, en vos grades et qualités ; comme aux vôtres, vous le savez, rien n'est plus cher à mon cœur que la liberté. C'est pour elle que je me suis battu en Amérique, m'inspirant d'âmes ardentes et généreuses comme celle de notre bien-aimé frère Washington ; et aux côtés des insurgés, épousant leur idéal, j'ai appris que l'on devait à chaque instant vouloir vaincre ou périr pour l'idée à laquelle on se dévoue. Aujourd'hui, le peuple de France aspire à la plus légitime liberté et à la plus juste égalité et, comme lui, j'estime l'une et l'autre plus que tout. Mais si j'ai été en Amérique un combattant pour la république, j'ai maintenant la plus intime conviction qu'en notre pays la nation trouvera son salut en appelant de ses vœux une royauté constitutionnelle. Ne vous y trompez guère, mes très chers frères : si je croyais que la destruction de la royauté fût utile à la France, je ne badinerais pas, car ce qu'on appelle les droits d'une famille au trône n'existent pas pour moi. Mais il m'est démontré que, dans les circonstances actuelles, nous pouvons accomplir la même justice sociale en offrant à la France une monarchie fondée sur une juste Constitution et, ce faisant, éviter une insurrection aux lendemains incertains. Aussi, j'invite tous ceux de nos frères qui, comme moi, sont députés au rang de la noblesse à suivre l'exemple donné par le clergé, et à chercher avec le tiers le chemin de la conciliation, afin de former avec lui une authentique assemblée nationale qui, elle seule, pourra offrir à la France la Constitution qu'elle mérite, sans passer par le sang. J'ai dit !

Une rangée derrière le marquis de La Fayette se tenait un autre frère visiteur, qui était resté silencieux depuis le début de la tenue, mais sur la bouche duquel se dessina un étrange sourire, dans lequel l'observateur avisé eût sans doute reconnu la figure maligne de la machination.

Ce frère visiteur s'appelait Charles-Antoine Duvilliers, il était colonel, et il prit dans la suite des événements une part si secrète que peu d'historiens l'ont jusqu'ici relatée.

19.

Le Salétin

Gabriel n'avait pu voir venir le coup et, en un instant, il se retrouva au sol avec deux hommes au-dessus de lui et un poignard sous la gorge. C'était cela, donc, que ces « escarpes », ces jeunes truands des faubourgs qui étaient prêts, pour un peu d'argent, à « dégringoler leur pante », c'est-à-dire à prendre la vie d'un bourgeois.

— Que… que voulez-vous ? balbutia-t-il, alors que du sang coulait de son front, comme il s'était ouvert en tombant.

— Aboule la braise ! cracha celui qui le menaçait de son arme.

— Pardon ?

— Balance ton blé ! T'entraves ? Ton michon, ta mitraille, ton pèze ! Ton argent, quoi ! Magne-toi un peu ou j'te fais danser sans violon !

— Ah, oui, oui…

Gabriel chercha fiévreusement sous sa veste la pochette qu'il gardait en bandoulière. Tandis qu'il fouillait dedans pour n'en sortir que quelques pièces, le brigand tira un grand coup dessus et fit rompre la lanière pour prendre la bourse entière.

Derrière lui, le second malandrin ouvrit un vilain sourire et lança :

— Borgne un peu voir s'il a pas des bibelots ! Un p'tit bourgeois comme ça, ça cache toujours de la brocante !

Gabriel serra les dents alors que son agresseur fouinait dans sa veste avec des gestes brusques quand, soudain, il vit une grande ombre noire s'étendre sur lui, depuis sa tête jusqu'à ses jambes.

Au même moment, les deux brigands levèrent les yeux et leurs visages se figèrent, emplis d'effroi.

Le jeune Joly, encore paralysé, n'eut qu'une seule pensée : le Loup des Cordeliers ! Le loup et son maître étaient venus à sa rescousse !

Il entendit alors une voix grave s'élever derrière lui.

— Vous savez qui je suis ?

Les deux voleurs hochèrent la tête d'un air déconfit.

Gabriel, soudain libéré de l'emprise de son agresseur, se retourna péniblement et découvrit celui qui était apparu dans la pénombre.

C'était un homme grand et fin, avec la peau brune, le regard noir et le nez aquilin, et qui portait sur la tête un large tricorne d'où dépassait une chevelure frisée, nouée sur la nuque par un bandeau de tissu sombre. Il était vêtu d'une longue redingote rouge à larges manches, et la lune faisait scintiller les boucles d'or qu'il avait aux oreilles comme les gravures d'argent des deux pistolets qui se croisaient à sa ceinture. En bas de son court pantalon de toile apparaissaient de grosses chaussures à bout carré. Bon sang, songea le jeune journaliste, ce n'était pas un loup, c'était un pirate !

— Alors si vous savez qui je suis, reprit l'homme, vous aurez l'amabilité de laisser ce jeune homme tranquille, mes enfants.

Les deux brigands, qui semblaient plus effrayés encore que ne l'avait été Gabriel lui-même un instant plus tôt, acquiescèrent et s'apprêtèrent à fuir.

— Hé ! lança Joly aussitôt. Mon argent !

L'aigrefin qui lui avait arraché sa pochette s'immobilisa et interrogea le pirate du regard.

— Prends un tiers de ce qu'il y a dans la bourse, et rends-lui le reste ! ordonna celui-ci.

Le brigand s'exécuta, prit quelques pièces dans la pochette et la jeta par terre avant de partir en courant dans la nuit, sans demander son reste.

— Mais ! protesta Gabriel. Enfin ! C'est mon argent !

— Eh, jeune homme ! Tout travail mérite salaire, rétorqua le pirate en riant. Les temps sont durs pour tout le monde, même pour les brigands.

Le journaliste, perplexe, hésita un instant avant d'attraper la main que l'homme aux pistolets lui tendait.

— Allez ! Lève-toi, marin d'eau douce ! Je n'aime pas parler à un homme à terre.

Gabriel se laissa hisser par son étrange sauveur. Une fois debout, il rangea sa pochette, tristement allégée, et essuya ses vêtements en poussant des grognements.

— Je… je suppose que je vous dois des remerciements.

— Si tu veux me remercier, commence donc par me tutoyer, Gabriel.

— Tu connais mon nom ? s'étonna le jeune homme.

— Je ne t'aurais pas sauvé si je ne te connaissais pas. J'ai trop de respect pour le travail d'autrui, même quand il est mal fait.

Gabriel fronça les sourcils.

— Tu ne t'es donc pas contenté de m'espionner, dans la cour du Commerce-Saint-André et à l'église Saint-Sulpice ! Tu t'es aussi renseigné sur moi ?

Ce fut au tour du pirate de marquer la surprise.

— Tu m'as repéré ?

— On trouve difficilement accoutrement moins discret... Je me suis dit que tu étais une mouche de la police.

— Dame ! Tu m'insultes ! Quand tu es venu en aide au petit bohémien, ça m'a plu. Depuis, je t'observe. Tu m'intéresses.

— Ah, fit Gabriel. Et puis-je connaître le tien, de nom ?

— On m'appelle Récif.

— Comme un récif de corail ?

— Tout juste.

— Et tu... tu es... un pirate, c'est bien cela ? demanda Gabriel d'un air taquin.

— Un Salétin, répondit l'autre, avec dans les yeux l'éclat d'une certaine fierté.

De fait, l'homme – dont fort peu de gens savaient qu'il se nommait en réalité Abderrahman Benaïcha – était le petit-fils du grand Abdellah Benaïcha, maître d'embarcation chez les corsaires de Salé-le-Neuf, dans ce qu'il était resté de la république de Salé, qu'on appelait aussi république des pirates du Bouregreg, avant que celle-ci fût rattachée au Maroc. Récif, héritier d'une dynastie de seigneurs de la mer, avait grandi au milieu de cette communauté de corsaires sarrasins, y avait appris l'art de la navigation et du combat, et y avait développé un certain goût pour la roublardise et un sens particulier de l'honneur.

Onze ans plus tôt, peu enclin à continuer comme ses pères les courses des navires musulmans à la poursuite des vaisseaux chrétiens, se sentant plus pirate que corsaire et se refusant à agir à la solde d'un État, le jeune Récif avait quitté Salé pour rejoindre Libertalia, une colonie libertaire fondée par des pirates à la fin du XVIIᵉ siècle, au nord de l'île de Madagascar.

Là, il était devenu amiral d'un galion de trois mâts et avait assisté aux dernières heures de cette Atlantide utopique, cet éden où pirates et flibustiers avaient constitué ensemble une cité secrète, empreinte d'idéaux égalitaires. Sous l'impulsion de ses fondateurs, Libertalia était devenue une authentique république, au temps même de la monarchie. Ainsi, on y avait organisé l'élection d'un conseil représentatif, sans distinction de nationalité ou de couleur, mais aussi l'établissement d'un fonds commun pris sur les butins, afin de venir en aide aux plus démunis et à ceux dont l'âge ne permettait plus de naviguer. Prônant l'abolition de l'esclavage, ces pirates peu ordinaires s'attachaient à libérer les captifs des navires négriers qu'ils attaquaient. En Libertalia, on oubliait les différences ethniques et religieuses, on n'était plus un Africain, un Hollandais ou un Portugais, on était un Liberi, et tous étaient égaux en devoirs comme en droits. Avec le temps, ces affranchis naviguant dans la baie du Tonnerre troquèrent le pavillon noir à tête de mort du

Jolly Roger pour un drapeau blanc, où l'on avait brodé le mot liberté, et leur devise devint : *Liberté, liberté, liberté !*

Ce rêve clandestin dura près d'un siècle, jusqu'à ce que les Anglais y mettent un terme, massacrant pareillement hommes, femmes, vieillards et enfants. Récif échappa au carnage et partit se réfugier à Paris. Là, il avait rejoint les brigands du quartier Maubert, à quelques pas d'ici. Riche de son histoire et refusant encore d'abandonner ses idéaux, il avait fondé à la Maub' – comme on surnommait les lieux – une nouvelle communauté, dite des Renégats, qui perpétuait l'esprit libertaire de la piraterie et imposait aux gredins parisiens le respect d'un certain code d'honneur.

— Comment puis-je te remercier ? demanda Gabriel.

— Tu peux m'offrir un verre au Château-Rouge.

— À cette heure-ci ? s'exclama le jeune homme.

— La liberté appartient à ceux qui se couchent tard !

Ainsi, les deux hommes – que tout, de prime abord, semblait éloigner – partirent ensemble au milieu de la nuit pour le sulfureux cabaret de la rue Galande.

Quand ils arrivèrent devant l'entrée de l'établissement, en voyant les hommes louches qui traînaient là s'écarter de leur chemin docilement, Gabriel comprit qu'il entrait dans le fief du Salétin, et que l'aura de celui-ci était, au royaume de la canaille, plus grande encore qu'il ne l'avait déjà supposé.

Niché au fond d'une cour à laquelle on accédait par une allée obscure, le Château-Rouge était réputé pour être, du quartier de la place Maubert, l'estaminet le plus malfamé ; c'était un tapis-franc, comme on appelait alors ces repaires douteux où l'on pouvait se

155

tapir librement, car ni la garde de Paris ni les gardes-françaises n'osaient y mettre les pieds.

Sa façade, peinte en rouge, était ouverte par un petit escalier qui menait à la salle principale. À peine la porte franchie, les narines étaient assaillies par une odeur ardente où se mélangeaient les effluves d'une graisse trop vieille, la sueur des convives, les émanations d'une fumée âcre et le parfum de vieux bois moisi. Passé cet assaut fait aux sens, on découvrait, dans la pénombre, la première pièce, la plus grande, où de larges poutres noircies par le feu de la cheminée soutenaient un plafond crevassé et bruni, sous lequel s'agglutinait une faune colorée, et jamais Gabriel n'aurait imaginé qu'autant de monde pût se trouver à une heure pareille dans un seul établissement.

Partagé entre la curiosité du journaliste et une crainte bien naturelle, le jeune homme se faufila avec prudence derrière Récif au milieu de cette insolite clientèle. Ils passèrent ainsi entre des ivrognes abrutis de vin, collés au comptoir, qui bavaient devant leurs hautes chopes, semblaient tantôt s'endormir, tantôt se réveiller brusquement en poussant des grognements inintelligibles avant de laisser retomber leurs lourdes têtes sur le zinc, des groupes d'hommes aux mines inquiétantes qui parlaient à voix basse en tenant à leur taille le pommeau d'un poignard, des noceurs avinés qui criaient, riaient et gesticulaient en se gavant de fromage d'Italie ou de saucisson à l'ail, des gamins en guenilles aux joues crasseuses et aux cheveux emmêlés, des fillettes débraillées qui se laissaient pétrir la fesse ou le sein pour quelques gorgées d'une vinasse cramoisie, et ici on chantait, et là on jouait aux cartes, et plus loin on se disputait. Malgré ce chahut de bohème, une partie de la salle bondée servait aussi d'asile de nuit à quelques vagabonds qui n'avaient plus de toit et qui, contre un ou deux sous, pouvaient venir y dormir « à la corde », c'est-à-dire assis sur un banc, la tête posée sur une large ficelle qu'on ne lâchait qu'à six heures du matin pour les réveiller et les faire sortir avant que le jour se levât. Ceux qui rechignaient à quitter les lieux partaient finalement bien vite à la vue du nerf de bœuf qu'agitait sous leur nez le célèbre patron du Château-Rouge, qu'on appelait l'Ogre, un géant de corps et de gueule qui avait les mains larges comme deux grands battoirs et qui avait connu ses heures de gloire comme lutteur, en livrant de célèbres combats clandestins dans les arrière-cours parisiennes.

Après avoir joué des épaules et des coudes, ils arrivèrent jusqu'à l'escalier qui menait à la deuxième pièce, un peu moins bruyante et à peine mieux éclairée, où ne montait que la fine fleur des prostituées et des chenapans de la Maub', et d'où l'on refoulait plus ou moins aimablement les curieux et les miséreux. Les femmes, plus jeunes ici qu'en bas, étaient affublées de toilettes aguicheuses, certaines, torse nu, laissant même apparaître leur blanche poitrine, et les hommes portaient aux doigts ces grosses bagues d'argent que prisaient les darons de la pègre parisienne. Ici, assis sur des bancs et des tabourets, on buvait, on jouait, on badinait, mais on s'agitait un peu moins, et trois solides garçons venaient régulièrement ravitailler le client en boisson.

Tout au fond, l'entrée de la troisième pièce, enfin, était fermée par un rideau devant lequel un colosse

immobile attendait, les bras croisés sur son torse ath-
létique.

Quand Récif arriva devant le cerbère, il l'attrapa
nonchalamment par l'épaule et échangea avec lui une
virile accolade, puis pointa le pouce vers Gabriel.

— Il est avec moi.

Le mastodonte – qui était un *aspirant* à la fraternité
des Renégats, c'est-à-dire un homme qui devait encore
faire ses preuves pour pouvoir la rejoindre totalement –
dévisagea un instant le grand roux aux yeux verts,
hocha la tête et écarta la tenture pour les laisser passer.

Gabriel, qui se demandait de plus en plus fébrilement ce qu'il était venu faire là, esquissa un sourire
maladroit et entra derrière le Salétin. Il découvrit alors
cette dernière salle, qui était bien petite comparée aux
deux autres, et qui détonnait par son calme, sa douce
lumière orangée et l'odeur sucrée d'un encens qui y
brûlait. Il y avait là cinq ou six hommes à peine, qui
portaient comme Récif des boucles d'or aux oreilles,
et avec eux trois ou quatre femmes, vêtues comme
des danseuses tziganes, les bras couverts de bracelets.

— Assieds-toi, proposa le Salétin en montrant une
table isolée dans un coin de la pièce.

Gabriel prit place sans mot dire, alors que son hôte
s'emparait d'une bouteille dont il servit le rhum dans
deux gobelets.

— Je croyais que c'était à moi de t'offrir un verre,
plaisanta Joly en trinquant.

— C'était une façon de parler… Ici, tu es mon
invité.

Gabriel but une première gorgée.

— Merci. Mais j'ai tout de même un peu de mal à croire que, après m'avoir déjà porté secours en pleine rue, tu m'aies amené ici sans avoir quelque chose à me demander…

Récif sourit.

— Tu es à Paris depuis un mois à peine et te voilà déjà cynique ! Sache une chose : les hommes comme moi ne demandent pas, Gabriel, ils exigent, ou ils proposent.

— Aurai-je donc droit à une exigence, ou à une proposition ?

— Pour l'instant, ni à l'une ni à l'autre. Je continue de t'observer…

— Ce n'est pas forcément plus rassurant, répliqua le jeune homme avec un demi-sourire.

— Allons ! N'as-tu pas le goût de l'aventure ?

— Serais-je ici si je ne l'avais pas un peu ?

Le Salétin se servit un deuxième gobelet et s'approcha encore de la table.

— Je sais reconnaître les seigneurs, Gabriel, de quelque monde qu'ils viennent, de quelque rang qu'ils soient. Toi, tu rêves d'embrasser le monde entier, mais tu attends au pied de la montagne.

— Qu'est-ce que tu veux dire ?

— Tu veux être journaliste, n'est-ce pas ?

— Je le suis !

— Non. Tu n'es pour l'instant qu'un vulgaire copiste.

Gabriel accusa le coup.

— Je… je ne fais que débuter…

— Si tu ne provoques pas le destin, il se refusera à toi. Tu rêves de devenir un grand journaliste ? Deviens-le !

La façon de parler du pirate – qui différait de celle des brigands – montrait qu'il avait de l'instruction, de la lecture, et qu'il s'était élevé lui-même tant par le voyage que par les lettres. Il y avait de la finesse et de la philosophie dans son regard comme dans ses mots.

— Pourquoi me dis-tu tout cela ? Qu'as-tu à y gagner ? demanda le jeune homme, circonspect.

— Il n'y a que trois choses que je chérisse sur cette terre. La première, c'est l'argent. Eh, que veux-tu ? Je suis un pirate ! La deuxième, c'est l'amitié. Notons que le sage ne distribue l'un et l'autre qu'avec parcimonie…

— Et la troisième ?

— La troisième, mon garçon, qui est la plus importante, c'est l'information. Rien n'est plus précieux en ce bas monde. La plus grande pauvreté, c'est l'ignorance. Alors considère l'amitié que je m'apprête à t'offrir comme un investissement.

— Tu attends que je te donne des informations ?

— Si le temps fait de nous des amis et qu'un jour tu deviennes vraiment un journaliste, de ceux pour qui seule la vérité compte, je me réjouirai alors d'avoir toujours celle-ci avec moi. La vérité est un trésor.

— Voilà une bien étrange façon de nouer des liens ! Ce serait donc une amitié intéressée ?

— Allons, jeune homme ! Toutes les amitiés le sont ! Et il est bien plus confortable de connaître l'intérêt qui motive tes amis que de ne voir dans leur affection qu'une divine prodigalité ! Avec un compagnon, on partage le pain. Mieux vaut savoir de quel pain il s'agit, n'est-ce pas ? Au moins, avec moi, tu le sais : ce qui m'intéresse, c'est ton amour de la vérité, si vraiment tu t'attaches à elle… N'est-ce pas exacte-ment ce que t'a proposé le commissaire Guyot, quand tu es allé chez lui ?

Gabriel sourit. Le pirate avait bien fait son travail.

— Je comprends mieux, dit-il en regardant la salle autour de lui. Le commissaire a la charge spéciale des cabarets… Tu espères que je vais l'espionner pour toi ?

— Disons que s'il s'intéresse un jour de trop près au Château-Rouge, je ne serais pas mécontent que tu me mettes en garde.

— Et moi, où se situe mon bénéfice, dans ce mariage d'intérêt ? osa Gabriel.

Le Salétin prit l'un des pistolets à sa ceinture et le déposa sur la table, entre lui et le journaliste.

— Un jour ou l'autre, tu auras besoin de ça.

20.

Les larmes de la reine

Quinze jours avaient passé. Malgré les tentatives de médiation des commissaires du clergé, les états généraux étaient toujours le théâtre d'un conflit entre les trois ordres, alimenté par l'entourage du roi, qui s'opposait à leur union. Les députés étant paralysés par ces interminables tractations, à Paris comme à Versailles, le peuple attendait toujours et l'agitation ne cessait de monter. Autour de l'hôtel des Menus-Plaisirs, des bandes venues de la capitale pourchassaient les députés qui refusaient encore la réunion des trois ordres, on leur lançait des crachats ou des pierres, on les injuriait, on les faisait fuir. Dans les rues de Paris, quand une mouche de la police se faisait repérer, on la battait ardemment ou on la jetait à la Seine. Plus rien ne semblait pouvoir calmer la frénésie de ce peuple affamé.

Aussi, fuyant ce climat de tension et se fiant aux conseils des médecins, la reine Marie-Antoinette avait-elle décidé, quelques jours plus tôt, d'accompagner son fils aîné au château de Meudon, dont l'air, disait-on, serait peut-être plus favorable au pauvre enfant.

Hélas, de jour en jour, les articulations du petit Louis-Joseph n'avaient cessé d'enfler et sa peau de blanchir. Ses forces, désormais, l'avaient tant quitté qu'il ne pouvait plus même se relever sur son lit. Pressés de répondre, les médecins de la Cour furent obligés d'avouer à la reine qu'ils avaient désormais perdu tout espoir de sauver le dauphin. L'enfant qui, du haut de ses sept ans et demi, voyait déjà venir sa fin avec une mature lucidité, fit preuve d'un courage qui rendait le spectacle plus déchirant encore : à bout de vie, il n'avait de cesse que de consoler sa mère ! Celle-ci restait jour et nuit au chevet de son fils, et quand elle ne pleurait pas, elle priait.

Comme chaque jour, Louis XVI était venu de Versailles pour voir son fils et tenter d'apporter à son épouse un peu de réconfort, mais les affaires ne lui permettaient jamais de rester aussi longtemps qu'il le souhaitait et, avant dix heures du soir, il devait déjà repartir.

— Plus que jamais, ma tendre épouse, je veux être à vos côtés et vous témoigner mon amour. Nous avons trop laissé les affaires et les intrigues de la Cour nous séparer. J'ai tellement besoin de vous, et je me sens si seul au milieu du nombre. Je… je vous aime, ma reine.

Et la chose était vraie, Louis XVI aimait son épouse d'un amour que les Bourbons n'avaient jusqu'ici accordé qu'à leurs maîtresses.

— Mais je n'ai jamais cessé de vous aimer, Louis ! Vous savez bien que c'est votre frère, le comte de Provence, qui a manœuvré pour nous éloigner l'un de l'autre ! C'est lui qui a jeté des courtisanes dans vos bras lors de ses fêtes au château de Brunoy, et c'est encore lui qui a tenté de salir ma réputation en faisant courir de méchantes rumeurs sur mes liens avec la princesse de Lamballe… Il me fait passer pour une femme qui aime les femmes, quand chacun sait que c'est lui, l'homme qui aime les hommes !

— Je le sais, ma reine, je le sais. Ne craignez rien : M. de Brémond et son Secret me gardent bien de tous ces complots, et je n'ai jamais cru à ces mensonges, pas plus qu'à ceux qui affirmaient que notre bon Louis-Joseph ne fût point de moi.

— Oh, il vous ressemble tant, Louis, murmura la reine en regardant son fils à côté d'eux.

— Mais il a bien plus de caractère que moi ! Sur ce point, il tient de vous. Si Dieu le veut, il fera un roi extraordinaire, quand moi je resterai dans l'histoire comme le plus médiocre de la maison de Bourbon…

— Ne dites pas cela !

— C'est pourtant vrai, Marie-Antoinette. Il ne me manque pas que les épaules pour servir mon bon peuple, avoua le monarque. Il me manque l'envie !

— Mes épaules sont les vôtres, Louis, et je serai votre envie.

Les deux époux s'enlacèrent, puis le roi dut se retirer.

Il était une heure du matin quand le sous-gouverneur du dauphin, Antoine Charles Augustin d'Allonville, vint chercher la reine pour lui annoncer que son fils était mort.

21.

Un terrible billet

— Il paraît que quand le dé... député Bailly est venu lui présenter les condoléances des communes, le roi l'a renvoyé sèchement ! A-t-il donc tant de mépris pour son propre peuple ?

Attablé à l'étage du Procope, Gabriel reposa son verre de liqueur et secoua la tête d'un air réprobateur.

— Allons, Camille ! On peut comprendre qu'un père tout juste endeuillé soit de fort méchante humeur.

— Peut-être, mais re... refuser de recevoir les représentants de la nation ! C'est... c'est une insulte faite au peuple !

— Tu exagères un peu. Tu vois, à cet instant, je pense à Danton et à sa femme Gabrielle. Nul ne peut connaître la douleur que procure la perte d'un enfant que celui qui l'a vécue. Comment était Georges, quand il a perdu le sien ? Je ne peux pas parler pour lui plus que tu ne peux parler pour la reine et le roi. Je connais seulement, moi, la douleur que représente la perte d'une mère...

— Je sais, je sais… Mais, tout de même ! Louis XVI est roi des Français, Gabriel ! Cela lui donne beaucoup de droits, mais aussi des devoirs. Après tout, le peuple de France n'est-il pas aussi son enfant ?

Desmoulins, ses cheveux frisés en bataille, était encore plus agité qu'à l'accoutumée. Le jeune avocat venait de passer près d'une heure avec Zoppi à l'entrée de l'établissement, où ils avaient tous deux reçu les acclamations des habitants de Saint-André-des-Arcs en commentant l'actualité de la veille avec leur verve habituelle.

— Mon bon Camille ! Tu vis tout cela avec tant de passion ! En réalité, tu regrettes de n'avoir pu être élu aux états généraux, n'est-ce pas ? Tu te passionnes tellement pour la chose politique que tu en oublierais ton métier d'avocat !

— Pas du tout ! Au contraire ! Je suis… je suis l'avocat du petit peuple contre le despotisme ! fanfaronna Desmoulins, dont le charme, en réalité, résidait en sa capacité de se montrer aussi naïf que spirituel. Je suis né sans fortune, et suis persuadé qu'on n'est heureux qu'en s'occupant du bonheur des autres. La seule vertu qui vaille, c'est de se rendre utile à sa nation !

— C'est tout à ton honneur, mais pas très rémunérateur. Comment pourras-tu convaincre M. Duplessis de te laisser épouser sa fille, si tu es sans le sou ?

Cela faisait plus de deux ans maintenant que le pauvre Camille demandait en effet la main de la belle Lucile Duplessis, de dix ans sa cadette, qu'il avait rencontrée au jardin du Luxembourg ; mais le père de celle-ci, premier commis du contrôle général des Finances, malgré l'affection que lui et sa femme avaient pour le jeune avocat, ne cessait de l'éconduire, lui reprochant sa trop modeste condition.

— Détrompe-toi ! Fi... figure-toi que le comte de Mirabeau m'a demandé de devenir son secrétaire secret ! rétorqua Desmoulins en baissant la voix.

— Son secrétaire *secret* ?

— Oui ! Je... je vais mettre en forme ses notes pour l'aider à rédiger son journal !

— Les *Lettres du comte de Mirabeau à ses commettants* ?

— A... absolument ! Je lui avais demandé, il y a quelques semaines, si je pouvais participer à son projet. Il m'a enfin répondu ! Le journal doit sortir deux fois la semaine, et Mirabeau me paie très bien. D'ailleurs, je vou... je voulais te proposer de m'aider, Gabriel !

— De t'aider ? Mais comment ça ?

— Eh bien, je n'y arrive pas tout seul. Il y a tant de choses à écrire, vois-tu ?

— Mais, enfin ! Je travaille déjà au *Journal de Paris* !

— Rien... rien ne t'empêche de faire les deux ! Ne me dis pas que tu ne trouverais pas plus de plaisir à rédiger le journal de Mi... Mirabeau, plutôt que la liste quotidienne des spectacles de Paris !

Gabriel haussa les épaules. La chose n'était pas fausse.

— Je vais y réfléchir.

— Fichtre ! s'exclama Desmoulins en regardant l'horloge du Procope. Il est presque huit heures ! Veux-tu m'a... m'accompagner au couvent ?

— Nous ne sommes pas dimanche, s'étonna Gabriel.

— Non, mais Louis-Sébastien Mercier doit venir ce soir pour pré… présenter son amie Théroigne de Méricourt au président du district ! Ne me dis pas que tu n'aimerais pas rencontrer cette femme dont tout… tout le monde parle ?

Ainsi, les deux amis quittèrent le café et remontèrent ensemble la rue des Cordeliers pour aller retrouver dans la salle théologique Danton et le président Archambault, qui partageaient une bouteille de vin en débattant de l'interdiction faite aux avocats de demander à leurs clients un honoraire proportionné au succès d'une affaire.

— De la même manière que je m'efforce toujours de travailler gracieusement pour mes clients les plus démunis, il me semble juste que je sois intéressé aux immenses sommes que je rapporte parfois aux plus aisés ! protestait Danton avec sa voix de stentor. Tiens, Gabriel, toi qui es le seul ici à avoir le bonheur de ne pas être avocat, ne trouves-tu pas normal d'être payé pour tes écrits en fonction de ce qu'ils vont rapporter au libraire ?

— Eh bien, si, à l'évidence, mais je ne sais pas si la chose est tout à fait comparable, répondit le jeune homme tout en cherchant des yeux Lorette, qu'il avait espéré revoir ici. Il faudrait, pour me faire un juste avis, que j'entende d'abord les arguments de Me Archambault…

Celui-ci n'eut toutefois pas le temps de développer davantage car, au même moment, sur le pas de la porte, Louis-Sébastien Mercier, tête droite sur son noir manteau, venait d'apparaître au bras de Mlle Théroigne de Méricourt, laquelle portait son épatant chapeau, sa robe amazone d'un rouge éclatant, ses pistolets et son sabre à la taille.

L'écrivain et son amie, avec la démarche d'un couple royal, s'approchèrent lentement du petit groupe que formaient Danton, Desmoulins, Archambault et le jeune Joly.

Le président du district, qui était frère de loge de Mercier, l'accueillit d'une fraternelle accolade, puis les quatre hommes, l'un après l'autre, baisèrent la main de la belle Liégeoise. Quand ce fut son tour, Gabriel ne put quitter des yeux le sabre qu'elle portait à la ceinture.

— Je suis une fervente admiratrice de votre district et de ce qui s'y passe, monsieur, complimenta Anne-Josèphe en inclinant la tête à l'adresse du président Archambault.

— Vous y êtes bienvenue, madame. Je pense que les femmes, à qui la monarchie a fait perdre, depuis deux siècles, la place qu'elles méritent dans la cité, ont un rôle à jouer pour reconstruire notre pays, et je remercie mon très cher frère de nous permettre de vous rencontrer !

— Oh, mais je n'ai pas besoin de Mercier, vous savez ? Je viens souvent me promener dans vos rues, et ce que vous y faites est exemplaire ! Pour que ce monde change, il ne suffit pas que l'Assemblée nationale se mette en œuvre, il faut que le peuple lui aussi fasse la démonstration de sa fraternité, et il m'apparaît que les Cordeliers sont le plus bel exemple de celle-ci.

— Oui, enfin…, intervint Mercier. N'exagérons rien, ma chère. À ce que je vois, ces messieurs font surtout la démonstration de leur profond amour pour le vin…

— Louis ! s'offusqua gentiment Archambault. Sachez qu'il y a eu, lors des élections des états généraux, quatre cent douze votants au district des Cordeliers. C'est l'un des chiffres les plus élevés de toutes les assemblées de Paris ! Si le vin coule dans nos gorges, dans nos veines, c'est le sirop de la liberté qui se répand !

— Je n'en doute pas ! Et n'écoutez pas Mercier ! le rassura Mlle Terwagne. Ce vieux grincheux est jaloux dès que je fais l'éloge de quelqu'un d'autre que lui.

— Les éloges d'une ar… aristocrate sont aussi rares et inattendus au district des Cordeliers qu'ils sont bienvenus, et nous vous en savons gré, madame ! déclama Desmoulins dans une sorte de révérence.

— D'une aristocrate ? s'exclama la Liégeoise en riant. Allons ! Ne vous laissez point abuser par la particule dont les Parisiens m'ont affublée ! Mon nom est Anne-Josèphe Terwagne, et je viens non pas de Méricourt, mais de Marcourt, dans la principauté de Liège. Je ne sais pas si c'est par coquetterie ou par moquerie qu'on me surnomme Théroigne de Méricourt, et à vrai dire je ne m'en soucie guère, mais je ne suis certainement pas une aristocrate ! Mon père était laboureur, et j'ai perdu ma mère quand j'avais cinq ans. J'ai connu la misère et l'humiliation, et je ne chéris personne autant que ceux qui luttent pour s'extraire de leur condition, sinon peut-être ceux qui les y aident.

— À Liège, dites-vous ? intervint Gabriel. C'est là que j'ai moi-même étudié !

— Voyez-vous cela ! C'est un bien petit monde que le nôtre ! Et que faites-vous à Paris, jeune homme ?

— Je viens de commencer une carrière de journaliste.

— Gabriel a une très jolie plume ! renchérit Desmoulins.

— Ha ! s'exclama Mercier en riant. On vient à peine de pisser ses premières lignes, et on a déjà des admirateurs ?

— Craindriez-vous que je vous vole les vôtres ? répliqua Gabriel, qui n'avait pas oublié les moqueries de l'écrivain quand il l'avait rencontré au *Journal*.

— Après avoir parcouru votre ouvrage sur Hérodote que votre oncle m'a obligé à lire, non, pensez bien que je n'ai pas trop d'inquiétude. C'est écrit sans génie.

— C'est que j'ai voulu vous rendre hommage, monsieur ! Je n'aurais su trahir votre prose, en y mettant de l'esprit ! rétorqua le jeune homme, qui n'en pensait pas un mot tant, en réalité, il admirait l'œuvre du maître.

Mercier, loin de se vexer, éclata d'un rire franc.

— Ah ! vous n'en êtes donc pas tout à fait dépourvu ! dit-il avec, cette fois, une note de tendresse dans la voix. Il ne vous reste plus qu'à vous en servir pour écrire quelque chose d'intéressant !

— Mais je m'y emploie, monsieur !

— Vraiment ? Et que nous préparez-vous donc ? le titilla Mercier. Après Hérodote, je vous imagine bien vous pencher sur un autre auteur tout aussi moderne ! Cicéron, peut-être ?

— Je prépare une enquête sur les meurtres qui ont eu lieu ces derniers jours dans notre quartier, et je ne suis pas loin de découvrir l'identité de ce mystérieux assassin que j'ai baptisé le *Loup des Cordeliers* ! fanfaronna Gabriel, échauffé.

Sa déclaration fut suivie d'un moment de silence, pendant lequel tout le monde le dévisagea d'un air plus perplexe qu'admiratif.

— Je... je ne savais pas que vous pouviez enquêter sur des affaires judiciaires au *Journal de Paris*, s'étonna Desmoulins.

— C'est un projet personnel.

— Fichtre ! Une histoire de fantôme ! railla de nouveau Mercier. Voilà incontestablement la marque d'une grande ambition littéraire !

— Je préfère grandement consacrer mon temps à la recherche de la vérité qu'à l'écriture d'une certaine comédie soporifique sur Molière, dont les cinq actes ne seront jamais joués, de peur que les spectateurs ne se taillent les veines dans leur fauteuil pour échapper à l'ennui ! rétorqua le jeune homme, visant la dernière œuvre de l'auteur.

— Allons ! intervint Terwagne. Monsieur Joly, ne prêtez pas attention à ce monstre de jalousie !

— Oh, Anne-Josèphe, la jalousie n'est-elle pas la plus belle preuve d'amour ? glissa Louis-Sébastien.

— Cela dit, continua la Liégeoise, si je peux me permettre, jeune homme, et sans vouloir vous offenser, il y a peut-être en effet, en des temps pareils, des sujets plus urgents que cette histoire de Loup... Pourquoi ne travailleriez-vous pas, par exemple, à quelque texte prenant fait et cause pour les femmes ? Un texte qui puisse résonner jusque sur les bancs de l'Assemblée ? Puisque l'heure est au changement, il serait triste que la condition féminine ne rencontrât point celui auquel elle a le plus légitime droit ! Et, pour ne point manquer ce rendez-vous avec l'histoire, cette cause a besoin de défenseurs ! Il y a le marquis de Condorcet, bien sûr, mais un deuxième apôtre ne serait pas de trop, et vous avez pour vous l'avantage de la jeunesse !

— Dois-je me sentir visé ? feignit de s'offusquer Mercier derrière elle.

— La chose ne serait-elle pas plus légitime si elle était entreprise par une femme ? répondit Gabriel, surpris par la suggestion de la Liégeoise. On vous a exclues de tout pouvoir, de tout avantage, mais on ne s'est pas encore avisé, fort heureusement, de vous ôter le droit d'écrire…

— Si je savais écrire, monsieur, je m'y déciderais peut-être, comme le fait notre bien-aimée Olympe de Gouges. Mais il me semble que ce devrait être aux hommes, à présent, de combattre ceux qui, dans leurs rangs, continuent de croire que les femmes ne méritent pas les mêmes droits qu'eux. Nul n'est mieux placé pour éliminer le mal que celui qui lui a donné le jour…

— Je… je vais y réfléchir, promit Gabriel. Mais, voyez-vous, en écrivant sur ces meurtres, je crois pouvoir parvenir plus efficacement encore au résultat que vous espérez, car il se pourrait qu'ils aient un rapport, justement, avec la cause des femmes. Pour qu'ils éveillent plus sûrement les lecteurs aux choses capitales, mes articles doivent d'abord les divertir. Horace ne disait-il point, dans son *Art poétique*, qu'il convient d'unir l'utile à l'agréable, de plaire et d'instruire en même temps ?

La femme haussa les épaules, qui ne semblait guère convaincue.

— Songez que l'article qui nous est consacré dans l'*Encyclopédie* nous décrit comme dénuées de raison, tout juste bonnes à être belles et sentimentales ! Rousseau lui-même, que M. Mercier, ici présent, vénère tant, a toujours affiché un dédaigneux mépris pour la cause féminine. Or, à ce jour, je n'ai point vu l'Assemblée nationale se soucier du sort des femmes, qui constituent pourtant plus de la moitié de la nation ! Et c'est à ce sujet, maître, que je voulais vous rencontrer, déclara finalement Terwagne en se tournant à présent vers le président Archambault.

Peu à peu, la conversation dériva vers des considérations politiques et Gabriel, que le début de la soirée avait un peu contrarié, finit par se retirer discrètement pour aller rejoindre chez elle Guillemette, qui n'avait certes pas autant de conversation mais ne refusait jamais de lui livrer, sur la literie, quelque précieux savoir…

Minuit avait passé quand, éprouvé mais comblé, le jeune homme revint enfin à son appartement de la rue Haute-Feuille, l'âme plus légère.

Aussitôt qu'il eut ouvert la porte de sa petite chambre, il aperçut une enveloppe qu'on y avait fait glisser.

Intrigué, il la ramassa et la décacheta prestement. Ce qu'il vit à l'intérieur, malgré la pénombre, lui glaça le sang.

Sur une feuille de papier, à l'encre rouge, on avait écrit deux mots en lettres capitales et, en dessous, on avait fait un dessin.

Les mots disaient *PRENDS GARDE*, et le dessin, Gabriel ne le connaissait que trop bien : c'était un triangle renversé !

Il traversa la pièce et se laissa tomber sur son lit, sans quitter des yeux cette menaçante missive, signée du sceau de celui qu'il appelait désormais le Loup des Cordeliers. Le sens n'en était pas difficile à comprendre : le justicier intimait au journaliste de cesser ses recherches !

Saisi d'une lourde torpeur, le jeune homme resta immobile sur sa couche.

Un détail, déjà, l'intriguait : le triangle renversé n'était pas équilatéral mais isocèle, étiré vers le bas, et l'un de ses côtés, celui de droite, dépassait légèrement de la figure, vers le haut. Cette particularité ne lui était pas apparue sur le front du prêtre de Saint-Sulpice, et elle n'était pas mentionnée non plus dans les rapports que le chirurgien du roi avait faits sur les autres cadavres. Était-ce une simple maladresse dans l'exécution, comme si son auteur, dans l'empressement, avait laissé son trait dépasser du bord, ou bien au contraire était-ce sur les cadavres que, du bout de la lame, cette signature avait été moins bien dessinée ? Et si ce petit débordement était volontaire, quel sens pouvait-il avoir ? Si c'était l'emblème d'un loup, ce trait extérieur aurait pu figurer une oreille, mais alors il manquait la seconde, de l'autre côté…

À bien y regarder, Gabriel se demanda si ce symbole n'était pas, tout simplement, la lettre D légèrement inclinée vers la droite. L'assassin aurait-il été assez orgueilleux et imprudent pour signer ses meurtres de sa propre initiale ? Pourquoi pas ? Un seul caractère n'était pas un véritable aveu.

Mais, à cet instant, la forme exacte de la signature n'était pas ce qui troublait le plus notre pauvre Gabriel. Car la présence de cette lettre dans sa chambre conduisait à une déduction plus préoccupante : elle prouvait que le Loup était au courant que le jeune homme enquêtait sur lui, et savait précisément où il habitait. Or, cela réduisait considérablement la liste des suspects !

À ce jour, les seules personnes à qui Gabriel avait confié qu'il menait cette enquête étaient le commissaire Guyot et les cinq témoins de la réunion à laquelle il avait assisté, quelques heures plus tôt, au couvent des Cordeliers : Danton, Desmoulins, Archambault, Mercier et Mlle Théroigne de Méricourt ! Se pouvait-il vraiment que l'un d'entre eux fût le Loup ? se demanda Gabriel, incrédule. Les deux seuls, en outre, qui connaissaient formellement son adresse étaient ses plus proches amis, dont le patronyme commençait justement par la lettre D ! Et il ne pouvait s'imaginer un seul instant que Desmoulins ou même Danton pût se réincarner la nuit en impitoyable tueur.

Abasourdi, il passa un moment à imaginer la vraisemblance de la chose pour chacune des six personnes suspectes, puis, encore troublé, il se leva lentement, posa la lettre sur son pupitre et partit s'assurer que sa porte était barrée. Par précaution, il cala une chaise sous la poignée.

Ce soir-là, il éprouva bien de la peine à trouver le sommeil.

22.

Un impérieux devoir

— Anne-Josèphe, malgré tout l'amour que j'ai pour votre splendide chapeau à plume, c'est la dernière fois que je vous accompagne ici ! soupira Louis-Sébastien Mercier à voix basse alors que, dans la salle des Menus-Plaisirs, les débats faisaient encore rage.

Deux semaines avaient passé depuis la mort du dauphin, et les relations entre les députés du tiers état et le roi n'avaient cessé de se délabrer. L'entourage de Louis XVI lui enjoignait à présent de dissoudre les états généraux, mais le souverain, toujours en proie à la plus molle indécision, ne tranchait ni dans un sens ni dans l'autre.

— Chut ! gronda Mlle Terwagne.

— Ces états généraux sont décidément plus ennuyeux encore qu'un poème de Boileau, grommela Mercier, et il me reste beaucoup de travail sur la réédition des œuvres complètes de Rousseau que m'ont commandée Poinçot et Didot.

— Allez-vous donc vous taire ?

— Songez que je n'en suis qu'au cinquième tome, et qu'il en faudra plus de trente !

— Et vous dites que vous vous ennuyez *ici* ? ironisa la Liégeoise.

— Misérable enfant ! J'ai fait le serment d'offrir à la mémoire de Rousseau un monument digne de lui, fait pour durer plus longtemps que le marbre et l'airain. Ah, comme j'aimerais faire partager aux générations futures ce que j'éprouvai en découvrant *La Nouvelle Héloïse* ! Quand j'en ouvris le premier volume, tout à coup…

— Chut !

— … je devins attentif, je m'animai, je m'échauffai, je m'enflammai ! Je voyais, j'entendais les personnages, je lus le volume d'une haleine et, quand j'appris qu'il y en avait six, mon cœur palpita de joie et…

— De grâce, taisez-vous !

Mercier se renfrogna.

— Plutôt que de venir écouter ici ce gredin replet de Mirabeau, vous feriez mieux de relire le génie de notre bon Jean-Jacques !

— Louis, vous êtes insupportable ! Vous me parlez du passé, et c'est le futur qui se joue sous nos yeux !

De fait, en contrebas, les députés s'apprêtant à embrasser l'avenir se cherchaient encore un nom.

— Puisque certains députés du clergé et de la noblesse continuent de refuser de se joindre à nous, donnons à notre assemblée le titre d'*Assemblée légitime des représentants de la majeure partie de la nation, agissant en l'absence de la mineure partie* ! proposa très sérieusement le député Jean-Joseph Mounier.

L'idée eut le mérite, dans un moment si grave, de soulever quelques rires au sein de l'assistance.

— Allons ! s'emporta Mirabeau. Il nous faut prendre la chose au sérieux ! Comment rire quand, dehors, le peuple meurt de faim ? Notre mission réclame plus de grandeur ! Nous sommes appelés, messieurs, à recommencer l'histoire !

En haut de la tribune, Mercier secoua la tête.

— Mais que connaît-il de la famine, ce gros Honoré-Gabriel Riqueti de Mirabeau ? persifla-t-il en se penchant vers sa voisine. Voyez plutôt : il est gras comme un cochon ! La seule chose qui soit grande, chez lui, c'est la laideur fulgurante de sa petite vérole !

— Louis ! le réprima Terwagne. Vous me faites honte !

En bas, le débat continuait.

— En formant ces états généraux, intervint l'abbé Sieyès, nous avons promis de nous occuper des intérêts populaires et, pourtant, dehors, les plus démunis continuent de se lamenter, et le pain continue d'être cher ! La faim n'attend pas, messieurs ! Notre Assemblée ne saurait rester inactive par l'absence de quelques députés, car les absents ne peuvent empêcher les présents d'exercer la plénitude de leurs droits, surtout lorsque l'exercice de ces droits est un devoir impérieux et pressant. Aussi la dénomination d'*Assemblée nationale* est-elle à mes yeux la seule qui convienne !

La simplicité de cette appellation souleva un enthousiasme quasi unanime. Elle fut soumise au vote et l'emporta avec une écrasante majorité. Jean-Sylvain Bailly, doyen des Communes, en fut nommé président.

Anne-Josèphe Terwagne se leva pour acclamer cette Assemblée nationale, comme tous les spectateurs installés dans les tribunes en hauteur, hormis Mercier qui, lui, bâilla éhontément.

La première décision de l'Assemblée fut d'affirmer que les impôts continueraient provisoirement d'être perçus, mais qu'ils cesseraient de l'être si on la séparait. C'était, à l'évidence, une menace adressée à la Cour : si l'on ne reconnaissait point cette Assemblée, l'impôt ne serait plus levé, ce qui conduirait l'État à une rapide banqueroute. Puis on annonça que l'Assemblée s'occuperait avant tout des causes de la disette et de la misère publique. Les hourras se firent entendre jusque dans les rues de Versailles.

Quand on alla les solliciter, les députés de la noblesse firent de nouveau savoir par leur représentant, le duc de Montmorency-Luxembourg, qu'ils refusaient de reconnaître cette Assemblée comme légitime.

— Je croyais que les francs-maçons étaient en faveur du peuple, glissa ironiquement Mlle Terwagne en se penchant vers Mercier. Ce Montmorency-Luxembourg n'est-il point l'un de vos plus illustres « frères » ?

— Si. Mais que voulez-vous ? Il est des perruques si épaisses qu'elles ne laissent pas passer les plus fortes lumières. Bah… Montmorency restera fidèle au roi, mais les frères ne resteront sans doute pas fidèles à Montmorency.

— Le mot « fidélité » ne figure donc point dans votre devise ? s'amusa la Liégeoise.

— Dieu merci, non ! Mais voyez plutôt La Fayette qui tente d'entraîner avec lui la noblesse vers la conciliation. Tous mes frères ne sont donc pas si mauvais…

— Et le duc d'Orléans ? insista Terwagne. Lui qui est Grand Maître de votre joyeuse confrérie et député de la noblesse, que dit-il ?

— Je suppose qu'il ne dit rien et qu'il ira du côté où le vent sera le plus favorable.

— Eh bien ! Quelle image courageuse tout cela donne de votre maçonnerie !

— La maçonnerie, madame, est une pyramide semblable à la société : le courage et l'audace s'y trouvent plus rarement du côté du sommet que de celui de la base…

23.

Un beau quartier

Plus de dix jours avaient passé depuis que Gabriel avait reçu la lettre de menace. Si le message anonyme l'avait incité à rester sur ses gardes, il ne l'avait pas découragé pour autant : au contraire, sa volonté de résoudre le mystère du Loup des Cordeliers s'était faite plus impérieuse encore. Il allait seulement falloir se montrer plus discret.

Le jeune homme n'avait bien sûr rien dit de cette désagréable découverte aux cinq suspects les plus probables, pas même à Danton ou à Desmoulins, qu'il avait pourtant croisés chaque jour depuis lors, les regardant désormais, bien malgré lui, avec une irrépressible mais coupable méfiance. Quant au commissaire Guyot, il avait préféré ne pas le prévenir non plus, de peur que l'officier, pour le mettre à l'abri du danger, lui ordonne d'abandonner son enquête.

Pendant plusieurs jours, il avait étudié la lettre à la loupe. Malgré les solides connaissances que lui avait laissées son apprentissage d'imprimeur, l'encre utilisée ne lui avait fourni aucune information sur l'auteur de cette missive. Prenant le temps de comparer l'écriture avec celles de Desmoulins, Danton, Archambault et Mercier, il n'avait repéré aucune correspondance concluante. Quant à Théroigne de Méricourt, il n'avait trouvé d'elle aucun manuscrit. Le Loup, de toute façon, avait à coup sûr tout fait pour maquiller son écriture. Gabriel était donc retourné vers les autres pistes que lui offrait le dossier, et en particulier celle du bijou.

S'efforçant de rester discret, il avait interrogé plusieurs orfèvres de la place Dauphine et du quai dit, justement, des Orfèvres, en leur montrant le dessin exécuté par le commissaire, et l'un d'eux avait fini par reconnaître la pièce et lui livrer l'identité de son créateur. C'était dans la boutique de celui-ci que Gabriel venait d'entrer, en cette fin d'après-midi caniculaire, sous les arcades du Palais-Royal, berceau de la joaillerie parisienne.

M. Brisset père, avachi derrière son établi en arc de cercle, n'eut guère besoin de regarder longtemps le croquis que Gabriel lui présenta pour reconnaître ce collier composé d'une chaîne sertie de perles fines et d'un motif rectangulaire émaillé, rehaussé de paillons d'or.

— Oui, c'est une pièce unique, monsieur, comme toutes celles que je fabrique ici.

— Pourriez-vous, dans ce cas, me dire à qui vous l'avez vendue ? le pressa aussitôt Gabriel.

Le vieil artisan fronça les sourcils. Installé récemment au Palais-Royal, il avait d'abord été l'un des joailliers les plus réputés de la rue Saint-Honoré et s'était fait connaître en signant plusieurs bijoux offerts par Louis XV à la marquise de Pompadour. C'était un homme habitué à une clientèle fortunée, laquelle tenait souvent à sa discrétion.

— Puis-je vous demander pourquoi, jeune homme ?

Gabriel, qui s'était fait depuis des années une loi de ne jamais mentir, répondit avec franchise.

— Ce collier a été trouvé sur le corps d'un brigand. Je cherche son propriétaire pour qu'il puisse témoigner sur ce vol, et pour permettre au commissaire du Luxembourg de le lui restituer.

— Le propriétaire du bijou ne s'est pas manifesté de lui-même ?

— Eh bien, il ne sait peut-être pas encore qu'on le lui a dérobé ! répliqua Gabriel.

Le joaillier le dévisagea un instant, comme s'il essayait de se faire une idée de la probité de son interlocuteur. Il sembla finalement trancher en sa faveur.

— J'ai vendu ce collier il y a un an à M. Marais, soupira-t-il. C'était un cadeau pour sa femme.

— Où puis-je le trouver ?

— C'est un honnête financier qui habite un bel hôtel, près de l'abbaye de Saint-Germain.

Quand Gabriel sortit de la boutique avec un jovial sourire, il fut aussitôt saisi par l'effervescence, le frémissement de joie qui semblaient avoir gagné le jardin du Palais-Royal. Devant lui, il vit passer un groupe d'hommes qui marchaient d'un pas preste vers le café de Foy.

— Que se passe-t-il ? leur demanda-t-il en les rattrapant.

— Les députés ont proclamé l'Assemblée nationale, citoyen ! C'est un grand jour pour la liberté !

Et, de fait, des badauds emplis d'allégresse s'en venaient de toutes parts sous les galeries, si bien que la foule ne cessait de croître.

Grâce aux travaux commandés par le duc d'Orléans pour l'ouvrir au public, le Palais-Royal était devenu en quelques années un rendez-vous incontournable de la vie parisienne. Cette enclave étincelante au cœur de la capitale ne semblait jamais s'endormir et changeait même de visage trois fois le jour. Le matin, les Parisiens fortunés y visitaient joailliers, horlogers, libraires, tailleurs, traiteurs aux denrées rares et choisies. L'après-midi, on venait y faire des affaires, on négociait en sirotant un verre au café Corazza, au café de Foy ou au Caveau, on concluait un accord marchand en se prélassant dans l'établissement de bains. Le soir, enfin, et jusqu'à deux heures, s'allumaient les cent quatre-vingts réverbères du Palais-Royal, et alors, sous cette lumière nouvelle, la scène se transformait. C'était le moment des plaisirs secrets ! On profitait des tavernes, des spectacles d'ombres chinoises, des danseurs, des pantomimes, des ventriloques, on allait danser au bal, puis on se laissait entraîner dans les étages par les marchandes d'amour. L'inspecteur assigné à la surveillance des lieux, homme de confiance du duc, fermait docilement les yeux sur les excès qui attiraient ici une clientèle dépensière : les maquerelles et leurs petites n'y étaient jamais ennuyées, pas plus que les « bouledogues » qui haranguaient les foules pour les faire entrer dans les salons où l'on jouait au creps, au passe-dix, au biribi ou à la roulette, entourés de fillettes impudiques. Nulle part ailleurs dans toute la France on ne pouvait ainsi croiser pareillement duchesses et courtisanes, et le Palais-Royal s'était imposé comme le havre d'une voluptueuse débauche pour les étrangers comme pour les Parisiens de toute classe, qui louaient la bienveillance du duc d'Orléans.

C'était aussi, enfin, un lieu d'information, où l'on aimait, dans les larges allées bordées de vieux marronniers, se mettre au courant de ce qu'on ne pouvait apprendre ailleurs. Les nouvellistes y venaient de Versailles rendre compte des états généraux, et les jardins étaient à présent comme un *forum* du peuple parisien. Aux étages des cafés se réunissaient les clubs, où l'on parlait des arts et des lettres, mais où se formaient aussi les idées les plus libérales. En somme, avec une réussite qui dépassait sans doute ses propres espérances, le duc était parvenu à transformer son palais en un ardent vivier de l'opposition faite à son cousin Louis XVI.

S'approchant de la foule, Gabriel resta un long moment bouche bée devant ce spectacle fantastique, plus animé encore qu'à l'accoutumée. Autour des tentes dressées ici et là par des vendeurs de vin ambulants, il vit qu'on dansait, qu'on riait, qu'on acclamait l'Assemblée nationale en portant des santés à son président Bailly, au bon abbé Sieyès et, bien sûr, au maître des lieux, Louis-Philippe d'Orléans !

Réchauffé par cette pétillante atmosphère, le jeune homme se laissa entraîner par la liesse et se mit à boire et à danser. Il s'enivra au milieu de cette fête où tout le monde se tutoyait, tout le monde s'embrassait, et il était peut-être une heure du matin quand, émoustillé et soûl, il suivit deux filles délicieuses, l'une brune et l'autre blonde, avec lesquelles il avait allégrement valsé sous les marronniers.

Quand elles le conduisirent vers les étages du Palais, prenant soudain conscience du lieu où elles l'emmenaient et du métier qu'elles exerçaient, il expliqua, éméché mais formel, qu'il n'était pas favorable à la prostitution, laquelle, selon lui, était une forme d'esclavage des femmes. Mais les demoiselles, sans doute plus grisées que lui encore, continuèrent de le tirer chacune par un bras.

— Pour toi, ce soir, c'est gratuit, le rouquin ! Et c'est pour notre plaisir ! En somme, la catin, ce sera toi !

N'ayant ni la force ni l'envie véritable de rechigner davantage, Gabriel se retrouva quelques instants plus tard, nu comme la main, sur un grand lit carré au milieu d'une chambre vouée à la luxure.

Ainsi, notre bon Joly découvrit ce soir-là, grâce aux vénérables exploits des députés à Versailles, les plaisirs d'une sainte trinité. Les deux jeunes femmes, qui n'avaient pas manqué de vanter son charnel avantage, s'en donnèrent à corps joie, et quand l'une le chevauchait, l'autre y allait de ses caresses, et quand le jeune homme avait besoin de reprendre ses esprits, les deux donzelles lui faisaient ensemble un merveilleux spectacle, puis elles lui sautaient derechef sur le torse, et il y avait du métier, et il y avait de l'adresse dans les doigts, et du savoir-faire à la bouche, et chaque nouvelle prouesse était accompagnée de rires et de baisers d'une tendresse qui n'avait, en effet, rien de professionnel.

Les trois jeunes gens, quand ils n'eurent plus de forces, s'enlacèrent amoureusement en silence, étendus sur le lit trempé de sueur, et cette intimité était presque aussi savoureuse pour Gabriel que l'avaient été les longs ébats qui l'avaient précédée. Il y avait quelque chose d'une généreuse simplicité dans ce confiant abandon, d'une innocente impudeur, et c'était comme si les corps, en se rapprochant, avaient aussi conjugué les âmes pour en faire déjà de vieilles amantes.

Comme la brune s'était endormie et poussait maintenant de doux ronflements, Gabriel, qui n'avait toujours pas dessoûlé, sourit et se tourna vers la blonde.

— Je ne vous ai même pas demandé comment vous vous appeliez, chuchota-t-il.

La jeune prostituée lui retourna son sourire.

— Tu sais que, quand une catin te balance son petit nom, c'est jamais le vrai ?

Joly haussa les épaules.

— Dis quand même.

— Eh bien, aujourd'hui, elle, c'est Margot, et moi, c'est Madeleine. Et toi, comment que tu t'appelles ?

— Gabriel Joly.

— Mazette ! Gabriel ! Le bon hasard que t'es beau comme un ange !

— Ma mère m'a baptisé ainsi parce que, comme elle se croyait stérile, ma naissance fut si inespérée qu'elle disait qu'un ange était passé dans notre maison.

— Et *saint Gabriel apporte bonnes nouvelles*. Elle a raison, ta daronne !

— Elle *avait* raison, corrigea le jeune homme d'un air mélancolique. Je l'ai perdue il y a longtemps.

— Pardon. Je suis désolée de t'y faire penser.

— Oh, ce n'est pas grave, Madeleine. Tu sais, il ne se passe pas une journée sans que je pense à elle, de toute façon.

— C'est mignon. Et qu'est-ce que tu fabriques, comme métier ?

— Je suis journaliste !

— Vrai de vrai ? Et t'écris quoi, comme histoires ?

— Eh bien… Là, j'enquête sur le mystère du Loup des Cordeliers, affirma-t-il sous les effets de l'alcool, oubliant la prudence à laquelle il s'était pourtant tenu depuis plusieurs jours.

La jeune fille se tourna vers lui, intriguée.

— Le fantôme qu'a sauvé la Picarde ?

Gabriel eut un geste de surprise.

— Pardon ?

— La Picarde ! Not' collègue qu'a été abusée par le sergent et ses quat' gardes. C'est le fantôme qui l'a sauvée !

— Je ne savais pas, admit le jeune homme, pour qui cette information était comme un cadeau tombé du ciel.

— Pfff ! Quand tu sais pas, faut demander aux putes, mon lapin ! Nous, on sait tout.

— Ah oui ?

— Eh ouais ! Alors, j'ai droit à une récompense ? demanda-t-elle avec un petit air espiègle.

— Ah ! tu vois que tu veux de l'argent ! répondit Gabriel sur un ton faussement contrarié.

— Qui te parle d'argent ? s'amusa Madeleine, en l'attrapant vigoureusement à l'entrejambe. Je me contenterais bien d'une nouvelle gigue !

— Mais… On risque de réveiller Margot…

— Tant mieux !

24.

Où Louis le seizième
prend une secrète décision

— Ils peuvent bien se faire appeler Assemblée nationale ou Assemblée des communes ou bien Assemblée
de mon cul, si la chose les amuse ! Cela ne change rien
au fait que le tiers état ne peut statuer seul ! s'emporta
grossièrement Louis XVI. Ils commencent à m'ennuyer,
ces roturiers ! Sans moi, qui ai bien voulu organiser des
élections pour réunir les états généraux, aucun d'entre
eux n'aurait aujourd'hui le titre de député !

Rarement le Conseil royal avait eu une importance
aussi grande que ce vendredi-là. Cinq jours plus tôt,
afin de s'extraire du tumulte versaillais et d'accomplir leur deuil, le roi et la reine s'étaient retirés au
château de Marly. Mais, devant l'urgence occasionnée
par la proclamation soudaine de l'Assemblée nationale,
Louis XVI avait décidé, à contrecœur, de réunir exceptionnellement son Conseil dans ce château où seuls
les plus fidèles amis du roi étaient d'habitude conviés.

Ainsi, autour du monarque se trouvaient à présent ses frères les comtes de Provence et d'Artois, le ministre des Finances Necker et le garde des Sceaux Barentin.

— Le problème, Sire, c'est que la majorité des députés du clergé les a maintenant rejoints.

— Pardon ?

— Les députés du clergé ont voté leur réunion à cette prétendue Assemblée nationale, à cent quarante-neuf voix contre cent quinze, expliqua le comte de Provence. Ils y siègent à présent aux côtés du tiers.

Louis Stanislas Xavier de France – qu'on appelait désormais Monsieur – était, des frères du roi, celui qui critiquait le plus sévèrement sa politique. S'il n'avait été son cadet, sans doute eût-il été heureux de porter la couronne, car il avait quelque chose de la fermeté et de la résolution qui semblaient bien mieux convenir à l'exercice du pouvoir que l'indécision fameuse de son aîné. Ainsi, le comte de Provence nourrissait envers son frère le roi une rancune profonde et avait maintes fois tenté d'ébranler son autorité, mais aussi son mariage, en faisant courir sur Marie-Antoinette les plus terribles rumeurs. Chaque fois qu'il le pouvait, il faisait venir sa propre cour dans son château de Brunoy, à l'est de Paris, où il se comportait comme un véritable monarque.

— Dame ! s'exclama Louis XVI, blafard. Mais l'ordre de la noblesse, lui, me reste fidèle, n'est-ce pas ?

— Pour le moment, oui, mais le marquis de La Fayette dit vouloir se joindre à cette assemblée, et il est fort probable que notre cousin, le duc d'Orléans, en fera autant, qui a toujours été l'adversaire de la Cour ! Et après lui, combien d'autres encore ?

— Mais… pourquoi ? s'étonna naïvement le roi.

Un silence gêné parcourut le Conseil. Se pouvait-il que le monarque fût aussi dupe qu'il le paraissait en pareille occasion ?

— Eh bien, Sire, parce qu'il faut bien que cette assemblée puisse se mettre au travail, répondit finalement Necker en croisant les mains sur la longue table en marqueterie. Je pense d'ailleurs qu'il serait sage de mettre en place le plan de réformes que j'ai proposé à Sa Majesté. Cela permettrait de ramener le calme à Versailles comme à Paris, d'éviter que les choses n'aillent plus loin, et surtout, de mettre en œuvre la régénération dont la nation a si vivement besoin.

— Et voulez-vous me rappeler un peu la teneur de votre plan ? demanda Louis XVI, qui semblait désemparé.

— J'y préconisais que Sa Majesté ordonne elle-même la réunion des trois ordres et autorise le vote par tête, uniquement pour les mesures d'intérêt général. Ainsi, nous pourrions proposer nous-mêmes une Constitution, inspirée du génie de l'Angleterre, qui laisserait à Sa Majesté le pouvoir exécutif et lui donnerait un droit de veto. Enfin, pour répondre au peuple qui gronde très justement, nous devons prononcer l'abolition des privilèges, l'égale admission de tous les Français aux emplois civils et militaires, et rétablir la libre circulation du grain pour empêcher les spéculateurs d'en faire monter le cours !

Plutôt que d'inquiéter vraiment le roi, tout cela l'ennuyait.

— Malesherbes m'a déjà tenu ce discours avant vous, monsieur Necker. Il pensait que le seul moyen de maîtriser un grand bouleversement était de l'accomplir soi-même. J'entends bien la chose, et elle me semble juste. Mais… voulons-nous ce grand bouleversement ? Qu'en pensent mes frères ? demanda le roi en se tournant vers les comtes de Provence et d'Artois.

— Nous pensons précisément le contraire ! s'exclama Monsieur, en adressant à Necker un regard de remontrance. En s'arrogeant le droit d'annuler l'impôt et en déclarant pouvoir se passer des ordres, cette assemblée illégitime ne met pas seulement en danger la noblesse, mais la Cour elle-même ! Céder devant elle, ce serait détruire les fondements mêmes de l'État ! Vous ne pouvez, mon frère, laisser sombrer la monarchie dont vous avez hérité par la grâce de Dieu. Le royaume de France ne tient que par le juste équilibre des trois ordres. Le clergé prie pour le salut du peuple tout entier, et la noblesse met ses armes au service de l'État. Comment pourrions-nous retirer à ces deux ordres les privilèges qui leur sont dus, pour les services qu'ils ont rendus et rendent encore à la nation ?

— Quand ces privilèges ne sont plus que des abus, il faut y renoncer ! rétorqua le ministre des Finances. Ce dont la France manque aujourd'hui, c'est de pain. Et sans pain, le royaume mourra. Or, ce ne sont ni les prières ni les épées qui font le pain, Monsieur. C'est le blé ! Et ce blé, c'est le tiers état qui le fait pousser !

— Mais sur quelles terres, monsieur le ministre ? intervint le garde des Sceaux, qui s'était toujours rangé du côté du frère de Louis XVI. Des terres qui appartiennent à la noblesse ! Et que celle-ci a acquises en combattant au service du roi, pour assurer l'unité de la nation ! Alors, pourquoi tant de complaisance envers le tiers état ? Ne pas sévir, ce serait dégrader la dignité du trône !

— Mais sévir, répliqua Necker, ce serait rester sourd aux souffrances du pauvre, et l'entraîner vers une révolte certaine, à l'issue de laquelle il risquerait de ne plus rien rester de la royauté et des privilèges !

— Ha ! se moqua le comte de Provence. Entendre un riche banquier genevois se vanter d'être l'ami des pauvres, la chose ne manque pas de saveur !

— Il n'est pas besoin d'être pauvre pour comprendre et vouloir aider les infortunés. À dire vrai, être riche est même avantageux, quand on veut combattre la pauvreté…

— Ah ? Parce que vous la combattez, peut-être ? railla le comte.

— Oui-da ! s'emporta Necker, piqué au vif. Sauf votre respect, je n'ai fait que la combattre, toutes les fois où le royaume a fait appel à mes services !

— Allons, allons, messieurs ! les interrompit Louis XVI en se levant soudain. Il suffit ! Vous entendre vous disputer ne m'aide guère à réfléchir ! Puisqu'il y a urgence, je vais donc prendre une décision ferme.

Mais, plutôt que de s'expliquer, sous le regard perplexe de ses ministres et de ses frères, le roi quitta la chambre du Conseil sans ajouter un mot.

25.

Un nouveau témoignage

Après avoir lutté tout l'après-midi au *Journal de Paris* contre un terrible mal de tête hérité des excès de la veille, Gabriel chercha en vain la trace de la prostituée qu'on surnommait la Picarde et qui, au dire de la fillette du Palais-Royal, aurait pu lui apporter un témoignage sur la deuxième apparition du Loup des Cordeliers. Toutes les filles qu'il interrogea dans le quartier de la place Maubert lui firent la même réponse : Antonie – puisque c'était son nom – avait disparu depuis quelques jours, et personne ne l'avait revue.

Il se dirigeait à présent vers la rue Saint-Benoît, où se trouvait l'hôtel du fameux M. Marais, propriétaire du bijou. Si le riche bourgeois, comme l'avait fait remarquer le joaillier la veille, n'avait point déclaré lui-même à la police la disparition du collier de son épouse, c'était sans doute que celle-ci la lui avait cachée. Or, si une épouse taisait le vol d'un bijou si précieux, c'était qu'elle se l'était fait voler dans des circonstances inavouables, et donc, vraisemblablement extraconjugales. Respectueux de la paix des ménages et du droit de toute femme à disposer de son corps, Gabriel allait donc devoir se montrer adroit et discret.

Il était près de neuf heures quand, plutôt que de se présenter à l'entrée principale, Gabriel vint cogner à la porte de service de l'hôtel de M. Marais, à quelques pas de l'abbaye de Saint-Germain. Au cuisinier qui vint lui ouvrir, il annonça qu'il voulait voir la femme de chambre de Mme Marais.

— Qu'est-ce que vous lui voulez ? demanda le petit homme en tablier d'un air méfiant.

— Dites-lui que c'est au sujet de la rue d'Enfer, répondit simplement Gabriel.

S'il ne se trompait pas, Mme Marais s'était fait agresser à quelques pas de l'allée du Luxembourg où l'on avait retrouvé les cadavres des deux brigands, en revenant de chez quelque amant. Et si elle avait caché cette mésaventure à son mari, elle s'en était peut-être confiée à sa femme de chambre.

Quand il vit arriver bien vite la jeune et frêle Claudine Fauche, et qu'il lut l'inquiétude dans ses yeux, Gabriel songea qu'il avait vu juste. Et quand il aperçut les marques qu'elle avait sur les bras et sur le cou, il comprit que ce n'était pas Mme Marais qui s'était fait dérober le bijou, mais sa femme de chambre !

— Comment vous appelez-vous, mademoiselle ?

— Claudine Fauche. Mais les gens, ici, m'appellent Fauchette. Que… que me voulez-vous, monsieur ?

— Que diriez-vous, Claudine, si je vous promettais que, demain, vous pourrez restituer à votre maîtresse son collier en or émaillé ?

Fauchette porta aussitôt la main à sa bouche et ses yeux s'embuèrent de larmes.

— Vous... vous...

Elle semblait si surprise et si émue à la fois qu'elle n'arrivait pas à parler.

— Allons ! J'aimerais que vous me racontiez toute l'histoire, et vous serez récompensée.

C'est ce que fit diligemment la jeune femme, après avoir repris ses esprits. Comme si la chose soulageait sa conscience, elle relata en détail, mais à voix basse, comment les deux brigands l'avaient attaquée en pleine rue alors qu'elle rapportait le collier de Madame, et comment un justicier au visage masqué, qui tenait un loup en laisse, était venu à son secours. Entre chaque phrase, elle jetait des coups d'œil pour s'assurer que les autres domestiques ne pouvaient pas l'entendre et, du regard, elle implorait ce visiteur inespéré de rester aussi discret que possible.

— Vous êtes sûre que c'était un loup et non pas un grand chien ? demanda Gabriel par précaution, même s'il en était déjà persuadé lui-même.

— Oui, monsieur ! Je suis une fille de la campagne, je sais reconnaître un loup d'un chien ! Le museau est plus long, les oreilles plus droites, le pelage plus court, les pattes sont plus grandes et les pieds sont plus larges. Je sais que la chose est incroyable, un loup tenu en laisse en plein Paris, mais... je vous le promets, monsieur, c'était un loup ! Un grand loup noir !

— Je vous crois, Claudine, je vous crois. Et son maître ?

Le souvenir de l'apparition fit frissonner la pauvre femme, qui semblait encore épouvantée par cette funeste soirée.

— Vous pouvez me le décrire un peu mieux ? insista Gabriel.

— Mon Dieu ! Il était extraordinaire et terrifiant à la fois ! Les gens disent que c'est un fantôme, mais je ne suis pas sotte, je sais que les fantômes n'existent pas…

— Vous avez vu son visage ?

— Hélas, non ! Il portait une grande cape noire avec une large capuche. Parbleu, je n'ai même pas vu ses yeux ! Je ne me souviens que de son long sabre quand il a… Oh, pardonnez-moi, c'est un souvenir si effrayant !

— Quelle taille faisait-il ?

— Je ne sais pas, monsieur, j'étais recroquevillée au sol. Il m'a paru fort grand, mais je ne saurais vous dire !

— Pensez-vous possible qu'une femme se soit cachée sous cette cape ?

— Une femme ? répéta Fauchette. Quelle drôle d'idée ! Non ! C'était un homme ! Si vous l'aviez vu couper la tête de mon second agresseur… Non pas que je le lui reproche, vous comprenez ? Il m'a sauvé la vie ! Mais cette violence, cette force ! Ah, monsieur, c'était bien un homme.

— Avez-vous vu d'où il venait ?

— Non. Il est apparu soudain au milieu du jardin, comme tombé du ciel.

Avec un sourire généreux, ne voulant point la déranger davantage, Joly tendit une pièce à la femme de chambre et la remercia.

— La police vous rapportera le collier demain, Claudine, et je m'assurerai qu'il vous est remis en main propre, afin que vous puissiez le rendre à sa propriétaire en toute discrétion. Mme Marais a bien de la chance de vous avoir à son service.

Comme il s'apprêtait à partir, Fauchette le retint par le bras.

— Si vous le retrouvez, ce fantôme, vous pourrez lui dire que je lui suis profondément reconnaissante, n'est-ce pas, même s'il m'a fait bien peur ?

— Je n'y manquerai pas, mademoiselle, c'est promis.

Soucieux de tenir parole sur la restitution du bijou, Gabriel se mit en route vers l'hôtel du commissaire Guyot.

Une fois installé dans le salon de l'officier de police, n'omettant que l'épisode de la lettre anonyme, Gabriel lui fit un rapport circonstancié de ses diverses avancées.

— Eh bien ! s'exclama Guyot. Si tous les inspecteurs de Paris pouvaient être aussi efficaces que vous, je ne dirais peut-être plus que les vingt dont nous disposons ne suffisent pas ! Vous êtes sûr de ne pas vouloir changer de vocation, jeune homme ?

— Certain. En vérité, je n'ai pas appris grand-chose, pour l'instant. Le témoignage de Mlle Fauche ne fait que confirmer ce que nous supposions déjà. Mais je voudrais maintenant me pencher sur cette histoire de calcaire et retrouver notre troisième témoin, cette fille de joie qu'on appelle Antonie la Picarde.

— Son nom m'est familier, répondit Guyot. J'ai peur qu'elle ne soit plus toute jeune, cette pauvre femme. Je vais voir si je peux la faire localiser. Et pour ce qui est de votre histoire de calcaire, vous n'avez qu'à aller voir de ma part mon ami Charles-Axel Guillaumot, que le roi a nommé inspecteur général des carrières, et qui occupe ce poste depuis plus de dix ans. Personne à Paris ne connaît le sujet mieux que lui.

26.

Conspirations

Quand, s'en revenant de Marly, il arriva au château de Versailles, le comte de Provence était encore tout agité de colère et d'inquiétude. Ce Necker risquait de dresser la noblesse contre la Cour, et alors celle-ci n'aurait plus d'alliée ! Quant au roi, quelle décision cet imbécile allait-il donc prendre seul, puisqu'il s'était refusé à en informer le Conseil ?

Assis à son bureau du pavillon de Provence, qu'on avait ainsi rebaptisé en son honneur, Monsieur grogna quand un page frappa à la porte pour annoncer l'arrivée d'un visiteur.

— Qu'il entre ! lança le frère du roi.

L'homme qui se présenta était un militaire de cinquante ans, petit et nerveux, aux traits fins et ciselés, au teint brun et aux yeux noirs. Sabre à la taille, il portait fièrement son costume d'officier, et à la poitrine sa croix de chevalier de Saint-Louis, cette décoration au ruban couleur de feu que tous les militaires ambitionnaient. De son large front était tirée en arrière une chevelure lisse et poudrée de blanc.

— Venez vous asseoir, Charles-Antoine !

— Merci, Monseigneur, répondit l'officier dans une génuflexion, avant d'aller s'installer en face du comte de Provence.

Le colonel Duvilliers, en tout point, était un homme singulier. D'une enfance pénible puis d'une histoire d'amour malheureuse, il avait gardé la rudesse d'un cœur de pierre, la ferveur d'une ambition dévorante et cet esprit de revanche qui ne reculait devant aucune intrigue. Militaire de carrière, il avait changé de camp fort souvent, suivant toujours ses seuls intérêts secrets : tombant régulièrement en disgrâce, mais séduisant alors de nouveaux maîtres, il avait d'abord servi la France pendant la guerre de Sept Ans, puis la République de Gênes, pour rejoindre finalement la faction adverse, puis l'Espagne, la Suède… Emprisonné, libéré, desti-tué, puis favorisé de nouveau, Duvilliers s'était fait en tout pays autant d'ennemis qu'il comptait de complices, de détracteurs que d'admirateurs, et il semblait avoir cet incroyable génie que de pouvoir toujours se sortir du plus mauvais pas.

Après avoir été soupçonné de trahison, le colonel Duvilliers venait d'être discrètement recruté par le frère du roi. Ainsi, en échange d'une belle rente de dix-huit mille livres, il dirigeait à présent le cabinet secret de Monsieur.

— Vous arrivez bien tard !

— C'est que les affaires qui intéressent Son Altesse Royale sont nombreuses, en ce moment, s'excusa le colonel, la main posée sur le pommeau de son sabre.

— Vous êtes-vous assuré que personne ne vous avait vu venir ici ?

— Je suis entré par la porte de l'Orangerie et on m'a conduit en silence jusqu'à l'escalier de Monsieur, sans passer par la galerie basse des princes.

— Fort bien. L'heure est grave : la monarchie est en danger, colonel ! Mon frère n'est point né pour être monarque…

— Mais il l'est, par la grâce de Dieu.

— Il n'empêche qu'il est plus doué pour réparer une serrure que pour faire tourner un royaume. Il est de mon devoir d'intervenir et de protéger notre régime de tous ceux qui veulent le renverser, puisque Louis ne sait tenir ni le sceptre ni le glaive.

— Son Altesse Royale est toujours fort généreuse, complimenta le militaire en s'efforçant de ne point rire.

Le comte de Provence se leva, croisa les mains sur son ventre bien rond et se dirigea lentement vers la grande fenêtre d'où il avait une vue splendide sur les jardins de l'Orangerie. Sans bouger, offrant toujours son dos à son conseiller, il demanda d'un ton faussement détaché :

— Charles-Antoine, vous avez été initié aux mystères de la franc-maçonnerie, n'est-ce pas ?

— Comme vous, Monseigneur, il me semble…

— Allons… Vous savez bien qu'en ce qui me concerne, cela relevait plus de la farce qu'autre chose. J'ai été vaguement initié par la loge militaire qui siège à Versailles, mais c'était un geste purement amical, que j'ai accepté pour contenter les gardes du palais. Depuis lors, je n'y ai plus jamais remis les pieds. Mais vous, colonel, vous fréquentez toujours les loges, n'est-ce pas ?

— J'ai été initié à Cherbourg, dans ma jeunesse, mais en raison de ma carrière militaire et des nombreux déplacements qu'elle a occasionnés, je suis à présent affilié à la respectable loge Saint-Jean d'Écosse de la Réunion des étrangers, à l'Orient de Paris, où sont admis des frères résidant souvent en dehors du territoire. Les missions que j'entreprends pour Son Altesse Royale m'ont empêché ces derniers temps d'y être très assidu. J'ai toutefois visité récemment la célèbre loge des Neuf Sœurs…

À ces mots, Monsieur se retourna et fit claquer ses mains dans un geste de ravissement.

— Ah ! Parfait ! C'est parfait ! Je veux que vous deveniez mon oreille dans les loges parisiennes, qui ont été infiltrées par la secte philosophique, et que vous me rapportiez tout ce qu'on y dit, tout ce qu'on y prépare !

— Monseigneur ! Vous n'ignorez pas qu'un maçon est tenu par le serment du secret, et que notre signe d'apprenti lui-même rappelle la promesse que nous avons faite de préférer avoir la gorge tranchée plutôt que de révéler nos mystères…

— Charles-Antoine ! Dois-je vous rappeler que vous m'êtes aussi à jamais redevable ? Et, puisque j'ai été initié moi-même, vous ne révéleriez point les mystères de la maçonnerie à un profane, mais à un frère ! Il n'y a là nul parjure.

Le colonel, qui en réalité se souciait peu de la chose, feignit de pousser un soupir embarrassé.

— Eh bien, soit, concéda-t-il après un long silence, mimant adroitement la contrition. Je serai votre dévoué rapporteur, Monseigneur, si c'est ce que vous désirez.

— Je veux tout savoir des projets secrets que mon cousin le duc d'Orléans prépare à la tête du Grand Orient de France.

Le colonel Duvilliers hocha la tête.

— Il en sera fait selon les désirs de Son Altesse Royale, promit-il d'une voix théâtrale.

— Je saurai vous récompenser, Charles-Antoine.

— Monseigneur, je ne mérite aucune autre récompense que l'amitié que vous m'offrez déjà. Je suis, à jamais, votre dévoué serviteur !

27.

Le berceau de la liberté

Il était déjà fort tard quand Gabriel, sortant de chez le commissaire, arriva au couvent des Cordeliers. Comme dans tout Paris, on célébrait encore ici la proclamation de l'Assemblée nationale. Pour l'occasion, on avait installé dans la salle théologique de grandes tables où les habitants du quartier avaient apporté boissons et victuailles. Le tumultueux boucher Legendre, qui avait son échoppe à quelques pas, rue des Boucheries, avait même apporté de la viande, et on ne comptait pas moins de trois ou quatre cents convives qui festoyaient déjà. Parmi eux, chose exceptionnelle, Gabriel aperçut quelques-uns des moines franciscains de cette maison qui, heureux que l'ordre du clergé se fût enfin associé à celui du tiers, étaient venus témoigner là de leur attachement au peuple, dont ils partageaient souvent la misère.

Il y avait sur les tables de grosses soupes, du pain un peu gris dont on rehaussait le goût avec de l'huile d'olive et du sel, du lard et de la volaille, des choux, des fèves, des lentilles, des pois et des raves et, comme certains avaient déniché en ville du regrat, c'est-à-dire les restes de dîners donnés dans les grandes maisons qu'on pouvait acheter aux marmitons, il y avait aussi les reliefs de plats que quelques bourgeois n'avaient pas terminés. Des pigeons aux écrevisses de Seine, des noix de veau à l'oseille, des lapereaux aux fines herbes, des poulets au beurre de Vanves... Et puis, surtout, il y avait du vin, pas des meilleurs, mais à foison !

En avançant dans ce bruyant chahut sous la longue voûte de pierre, Gabriel repéra le groupe qu'il cherchait et se faufila parmi la foule enjouée pour rejoindre Desmoulins, Danton et le président Archambault. De l'autre côté de la pièce, il remarqua aussi Lorette Printemps mais, hélas, il en était trop loin pour feindre de tomber sur elle par hasard.

Quand il arriva enfin près d'eux, les trois hommes l'accueillirent chaleureusement, et il n'osa refuser le verre de vin qu'on lui tendait.

— Alors, ça y est ! lança le jeune Joly en tapant sur l'épaule de Desmoulins. Tu l'as, ton Assemblée nationale !

— Oui ! Quel bonheur, n'est-ce pas ? Quelle vic... victoire ! Mon vieil ami Maximilien de Robespierre, qui siège à l'Assemblée, m'a tout raconté ce matin ! Il dit que la nation est sauvée !

Le journaliste sourit en écoutant ce trentenaire pétillant, à l'âme si généreuse. Non, décidément, il n'arrivait pas à l'imaginer un sabre à la main, en train de couper la tête d'un brigand ou d'un prêtre.

— Eh bien, si cette Assemblée parvient à imposer sa légitimité, oui, peut-être, modéra Gabriel.

— Plus rien ne pourra l'empêcher ! Regarde plutôt ! Tout… tout le peuple est derrière elle !

Le jeune homme acquiesça en observant les habitants du quartier des Cordeliers qui, en effet, semblaient gagnés par la plus émouvante liesse. Hommes, femmes, enfants, vieillards, tout le monde ici souriait, et il y avait sans doute parmi ces visages certains qui ne l'avaient point fait depuis longtemps. On dansait, on buvait, on s'amusait, on lançait de nouvelles santés aux députés, à l'abbé Sieyès et au président Bailly, on faisait le pitre, on était grossier, on charibotait gentiment, on parlait de lendemains joyeux, de fraternité et d'égalité, en somme, on rêvait de liberté…

C'était comme si, au cœur de Paris, le district des Cordeliers était devenu un petit village de campagne et cette salle théologique la place de son église, où tout le monde se connaissait, et cette même scène se jouait sûrement en bien d'autres quartiers de la capitale.

À cette pensée, Gabriel se rendit compte que, si Danton habitait la cour du Commerce-Saint-André et qu'Archambault vivait rue Saint-André-des-Arcs, il n'avait aucune idée de l'endroit précis où résidait Camille Desmoulins. Vivait-il, comme eux, près des trois lieux où était apparu le Loup ?

— Quel magnifique quartier que celui des Cordeliers, n'est-ce pas ? reprit-il.

— Oh, oui ! Nous sommes le berceau de la li… de la liberté !

— Et d'ailleurs, toi, Camille, tu ne m'as jamais dit où tu logeais ?

— Oh, j'habite une petite chambre dans l'une des mai… des maisons qui viennent d'être construites sur la place du Théâtre-Français, expliqua l'avocat. Comme ça, je ne suis pas loin de la famille de Lucile…

À ces mots, Gabriel se remémora ce qu'il avait constaté quelques jours plus tôt en inspectant ici même le plan de Paris : le fameux triangle équilatéral que formaient les lieux des meurtres avait très précisément pour centre de gravité… le Théâtre-Français.

Allons, se ravisa-t-il, ce n'était à coup sûr qu'une coïncidence ! Mais celle-ci n'était-elle pas suffisamment troublante pour pousser un peu plus loin les investigations ?

Au même moment, il aperçut Danton qui, au bras de sa Gabrielle, était en train d'avaler de grandes gorgées de vin. Le jeune homme partit les saluer.

— Quelle belle fête, n'est-ce pas ? s'exclama l'avocat, dont la force naturelle et la joie de vivre s'exprimaient à chaque mouvement.

— En effet !

— Tu devrais en profiter ! ajouta Danton à voix basse. Cela ne va pas durer !

— Je partage ton inquiétude, acquiesça Gabriel. J'ai peur que cette joie ne retombe bien vite. Mais ne la boudons pas, c'est un plaisir que de voir ainsi le quartier en fête ! Cette légèreté ! C'est si rare ! Sais-tu que, l'autre soir, j'ai été attaqué par deux brigands dans la rue des Fossés-de-Monsieur-le-Prince ?

— Allons donc ! s'indigna Danton. Et que t'ont-ils fait ?

— Eh bien, ils m'ont pris mon argent, expliqua le jeune homme, sans entrer dans les détails. Ah ! donner mon argent aux plus démunis, volontiers, mais me le faire voler ! Comme j'aurais aimé savoir me défendre ! Tu m'as dit un jour que tu pratiquais l'escrime, n'est-ce pas ?

— L'escrime, la natation, l'équitation ! Tout ce qui peut défouler le corps, oui !

— Si seulement je connaissais l'escrime, j'aurais pu repousser ces deux gredins ! Il faudrait que tu m'apprennes à manier l'épée ou le sabre, Georges !

— Quelle drôle d'idée !

— N'as-tu pas déjà appris la chose à Camille ? feignit de croire Gabriel.

— Camille ? L'escrime ? s'exclama Danton, hilare. Oh, non ! Notre bon Desmoulins est comme toi : il n'a jamais aimé se battre autrement qu'avec de belles phrases ! Bon sang, maladroit comme il est, si on lui donnait un pistolet, il serait capable de le tenir à l'envers et de se tirer au milieu du visage !

— Ah, fit Gabriel, presque déçu.

— Allons ! Votre arme à vous, c'est la plume ! Bien aiguisée, elle est mille fois plus dangereuse que l'épée. Une lame ne peut toucher qu'un seul homme à la fois, quand une plume peut en toucher des milliers ! Allez, profite de la fête, au lieu de dire des sottises. Regarde, il y a même ton amie Lorette, le taquina-t-il.

Le jeune homme tourna alors les yeux vers la bibliothécaire, qu'il n'avait cessé d'épier depuis qu'il était entré dans la salle.

— Cette jeune femme a dans les yeux une si touchante mélancolie, confia Gabriel, à voix basse, comme s'il se parlait à lui-même.

Gabrielle Danton, qui l'avait entendu, s'approcha et lui adressa un regard attendri.

— Elle n'avait pas sept ou huit ans quand les moines l'ont trouvée. Dieu sait ce qu'elle a pu vivre avant… Sans doute des blessures que son mutisme a toujours cachées. Georges m'a dit qu'il vous l'avait présentée l'autre soir. Pourquoi n'allez-vous pas la voir ?

Le jeune homme s'apprêtait à le faire quand, à quelques pas de là, il aperçut Guillemette qui était entrée dans la salle et venait de se jeter à la tribune pour inviter la foule à l'écouter. Lorsqu'il la vit brandir au-dessus d'elle le dernier numéro du *Journal de Paris*, Gabriel écarquilla les yeux.

— Les amis ! Du maigre ! Écoutez voir, un peu ! Y a le premier véritable article de not' beau Joly qu'est sorti ce matin ! Foutre ! On a un vrai feuilliste dans l'assistance, un vrai de vrai !

— Oh, mon Dieu, se lamenta Gabriel, cherchant désespérément un endroit où se cacher.

Mais tous les yeux s'étaient déjà tournés vers lui, et Danton lui-même l'attrapa par les épaules en le félicitant.

— Vous voulez l'entendre ? s'écria Guillemette.

— Oui ! répondit la foule.

— Non ! murmura le journaliste.

Mais l'exubérante jeune femme, certaine de bien faire, donna lecture, d'une voix théâtrale, de ce qui était, en effet, la toute première chronique signée de la main de M. Joly au *Journal de Paris*.

La fauſſe Auberge, donnée avant-hier pour la première fois, a été écoutée froidement, mais ſans

murmure. Le fujet, que nous croyons tiré d'une
Pièce Angloife, eft une intrigue de deux valets,
chaffés pour friponnerie de chez M. *de Richemont*,
qui, pour fe venger de leur ancien Maître, tra-
vaillent à faire manquer le mariage de fa fille.

Et, comme elle scandait ces lignes, sa ronde poitrine bombée sous sa chemise entrouverte, la sémil-
lante Guillemette y mettait les formes, elle y mettait
les gestes, et il fallait admettre qu'elle faisait une bonne
comédienne, car tout le monde écoutait religieusement,
et Gabriel, lui, avait à chaque mot le sentiment de s'enfoncer un peu plus encore dans le sol du couvent où il
aurait voulu disparaître.

L'intention de cette Pièce eft comique,
mais les fituations manquent fouvent leur effet
faute de préparation. La marche en eft d'ailleurs découfue ; ce qui éteint plufieurs traits
qui auroient pu reffortir dans une Fable mieux
diftribuée.

La lecture terminée, il y eut de beaux applaudissements dans l'assemblée. Tous ceux qui le connaissaient
vinrent féliciter Gabriel, et il fallut qu'il dise merci,
alors qu'il n'avait jamais éprouvé embarras aussi grand.
Quand, au milieu du désordre, il vit Lorette Printemps
s'approcher de lui, le jeune homme n'eut plus à simuler
le sourire qui éclairait son visage.
La délicate jeune femme, dans son habit toujours
sombre, la tête un peu enfoncée dans les épaules, lui

serra le bras d'un geste tendre et amical. Elle fit alors avec les mains des gestes sibyllins, mais dont Gabriel devina qu'ils traduisaient de chaleureuses félicitations.

— Merci, Lorette, murmura-t-il.

À cet instant il aurait aimé l'embrasser et quitter bien vite avec elle cette tonitruante assistance, mais alors il fut vivement bousculé par Guillemette. Arrivée de l'autre côté, elle venait de lui sauter au cou et de s'y pendre si lourdement qu'il fut obligé de l'enlacer pour la retenir. La blonde euphorique lui couvrit le front de baisers, et c'était sans doute une attention de la plus charitable bienveillance, quoiqu'un peu brutale, mais le jeune Joly s'en fût passé volontiers. Quand il parvint à reposer la fougueuse demoiselle au sol, Lorette avait déjà disparu.

— Qu'est-ce que je suis fière de toi, poil de brique ! s'écria Guillemette, la mine radieuse.

— Merci, soupira-t-il. Il ne fallait pas… Vraiment !

— C'est… c'est formidable, Gabriel ! renchérit Desmoulins en l'embrassant à son tour. Ton pre… premier article !

— Félicitations ! lança François-Laurent Archambault. Votre oncle doit être fier de vous !

Et au moment où le président lui donna une tape sur l'épaule de la main gauche, le jeune homme ne put s'empêcher de remarquer, intrigué, qu'il y manquait un doigt : l'annulaire.

— Allons, mes amis, fit Joly en implorant ses proches du regard. C'était déjà un fort mauvais texte à l'origine, et il l'est encore plus avec les coupes qu'y a effectuées le directeur Xhrouet…

— Comment ? s'indigna Guillemette. Qui c'est qui t'a coupé ? Attends voir que je m'en vais lui couper les roupettes, moi !

— Pour tout vous dire, il a menacé de ne pas le publier, car il le trouvait trop négatif ! Mais, qu'y puis-je ? La pièce était encore plus mauvaise que mon article !

— Il y en aura d'autres ! le consola le président Archambault.

— Oui, bien sûr… J'aimerais tellement écrire autre chose, confia le jeune homme d'un air dépité, alors que la foule se dispersait pour retourner vers les tables.

— N'est-ce pas ce que tu fais avec moi ? glissa Desmoulins à son oreille, comme Gabriel avait commencé à l'aider dans la rédaction du journal de Mirabeau.

— Si, bien sûr, répondit le jeune homme. Mais ce n'est que la mise en forme du travail d'un autre. J'aimerais pouvoir écrire mes propres articles…

— Ton histoire de loup ? se moqua gentiment Desmoulins.

— Par exemple, balbutia Gabriel, ou autre chose, bien sûr.

— Eh bien ! intervint Danton. Si notre bon Gabriel veut écrire ses propres articles, il faut que nous l'emmenions voir Momoro ! Qu'en pensez-vous, les amis ?

— En voilà, une bonne idée !

— Qui ça ? demanda Gabriel.

— Momoro ! Si tu veux écrire plus librement, mon garçon, c'est lui que tu dois aller voir, et personne d'autre ! Au *Journal de Paris*, même sous la protection de ton oncle, on ne te laissera jamais faire beaucoup mieux que ce que tu y fais déjà ! Allons, nous t'emmènerons le voir demain !

Danton leva en l'air le pichet de vin qu'il avait dans les mains et s'écria :

— À Gabriel !

— À Gabriel ! répondirent ses amis.

Le jeune homme, lui, chercha Lorette du regard, mais en vain.

28.

Un célèbre serment

— Vous êtes sûr de ne pas vouloir venir avec moi ? insista Anne-Josèphe Terwagne, comme le fiacre approchait de Versailles sous un ciel triste et pluvieux.

Par la petite fenêtre, on apercevait sur les murs les affiches qui annonçaient une séance royale deux jours plus tard, pour le 22 juin. Le roi allait-il enfin reconnaître l'Assemblée qu'on avait proclamée et lui donner sa bénédiction pour qu'elle pût continuer d'œuvrer à la réforme du pays ? Tout le monde voulait y croire, notre Liégeoise en tête, et le monarque ne pouvait pas ignorer cette vague d'espérance qui, depuis trois jours, avait gagné son peuple.

— Ma tendre amie, répondit Mercier en souriant, je vous l'ai déjà dit : le spectacle des états généraux a fini de me lasser entièrement. Je rêvais, moi, d'un régime représentatif moderne, et je retrouve dans cette Assemblée tous les vestiges d'un passé gothique. En outre, on me voit trop souvent à votre bras ; les gens vont croire que je vous fous, ce qui ne m'ennuierait pas si je vous foutais vraiment, mais n'ayant eu l'honneur de connaître ni vous ni notre bonne Olympe de Gouges, je suis fatigué que l'on me prête des amantes, sans qu'on me les donne jamais !

Mlle Terwagne, qui avait fini par s'habituer aux inconvenances de l'écrivain, lui caressa gentiment la main, comme une mère, alors que la voiture filait vers l'avenue de Paris.

— Allons, Louis, je suis sûre que vous connaissez déjà bien assez de femmes !

— Pourquoi donc continuez-vous à venir ici ? L'hôtel des états généraux porte bien son nom : il n'offre que de menus plaisirs !

— À mes yeux, monsieur Mercier, l'Assemblée est au contraire un beau et grand spectacle ! Elle a fait de moi une autre femme. J'étais morne, triste et malade, me voilà ressuscitée, par l'aurore des temps nouveaux ! Quand je me promène au Palais-Royal...

— Vous vous y promenez ? s'étonna l'écrivain.

— Je fais bien des choses que vous ignorez, mon ami ! Quand je m'y promène, donc, je suis émue par cette bienveillance générale ; l'égoïsme, là-bas, semble être banni, tout le monde se parle indistinctement, les riches se mêlent aux pauvres et ne dédaignent point de leur parler comme à leurs égaux.

— Et de les foutre, aussi...

Mlle Terwagne poussa un soupir en levant les yeux au ciel.

— Pour peu qu'on ait de la sensibilité, il n'est point possible de rester indifférente à pareil spectacle, et c'est cette espérance qui me conduit chaque jour à

Versailles. La majesté des débats de l'Assemblée me frappe et, à chaque nouvelle séance, mon âme prend un nouvel essor !

— Allons donc !

— Je suis venue en France pour embrasser l'histoire et, à Versailles, je m'instruis tous les jours un peu plus, je parviens à comprendre et à partager la cause du peuple, et mon patriotisme augmente à proportion que je vois combien la justice et le bon droit sont de son côté.

— Je pourrais aisément vous traiter de sotte, si vous n'étiez aussi charmante ! Allons, milady de Méricourt ! Vous êtes arrivée. L'histoire vous attend.

L'écrivain tendit la main pour l'aider à descendre, puis il lui adressa un tendre salut quand le fiacre se remit en route vers Paris.

S'approchant seule de l'hôtel des Menus-Plaisirs, Anne-Josèphe Terwagne trouva là une foule bien plus grande qu'à l'accoutumée. Intriguée, elle se faufila au milieu de cet essaim agité et, bientôt, elle vit les députés qui semblaient attendre devant la porte, laquelle était gardée par des soldats. Terwagne reconnut aussitôt l'uniforme bleu liseré de rouge des gardes-françaises, dont les baïonnettes, au bout de leurs fusils, faisaient comme une grille impénétrable devant l'entrée de l'hôtel. Des cris de colère s'élevaient partout autour d'elle.

— Que se passe-t-il ? demanda-t-elle à une autre spectatrice.

— Le roi a fait fermer la salle des états généraux jusqu'à la séance royale !

— Sous quel prétexte ?

— Soi-disant pour qu'on puisse y préparer sa venue ! Mais la séance n'a lieu que dans deux jours, et il ne faut pas plus d'une demi-journée pour arranger la salle !

— C'est une manœuvre pour empêcher l'Assemblée de se réunir, comprit Mlle Terwagne, perplexe.

En se hissant sur la pointe des pieds, elle distingua Jean-Sylvain Bailly, président de l'Assemblée, qui parlementait avec ses codéputés et les soldats, tandis que la fureur grondait déjà autour d'eux. Les élus criaient qu'on devait les laisser passer, qu'ils tenaient à reprendre leurs travaux, et certains s'exclamèrent qu'ils étaient prêts à le faire au péril de leur vie.

— Et qu'il pleuve, même, ne nous empêchera point de tenir séance sous les cieux, si on nous refuse un toit ! hurla un député de province en brandissant le poing.

— On ne nous empêchera pas de faire ce que le peuple attend de nous ! tonna un autre, acclamé aussitôt par la masse des spectateurs.

Anne-Josèphe, incrédule, joua des coudes pour s'avancer puis, repérant dans la multitude le visage carré de l'abbé Sieyès, elle alla jusqu'à lui. Ce penseur éclairé qu'elle avait revu plusieurs fois depuis leur rencontre chez Olympe de Gouges la reconnut aussitôt et inclina poliment la tête.

— Mon père ! Que se passe-t-il ?

L'abbé fit une moue désolée.

— Alors que mes frères du clergé eux-mêmes avaient fini par nous rejoindre, alors que nous voulions offrir au roi une chance de se réconcilier, à travers nous, avec son peuple, voilà qu'il la refuse ! Notre monarque n'a donc rien compris.

Au même instant, un député de Paris se hissa sur le rebord d'une fenêtre des Menus-Plaisirs et, d'une voix puissante, s'adressa à la foule.

— Puisqu'on nous interdit cette salle, occupons-en une autre ! lança-t-il. La salle du Jeu de paume est à quelques rues d'ici, et elle est bien assez grande pour nous recevoir !

Cet homme, c'était le docteur Joseph Ignace Guillotin. Sa proposition fut acclamée par les députés, et la foule, comme un seul homme, se mit en marche vers l'avenue de Sceaux pour rejoindre ladite salle qui, par un malicieux hasard, se trouvait bien plus près du Palais, et donc du roi...

Au milieu de la pluie, on vit alors, en tête de cortège, les députés de l'Assemblée nationale traverser la ville de Versailles comme une troupe guerrière, le front dominateur et le regard brûlant d'une fièvre impétueuse, et les gardes-françaises n'essayèrent pas de les en empêcher, ce qu'ils n'auraient pu faire, du reste, tant cette cohorte était décidée.

Quand ils arrivèrent devant le haut bâtiment du Jeu de paume, à quelques pas du potager du roi, deux députés se mirent à la porte pour ne laisser entrer que les élus. Comme elle tenait aimablement l'abbé Sieyès par le bras, on laissa passer Mlle Théroigne de Méricourt, que son aura, en outre, précédait déjà.

Le reste du peuple ne renonça guère à entrer et se glissa dangereusement par les fenêtres pour rejoindre les galeries qui couraient sur trois côtés. Certains restèrent même périlleusement assis sur les rebords en hauteur, car tous voulaient assister à la scène incroyable qui allait se jouer sous leurs yeux.

À peine à l'intérieur, on fit fuir les jeunes aristocrates qui étaient encore en pleine partie de jeu de paume et on arracha le filet qui, à hauteur de ceinture, divisait la salle en deux. Pour tout mobilier, on apporta quelques sièges aux députés les plus âgés et, en guise de table, on posa une porte sur deux larges tonneaux.

Comme les débats allaient commencer, Anne-Josèphe quitta le bras de l'abbé et se retira discrètement vers l'un des poteaux de la charpente, sur la plate-forme duquel elle monta pour avoir la meilleure vue sur cette extraordinaire séance.

Bien vite, sous l'écho magistral de la haute pièce, elle vit les députés ouvrir leur session dans un inévitable désordre. De toutes parts, on s'éleva contre cette indigne suspension et l'on reprocha au roi l'affront qu'il faisait à la nation. Chaque nouvelle colère était applaudie par les huées de la foule qui ne cessait de croître dans les galeries et, bientôt, les plus véhéments des députés proposèrent qu'on marche sur Paris, qu'on prenne les armes même, s'il le fallait !

Prévoyant les violences qu'un pareil mouvement risquait de déclencher, imaginant la fureur populaire, dans un élan de raison, mais de patriotisme aussi, le président Bailly, par un de ces coups d'éclat où se reconnaît le génie politique, monta sur la table de fortune et lança à ses codéputés une harangue digne et émouvante :

— Messieurs ! Le peuple ne nous a point élus pour nous battre, mais pour reconstruire ! Ainsi, prêtez avec moi le serment solennel de ne jamais nous séparer, de nous rassembler partout où les circonstances l'exigeront, jusqu'à ce que la Constitution du royaume et la régénération de l'ordre public soient établies et affermies sur des fondements solides !

Lors, spontanément, d'une seule et forte voix, qui retentit jusque dans les rues de Versailles, les députés levèrent la main droite et, avec cet homme que tous respectaient, ils prêtèrent le serment.

Le cœur de Mlle Terwagne, serré contre le poteau qu'elle embrassait, se mit à battre avec ardeur. Ses yeux brillaient vivement devant cet instant d'émotion, où l'on vit un Robespierre et un Sieyès porter leur main sur la poitrine et, dans les regards des Bailly, des Guillotin, des Mirabeau et de tous ces hommes venus des quatre coins de France, on put lire un transport véritable : celui de l'espérance et de l'obligation.

Au-dehors, aux galeries et aux fenêtres, dans une grande clameur, on entendit soudain la foule crier : « Vive l'Assemblée ! Vive l'Assemblée ! »

Ainsi se déroula, en ce bruineux samedi, le célèbre serment du Jeu de paume. Assise maintenant au pied du poteau où elle avait grimpé, Mlle Terwagne, malgré les pistolets audacieux qu'elle avait à la taille, malgré le sabre, malgré la plume fière à son chapeau, se laissa aller à de discrètes mais chaudes larmes. Submergée par une émotion que seul son pénible passé pouvait expliquer, elle venait de comprendre que plus rien, à présent, n'arrêterait la révolte qu'elle était venue embrasser en rejoignant la France.

29.

L'imprimeur de la liberté

Antoine-François Momoro n'était pas, il faut le dire, un très bel homme. Il semblait ne jamais savoir sourire, et ce n'était d'ailleurs pas garçon très aimable, comme le comprit vite Gabriel, quand Desmoulins et Danton le lui présentèrent. À la vérité, il apparut que Momoro était aussi austère que Camille était doux, et aussi sombre que Georges était enjoué.

L'homme habitait au-dessus de son imprimerie, au numéro 171 de la rue de la Harpe, à quelques pas de la petite chambre que Gabriel occupait dans le quartier des Cordeliers. Ayant étudié au sein de la communauté des imprimeurs-libraires, reçu brillamment comme maître graveur à tout juste trente ans, il avait déjà écrit et publié plusieurs ouvrages fort utiles aux imprimeurs, telle sa première version du *Traité élémentaire de l'imprimerie*. Mais c'était aussi un homme aux engagements politiques enflammés, qui se disait autant l'ami de la liberté – il se désignait lui-même crânement comme *premier imprimeur de la Liberté* – que l'ennemi de la royauté et de l'Église, pour lesquelles il nourrissait une haine profonde.

— Alors c'est toi, ce Gabriel dont mes amis m'ont dit tant de bien ?

Joly hocha la tête poliment, en admirant la formidable presse, étançonnée au plafond, sur laquelle travaillait l'imprimeur, sa casse de caractères en plomb soigneusement rangée sur un meuble incliné, le *visorium*, où il composait ses pages, les bains de potasse et la brosse qui servaient à laver la forme après impression et, plus loin, un joli cabinet de reliure.

— Camille m'a montré ton travail sur le journal de Mirabeau. Tu as une belle plume, mais qu'est-ce que tu fiches au *Journal de Paris* ?

— Eh bien, je m'occupe de la rubrique des spectacles, monsieur…

— Ah. C'est de la merde.

— Momoro ! le réprimanda Danton, amusé et gêné à la fois.

— Eh, quoi ? C'est de la merde, correctement imprimée, peut-être, mais de la merde quand même ! C'est un mauvais canard à la solde des curés et de Versailles, voilà tout. Xhrouet n'a même pas la moitié d'une couille pour mener son journal. Et tu comptes rester là-dedans, gamin ?

Gabriel hésita, partagé entre l'envie de défendre le journal de son oncle et la vérité. L'amour qu'il avait pour cette dernière l'emporta finalement sur le respect qu'il vouait à son parent.

— Non.

— Ah ! la bonne nouvelle ! Et tu veux faire quoi, alors ?

— Gabriel veut écrire de grands articles ! intervint Desmoulins en prenant son ami par les épaules.

— C'est pas à toi que je cause, le bavard, c'est au môme. Tu veux faire quoi ? répéta Momoro.

— Je veux faire un journalisme d'un genre nouveau, monsieur.

— Ah oui ? Et c'est quoi, un « journalisme d'un genre nouveau » ? s'amusa le libraire.

— Eh bien, j'appellerais ça... le journalisme d'enquête !

— Dame ! Qu'est-ce que c'est que cette faribole, nom d'un tonnerre ?

— J'entends me dispenser de l'éloge comme du blâme, pour chercher l'unique vérité, la livrer au plus grand nombre, même quand elle dérange, car j'ai pour conviction que la vérité seule peut libérer les hommes. Au nom de la liberté de la presse – que j'appelle pourtant de mes vœux – on voit se multiplier les calomnies, les fausses nouvelles, qui sont répétées à l'envi aux quatre coins de la capitale, et ce qui devrait être un outil de lumière, ce qui devrait permettre aux lecteurs de s'éclairer risque de devenir une arme terrible de propagande et d'obscurantisme. Si la presse veut être libre, au sens noble du terme, elle doit s'armer d'une éthique et d'une méthodologie.

Le regard de Momoro fit des allers et retours entre Danton et Desmoulins, comme pour leur demander si ce jeune homme était vraiment sérieux. Camille se contenta de hocher la tête, et Georges se pinça les lèvres pour retenir son rire.

— Une éthique et une méthodologie ? répéta l'imprimeur, perplexe.

— Parfaitement, répondit le jeune Joly sans ciller.

— Si ce n'est pas la plus émouvante profession de foi que j'aie entendue de la bouche d'un journaliste, intervint Danton d'une voix théâtrale, que je sois foudroyé sur l'instant par la colère de Polymnie[1] !

Momoro dévisagea encore le rouquin, puis il lâcha :

— Bon. Alors quoi ? Tu veux écrire pour moi ?

— Pour vous ? C'est-à-dire ?

— Eh bien, écris-moi du « journalisme d'enquête », comme tu dis, bougre d'âne, et moi, si ce n'est pas trop mauvais, je le publierai dans mon occasionnel !

Le visage de Gabriel s'illumina aussitôt.

— Vraiment ?

— J'ai une tête à parler à la légère, gamin ?

— Non.

— Alors ? Tu as quelque chose à me proposer ?

— Oui ! Une enquête sur le Loup des Cordeliers !

À ces mots, le visage de Momoro s'assombrit de nouveau et il poussa un profond soupir. Quant à Desmoulins, il fit une grimace qui n'échappa guère au jeune homme.

— Ce n'est pas très politique !

— Il n'y a pas qu'en politique que la vérité manque, monsieur. Et, si vous y réfléchissez bien, le sujet a quelque résonance civique.

— Un illuminé qui se promène la nuit avec un loup dans les rues de Paris pour massacrer des gens, tu trouves que c'est civique, toi ?

— Le Loup des Cordeliers semble ne venir qu'au secours de femmes qui se font agresser par de mauvais

---

1. Muse de la rhétorique dans la mythologie grecque.

hommes. Ce faisant, il défend les citoyennes de l'injustice profonde à laquelle elles font face, car les femmes ne sont pas seulement assujetties par notre système, elles le sont aussi par la gent masculine !

— Mouais… Ce n'est pas un sujet très intéressant.

— Eh bien, pour l'instant, je n'ai pas mieux à vous proposer !

— Reviens me voir quand t'auras quelque chose qui mérite que je fasse tourner ma presse.

— Figurez-vous, monsieur, que je pourrais la faire tourner moi-même, votre presse ! rétorqua Gabriel, que l'homme avait mis de méchante humeur.

— Ah oui ?

— Oui. Et tout seul, qui plus est.

Au même instant, Danton, qui venait de sortir de son gilet sa montre de gousset, changea de physionomie et s'exclama :

— Mes amis, je suis désolé, mais je dois partir !

Et, sans dire un mot de plus, l'avocat leur faussa compagnie.

— Eh bien ? s'étonna Gabriel. Qu'est-ce qui lui prend de partir si vite ?

Desmoulins écarta les mains d'un air amusé.

— Ce… ce n'est pas la première fois, dit-il sur le ton de la confidence. Me Georges est coutumier du fait.

— C'est-à-dire ? insista Gabriel, intrigué.

— La chose lui arrive sou… souvent. Il disparaît en début de soirée, et personne ne sait ce qu'il va faire.

— Une histoire de fesses, sûrement ! lança Momoro.

Mais Gabriel, lui, se demanda s'il n'y avait pas une tout autre explication…

30.

Le hameau de la reine

— Majesté, murmura la duchesse Yolande de Polignac en s'approchant doucement. Tout le monde vous cherche depuis tout à l'heure ! Ah, ma tendre amie, je ne me suis pas trompée : j'étais certaine de vous trouver ici…

La reine, le regard perdu dans le vide, était assise, seule, dans la pénombre du boudoir de son petit hameau de Versailles. Si ses yeux ne pleuraient pas, son pâle visage trahissait la plus terrible affliction.

Marie-Antoinette peinait à surmonter la profonde souffrance dans laquelle la mort de son fils l'avait plongée et que les derniers événements ne faisaient qu'accroître. Quand elle n'était pas triste, elle était mélancolique. Elle qui, naguère, avait été si joyeuse et si extravertie, s'enfermait maintenant dans un mutisme malheureux, fuyait la Cour plus encore qu'à son habitude et cherchait partout la solitude. Ce n'était pas un hasard si elle était venue ce soir-là trouver refuge dans le boudoir qui renfermait tous les souvenirs d'un bonheur passé. C'était son jardin secret, son asile, et ces murs étaient ses confidents.

Louis XVI, dès la première année de son règne, était allé voir sa jeune épouse et lui avait dit : « Vous aimez les fleurs, Madame, j'ai un bouquet à vous offrir : c'est le Petit Trianon. » Ainsi, ce pavillon à la romaine, raffiné, que Louis XV avait fait construire dans le parc de Versailles à la demande de sa maîtresse Mme de Pompadour, était devenu le domaine chéri de Marie-Antoinette, où elle avait aimé s'entourer de ses plus proches amis, au premier rang desquels figuraient la princesse de Lamballe, ladite duchesse de Polignac et, surtout, ce jeune et charmant comte suédois, Hans Axel Fersen, qui avait combattu auprès de La Fayette en Amérique… Entourée de sa coterie, des princes et princesses qui avaient ses faveurs, Marie-Antoinette avait organisé au Petit Trianon moult fêtes somptueuses. Dépensant sans compter les fortunes de son époux – et sans se soucier de l'image désastreuse qu'un tel faste pouvait donner d'elle, au moment où l'on disait l'État en banqueroute –, elle y avait fait construire un délicieux mais onéreux jardin anglais, avec un belvédère, une grotte, un petit temple, qu'on baptisa de l'Amour, un manège et, surtout, son plus cher caprice : ce petit village champêtre, le hameau de la reine.

Reproduisant à l'identique le paysage rustique d'un village de campagne, avec son moulin à eau, sa ferme, sa laiterie, son colombier, sa grange et sa volière, le hameau ressemblait à un décor de théâtre féerique, ou à celui d'un conte de Perrault. Entre ses massifs, ses rochers et ses chutes d'eau enchanteresses étaient rassemblées de charmantes chaumières, qui imitaient les masures normandes, et dont la plus belle, bien sûr, était celle de la reine ; sa maison de campagne, en quelque sorte.

Pressée de s'extraire de l'ambiance protocolaire de Versailles et d'échapper aux devoirs de l'étiquette, Marie-Antoinette abandonnait volontiers les habits incommodes et opulents de la Cour pour enfiler une simple robe de percale, un fichu de gaze et un chapeau de paille et venir ici jouer à la fermière, participer avec ses jeunes et frivoles amies à la traite des vaches, mais dans des gants de soie…

Ce soir-là, toutefois, la fête et la légèreté n'étaient plus que de lointains souvenirs. Assise dans le large fauteuil de son boudoir, Marie-Antoinette faisait face à la cheminée en marbre blanc, et son âme était plus sombre encore que la suie qui calfeutrait l'âtre.

— Mon amie, ma reine, allons ! tenta de la consoler Mme de Polignac en s'agenouillant près d'elle. Songez aux belles heures que nous avons passées ici, toutes les deux… N'avez-vous pas assez de délicieux souvenirs pour redonner à votre visage ce sourire que j'aime tant ? Organisons une nouvelle fête ! Tenez ! Vous et moi ! Ce soir ! Voyons si nous savons toujours exécuter un quadrille de contredanse, comme avant !

Yolande de Polignac était l'une des plus grandes beautés du royaume ; elle avait un visage céleste, un regard et un sourire angéliques, et sa voix même était un charme. Sa démarche était d'une grâce si naturelle qu'on l'eût remarquée même au milieu des plus belles dames d'Europe. Dès leur première rencontre, Marie-Antoinette s'était prise d'affection pour cette jeune comtesse dont le mari était lourdement endetté, et en avait fait sa favorite, oubliant un peu la princesse de Lamballe. Elle avait convaincu Louis XVI d'offrir au comte de Polignac la charge de grand écuyer – gratifiant ainsi les époux d'une rente substantielle – et avait fait de Yolande la gouvernante de ses enfants, afin de pouvoir la garder tout le temps auprès d'elle. Après quelques années, le roi avait élevé le comte au rang de duc héréditaire, si bien que Mme de Polignac était devenue duchesse, sous les regards jaloux de la Cour.

— Mon cher cœur, murmura Marie-Antoinette dans un soupir, le malheur me rend la Cour plus assourdissante que jamais. Je ne veux voir personne.

— Pas même moi ? fit Polignac en lui caressant la main.

Quelques semaines plus tôt, la reine et la duchesse avaient pris un peu de distance, le capricieux dauphin s'étant continuellement plaint de sa gouvernante. Marie-Antoinette, qui n'avait plus d'yeux que pour son second fils depuis la mort du dauphin, avait cessé peu à peu de fréquenter le salon des Polignac, jetant un froid sur cette si tendre amitié…

— Oh, si, bien sûr ! Tout est oublié. Votre attachement fait ma force. J'ai besoin de tout votre cœur pour consoler le mien des maux qui m'accablent comme de ceux que j'appréhende.

— Et quels sont ces maux que vous appréhendez, mon amie ? demanda la duchesse, en s'asseyant près d'elle.

— Ah, nous payons si cher notre engouement et notre enthousiasme d'hier pour la guerre d'Amérique ! Non seulement elle a appauvri l'État, mais elle a donné de fort mauvaises idées aux Français. Aujourd'hui, les séditieux entraînent le pays à sa perte.

— Allons, Majesté, votre mélancolie vous fait noircir le tableau.

— L'avenir ne m'a jamais paru aussi lourd de menaces qu'aujourd'hui. Et moi, qui viens de perdre un enfant, je suis l'objet de mille cabales ; on m'accuse d'être espionne pour Vienne, alors que je suis désormais bien française, avant d'être autrichienne. Les frères du roi, mes belles-sœurs qui me jalousent, les ministres qui me craignent, tous essaient de me manipuler, et aucun ne comprend la douleur d'une mère qui a perdu son fils. Et, comme si les calomnies de mes adversaires n'étaient pas assez, je dois faire face aujourd'hui à l'ingratitude de mes propres courtisans, que j'ai jadis tant gâtés.

— C'est que vous leur manquez, mon amie ! Ils pensent que vous les avez abandonnés…

— Que voulez-vous ? J'ai depuis longtemps renoncé à Paris, à ses spectacles, à l'Opéra, j'ai quitté mes goûts et mes plaisirs.

— Il vous reste votre second fils et votre fille. Ne vous consolent-ils pas, eux ?

— Sans doute. Encore que… leur visage ne fait que me rappeler l'être qui me manque.

Mme de Polignac fronça les sourcils.

— Est-ce seulement votre fils qui vous manque ? osa-t-elle timidement.

Marie-Antoinette releva la tête.

— Que voulez-vous dire ?

La duchesse caressa tendrement la joue de son amie, dont elle partageait tous les secrets.

— Ne manque-t-il pas à Versailles un être cher à votre cœur, le seul, peut-être, qui saurait vous consoler, puisque moi-même, je n'y arrive pas ?

Le comte Fersen – qui, entre ses nombreux voyages en France et en Suède, faisait souvent de longues haltes à Versailles – était retourné depuis la fin du mois d'avril à Valenciennes, où le roi, pour l'écarter de la Cour, lui avait confié le commandement d'un régiment français.

— Peut-être, confessa la reine en rougissant. Mais que voulez-vous que j'y fasse ?

— Eh bien, suppliez-le de revenir à Versailles !

— Et le roi ?

— Le roi, Majesté, sera ravi, comme moi, de vous voir sourire de nouveau.

31.

Et dans la Seine coule le sang

La lutte contre la prostitution, la mendicité et le vagabondage féminins était si forte que l'hôpital de la Salpêtrière souffrait d'une surpopulation grandissante. Afin de réduire celle-ci, un décret royal permettait aux juges, au lieu de soumettre ces dames à un éternel enfermement, d'ordonner qu'elles fussent déportées dans les colonies. Ainsi, trois ou quatre fois l'an, comme on condamnait les hommes aux galères, on transportait de force vers la Louisiane, la Guyane ou les Antilles des contingents de petites voleuses, de vagabondes ou de putains, tant pour les y forcer au travail que pour peupler ces colonies. De toutes ces prisonnières, parfois fort jeunes et portant un enfant, parfois bien trop âgées pour un pareil traitement, il n'était pas rare que beaucoup trouvassent la mort en chemin, tant étaient dures les conditions de leur déportation. C'était d'ailleurs un spectacle si manifestement indigne que le lieutenant général de police n'organisait ces départs qu'à la nuit tombée, quand le ciel obscur déposait sur la capitale un voile pudique qui épargnait à la bonne société parisienne d'y assister.

Il aurait fallu voir, pourtant, cette longue file de femmes en guenilles, fers aux pieds et liées par une même chaîne, qui suivaient un chariot, tête basse, comme un troupeau de tristes bêtes, de l'Hôpital jusqu'à la Seine, et que leurs gardiens battaient sauvagement quand l'une d'elles, éreintée ou souffrante, ralentissait trop ou daignait sortir du rang. Quand leurs yeux n'étaient pas embués de larmes, on y lisait la peur la plus déchirante et le plus bouleversant désespoir, et jamais les lois humaines ne faisaient aussi notoirement la démonstration de leur grossièreté, car, fussent-elles innocentes ou coupables, le sort qu'on infligeait à ces femmes n'obéissait ni aux lois de la sagesse, ni à celles de la plus simple humanité.

Or donc, ce soir-là, on organisait un nouveau départ vers les colonies, et le hasard voulut que se trouvât dans cette navrante cohorte Antonie la Picarde, celle-là même que le Loup avait sauvée du joug d'une vilaine police, mais que la garde de Paris n'avait point tardé à reprendre quelques jours plus tard. La miséreuse sexagénaire, à qui la vie avait déjà infligé tant de supplices, portait à présent sur son corps et son visage les stigmates des sévices atroces qu'on lui avait fait subir à la Grande Force de l'Hôpital, avant que le juge ordonnât qu'elle fût transportée, parmi tant d'autres, vers la Guyane. Là-bas, ou sur le trajet, cette femme dont on ne connaissait que le prénom périrait dans la misère et l'indifférence.

Ainsi, le visage décharné, longeant la petite rivière des Gobelins sous le dôme obscur de la nuit, Antonie avançait en taisant sa douleur mais, à chaque nouveau pas, le métal des manicles incisait un peu plus la chair de ses chevilles ensanglantées. À cet instant cruel lui revinrent comme un adieu les plus douces images de son enfance, les rares bonheurs qu'elle y avait connus, le visage de ses petites cousines, les yeux de sa mère, les ruelles d'Amiens qu'elle avait si souvent arpentées dans le quartier du marché aux herbes, et alors elle crut sentir les odeurs de ses épices et de ses fleurs, et elle crut entendre au loin le guetteur qui, chaque nuit, donnait en haut du beffroi un coup de cornet, toutes les heures, pour assurer les citoyens qu'il veillait à leur sécurité, et alors le souvenir de cette sonnerie lui glaça le sang, car aujourd'hui elle prenait les accents du tocsin.

Quand le sombre cortège arriva enfin au quai Saint-Bernard, où les attendait le bateau qui les mènerait jusqu'à Rouen, les gardes firent monter les femmes dans l'embarcation à grands coups de fouet et de bâton. Son tour venu, Antonie, à bout de forces et entravée par ses fers, trébucha sur la planche et bascula dans la Seine. Elle ne fut sauvée de la noyade que par la chaîne qui la liait aux autres prisonnières et, quand celle-ci se tendit, la douleur fut si grande qu'elle crut que ses bras allaient se détacher de son corps. Sous les hurlements menaçants des gardes en colère, les femmes qui la précédaient et celles qui la suivaient se mirent à tirer de toutes leurs forces pour faire remonter la Picarde, et elle rampa, trempée, jusqu'au pont du navire où elle s'écroula, vidée de ses dernières vigueurs.

Les yeux fermés, la tête collée sur le bois humide du pont, n'attendant plus de la vie qu'elle s'arrêtât enfin, un grognement terrible la tira soudain de sa prostration, et il ne lui fallut qu'un instant pour en deviner l'origine : relevant le buste, le cœur battant, elle reconnut aussitôt, à la lumière de la lune, le loup immense qui venait de se jeter à la gorge d'un garde ! En un instant, la panique gagna l'embarcation, le sang coula et, quand elle vit le sabre du fantôme s'abattre sur les hommes qui n'avaient pas fui, Antonie comprit qu'une fois encore, la plus incroyable providence était venue la sauver !

Lorsque, quelques instants plus tard, après un fantastique carnage, toutes ces pauvres femmes furent débarrassées de leurs cruels bourreaux et qu'elles purent briser leurs chaînes pour s'enfuir vers les faubourgs, le fantôme et son loup avaient déjà disparu, mais leur image resterait à jamais gravée dans la mémoire des miséreuses qu'ils venaient de libérer d'un si terrible sort.

32.

Sur la piste du Loup

— Asseyez-vous, jeune homme. Le commissaire Guyot m'a fait part de vos recherches et, si je peux vous aider, je le ferai avec plaisir, en toute discrétion.

Charles-Axel Guillaumot, approchant la soixantaine, avait créé l'Inspection générale des carrières onze ans plus tôt, à la demande de Louis XVI, et continuait de la diriger, malgré les critiques de certains de ses confrères envieux qui l'accusaient de faire de trop grandes dépenses dans cette tâche.

En prenant place, Gabriel ne put s'empêcher de remarquer l'une des gravures qui décoraient le bureau, et qui figurait une équerre et un compas entrecroisés… Le jeune homme comprit qu'il avait encore affaire à un « frère » de son oncle !

— Comment puis-je vous être utile ? demanda aimablement l'architecte.

— La question va peut-être vous paraître étrange, monsieur, mais j'aimerais savoir si quelqu'un pourrait se cacher et vivre dans les carrières souterraines de Paris…

— S'y cacher, certainement. Nous y pourchassons régulièrement de nombreux brigands, d'ailleurs. Mais y vivre, j'en doute. Les chances de se faire prendre finiraient par être fort grandes.

— Ne subsiste-t-il point dans nos sous-sols des espaces oubliés, où quelqu'un pourrait se cacher durablement ?

— Tout est possible, mais je me suis employé à ce que ces espaces soient connus, et ils sont régulièrement visités. Cela fait plus de dix ans que je m'occupe de faire cesser un danger d'autant plus grand qu'il était inconnu jusqu'alors : celui qu'ont laissé subsister les exploitations souvent inconsidérées de ces carrières dont les pierres ont servi à construire les édifices de notre ville. Il a fallu un effondrement subit et considérable en 1774, rue d'Enfer, pour que l'on s'inquiète enfin de l'état où pouvaient se trouver nos sous-sols, et du danger qu'ils représentaient.

— Rue d'Enfer ? répéta Gabriel, stupéfait.

— Oui. Le quartier du Luxembourg est l'un de ceux qui souffrent le plus de ces anciennes exploitations, confirma Guillaumot. Après cet accident, on a découvert, à temps, que l'Observatoire, le Val-de-Grâce et le palais du Luxembourg lui-même menaçaient de s'écrouler, et l'on m'a chargé de diriger les travaux pour la recherche et la réparation des parties excavées. Figurez-vous que le jour même de mon installation dans cette charge fut marqué par un événement effrayant : une maison, toujours rue d'Enfer, fut en partie engloutie dans une ancienne carrière, à quatre-vingts pieds sous le sol de la cour ! Afin de faire remplir de terre ces gouffres immenses et de les renforcer par de nombreux travaux de maçonnerie, nous nous efforçons depuis lors de cartographier tout le sous-sol parisien, dont je dirige la levée des plans.

— Croyez-vous qu'il serait possible que je consulte ces plans ? demanda Gabriel en tentant de masquer son excitation.

— Bien sûr ! Ils sont ici, à l'étage, et vous pouvez y rester aussi longtemps que vous le souhaitez. Mais je préfère vous prévenir : ils sont complexes ! Les sous-sols parisiens sont un véritable dédale ! Il n'y a pas que les carrières, voyez-vous. D'abord, pour pouvoir accomplir nos travaux, il nous a fallu construire sous les voies publiques des galeries de largeur suffisante pour le passage des matériaux de construction, ainsi que des transversales permettant de circuler des unes aux autres. Ensuite, il y a les canaux des égouts, qui ne cessent de se multiplier à mesure que la ville grandit. Ajoutez à cela les sous-sols des anciens cimetières et leurs fosses successives, que nous avons décidé de fermer pour des raisons d'hygiène, et dont j'ai ordonné que les restes secs, c'est-à-dire les ossements, soient transférés justement dans les anciennes carrières situées sous le lieu-dit de la Tombe-Issoire… Le ventre de Paris est comme une seconde cité, et l'on pourrait même dire que c'est celle des morts !

— Les différentes entrées des carrières et des galeries que vous avez creusées sont-elles indiquées sur vos plans ?

— Pour sûr ! Allons, venez avec moi à l'étage, je vais vous montrer tout cela.

Ainsi, l'architecte conduisit Gabriel dans la salle des archives et l'aida à étudier les sous-sols complexes de Paris, et en particulier ceux du quartier des Cordeliers, dont il lui dévoila le formidable réseau souterrain, ainsi que la localisation exacte des anciens puits d'exploitation ou de ceux, plus récents, construits par ses propres services. Les bordures du jardin du Luxembourg, dont les sous-sols regorgeaient de carrières, en comptaient de nombreux.

Joly hocha la tête d'un air satisfait, mais un détail, toutefois, le tracassait.

— Les anciennes carrières situées ici ne sont-elles accessibles que par des puits ? demanda-t-il en montrant les marques successives sur le plan.

— Que voulez-vous dire ?

— Ne peut-on y descendre que par des échelons ?

— Eh bien, laissez-moi réfléchir. Non : on peut y accéder par les caves des Chartreux qui, jusque très récemment, continuaient de tirer de la pierre sous le vaste enclos dont ils sont propriétaires, et il a fallu que je fasse intervenir le lieutenant général de police pour les obliger à cesser toute exploitation, si proche du lieu où la rue d'Enfer s'était effondrée.

— Ainsi, insista Gabriel, on peut rejoindre les carrières par l'enclos des Chartreux, sans avoir à descendre dans un puits ?

— Absolument. Il y a plusieurs galeries qui y mènent, dans lesquelles on faisait jadis rouler des chariots. Et il y a aussi, à l'extrémité de l'allée des Carmes, près du Petit Luxembourg, une excavation dont le ciel s'est ouvert récemment, ce qui constitue un nouveau danger, car elle donne directement sur les carrières.

Il est tout à fait regrettable que les jardins soient ainsi laissés à l'abandon, tant ils sont devenus dangereux…

À l'écoute de cette lamentation, un sourire se dessina sur le visage de Gabriel. Il demanda à l'architecte s'il pouvait continuer d'étudier les plans et resta près d'une heure dans la salle des archives, dessinant sur son carnet des croquis où il notait les entrées les plus proches des trois lieux où le Loup était apparu.

33.

Par la force des baïonnettes

On était au début de l'été et, pourtant, les cieux étaient bien noirs et crachaient sur Versailles une pluie épaisse et prophétique.

L'heure de la séance royale était enfin venue et l'on espérait partout un dénouement heureux à la proclamation de l'Assemblée nationale : il ne manquait plus que la sanction du roi pour que celle-ci pût se mettre librement au travail.

Quand, comme chaque matin, avec le zèle de l'espérance et du dévouement, Anne-Josèphe Terwagne arriva à proximité de l'hôtel des Menus-Plaisirs, elle vit que les rues de Versailles étaient encore pleines de soldats, et ceux-ci, bien plus nombreux que les jours précédents, se montraient très menaçants.

En descendant du fiacre sur le pavé inondé, la Liégeoise comprit aussitôt qu'un tel déploiement de force ne pouvait être que de mauvais augure. Ici et là, les hussards que Louis XVI avait fait placer aux quatre coins de la ville dispersaient durement les groupes qui se formaient, mais ceux-ci, que la colère gagnait de plus en plus vivement, se reformaient ailleurs, et plutôt que de les affaiblir, la répression faisait grossir leurs rangs.

Autour de l'hôtel des Menus-Plaisirs, la foule était déjà immense, mais elle était hérissée des baïonnettes des gardes-françaises, qui formaient un cordon pour l'arrivée du roi. Protégeant ses yeux de la pluie, Mlle Terwagne ne distingua parmi la multitude que des députés de la noblesse et du clergé, qui entraient un à un dans la grande salle des états généraux.

S'approchant d'un groupe de curieux, elle demanda :

— Mais où sont les députés du tiers ?

— Ils sont derrière, madame, lui répondit un bonhomme versaillais. On les fait entrer par la petite porte.

N'en croyant pas ses oreilles, Anne-Josèphe se précipita de l'autre côté du bâtiment, où elle put constater par elle-même ce nouvel affront fait aux communes : encadrés par une cohorte de militaires, les élus du peuple attendaient sous la pluie battante. Malgré les protestations du président Bailly, on les fit patienter encore longtemps, jusqu'à ce que le clergé et la noblesse se fussent, eux, confortablement installés à l'intérieur.

Quand, enfin, la petite porte s'ouvrit, les élus du tiers découvrirent, dépités, que les autres avaient déjà pris place sur leurs sièges, à l'avant de la salle, et qu'on avait disposé dans celle-ci une milice nombreuse et tout aussi inquiétante. Bailly, toutefois, avec sa mesure proverbiale, enjoignit à ses codéputés de s'asseoir avec calme sur les banquettes à l'arrière, et de garder le silence.

Mlle Terwagne fut soudain alertée par la montée d'un impressionnant vacarme dans son dos. Elle se retourna et, au milieu de l'avenue de Paris, encadrée par la fauconnerie, les écuyers et quatre compagnies de gardes du corps, elle vit arriver à vive allure les carrosses du roi.

Bousculée par un mouvement de foule, la Liégeoise manqua de perdre l'équilibre alors qu'on conduisait le cortège royal vers l'entrée principale. Solidement escortés, elle vit passer à quelques pas à peine Louis XVI, les princes de sang, les ducs et pairs, le grand maître des cérémonies et les ministres. Tandis qu'elle scrutait la procession, il sembla toutefois à Mlle Terwagne qu'il en manquait un, et non des moindres : le ministre des Finances, Necker.

Ne voulant rien rater de la séance, Anne-Josèphe se dépêcha de monter l'escalier pour gagner la tribune numéro six où, son chapeau dégoulinant, elle prit place près du rebord.

Quand le cortège royal fit son apparition dans la salle, un silence religieux, ou grave plutôt, envahit l'assistance, et l'on n'entendit plus que le clapotis de la pluie qui fouettait la verrière. À l'arrivée du monarque, chacun ôta respectueusement son couvre-chef. Il était onze heures du matin.

Sur l'estrade où l'on avait placé le trône, on vit alors monter le roi, tandis qu'à ses pieds prenaient place, autour d'une table, les ministres de son gouvernement. Anne-Josèphe put constater qu'elle ne s'était pas trompée, car l'un des sièges resta vacant, et c'était celui de Necker.

— Voilà un bien mauvais présage, murmura-t-elle en soupirant.

Au même instant, le garde des Sceaux, tourné vers le public, donna à celui-ci la permission de se couvrir de nouveau, privilège d'ordinaire réservé à la noblesse. Pourtant, alors que tout le monde s'en félicitait, il se trouva parmi les aristocrates les plus bouffis d'orgueil certains qui s'y refusèrent, comme pour conserver, par l'inverse, une distinction qu'on ne leur accordait plus ! Ainsi ces nobles, qui, d'ordinaire, étaient fiers de porter leurs beaux couvre-chefs, restèrent-ils sottement tête nue.

Après un long silence, funèbre presque, le roi prit enfin la parole, avec son habituelle et irritante mollesse.

— Messieurs, je croyais avoir fait tout ce qui était en mon pouvoir pour le bien de mon peuple, lorsque j'avais pris la résolution de vous rassembler. Il semblait que vous n'aviez qu'à finir mon ouvrage, et la nation attendait avec impatience le moment où elle allait jouir des prospérités que cette union devait lui procurer. Pourtant, les états généraux sont ouverts depuis près de deux mois et ils n'ont point encore pu s'entendre sur les préliminaires de leurs opérations ! Je dois au bien commun de mon royaume de faire cesser ces funestes divisions.

À ces mots, le visage d'Anne-Josèphe, comme celui de tous les députés du tiers, se couvrit d'un voile sombre car, à travers eux, le monarque laissait déjà deviner qu'il désavouait à l'Assemblée nationale sa légitimité.

Ainsi, dans un désappointant discours, plutôt que d'encourager cette vague d'espérance qu'avait fait naître la proclamation de l'Assemblée, Louis XVI annonça qu'il ordonnait la séparation par ordres, qu'il déclarait comme nuls les arrêtés pris par les députés depuis le 17 juin, et qu'il ne proposait l'abolition des privilèges qu'à ceux qui voulaient bien les abandonner par eux-mêmes, ce qui revenait à n'en abolir aucun.

Portée par une irrépressible colère, Théroigne de Méricourt se leva d'un bond, main sur le sabre, et dans ses yeux put se lire la fureur d'un peuple tout entier. Le bruit qu'avait produit son geste attira aussitôt tous les regards, mais la Liégeoise, tout habitée de son impétuosité, resta debout, dévisageant, depuis les hauteurs, ce monarque qui, en un instant, venait de perdre à ses yeux les dernières traces qu'il avait pu lui rester de grandeur.

Un murmure parcourut l'assemblée. Des soldats sur le parterre désignèrent du doigt l'insolente, mais aucun ne monta à la tribune. Quelques rangées derrière elle, Mlle Terwagne ne put voir, parmi les spectateurs, ce militaire aux cheveux blancs tirés en arrière qui la regardait avec un intérêt différent de celui qui animait tous les autres, et quand bien même elle aurait pu le remarquer, sans doute n'aurait-elle point reconnu le colonel Duvilliers, conseiller secret de Monsieur, le frère du roi.

Louis XVI, troublé, baissa la tête comme s'il ne pouvait soutenir l'accusation de ce lointain mais foudroyant regard et, après s'être raclé la gorge, il reprit son discours, d'une voix plus chétive encore.

Dans l'espoir vain de prouver au peuple sa bonne volonté, Louis XVI annonça alors l'abolition de la corvée, admit que les impôts pussent être votés par les états généraux – mais par ordre donc, et non par tête – et consentit à quelque liberté de la presse, à condition que celle-ci conservât le respect dû aux mœurs et à la religion. Il termina son discours en prévenant que si les états généraux rencontraient de nouveaux obstacles, il en prononcerait immédiatement la dissolution et se char-gerait lui-même de décider de la régénération du pays.

— Aussi, je vous ordonne, lança-t-il d'un ton qu'il espérait autoritaire, de vous séparer tout de suite, et de vous rendre chacun dans les chambres affectées à votre ordre, pour y reprendre séparément vos séances !

Ces dernières paroles prononcées, le roi se leva sans tarder et, le visage fermé, se dirigea vers la sortie.

À la vue de cet incroyable mépris, Mlle Terwagne, ivre de colère, se précipita vers la rambarde et, penchant avec fougue son buste au-dessus du vide, elle s'écria :

— C'est une insulte ! Une insulte faite au peuple ! Messieurs les députés de l'Assemblée nationale, la nation s'en remet à vous et au serment que vous avez prêté devant elle !

Alors qu'une clameur montait dans les tribunes des spectateurs et que d'autres citoyens dressaient à leur tour des poings rageurs, les députés de la noblesse se levèrent rapidement et, à la suite du roi et de ses ministres, sortirent de la salle. Ceux du clergé toutefois, dans leur plus grande majorité, restèrent aux côtés de ceux du tiers, qui, pareillement immobiles, perplexes et silencieux, assommés un peu, refusèrent de quitter les lieux.

L'agitation grandissait et de nouveaux soldats entraient fusil au poing dans l'hôtel quand Mirabeau, qui ne perdait jamais une occasion de se mettre en avant, usurpant les fonctions du président Bailly, se leva pour haranguer ses codéputés :

— Messieurs ! On nous soumet à l'appareil des armes ? On demande aux soldats de violer le temple national ? Mais où sont, alors, les véritables ennemis de la nation ? N'entendons-nous pas, à travers le cri déchirant et courageux de Mlle Théroigne de Méricourt, celui de tout un peuple ? Je demande qu'en vous couvrant de votre dignité, vous respectiez votre serment ; il ne vous permet de vous séparer qu'après avoir fait la Constitution !

Au même instant, le marquis de Brézé, grand maître des cérémonies du roi, revint dans la salle escorté de trois gardes du corps et se dirigea vers Bailly.

— N'avez-vous point entendu les ordres du roi ? lança-t-il sur un ton menaçant.

Mais le président, puisant dans le regard de ses pairs la force du courage, ne plia point.

— Je crois que la nation assemblée ne peut pas recevoir d'ordres, monsieur !

Et Mirabeau, encore, d'intervenir :

— Monsieur le marquis, vous n'avez dans cette Assemblée ni voix ni place ! Allez dire à votre maître que nous sommes ici par la volonté du peuple, et que nous n'en sortirons que par la force des baïonnettes !

Devant les acclamations des élus et de la foule, craignant pour sa propre vie, le grand maître des cérémonies sortit prestement.

— Puisqu'on nous menace par la force, décrétons l'inviolabilité des députés ! s'exclama Mirabeau, voyant se resserrer les troupes des gardes-françaises.

Aussitôt, dans un vote rapide, l'Assemblée déclara inviolable chacun de ses élus et désigna comme coupable de crime capital quiconque attenterait à leur personne.

Il y eut, parmi les gardes-françaises, un moment d'hésitation, puis, fût-ce sous la dictée de la peur, de la sagesse ou d'une muette compassion, un officier fit signe à ses hommes de se retirer, et la salle des Menus-Plaisirs se vida de ses baïonnettes.

Ayant bien vite rejoint le palais de Versailles, le marquis de Brézé alla trouver le roi pour lui annoncer que les députés de l'Assemblée refusaient de partir. Le monarque fit alors une réponse si étonnante qu'elle est demeurée célèbre :

— Ils veulent rester ? Eh bien, foutre, qu'ils restent !

Au même moment, dans la chambre réservée aux députés de la noblesse, le marquis de La Fayette s'efforça une dernière fois de convaincre ses codéputés de s'unir, contre l'avis du monarque, à ceux des deux autres ordres. Hélas, sa proposition fut rejetée par une écrasante majorité.

Le duc d'Orléans secoua la tête d'un air déçu, hésita un instant puis, y trouvant sûrement son intérêt, d'une voix magistrale, il lança :

— Messieurs ! Ne devons-nous point céder à notre conscience, plutôt qu'à nos privilèges ? Les hommes d'épée que nous sommes n'ont-ils point pour devoir de défendre les plus faibles ? L'occasion, en ce jour extraordinaire, nous est donnée de concourir à la régénération publique. Je me refuse à y renoncer ! Aussi, dussé-je me séparer avec douleur de mes pairs, et seul s'il le faut, je m'en vais de ce pas rejoindre l'Assemblée nationale, qui a fait le serment de sauver cette nation qui m'est si chère, et j'invite tous ceux d'entre vous qui sauront écouter cette même conscience à venir avec moi !

Ainsi, au milieu d'un silence de stupéfaction, le duc d'Orléans se dirigea vers la sortie de la chambre d'un pas théâtral.

Il y eut un instant de perplexité encore, puis un deuxième aristocrate se mit en marche derrière le duc, et c'était le comte de Clermont-Tonnerre.

Dans l'un de ces élans sublimes dont le cœur des hommes a le secret, d'autres encore suivirent ce merveilleux exemple. Timidement d'abord, puis d'un pas décidé, un à un, plusieurs députés de la noblesse quittèrent leur chambre pour rejoindre l'Assemblée. Les comtes de Lally-Tollendal, de Lusignan, de Castellane, le marquis de La Tour-Maubourg, celui de Montcalm, le duc de La Rochefoucauld… Quand ils arrivèrent à la porte de la salle des Menus-Plaisirs, derrière le duc d'Orléans, ils étaient quarante-sept !

Cette entrée inattendue souleva une incroyable ovation, des cris de joie et d'exaltation, tant chez les députés que chez les spectateurs, car c'était à la vérité l'un des événements les plus étonnants de l'histoire de France.

Des hourras se firent entendre au-dedans et au-dehors, on chanta : « Vive l'Assemblée nationale ! Vive l'Assemblée nationale ! Vive le duc d'Orléans ! » et il apparaît que ces acclamations à elles seules venaient de défaire, en un instant, tout ce que le roi, dans son triste discours, avait tenté d'accomplir.

Quand Louis XVI, par les fenêtres du château, entendit cette clameur, il blanchit en laissant retomber sur son bureau la lettre de démission que Necker venait de lui remettre.

34.

Dans le ventre de Paris

Il faisait encore à peine jour quand Gabriel, au milieu de la végétation sauvage dont les lieux s'étaient enrobés, arriva au bout de l'allée des Carmes, à quelques pas du Petit Luxembourg et de l'endroit où Claudine Fauche s'était fait attaquer. Plus proche que celui de l'enclos des Chartreux, cet accès aux sous-sols parisiens était vraisemblablement celui par lequel le loup était apparu. Le jeune homme l'espérait en tout cas et, le cœur battant, il entreprit prudemment sa descente dans l'excavation.

Marchant prudemment sur la terre meuble, glissant de-ci de-là, il s'enfonça jusqu'à ce qu'il pût apercevoir, au milieu des décombres, un trou sombre d'où s'échappait un air humide et nauséabond : l'entrée d'une vieille galerie que le récent éboulement avait mise au jour.

À l'approche du soir, Gabriel n'était pas rassuré dans ce quartier où pullulait l'aigrefin et, en plus des deux torches qu'il avait précautionneusement préparées, il avait apporté un poignard qu'il sortit de sa besace pour s'en armer avant d'avancer enfin dans le souterrain.

Il lui fallut se courber un peu pour pénétrer dans l'ouverture et, après quelques pas à peine, il se résolut à allumer sa première torche, car la lumière, déjà, avait beaucoup faibli. Ainsi, avec la lenteur de l'appréhension, il descendit ce périlleux couloir pendant de longues minutes, s'arrêtant chaque fois que des gravats roulaient sous ses pas. Arrivé en bas, il se retrouva au milieu d'une nouvelle galerie de pierre blanchâtre, à peine assez large pour laisser passer deux personnes, et dont la voûte était plate. Approchant la flamme du sol, il sentit un frisson lui parcourir l'échine quand, dans la poussière de calcaire, il reconnut des empreintes de loup, à côté de celles d'un homme !

Les sens en alerte, il se mit à suivre cette piste fragile, qui s'effaçait parfois pour ne reprendre que plus loin, et avança dans la galerie pour en emprunter une autre, à droite, puis une autre encore, à gauche, jusqu'à ce que son inspection le mène à un large carrefour dont le ciel était plus élevé, et sur lequel débouchaient sept routes différentes ! Des petits piliers de cinq ou six moellons, mal dégrossis et assemblés sans mortier, soutenaient fébrilement le toit craquelé aux intersections, et leur fragilité apparente n'inspirait point une grande confiance. Promenant la torche de droite et de gauche, le jeune homme n'en crut pas ses yeux quand il découvrit des empreintes de loup dans plusieurs des galeries ! Ainsi, l'animal avait fait là plusieurs passages !

Combien de temps Gabriel passa-t-il à suivre ces nombreuses pistes ? Plus d'une heure, sans doute, car il arriva bientôt à la fin de sa première torche et dut allumer la seconde. La peur de se perdre et la confusion des nombreuses traces l'empêchèrent sans doute de quadriller les lieux aussi méthodologiquement qu'il l'aurait voulu. Croisant ici et là de nouveaux couloirs, s'arrêtant devant des excavations comblées de gravois, il arpenta longuement ce labyrinthe, perdant souvent la piste de l'animal, ne trouvant aucun autre indice que celui de ces marques particulières. La crainte de ne bientôt plus avoir de source de lumière l'obligea à faire demi-tour.

À pas pressés, il refit le trajet inverse, s'aidant des croix qu'il avait laissées sur les murs à la pointe de son poignard, et retrouva enfin la galerie qui menait au jardin du Luxembourg.

Quand il fut revenu à la surface, malgré la frustration de n'avoir pu mener plus loin ses investigations, Gabriel se félicita au moins de sa découverte : si rien ne permettait de dire que le loup y séjournait quotidiennement – pas de restes de repas, pas de tanière ou de couche –, c'était bien par les galeries souterraines que la bête se déplaçait avec son maître, et c'était sans doute par leurs nombreux accès qu'ils faisaient chaque fois leur apparition !

L'entreprise étant trop ardue pour un seul homme, il allait falloir demander au commissaire Guyot d'ordonner une fouille plus complète de ces souterrains.

35.

Un machiavélique dessein

Au cœur de la nuit, alors que l'agitation secouait encore le palais de Versailles, le colonel Duvilliers fut introduit bien vite, et en secret, dans le cabinet du frère du roi, par la porte de l'Orangerie.

Le comte de Provence, la mine sombre, faisait des allers et retours entre la fenêtre et son large bureau et, d'un geste de la main, sans même le regarder, il fit signe à son conseiller secret de prendre place.

Écartant le sabre à sa ceinture, Duvilliers s'installa sur son siège et attendit que le frère du roi daigne enfin s'adresser à lui.

— Quel imbécile ! Quel imbécile !

— Parleriez-vous de moi, Monseigneur ? demanda le colonel d'un air faussement inquiet.

— Mais non ! De mon frère, enfin ! Cette faiblesse ! Ce manque de courage ! Ce ton dans la voix ! On aurait dit qu'il suppliait, quand il devait commander !

— Son discours a en effet provoqué la colère du tiers plutôt que de l'assagir, reconnut Duvilliers.

— C'est bien pire ! s'emporta Monsieur. Ce que vous ne comprenez pas, et ce que ce peuple imbécile lui-même n'a pas compris, c'est que, tout en utilisant le ton d'une molle colère, mon frère a accordé aux états généraux le droit de voter les impôts…

— Et alors ?

— Et alors ce n'est ni plus ni moins qu'une façon de reconnaître les principes d'un gouvernement constitutionnel ! Le tiers gronde pour la forme, mais sur le fond, il a gagné : le pouvoir vient de changer de mains ! Et maintenant, le cours des choses nous échappe ! Imaginez donc un peu : il a fallu que je demande moi-même à la reine de supplier Necker de rester, quand je voudrais les voir disparaître l'un et l'autre !

— Et il est resté ?

— Hélas, oui.

— Mais pourquoi le supplier alors, puisque vous voulez tant le voir partir ?

— Parce que, maintenant, le peuple est avec lui ! Si mon frère avait eu l'autorité suffisante pour que ce maudit Suisse assiste à la séance royale, tout cela ne serait pas arrivé ! On aurait pu détourner la colère des gueux contre lui, comme je l'avais imaginé ! Ah, j'enrage d'être entouré de tant de têtes vides !

— C'est qu'à côté de la vôtre, Monseigneur, aucune ne paraît pleine…

— Et voilà que tout ce que j'avais craint nous arrive ! Mon frère a beau faire grossir les rangs des soldats à Versailles comme à Paris, le peuple, qui n'a pas compris qu'il avait déjà gagné, est de plus en plus agité ! Et, pour parfaire le tableau, notre cousin le duc d'Orléans vient d'entraîner une cohorte d'aristocrates vers l'Assemblée, ce qui risque fort de nous empêcher tout retour en arrière ! Ne vous avais-je point demandé de le surveiller ?

— Vous me l'avez demandé il y a quatre jours à peine, Monseigneur... J'ai fait ce que j'ai pu, et je crois que, si son dernier mouvement est fâcheux, votre cousin n'est pas, en réalité, le plus grand danger que la Cour va devoir affronter.

— Que voulez-vous dire ? demanda Monsieur, perplexe.

— Avec ou sans la noblesse, vous le savez comme moi : plus rien ne pouvait arrêter cette Assemblée. En vérité, je crois qu'il y a lieu de se réjouir que quelques aristocrates s'y soient glissés, car, quand bien même Son Altesse Royale les considérerait comme ses rivaux, ces hommes-là, à qui la monarchie profite, apporteront aux délibérations une modération qui, sans eux, eût grandement manqué.

— Ce n'est pas faux, dut reconnaître le comte. Mais alors, selon vous, quels sont nos ennemis les plus redoutables ?

— À l'Assemblée, les plus dangereux, vous les connaissez déjà : ils se nomment Mirabeau et Sieyès, qui se sont tous deux fait élire au tiers, alors que l'un est noble et l'autre abbé. Mais contre ceux-là, nous ne pouvons rien pour le moment, d'autant que vous savez comme moi que le comte de Mirabeau joue sur plusieurs tableaux... En revanche, il est d'autres dangers, bien plus sournois, qui ne sont pas à l'Assemblée, Monseigneur, et qu'il faudrait étouffer dans l'œuf avant qu'ils ne grandissent tout à fait. Ces dangers sont dans les rues, et ce sont les agitateurs.

— Mais qui donc ? le pressa le comte de Provence.

— J'ai mené mon enquête, répondit le colonel Duvilliers. Il y a de nombreux clubs, bien sûr, comme la Société des Noirs de Condorcet, le club breton de Le Chapelier et Glézen, que Mirabeau et Sieyès ont rejoint, le club de Valois, que votre cousin le duc d'Orléans anime au Palais-Royal, mais ceux-ci sont somme toute assez modérés. Les plus à craindre, en vérité, se nichent dans un groupe plus discret, des avocats et des libraires, qui se rassemblent chaque dimanche dans le district des Cordeliers, et ils se nomment Desmoulins, Danton, Momoro et Archambault.

— Ah ! maudits Cordeliers ! Il faut que vous les mettiez sous surveillance ! Et cette femme ? Cette femme qui s'est insolemment levée tantôt, pendant le discours de mon frère ? Qui est cette diablesse ? s'emporta le comte.

— Monseigneur, répondit Duvilliers, ce n'est même pas une Française : elle vient de la principauté de Liège. Elle se nomme Théroigne de Méricourt.

— Mauvaise femme ! Comment pouvons-nous la faire taire ?

Un sourire machiavélique se dessina sur le visage du colonel.

— La faire taire ? Mais, enfin, il suffirait à Son Altesse Royale d'ordonner que je m'y emploie…

36.

Qui s'y muche s'y perd

— Fais-le entrer, ordonna Récif quand le cerbère désigna le jeune roux qui attendait derrière l'épaisse tenture, à l'étage du Château-Rouge.

Le gardien le laissa passer et Gabriel traversa la pénombre de la petite pièce où discutaient trois autres Renégats, dans des vapeurs d'encens. Le pirate lui fit signe de s'asseoir en face de lui.

— Quel bon vent t'amène ?

Après avoir promis à Gabriel de faire effectuer des fouilles dans les galeries souterraines du Luxembourg, le commissaire Guyot lui avait donné une copie de son rapport sur la quatrième apparition du Loup des Cordeliers, qui avait de nouveau tué des gardes pour sauver des prostituées qu'on s'apprêtait à envoyer dans les colonies, puis avait expliqué qu'il n'avait pu retrouver la trace d'Antonie la Picarde. En désespoir de cause, le jeune homme s'était résolu à tenter un autre moyen.

— J'ai besoin de ton aide.

— Déjà ? s'amusa Récif en jouant avec l'anneau d'or à son oreille.

— Je cherche une femme…

— N'est-ce point là votre quête à tous ? plaisanta le pirate.

— Sans doute, répondit Gabriel en souriant. Mais, en l'occurrence, il s'agit d'une ancienne fille du quartier. Antonie, dite la Picarde. Je me suis dit que tu savais peut-être comment la trouver.

— Qu'est-ce que tu lui veux ? demanda le Renégat, méfiant.

Le jeune homme hésita. Il s'était déjà mis en danger une fois en révélant l'objet de ses recherches. Mais avait-il vraiment le choix ? Et surtout, était-il prudent de mentir à un homme comme Récif ?

— Je fais des recherches sur le Loup des Cordeliers, fut-il obligé d'admettre.

— Ah, toi aussi ?

Gabriel fronça les sourcils.

— Comment cela ?

— Tu ne crois tout de même pas que je peux laisser un justicier rôder dans mon quartier sans connaître son identité et ses intentions ? Je le cherche aussi.

— Alors dis-moi où trouver cette Antonie, car je crois qu'elle peut m'aider dans mon enquête.

Récif poussa un long soupir, puis se leva nonchalamment de sa banquette.

— Attends ici, dit-il, avant de sortir.

Tout seul à la table, incapable de réprimer une bien naturelle inquiétude, Gabriel ne put s'empêcher de lancer des petits coups d'œil vers les Renégats qui, avec leur allure redoutable, discutaient à voix basse de l'autre côté de la pièce. Habillés eux aussi comme d'authentiques flibustiers, anneaux dorés aux oreilles, redingote rouge et tricorne, ils avaient des mines de brigands, des regards funestes et des mains de lutteurs, mais de leur posture se dégageait une sorte de noblesse, de majesté presque.

— Tu veux quequ'chose ? demanda l'un d'eux en croisant son regard.

— Euh, non, merci…

— Alors arrête de nous zieuter !

Gabriel baissa aussitôt la tête.

— Fous-y la paix, intervint un autre en riant, tu vois bien qu'il a la chiasse, le rouquin. T'inquiète ! On va pas t'manger, crapaud !

— Si t'as les chocottes, faut pas entrer dans la cage aux lions, gamin ! reprit pourtant le premier.

Gabriel fut heureux, à cet instant, de voir Récif revenir par le rideau.

— Vous n'avez pas fini d'importuner mon invité ? lança le pirate, sans méchanceté. M. Joly est mon pistonné, entendu ?

Dans l'argot des Renégats, l'expression signifiait que le jeune homme était sous sa protection, et que quiconque s'en prendrait à Gabriel aurait affaire à lui.

— Si c'est ton pistonné, apprends-y les bonnes manières ! grogna l'autre.

— En termes de manières, peu d'entre vous ont à lui en conter, misérables gueux que vous êtes ! Vous n'avez même pas le centième de son instruction, bande d'ignares ! répliqua Récif.

C'était dit sur le ton de la camaraderie, et ses frères secouèrent la tête d'un air de capitulation. Le pirate reprit place à côté du journaliste.

— Bienvenue chez les Renégats, s'amusa-t-il.

— Qu'est-ce qu'ils veulent dire par *bonnes manières* ? demanda le jeune homme à voix basse.

— La prochaine fois que tu entres ici, avant de venir me voir, pense donc à dire bonjour à tous les gens qui sont dans la pièce, un par un. Cela s'appelle le respect et, chez nous, on ne plaisante pas avec le respect.

— Je m'en souviendrai.

— Tu ferais bien. Tiens, ajouta le pirate en lui tendant un bout de papier sur lequel était inscrite une adresse. Mais fais attention à toi : tu vas dans les bas-fonds.

— Cela ne me fait pas peur, affirma-t-il comme pour se convaincre lui-même. Je te tiendrai au courant.

Il salua Récif et, avant que de sortir, il alla dire au revoir aux trois autres Renégats, un à un. Ceux-là lui répondirent en le regardant à peine, visage fermé, une façon de lui signifier que le respect ne se gagnait pas d'une seule poignée de main.

Une demi-heure plus tard, Joly arrivait au nord de Paris. Le soir commençait à tomber et, afin d'éviter la taxe, le fiacre le déposa devant l'enceinte en bois qui marquait les limites de la capitale.

Le lieu-dit la Courtille, que Récif lui avait indiqué, était situé en haut du faubourg du Temple, hors les barrières de Paris, passé la porte de Belleville. Depuis quelques années, quand s'était érigée là une fabrique de porcelaine attirant une main-d'œuvre nouvelle, les jardins, les moulins et les vignes avaient cédé du terrain aux petites maisons, aux cabanes misérables et aux bicoques insalubres qu'occupaient ceux qui n'avaient pas les moyens de vivre dans la capitale. Ainsi, le bas de Belleville ressemblait de plus en plus à un village.

Le dimanche, on pouvait voir ici quelques bourgeois venus en famille profiter de la proche campagne, de ses lilas et de ses lapins, boire quelques verres sous les tonnelles ou déguster un ragoût de mouton dans une bonne auberge… Mais, à la nuit tombée, la Courtille changeait soudain de visage. Les fêtards les plus aventureux de la capitale aimaient à venir finir là leurs soirées de débauche, dans ses bals crapuleux et ses guinguettes malfamées, que l'on appelait ainsi parce qu'on y servait du vin de guinguet, une production locale de blanc jeune et pétillant, que l'on jurait supérieur au vin de Bourgogne ou de Bordeaux. On y trouvait aussi tout le petit peuple des faubourgs qui, afin de ne point payer l'octroi, s'arrêtait à la porte de la capitale pour s'enivrer dans les cabarets les plus dissolus, tels les Écureuils, les Amis des dames ou la Goguette, des deux côtés de la rue de Paris. Le plus célèbre établissement de la Courtille était celui du cabaretier Ramponneau qui, avec son Tambour royal, avait rencontré le succès en vendant toujours sa pinte de vin un sou moins cher que ses concurrents, et qui était devenu si fameux, même, que, pour dire qu'on était ivre, on disait parfois qu'on était « ramponneau » !

Ainsi, le soleil disparu, on croisait dans ces ruelles sombres la canaille, le soldat, le garçon boucher, le fort des halles ou le brigand des faubourgs qui se battaient, s'entre-tuaient parfois, se soûlaient toujours de vin bleu ou d'eau-de-vie de betterave, et terminaient au petit matin la gueule écrasée dans la boue infâme qui coulait sans relâche au pied de la butte de Belleville. Les filles publiques, qui allaient au turbin à chaque coin de rue, n'avaient pas ici l'habit de celles du Palais-Royal, car il ne s'agissait point de plaire aux bourgeois mais aux marlous, aux forçats en cavale et à la plus vile truanderie. Dans les bordels clandestins qui s'ouvraient aux étages se tenaient chaque soir les orgies les plus dépravées de France.

Notre bon Gabriel, donc, resta sur ses gardes en remontant la rue de Paris, et accéléra plusieurs fois le pas en voyant un badaud à la mine louche s'approcher de lui d'un air convoiteux.

Quand il arriva enfin à la hauteur du cabaret des Amis des dames, il assista à une scène qui acheva de lui glacer les sangs. Au milieu d'une foule de spectateurs hilares, deux hommes, ou deux mastodontes plutôt, étaient en train de se battre vilainement, aussi ensanglantés l'un que l'autre. À chaque nouveau coup, l'assistance poussait des *oh !* ou des *ah !* en grimaçant, tant ces poings pleuvaient avec la lourdeur d'une grêle de fer, et il sembla à Gabriel qu'un seul de ces soufflets aurait dû suffire à briser les os d'un squelette.

— Mais, enfin ! ne put s'empêcher de lancer Joly, que le spectacle de la sauvagerie affectait invariablement. Personne ne les sépare ?

— Et pour quoi faire ? répliqua un grand gaillard devant lui. Ils s'expliquent gentiment !

Au même instant, l'une des deux brutes, qui avait épuisé toutes ses forces, tomba à la renverse, et alors l'autre lui sauta dessus en rugissant et, dans un geste de fureur, lui mordit le nez à pleines dents, tira si fort

qu'il arracha d'un coup l'appendice dans une magnifique gerbe de sang, avant de le recracher par terre en
poussant des grognements.

— Il en veut encore ! Bouffes-y les oreilles maintenant ! cria une grosse femme dans l'assemblée.

— Et la queue ! gueula une autre, entraînant autour
d'elle de grossiers éclats de rire.

C'en était assez pour Gabriel qui, le visage blafard,
se pressa vers l'entrée de l'estaminet.

Le cabaret des Amis des dames, quoique plus grand
et un peu mieux éclairé, ressemblait en bien des points
au Château-Rouge du quartier Maubert. Au milieu des
murs couverts de peintures graveleuses, de dessins obscènes et de slogans grossiers, on y voyait la même
débauche, on y sentait les mêmes odeurs, on y entendait le même vacarme, mais on y buvait deux ou trois
fois plus de vin encore. Devant l'immense cheminée
où rôtissaient viandes et volailles, on se grisait, on
dansait, on chahutait, on criait, on forniquait aux yeux
de tous, on vomissait par terre avant de retourner chercher à boire au gros comptoir en planches brutes, on
s'endormait sur les tables, ou on se battait dessus, et le
sol était couvert de tant d'immondices qu'on craignait
de glisser à chaque pas. Parfois, on voyait courir entre
les jambes des clients un ou deux cochons boueux,
comme une survivance de l'auberge fermière qui avait
jadis occupé ces murs.

Il y avait parmi la masse tant de fillettes, tant de gri-
settes que Gabriel, tourmenté, se demanda comment il
allait pouvoir trouver son Antonie. Il partit au comptoir
interroger l'un des limonadiers.

— Je cherche Antonie la Picarde, expliqua-t-il d'une voix qu'il espérait impressionnante.

Le garçon le regarda d'un air mauvais puis répondit :

— Jamais entendu parler.

— Vous êtes sûr ? insista Gabriel, qui n'en croyait pas un mot.

— Si t'es pas là pour commander à boire, dégage ! Tu gênes.

À côté de lui, le journaliste vit arriver un gros client qui, pour faire de la monnaie, jeta un écu sur le comptoir en lançant : « Changez-moi cet ivrogne ! », faisant allusion au portrait du roi qui était gravé sur la pièce…

Préférant ne pas s'attirer d'ennuis, le jeune homme s'écarta et alla trouver un deuxième limonadier, puis un troisième, mais chaque fois on l'envoya danser.

Dépité, il fouilla encore la pièce du regard, dévisageant une à une les femmes qui se mêlaient aux bacchanales, et il y en avait des grosses, et il y en avait des maigres, et il y en avait des laides et des jolies, des vieilles et des moins vieilles, et il y en avait en robe, et il y en avait seins nus, mais rien, à son grand désespoir, n'aurait permis de deviner laquelle était la Picarde.

Et alors qu'il avançait dans la salle pour poursuivre ses investigations, autour de lui, on chanta, d'abord à deux, puis à dix, puis à vingt, et bientôt ce fut la salle entière qui reprenait :

> *Pour vos appas, Lucie, mon cœur soupire.*
> *Laissez-moi voir*
> *Par-dessous ce mouchoir*
> *Ah, le beau reposoir !*
> *Souffrez que l'on admire.*

Je voudrais que ma main
Y commette un larcin.
Qu'en pensez-vous ?
Qu'en pensez-vous ?

Quoi, vous boudez ?
Lucie, je me retire !
J'irai plus bas chercher d'autres appas.
Si je fais du fracas,
Vous n'aurez rien à dire ;
Si je donne du désir,
Et aussi du plaisir,
Qu'en pensez-vous ?
Qu'en pensez-vous ?

Quand, au milieu de ce jovial brouhaha, au fond de la salle, Gabriel aperçut une dame d'âge avancé qui, la mine sombre, un torchon à la ceinture, ramassait les verres sur les tables sans se soucier des gestes déplacés que son séant endurait quand elle passait de l'une à l'autre, il se décida à aller la questionner.

— Excusez-moi, madame, je cherche Antonie la Picarde, dit-il, du plus courtois des tons. Pourriez-vous me dire si elle est ici ?

La femme, perplexe, regarda Gabriel de la tête aux pieds.

— Jamais entendu c'nom-là ! répondit-elle avec l'accent fort de la populace parisienne, avant de se retourner.

— Vous êtes sûre ? l'arrêta Gabriel en la prenant par le bras. On m'a certifié qu'elle était ici.

— Et puisque j'te dis que non, s'emporta la femme. T'es un quart-d'œil[1] ou quoi ?

— Allons, madame, je dois à tout prix la trouver, je ne lui veux aucun mal, au contraire ! Dites-moi juste où elle est, et je saurai vous remercier.

— Ouais, ben tu remercieras ton cul, parce que j'te dis que j'sais pas où qu'elle se muche, moi, ta bonne femme !

Au même instant, Gabriel sentit une large main l'attraper sans ménagement par l'épaule. Il sursauta en poussant un cri de douleur.

— Il t'emmerde, le garçon ? demanda alors un géant qui avait les bras larges comme deux troncs d'arbre.

— Ouais, il commence à me tanner mignon !

Avant même qu'il ait eu le temps de protester, Gabriel se sentit quitter le sol, et le colosse le transporta d'un seul bras vers la sortie, où il le jeta sans ménagement sur la chaussée.

À l'intérieur, la femme qu'il avait interrogée grimaça et s'empressa de rapporter vers le comptoir les verres qu'elle avait ramassés.

— Qu'est-ce qu'il se passe ? lui demanda le garçon.

— Rien, rien, mentit Antonie la Picarde. Mais je vais aller me coucher, j'ai eu mon compte.

Sous le regard étonné du limonadier, l'ancienne prostituée partit sans un mot de plus vers l'arrière-cuisine où elle rassembla prestement ses affaires et sortit par la porte de derrière.

Après avoir jeté un coup d'œil alentour pour s'assurer que personne n'était là, elle se précipita dans l'allée

_____
1. Policier.

obscure qui conduisait aux cabanes où le cabaretier logeait ses employés et où, sous un nom d'emprunt, la Picarde avait trouvé refuge dans l'espoir d'échapper autant à la Salpêtrière qu'aux colonies.

Elle venait d'ouvrir la grille du jardin quand une voix dans son dos la fit sursauter.

— Antonie !

La pauvre femme se retourna d'un bond et découvrit, perplexe, le visage du grand rouquin. Entre crainte et colère, elle ramassa par terre un gros bâton et le dressa au-dessus de sa tête.

— Qu'est-ce que tu m'veux encore ?

— Je sais que c'est vous ! répondit Gabriel.

— Mon cul !

— Je vous jure que je ne vous veux aucun mal, madame, promit le jeune homme en parlant à toute vitesse, de peur qu'elle ne l'écoute pas jusqu'au bout. Je veux seulement vous poser des questions. C'est Récif qui m'a dit où vous trouver !

— Et moi j'te dis que c'est pas moi !

— Allons ! Antonie ! Les années ont beau vous avoir donné un bel accent parisien, il n'y a guère que dans le patois de Picardie qu'on utilise le verbe « se mucher ».

— Hein ?

— À Paris, madame, on dit « se planquer », « se carrer » ou « aller à Cachan ». Mais « se mucher », on ne le dit qu'en picard. Vous vous êtes trahie toute seule, tout à l'heure, Antonie.

La vieille prostituée poussa un soupir de capitulation et, estimant qu'il n'y avait pas de vrai danger, laissa retomber le bâton sur le sol.

— Qu'est-ce que tu m'veux ?

— Je voudrais que vous me parliez de l'homme au loup qui vous a sauvée l'autre jour.

Antonie ne put masquer sa stupéfaction. Elle resta silencieuse un moment, et il fallut bien de l'adresse à Gabriel pour la faire parler enfin.

Ainsi, la vieille prostituée, abandonnant peu à peu sa méfiance, finit par lui raconter non seulement les circonstances de la première apparition du Loup, mais apprit même au journaliste que, par une étonnante coïncidence, elle avait assisté aussi à la dernière, sur le bateau qui devait la conduire aux colonies !

— Il s'est même pris un coup d'épée dans la jambe, cette fois-là, mais, avec son loup, il en a pas laissé un seul debout !

— Vous dites qu'il a été blessé ? s'étonna Gabriel, comme cette information n'apparaissait pas dans le rapport du commissaire.

— Blessé, je sais pas, mais il a pris un coup d'épée dans la jambe.

— Et est-ce que vous pouvez me le décrire ?

— Qu'est-ce tu veux que j'te dise ? Il était masqué, j'ai jamais vu sa balle !

— Mais pourriez-vous au moins me dire sa taille ? Est-il grand ? Est-il gros ?

— Eh bien, la première fois que j'l'ai vu, j'ai eu l'impression que c'était un géant. Mais la deuxième, il m'a paru de taille normale.

— Plus grand ou plus petit que moi ? insista Gabriel.

— J'en sais rien, moi. Un peu plus petit, je dirais.

— Et il a l'air costaud ?

— Avec c'te grande cape, c'est difficile à voir.

— Il n'y a rien que vous puissiez me dire qui m'aiderait à l'identifier ? Son sabre, par exemple ?

— Ben quoi ? C'est un sabre. T'as jamais vu un sabre ?

— Si, bien sûr… Mais n'avait-il pas de signe particulier ? Que sais-je, un bijou sur le pommeau ? Une garde sculptée ?

— Non. C'est un sabre.

— Et de quelle main le portait-il, son sabre ? De la main droite, ou de la gauche ?

Antonie fit une moue hésitante.

— Attends voir que j'me souvienne, dit-elle en fermant les yeux. Hmm… De la droite ! Oui ! Sûre et certaine ! C'est un droitier.

Gabriel essaya de lui soutirer encore quelques indices, mais la pauvre femme ne sut en dire plus. Pour ne point l'importuner davantage, il la libéra en lui donnant quelques pièces, après l'avoir vivement remerciée.

Les indices étaient maigres, mais c'était déjà cela : selon cette femme, le Loup des Cordeliers avait reçu un coup d'épée dans la jambe, il était peut-être blessé, et c'était un droitier de taille moyenne. La chose ne l'avançait pas beaucoup, mais on pouvait au moins écarter un suspect, songea Gabriel en riant : Louis XVI était gaucher !

37.

Où l'on retrouve
l'homme à la cape

L'homme balafré qui, deux mois plus tôt, escorté par un complice, s'était laissé étrangement enfermer, de son plein gré, dans une cellule de la tour de la Bastille, y séjournait encore, sous la bienveillance discrète de son gouverneur, le marquis de Launay.

Le soupirail pratiqué au cœur du mur et fermé de barreaux laissait passer juste assez de lumière pour qu'on se souvienne qu'elle existait. Le gouverneur, toutefois, qui connaissait les raisons secrètes de la présence de cet homme, et qui avait été grassement payé, lui avait fait installer un lit confortable et lui faisait porter chaque jour des repas bien meilleurs que ceux qui étaient donnés aux autres prisonniers.

Or, dans la cellule qui jouxtait la sienne se trouvait un détenu singulier, en ce temps où la Bastille n'en comptait guère plus que sept, et celui-ci, en réalité, était la mystérieuse raison pour laquelle l'homme à la cicatrice avait accepté de s'y faire enfermer : il avait pour mission d'espionner ce voisin et de lui soutirer quelque précieuse information.

Ce soir-là, quand le personnage qui l'avait accompagné le premier jour refit son apparition à la Bastille, le visage toujours masqué sous le col d'une longue cape noire, l'homme à la cicatrice eut de la peine à cacher sa fatigue et son découragement.

— Alors ? A-t-il parlé ? demanda à voix basse l'homme à la cape, de l'autre côté de la grille.

— Non, monsieur ! Du moins, il n'a rien dit du sujet qui nous intéresse, répondit le prisonnier volontaire, dont la peau privée de soleil avait déjà beaucoup blanchi.

— Le temps presse ! Il faut que vous le fassiez parler au plus vite !

— Malheureusement, monsieur, mon voisin n'a plus toute sa raison ! Je ne parviens pas à lui faire dire ce que nous voulons lui faire dire, et je ne comprends pas toujours ses propos embrouillés…

— Vous êtes mon seul espoir ! se lamenta le visiteur en veillant à ce que sa voix ne porte point jusqu'à la cellule voisine. La torture n'a guère fonctionné sur lui ! Nous ne pourrons obtenir ce que nous cherchons que par la confidence ! Vous *devez* devenir son ami et le pousser à se livrer !

— Mais enfin…

— Shhhh !

L'homme à la cicatrice réprima son emportement.

— Je le sais bien, monsieur ! reprit-il un ton plus bas. Mais ce n'est pas aisé, et croyez que si je pouvais le faire parler, je l'aurais fait depuis longtemps, plutôt que de rester dans cette maudite prison ! Il faudrait que je puisse lui offrir quelque chose pour m'attirer son amitié et sa confiance !

— Quoi ? De l'argent ?

Le prisonnier secoua la tête.

— L'argent n'a aucune valeur, pour un détenu à vie !

— Mais alors quoi ? Il faut faire vite ! Dites-moi ce dont vous avez besoin, de grâce !

Le balafré hésita.

— J'ai cru comprendre qu'il aimait le vin. Peut-être pourrais-je obtenir son amitié si je lui donnais du vin, et peut-être parlerait-il plus facilement après en avoir bu…

Le visiteur hocha la tête.

— Très bien. Je vais m'arranger avec le gouverneur pour vous en faire porter discrètement. Mais, au nom de Dieu, mon ami, faites vite ! Plus que jamais, le temps nous est compté.

Livre deuxième

La France libre, ou comment
le jeune Gabriel devint
un journaliste d'enquête

38.

Où Gabriel
commence son feuilleton

Les journaux de France n'ont guère daigné jusqu'ici entretenir leurs lecteurs d'un mystère des plus singuliers qui, depuis plus d'un mois désormais, est pourtant l'objet de toutes les conversations dans le district des Cordeliers. Certes, les détails que l'on va lire semblent appartenir davantage au domaine du roman qu'à celui de l'information, & c'est peut-être ce qui les a fait hésiter. Ou bien serait-ce la peur qui tienne les langues des journalistes si solidement liées ? Car ce mystère, de fait, est si terrifiant que les autorités elles-mêmes continuent de jeter sur lui le voile de la plus silencieuse pudeur. Qui ne tremblerait pas, aussi, en songeant que dans les rues de notre belle capitale rôdent la nuit non seulement un loup, mais à ses côtés, comme d'aucuns l'affirment, un fantôme masqué, un spectre ténébreux, vêtu d'une cape noire & armé d'un sabre ?

Les feuilliftes parifiens font gens de fantaifie, &
c'eft à cela qu'ils doivent leurs fuccès, mais quand
le fantaftique furgit dans le réel, n'eft-il point du
devoir du journalifte de mener une plus jufte
& rigoureufe enquête, pour démêler le faux du
vrai, la rumeur de la certitude ? Ce qui attife
notre curiofité, ce n'eft point tant la violence
des meurtres que le mobile fecret de ceux-ci, &
l'identité cachée de cet étrange & impitoyable
jufticier…

L'article de Gabriel Joly, qui promettait d'être le premier d'une série, détaillait les meurtres, leurs dates et
leurs lieux, les noms de leurs victimes, et masquait derrière de pudiques lettres de l'alphabet ceux des pauvres
femmes que le Loup avait sauvées. S'ensuivaient les
investigations de l'auteur sur l'identité possible du justicier, sur son étrange signature en triangle renversé,
mais aussi sur le mobile supposé de ses crimes. C'était
alors l'occasion d'évoquer les maltraitances qu'endu-
raient chaque jour à Paris les femmes du peuple.
Gabriel, sans porter de jugement, faisait un état des
lieux de l'hôpital de la Salpêtrière, évoquant sans
détour le sort réservé à ses résidentes et abordant la
question de la prostitution, de ses conditions et du débat
moral qu'elle inspirait. Citant le travail du philosophe
allemand Emmanuel Kant, et rapprochant ce débat de
celui sur l'esclavage, sur la servitude des peuples en
général, Gabriel offrait au lecteur les moyens de forger
son opinion propre.

Le cœur demeure sans pitié pour le scélérat qui, mû par la vile cupidité, exerce sa férocité et assassine sans remords, mais quand le meurtrier se drape du manteau de justicier, ne doit-on point demander à la Justice pourquoi elle ne se rend point elle-même ?

Après avoir donné son article à lire au commissaire Guyot, afin de le convaincre que sa publication permettrait peut-être d'obtenir de nouveaux témoignages, Gabriel était parti chez le libraire Momoro, rue de la Harpe, dans l'idée de le lui soumettre. On lui signifia que l'imprimeur était au café du Caveau, et Gabriel attrapa un fiacre pour s'y rendre le plus prestement.

Quand il arriva dans les galeries qui entouraient le jardin du Palais-Royal, il vit qu'il y avait là moins de monde qu'au soir de la proclamation de l'Assemblée nationale, mais que la foule qui festoyait sous les mille lumières était malgré tout remarquable.

Remontant lentement au milieu des badauds enjoués, il constata la présence de quelques militaires et, passant devant la boutique du joaillier Brisset, il le salua, le remercia pour son aide quelques jours plus tôt et lui demanda ce que ces soldats faisaient là.

— Ce sont des gardes-françaises qui ont quitté le Champ-de-Mars où le roi les entasse, expliqua le vieil artisan. Rendez-vous compte ! Ils viennent fraterniser avec le peuple, monsieur !

Gabriel n'en crut pas ses oreilles. Comment ? Il se trouvait maintenant des soldats du roi pour venir jusqu'ici témoigner leur sympathie à ceux qui célébraient l'Assemblée nationale ? Certes, ils n'étaient guère nombreux mais, tout de même, quel symbole ! Combien de temps encore Louis XVI pourrait-il refuser de saisir cette main que le peuple lui tendait toujours, quoique de plus en plus timidement ?

Le café du Caveau jouissait d'une des situations les plus avantageuses au jardin du Palais-Royal. Ornée de hautes glaces, l'immense salle intérieure paraissait infinie. En se réfléchissant dans les miroirs, les bustes qui se dressaient sur des colonnes semblaient faire une armée tout entière. On y restait sans crainte jusqu'à deux heures du matin pour boire du cognac ou du café Bourbon à la lumière des lampes savamment placées dans des bocaux de cristal suspendus.

Ce café, où le petit verre d'eau-de-vie ne se vendait pas moins de six sous, était le rendez-vous des beaux esprits, des spéculateurs et des politiques. Le soir, il attirait tant de monde qu'une partie de la clientèle, ne pouvant plus y pénétrer, devait s'entasser au-dehors. Quand il arriva devant l'entrée, Gabriel repéra vite Momoro, assis à une table avec Danton et Desmoulins.

En voyant le grand rouquin leur faire signe, Camille se leva et vint à sa rencontre pour le guider parmi la foule.

— Ah ! voilà notre journaliste d'enquête ! s'exclama Momoro d'un ton moqueur quand Gabriel prit place à la table.

Le jeune homme lui répondit avec une grimace.

— Comment vas-tu ? demanda Danton, plus accueillant.

— Ma foi, je vais fort bien, Georges ! J'ai terminé mon article, dit-il en agitant dans ses mains le rouleau de feuilles.

— Un article pour le *Journal de Paris* ? demanda Desmoulins.

— Non. C'est mon article sur le Loup des Cordeliers. Mais je crois que M. Momoro ici présent n'en veut pas. Il ne voit pas en ce justicier masqué qui sauve les pauvres femmes l'allégorie de Thémis, déesse de la Justice aux yeux bandés, venant sauver le peuple de l'inégalité !

— Ça a pourtant l'air passionnant ! s'exclama Danton. Je vais le lire, moi ! Et si Momoro n'en veut pas, je le donnerai à notre bon libraire Duplain, qui est dans l'hôtel des archevêques de Tours, cour du Commerce-Saint-André, et qui a publié les dernières œuvres de Rousseau.

Quand Gabriel tendit le rouleau à son ami, Momoro l'intercepta vivement et le serra contre sa poitrine en levant le front.

— Oh, là ! Tout doux ! Je n'ai pas dit que ça ne m'intéressait pas ! affirma-t-il avec la plus parfaite mauvaise foi. J'ai dit que le *sujet* n'était pas intéressant. Mais je vais y jeter un coup d'œil et, si la façon dont tu le traites en vaut la peine, je veux bien consentir à y réfléchir !

Le jeune Joly, pas peu fier, afficha un sourire narquois.

— Vous avez jusqu'à demain, Momoro ! Et si vous ne le prenez pas, je ferai imprimer mon occasionnel chez Duplain !

— Ha ! ha ! exulta Danton. Va falloir se dépêcher, Momoro !

— Ne t'inquiète pas, Georges… Si c'est bon, je le publie. Mais si c'est de la merde, j'admets que cela revienne de droit à Duplain.

39.

À malin, malin et demi

Ce jour-là, l'Assemblée nationale, ayant appris que certains gardes-françaises avaient fait au Palais-Royal un pas amical vers le peuple, se sentit portée par un nouvel élan et envoya une députation de vingt-quatre membres – choisis parmi les trois ordres – pour rencontrer le roi.

Assurant le monarque de leur bonne volonté, de leur fidélité et de leurs pacifiques intentions, les députés lui demandèrent d'abord de faire retirer les gardes qui étaient toujours consignés à la porte des états généraux et qui nuisaient au climat de sérénité nécessaire aux débats. Ensuite, arguant qu'il y siégeait désormais des représentants des trois ordres, ils le supplièrent de bien vouloir reconnaître formellement l'Assemblée nationale afin que, comme Sa Majesté le leur avait demandé, elle pût se mettre au travail. Enfin, soucieux de sceller la réconciliation de la nation, ils l'implorèrent de commander aux derniers députés récalcitrants de la noblesse de s'unir à eux.

Après un long silence, avec une étonnante facilité, Louis XVI céda sans réserve à toutes leurs demandes. Était-ce le signe de la raison ? Était-ce celui de la peur ou de la lâcheté ? Ou bien n'était-ce qu'une nouvelle manœuvre du monarque ? Aucun des élus n'aurait su le dire, mais c'est l'esprit empli d'espérance qu'ils retournèrent à l'hôtel des Menus-Plaisirs pour annoncer à leurs pairs l'heureuse nouvelle.

Dans le même temps, Louis XVI fit convoquer le président des députés réfractaires de la noblesse et, d'une voix plus ferme qu'à l'accoutumée, il déclara :

— Monsieur de Montmorency-Luxembourg, uniquement occupé de faire le bien général de mon royaume, je prie l'ordre de la noblesse de se réunir aux deux autres ; et si ce n'est pas assez de prier, je veux !

Quand le duc essaya de convaincre le roi qu'il faisait fausse route, celui-ci, sur le ton de la confidence, lui demanda seulement de lui faire confiance.

Résignés, les derniers députés de la noblesse se rendirent donc à l'Assemblée où ils furent reçus par de grands applaudissements, et l'on cria plusieurs fois : « Vive le roi ! » Pour beaucoup d'aristocrates, pourtant, cette réunion fut vécue comme une terrible défaite, comme on pouvait le lire sur leurs fronts ombragés et dans leurs mornes silences.

La joie populaire éclata aussitôt dans toute la ville de Versailles, et cette réconciliation apporta tant d'allégresse que le peuple se mit à crier devant le château : « Vive l'Assemblée ! Vive le roi ! Vive la reine ! » Ces acclamations durèrent si longtemps que le palais finit par s'illuminer. Louis XVI apparut alors au balcon au bras de Marie-Antoinette et le couple royal salua, ému, ce peuple qui l'applaudissait.

La fête se prolongea jusqu'aux rues de Paris et, au Palais-Royal, on vit plus de cent gardes-françaises rejoindre la multitude en criant : « Vive le tiers état ! Nous sommes les soldats de la nation ! »

Il était fort tard à Versailles quand, la foule enfin dispersée, M. le comte de Provence vint trouver son frère pour lui faire part de sa plus vive désapprobation.

— Louis ! s'exclama-t-il d'un ton irrévérencieux. Comment avez-vous pu céder ? Vous venez de détruire les fondements de la monarchie dont vous avez hérité. En obligeant la noblesse à se joindre à l'Assemblée, vous l'avez mise contre nous, si bien que nous n'aurons plus seulement le tiers pour adversaire, mais aussi les aristocrates !

Louis XVI, plutôt que de prendre offense de cette attaque, regarda son frère avec un étrange sourire.

— Louis-Stanislas, depuis que nous sommes enfants, vous tenez votre frère pour plus idiot que vous. Pourtant, aujourd'hui, l'imbécile, c'est bien vous.

— Pardon ? s'exclama Monsieur, outré.

— J'ai demandé hier à trois régiments d'infanterie et à trois régiments de cavalerie de quitter les frontières et de se diriger vers Paris, où ils arriveront dans deux semaines. Dans l'attente, j'ai décidé, pour ma sauve-garde autant que pour la vôtre, mon cher petit frère, de contenter les demandes du tiers. Mais, le 13 juillet au plus tard, quand mes troupes seront ici, je ramènerai cette Assemblée à la raison, et lui rappellerai, par la force s'il le faut, qui commande ce pays. Alors cessez donc, je vous prie, de questionner ainsi à chaque instant mes décisions. La monarchie, c'est moi !

40.

Un joli succès

Trois jours avaient passé depuis la réunion des ordres à l'Assemblée nationale et, si la disette n'avait pas disparu pour autant, Paris était encore en fête. Le district des Cordeliers, plus que tout autre, célébrait toujours l'heureuse nouvelle.

— J'ai vu mon ami Ro… Robespierre hier soir ! s'exclama Desmoulins en entrant dans la salle théologique du couvent des Cordeliers. L'Assemblée va dé… délibérer sur la question de l'esclavage des Noirs ! N'est-ce pas formidable ?

— C'est même extraordinaire ! confirma Gabriel, que l'enthousiasme de Desmoulins attendrissait toujours.

— Ils feraient bien de s'atteler aussi très rapidement à la question du pain, intervint le président Archambault. Le peuple ne pourra pas se nourrir longtemps de la seule espérance. Il maigrit à vue d'œil et, si le grain continue de tarder, le cri de son ventre étouffera bientôt celui de sa joie. C'est une belle chose que de promettre la liberté, mais celle-ci ne sert que ceux qui possèdent le moyen d'en jouir : la richesse. Les autres risquent de ne pas en profiter plus que l'aveugle à qui l'on reconnaîtrait le droit de voir !

Gabriel hocha la tête. Décidément, cet Archambault, dont on disait qu'il avait servi en Amérique aux côtés de La Fayette avant de devenir avocat, était un homme aussi généreux qu'éclairé.

Au même instant, on vit Momoro entrer d'un pas vif dans la grande salle et, pour la première fois, Gabriel remarqua que l'homme souriait. Ainsi, il en était capable !

— Joly ! s'exclama le libraire, d'une voix assez forte pour que tout le monde entende. Je viens de vendre le cinq centième exemplaire de ton *Mystère du Loup des Cordeliers* ! Cinq cents exemplaires en deux jours ! Te rends-tu compte ?

La nouvelle fut aussitôt accueillie par une salve d'applaudissements de la part des amis de Gabriel.

— Et toi qui disais que le sujet n'était pas intéressant ! se moqua gentiment celui-ci, qui, en réalité, n'en revenait pas lui-même.

— Eh bien, il faut croire qu'en ce moment, les Parisiens ont besoin de se divertir avec des histoires mystérieuses ! Fiston, il va falloir que tu te dépêches de nous écrire la suite !

— J'y travaille, répliqua le jeune homme. Mais ne nous précipitons pas : je ne publierai rien qui ne contienne de nouvelles et solides informations !

— Tiens, crapaud. Voici déjà la part qui te revient, cela te motivera !

Vendue huit sols l'exemplaire, la brochure de Gabriel lui rapportait un sol deux deniers, ce qui, à vrai dire, n'était pas une proportion très équitable, mais le jeune homme, comme tout auteur qui débute, l'ignorait encore. En découvrant qu'il venait donc déjà de gagner trente livres, soit presque son salaire mensuel au *Journal de Paris*, il fut empli d'une joie bien naturelle. L'argent n'était pas son moteur, mais c'était le symbole de son premier succès, et Gabriel se trouva ému de voir que son rêve le plus intime commençait à se réaliser.

La chose fut dignement arrosée.

— Dis-moi, murmura Desmoulins à l'oreille du jeune homme alors qu'ils trinquaient ensemble, maintenant que tu as fait tes armes, accepterais-tu de me donner ton avis sur… sur un texte que je suis en train d'écrire, et éventuellement de me suggérer quelques co… corrections ?

— Mais bien sûr, Camille ! De quoi s'agit-il ? C'est encore pour Mirabeau ?

— Non ! C'est un texte personnel ! Une sorte de… de manifeste patriotique, pour témoigner de l'espoir et des attentes de la nation envers l'Assemblée. Je vais appeler ça *La France libre*, et je vais y faire part de toutes les ini… iniquités dont le peuple est depuis trop longtemps victime, sous la tyrannie des rois et de l'Église.

— Eh bien ! Quel noble projet ! Ce sera un honneur de le lire, Camille, mais je n'ai pas la prétention de pouvoir te conseiller ! Tu es bien plus au fait que moi de la chose politique !

— Mais toi, tu connais mieux la philosophie !

— Allons ! s'exclama Gabriel en riant. Tu dis cela pour me flatter.

— Pas du tout ! Mais je te pré… préviens, ça risque d'être un peu long. J'en suis déjà à plus de cinquante pages !

— Fichtre ! En effet !

La fête se poursuivit tard et, au milieu de la foule, à l'approche du soir, Gabriel vit passer Lorette, qui lui adressa un discret sourire avant de s'éclipser, comme à sa timide habitude, vers ses appartements, provoquant aussitôt le soupir désolé du grand rouquin.

41.

De sérieuses agapes

Leurs travaux terminés et le rituel achevé, les frères de la respectable loge des Neuf Sœurs se rendirent dans la grande salle de l'ancien noviciat des Jésuites, qui était réservée aux agapes.

La coutume maçonnique voulait que chaque tenue fût suivie d'un banquet, lequel, en certaines occasions, était encadré lui aussi par un rituel précis. Ce fut le cas ce soir-là : comme on avait célébré une initiation, la trentaine de francs-maçons qui avaient participé à la cérémonie prit place autour des tables disposées en fer à cheval, où les attendait un repas préparé par les frères servants.

Selon l'usage, avant que de laisser ses frères entamer le repas, le Vénérable Maître, marquis de Pastoret, fit porter une santé.

— Debout, à l'ordre, et glaive en main, mes frères !

Les membres de l'assemblée se levèrent, étendirent une serviette sur leur avant-bras, saisirent leur épée de la main gauche et, de la droite, firent le signe secret de l'ordre.

— Frères premier et second surveillants, voulez-vous bien annoncer sur vos colonnes que la santé d'obligation est celle du roi de France, de son gouvernement et de l'Assemblée nationale.

Les surveillants répétèrent l'annonce.

— Attention, mes frères : la main aux armes, en joue, feu !

Les membres de la loge prirent une première gorgée de vin. Puis le Vénérable annonça « bon feu ! » et l'on prit une deuxième gorgée, puis encore « le plus vif de tous les feux ! » et l'on en prit une troisième.

— Reprenons place, mes frères.

Le repas put commencer, dans un climat plus détendu que celui qui encadrait les habituels travaux de loge. À table, la circulation de la parole n'était plus soumise aux règles des tenues, mais ce joyeux désordre était une autre expression de la fraternité qui unissait ces hommes.

Parmi les frères de la loge se trouvaient les habitués, dont l'oncle de Gabriel, Cadet de Vaux, l'avocat Archambault et l'auteur Louis-Sébastien Mercier, et, parmi les frères visiteurs, on comptait le marquis de La Fayette, qui venait d'être nommé vice-président de l'Assemblée nationale, Jean-François de Bar, ancien major de la garde de Paris, et Charles-Antoine Duvilliers… qui avait de bien secrètes raisons d'être là.

— Votre neveu fait de plus en plus parler de lui dans mon district, lança Archambault en prenant Cadet de Vaux par le bras. C'est un brave garçon.

Il avait dit ça dans un soupir de mélancolie, lui qui n'avait pas d'enfants, et qui pourtant aurait dû en avoir un : sa femme, quelques années plus tôt, avait été sauvagement assassinée alors qu'elle attendait le premier.

— J'ai vu qu'il avait publié un petit occasionnel chez Momoro, ajouta Mercier.

— Dame ! Il est encore plus têtu que ne l'était sa pauvre mère, mais je dois reconnaître qu'il en a aussi hérité le talent. Il a, pour le moins, de la suite dans les idées : je lui ai répété mille fois que nous ne voulions pas de son article au *Journal*, et il a fini par trouver le moyen de le faire publier ailleurs !

— Cela prouve qu'il a de l'ambition et qu'il croit à ce qu'il fait, souligna Mercier. Vous devriez l'encourager. Sa plume n'est pas encore très sûre, mais elle se nourrit d'une verve prometteuse, d'un honorable souci du détail et d'une bonne intelligence du récit. À l'heure où le métier de journaliste est abîmé par les billets infâmes, les placards douteux et les pamphlets fagotés, le cœur que votre neveu met à chercher la plus objective vérité a quelque chose de réconfortant. Nous vivons une triste époque, où l'impatience des nouvellistes dégénère souvent en frénésie, où les plus fausses nouvelles passent pour authentiques ! On confond liberté de parler et liberté de mentir. Votre neveu mène un juste combat !

— Eh bien ! s'amusa Cadet de Vaux. Il est rare de vous entendre ainsi faire l'éloge de la jeunesse, mon frère ! Ne l'aviez-vous pas traité de portier, quand je vous l'ai présenté ?

— Allons ! La jeunesse, je la taquine par principe, mais je la chéris plus que tout. Ne lui dites pas, toutefois ; sa tête se mettrait à enfler.

— Je ne crois pas. Mon neveu est certes fort têtu, mais il ne me semble pas sujet à l'orgueil ou à la vanité.

Les discussions s'engagèrent à bâtons rompus de part et d'autre de la grande table, et il fut, à l'évidence, essentiellement question des événements qui secouaient Paris et le royaume tout entier. Le marquis de La Fayette fit part de son inquiétude concernant le nombre des militaires qui continuaient d'affluer vers la capitale, des mouvements de troupes dont il craignait qu'ils pussent cacher les plus sinistres plans de la Cour. De fait, on comptait déjà près de trente mille soldats entre Paris et Versailles, on voyait de nombreux canons approcher de la ville, et on évoquait l'arrivée imminente de vingt mille hommes supplémentaires. Sous l'autorité du maréchal duc de Broglie, un septuagénaire qui n'avait plus la santé nécessaire à cette tâche, le roi était en train de déployer une véritable armée aux abords de la capitale et les canons étaient même réapparus aux remparts de la Bastille. Le roi avait beau affirmer que ces troupes n'avaient d'autre objet que le maintien de la tranquillité publique, elles étaient si menaçantes qu'elles évoquaient plutôt l'approche d'une guerre.

— J'ai vu que l'on faisait de grands travaux sur la butte Montmartre, témoigna le peintre Jean-Baptiste Greuze, et j'ai bien peur que cela annonce l'arrivée imminente de l'artillerie.

— Je connais bien les hommes de la garde de Paris, que j'ai longtemps dirigés, et je ne pense pas qu'ils soient capables de tirer sur le peuple parisien, tempéra le major de Bar. Quant aux gardes-françaises, ils fraternisent de plus en plus avec les citoyens.

— Le peuple n'a peut-être rien à craindre de la garde de Paris et des gardes-françaises, rétorqua La Fayette, mais les gardes-suisses et le Royal-Allemand, c'est autre chose... Ce vieux fou de maréchal duc de Broglie n'hésitera pas à les faire user de la force.

— Et qu'adviendrait-il si le peuple prenait les armes à son tour ? Aurions-nous des Français qui tirent sur des Français ? s'alarma le comte de Sèze.

— Le Royal-Allemand et les gardes-suisses ne sont pas français ! corrigea La Fayette. C'est justement ce qui les rend dangereux, et c'est pourquoi le roi les a choisis : ils n'hésiteront pas à tirer si le peuple se soulève.

— S'il faut que le peuple se soulève, qu'il le fasse ! s'exclama Mercier.

— Vous appelez à la révolte ? s'indigna de Sèze.

— Et pourquoi pas ? La guerre civile n'est pas le plus grand de tous les maux. C'en est un beaucoup plus fâcheux, de réduire le peuple à un tel excès de misère qu'il ne lui reste plus ni courage ni force pour rien entreprendre. Chaque jour, je vois des milliers de malheureux, sans travail, sans salaire, le visage amaigri par le jeûne, les vêtements en lambeaux, se presser devant les portes des boulangers et y attendre, dans une impatience terrible, quelques miettes de pain noir pour nourrir leurs enfants ! Aux barrières de Paris, ce n'est pas le grain qui entre, ce sont les affamés ! Et, pendant ce temps-là, ce gros infatué de Mirabeau, bouffi de son orgueil comme de ses victuailles, qui appelait hier à la révolte, n'a plus aujourd'hui qu'une expression à la bouche : le maintien de l'ordre, l'autorité ! Sans doute rêve-t-il plus d'entrer au gouvernement que de nourrir

Paris. Le masque est tombé bien vite. Il n'aime pas le peuple, celui qui se défie de lui.

— Il n'y a pas que Mirabeau, à l'Assemblée, mon très cher frère ! fit remarquer La Fayette. Mounier a présenté hier le rapport du comité de Constitution et, pour ma part, j'ai donné lecture d'un projet de déclaration des droits de l'homme.

— Et je vous en félicite ! Malheureusement, mon frère, offrir aux Français une Constitution et des droits est fort honorable, mais si vous ne leur donnez pas rapidement du pain, je crains qu'ils se fichent de votre belle Déclaration et prennent les armes.

À cet instant, Duvilliers, qui avait fait en sorte d'être assis près de Mercier, lui glissa :

— Quand on voit votre amie Théroigne de Méricourt et les pistolets à sa ceinture, on est en droit de penser que les Parisiens ne se laisseront pas faire.

— Le devraient-ils ?

— Certainement pas ! répliqua Duvilliers avec duplicité. Cette femme est formidable, et son courage inspire le plus profond respect ! Elle est enrobée de tant de mystères qu'elle fait rêver le peuple de Paris, et quoi de mieux que les rêves pour conduire les plus justes révoltes ?

— Oh, mon frère, elle n'est pas enrobée d'autant de mystères qu'on le dit ! répondit Mercier, amusé.

42.

Un mystère à résoudre

Gabriel, à qui la parution de son article avait donné des envies d'indépendance, trouvait le temps de plus en plus long, rue Plâtrière. Par la grâce de l'habitude, finissant chaque jour son inventaire des spectacles un peu plus tôt et ne pouvant quitter le bureau avant l'heure, il s'occupait en donnant quelques coups de main à Sautreau de Marsy ou aux garçons de bureau, chargés des plus pénibles tâches.

Ce soir-là, d'humeur déjà maussade, le jeune homme fut affecté, en sortant dans la rue, par le triste spectacle qu'offrait la capitale. La joie des derniers jours avait déjà quitté les Parisiens, car le fol espoir qu'ils avaient placé dans la proclamation de l'Assemblée nationale tardait à porter ses fruits. Des émeutes éclataient ici et là devant les boulangeries. Le ministre Necker avait eu beau œuvrer pour améliorer la situation, en prohibant l'exportation du grain jusqu'à l'année suivante et en offrant des primes à l'importation, celui-ci continuait de manquer et le pain, quand on en trouvait, se vendait plus de quatre sols la livre. De grands bourgeois spéculaient en cachant d'immenses quantités de blé pour en faire monter le cours et s'enrichir sur le dos de la famine. Il n'est jamais d'instant assez grave pour étouffer la plus odieuse vénalité de certains hommes…

Un peu partout, les régiments étrangers du roi se faisaient de plus en plus agressifs, réprimant à coups de baïonnette chaque début d'agitation. Les coins de rue, les ponts et les promenades se transformaient en de véritables postes militaires. Plus l'armée se montrait, plus le roi se cachait, et d'aucuns imaginaient déjà que le monarque s'apprêtait à abandonner ses peuples à la force militaire.

Traversant Saint-André-des-Arcs pour rejoindre l'hôtel du commissaire Guyot, dont il attendait des nouvelles, Gabriel fut accablé de voir les citoyens du quartier, hier si solidaires, se battre à présent pour une miche de pain. Ce n'était pas Versailles qu'on brûlait, c'étaient les étals des petits commerçants, les ateliers des petits artisans. Ce n'étaient pas les princes qu'on pourchassait, c'était son propre voisin, et pour un morceau de viande. Sur le pavé, les mendiants, à bout de forces, s'endormaient en plein jour. Certains ne se réveilleraient jamais.

Le cœur gros, Joly distribua ici et là tout ce qu'il lui restait de monnaie, puis il alla frapper à la porte du commissaire.

Le petit chauve replet, qui semblait ne jamais s'arrêter de travailler et portait encore à cette heure sa robe de magistrat, le reçut chaleureusement dans son bureau et lui offrit un verre d'eau-de-vie de vin.

Ce policier droit et austère, qui avait voué sa vie entière à sa charge, n'avait guère de temps libre et, à tout moment, les habitants du quartier pouvaient venir chercher secours à son hôtel. S'il avait sacrifié toute chance de fonder une famille, de voyager, de goûter aux joies de l'oisiveté, M. Guyot se réservait toutefois un seul plaisir : les spiritueux.

— C'est un cognac ? demanda le jeune homme en dégustant la liqueur ambrée.

Il dut bien reconnaître que, malgré la culpabilité qu'il éprouvait en s'accordant cette douceur quand dehors on mourait de faim, il n'était pas mécontent de s'y abandonner un peu.

— Vous n'êtes pas loin. C'est bien un brandy, mais d'Armagnac, qui a la particularité de n'être distillé qu'une seule fois. L'un des rares avantages que m'ait donnés la surveillance des cabarets parisiens est de m'avoir permis de découvrir ce genre de subtilités...

— C'est un régal, en tout cas. Alors ? Avez-vous trouvé quelque chose qui puisse m'aider dans notre affaire, commissaire ?

Guyot fit une moue désolée.

— Mes hommes n'ont pas encore eu le temps de mener des recherches dans les souterrains. Il y a fort à faire, en ce moment. J'espère que nous pourrons nous y atteler d'ici trois ou quatre jours.

— Vous n'avez recueilli aucun nouveau témoignage ?

— Aucun.

Le journaliste poussa un soupir.

— J'espérais que mon article porterait plus de fruits...

— Allons, ne vous découragez pas, jeune homme ! Il faut parfois de longues semaines pour résoudre les affaires judiciaires. Certaines ne trouvent leur dénouement qu'après plusieurs années.

Gabriel hocha la tête, sans conviction.

— Vous allez me prendre pour un fou, mais le Loup commencerait presque à me manquer !

Un sourire se dessina sur le visage de son interlocuteur.

— Je l'ai deviné en lisant votre article. Il peut arriver qu'on éprouve de la compassion pour un assassin, quand on est sensible à son mobile. Mais cela n'en fait pas moins un assassin.

— Avez-vous déjà regretté de devoir soumettre un criminel à la justice ?

— Je le regrette presque chaque fois ! répondit Guyot. Mon métier consiste à limiter les effets du crime, mais j'aurais préféré mille fois travailler sur ses causes. Il serait plus profitable d'empêcher qu'un homme devienne criminel que d'attendre qu'il le soit pour le punir. Chacun son rôle, toutefois. Je n'ai pas le meilleur, mais je le fais de mon mieux, et en conscience.

— Au fond, notre Loup ne fait-il pas exactement la même chose que vous ? Ne punit-il pas des hommes qui commettent des crimes à l'encontre des femmes ?

— En leur coupant la tête et en les donnant en pâture à son animal ? C'est une justice bien expéditive, vous ne trouvez pas ? Quand on refuse de confier à l'État le pouvoir de rendre seul la justice, on se soumet à la loi du plus fort. Et alors plus rien n'empêche le plus fort de commettre lui-même une injustice.

— Mais quand l'État n'est pas juste ?

— Alors il faut changer d'État. Et j'ai le sentiment que les Français s'y préparent… Si nous aspirons à ce que tous les hommes aient les mêmes droits – et je suis sûr que c'est votre cas –, la justice ne peut être rendue par un individu qui se soustrairait aux lois, lesquelles ne peuvent être fondées que sur l'utilité commune. Allons, Gabriel ! Vous savez tout cela mieux que moi ! Vous avez lu Rousseau, Montesquieu… Le philosophe, c'est vous !

— Il faut croire que les préceptes généraux de la philosophie, même les plus justes, s'accordent parfois mal au particulier.

Le commissaire lui donna une tape amicale sur le bras et lui servit un autre verre d'armagnac.

— Allez, je vais vous faire une confidence, Gabriel, si cela peut vous consoler. Dans ma carrière, il m'est arrivé de constater qu'en arrêtant un criminel, ce n'étaient pas seulement ses victimes que je sauvais mais, parfois, lui-même. Il n'est peut-être pas trop tard pour sauver votre Loup…

Ainsi, c'est l'âme un peu confuse que Gabriel rentra dans sa petite chambre de la rue Haute-Feuille. Quand il aperçut l'enveloppe sous sa porte, son cœur se mit soudain à battre.

Avec la même encre et la même écriture, le Loup lui avait adressé un nouveau message.

DERNIÈRE MISE EN GARDE !
CESSEZ DE ME CHERCHER ET DE PUBLIER
À MON SUJET. S'IL VOUS FAUT UN MYSTÈRE

À RÉSOUDRE, REGARDEZ PLUTÔT DU CÔTÉ
DU PRISONNIER SECRET DE LA BASTILLE !
SINON, VOUS SEREZ LE PROCHAIN.

43.

Un attentat

Il était déjà fort tard, minuit peut-être, quand Anne-Josèphe Terwagne arriva dans la rue des Vieux-Augustins pour rejoindre l'appartement que lui prêtait son ami et bienfaiteur, le banquier Perrégaux, sans rien lui demander en retour qu'une innocente affection.

Dans le quartier Saint-Eustache, la rue des Vieux-Augustins était une rue bourgeoise, où la misère du peuple parisien ne transpirait guère. Si ce n'avait été pour la proximité du Palais-Royal, sans doute la Liégeoise n'aurait-elle pu continuer à vivre ici, elle dont le cœur allait aux quartiers populaires. Mais son appartement avait un autre avantage : situé au fond d'une petite cour, dans un quartier calme, il était à l'abri des regards et lui offrait l'anonymat dont elle avait besoin.

Entrée par la porte cochère de l'immeuble, elle était en train de traverser la cour obscure quand, dans le couloir qui s'ouvrait sur l'aile gauche du bâtiment, il lui sembla voir une ombre bouger, comme celle d'un homme qui venait de se cacher. Elle s'immobilisa aussitôt et, la main sur le pommeau de son arme, tendit l'oreille. Aucun bruit. Sur ses gardes, elle reprit son chemin vers le fond de la cour et monta l'escalier à la hâte.

Arrivée à l'étage, le hasard, ou la méfiance peut-être, lui permit de remarquer une entaille sur le chambranle, juste à côté de la serrure, comme si quelqu'un avait forcé l'entrée. Pourtant, la porte était fermée. Ses sens en alerte et le sabre en main, elle ouvrit précautionneusement.

L'appartement, qui comptait trois pièces, était à peine éclairé par les rayons de la lune. S'avançant dans l'entrée, Terwagne progressa vers la pièce principale, sans faire de bruit. D'un seul coup d'œil, elle vit que rien ne manquait, ni les bibelots ni les tableaux que son ami banquier lui avait laissés. Elle commença à se demander si l'entaille sur le chambranle n'avait pas toujours été là. À force de se méfier, elle imaginait des choses qui n'existaient pas.

Pourtant, alors qu'elle se dirigeait vers sa chambre, soudain, dans un grand vacarme, deux hommes jaillirent, poignard au poing.

D'un coup de sabre, la jeune femme écarta et fit tomber le premier en lui blessant l'épaule, mais il s'en fallut de peu pour qu'elle échoue à esquiver le second. La lame du poignard frôla sa gorge, et l'homme, emporté par son élan, se retrouva derrière elle.

Faisant volte-face, Terwagne se mit en garde, et quand son adversaire reconnut dans cette assurance la marque de l'habitude, son regard se transforma.

Avait-il pensé, comme beaucoup à Paris, que le sabre de « Théroigne de Méricourt » n'était qu'un accessoire de costume ? Il s'était trompé !

Le premier amour que la Liégeoise eût connu – le seul qui fût véritable –, elle l'avait trouvé dans les bras d'un officier de l'infanterie anglaise, auprès duquel elle avait vécu mille aventures… et appris les secrets de l'escrime. Jamais sur terre il n'y eut de femme plus habile à manier l'épée que celle-là, qui y voyait un solide symbole : n'était-ce pas œuvrer pour la cause féminine que de dépasser l'homme dans l'art dont il se croyait seul maître, celui du combat ? Aussi, quand elle commença à s'avancer sur son ennemi avec l'agilité d'un mousquetaire, celui-ci perdit sa consistance et, dans un cri de rage, il se jeta sur elle en ne misant que sur sa force masculine. D'une passe, Anne-Josèphe désarma son attaquant et, par un puissant coup d'estoc, lui transperça la gorge.

L'homme, le regard interdit, porta ses mains à son cou, comme si ses paumes avaient pu retenir le torrent de sang qui s'en écoulait, puis il s'effondra sur le sol. Au même moment, Terwagne entendit le premier assaillant qu'elle avait touché à l'épaule se relever dans son dos. Se mettant en garde de nouveau, elle pivota.

Le brigand, voyant que sa proie avait par la longueur de son sabre l'avantage de la distance, se saisit d'un vase qu'il lui jeta à la figure. Obligée de se protéger, Terwagne leva les deux mains, offrant à son agresseur une ouverture, et celui-ci se précipita pour lui porter un coup de poignard dans les entrailles. Anne-Josèphe recula, mais la lame l'effleura suffisamment pour lui inciser le ventre. Réprimant un cri de douleur, dans un accès de fureur, la Liégeoise frappa de taille, toucha l'homme au flanc gauche et, comme elle allait attaquer de nouveau, celui-ci fit un bond vers l'arrière, mais si maladroitement qu'il perdit l'équilibre et s'écroula contre la fenêtre du salon. Dans un claquement aigu, le verre se brisa et l'homme, emporté par sa chute, bascula dans le vide avec un cri de terreur.

Quand elle se pencha, Anne-Josèphe vit le cadavre inanimé qui, déjà, baignait dans une mare de sang au milieu de la cour. Mais alors, une nouvelle silhouette apparut dans l'ombre près de lui, sans doute celle de l'homme que Terwagne avait cru voir se cacher en arrivant. Celui-ci n'avait pas un poignard. Il avait un pistolet.

Anne-Josèphe eut tout juste le temps de se mettre à l'abri avant que la détonation résonnât entre les murs de l'immeuble, puis elle entendit de rapides bruits de pas. Le tueur montait.

Sans hésiter, elle sortit de l'appartement mais, plutôt que d'emprunter l'escalier où elle n'aurait pu se défendre contre le feu d'un pistolet, elle se précipita vers la trappe qui, à côté de sa porte, donnait sur les toits.

Il lui fallut s'y reprendre à plusieurs fois pour parvenir à se hisser dans l'ouverture, et elle venait enfin de passer quand elle entendit un nouveau coup de feu. Le cadre en bois vola en éclats juste à côté de ses pieds. Sans demander son reste, elle se mit à courir sur les toits de Paris, se faufilant entre les cheminées, dans la fumée desquelles elle finit par disparaître.

44.

Un plan à très long terme

C'était une petite porte, cachée par un bosquet, à quelques pas du bassin du Miroir, dans la partie sud-ouest du parc. Laissée à l'abandon, elle donnait sur l'un des nombreux aqueducs souterrains que le Roi-Soleil avait fait construire en son temps pour alimenter les fontaines du jardin, mais le débit que produisait le canal détournant les eaux de l'Eure n'étant pas assez grand, certains conduits, dont celui-ci, avaient été délaissés par le service des fontaines. Tombées en désuétude, ces anciennes galeries souterraines faisaient désormais partie des nombreux secrets qu'abritait le château de Versailles.

Quand le colonel Duvilliers ouvrit la porte envahie par le lierre, il éprouva une brève inquiétude. Et si c'était un piège ?

Sur ses gardes, il pénétra dans ce tunnel en vieilles pierres de taille, puis, à la lumière vacillante d'une bougie, les traits du comte de Provence se dessinèrent lentement devant lui. Le frère du roi avait le visage blafard et le regard tourmenté.

— Monseigneur, fit l'officier, je ne m'attendais pas à vous rencontrer en pareil lieu !

— Je n'ai plus le temps de vous recevoir en mon château de Brunoy, et mon pavillon de Versailles est trop exposé. Je suis une des rares personnes, sinon la seule, à connaître cet endroit, expliqua le comte. Quand nous étions enfants et que je jouais à cache-cache avec Louis, il me suffisait de venir ici. Au bout de cette galerie, on peut rejoindre des dizaines d'autres tunnels, si bien que ce pauvre bougre ne pouvait jamais me mettre la main dessus.

— Son Altesse Royale était déjà très astucieuse ! le flatta Duvilliers.

— Ce n'est pas pour vous parler de mon enfance que je vous ai fait venir ici. Depuis quelques jours, tout le monde complote, à la Cour comme à l'Assemblée, au palais comme dans les rues de Versailles et de Paris, tout le monde se surveille, et parmi mes propres gens je ne sais plus à qui je peux faire confiance.

— À moi, Monseigneur ! Je vous suis, vous le savez, tout entier dévoué, répondit Duvilliers en portant la main sur le cœur.

— La dernière mission que je vous ai donnée a pourtant échoué, m'a-t-on dit ! s'agaça le comte.

— Ce n'est que partie remise. Je ne renonce jamais.

— Il y a plus urgent, maintenant…

— Comment puis-je me rendre utile à Son Altesse Royale ?

— Les manigances de mon frère n'ont pas échappé au peuple de Paris, mais celui-ci semble croire que c'est moi qui ai fait venir tous ces soldats de nos frontières. Et alors les Parisiens me détestent plus qu'ils ne détestent le roi lui-même ! C'est pourtant bien à lui qu'ils doivent tous leurs malheurs ! Il faut que je trouve le moyen de montrer au peuple que c'est Louis qui le trompe, et que je peux être, moi, le sauveur de la nation !

Duvilliers, pourtant coutumier de la perfidie, fut surpris par celle de Monsieur.

— Je sais qu'il y a parmi les Français, dans les villes et dans les campagnes, de nombreux bons sujets, attachés comme je le suis moi-même aux valeurs du royaume, reprit le comte. L'heure est peut-être venue pour moi de reprendre l'héritage de cette monarchie que mon frère a tant abîmée !

L'orgueil du prince, nourri par des années de frustration, était devenu tel qu'il commençait à l'aveugler. Duvilliers, que ses calculs politiques poussaient souvent aux plus viles bassesses, s'empressa toutefois d'abonder dans son sens.

— Tout n'est pas perdu, suggéra-t-il malicieusement. Il y a peut-être un moyen de retourner la situation, à condition… d'être patient.

— À quoi pensez-vous ? le pressa Monsieur.

— Aujourd'hui, nul en France ne jouit d'autant de faveurs auprès du peuple que M. Necker. Les Français ont pour le ministre des Finances une sorte d'amour inconditionnel. Convainquez votre frère de le renvoyer et de faire avancer ses troupes vers le cœur de Paris.

— Renvoyer Necker ? Faire avancer l'armée ? Mais vous êtes fou ! Cela va entraîner une émeute ! s'écria le comte de Provence, perplexe.

— Pour sûr ! Mais contre le roi ! Car les Français le savent : lui seul a le pouvoir de renvoyer son ministre. Il deviendra seul coupable à leurs yeux.

— Et alors ? Cela ne me placera pas dans une meilleure position et mettra notre monarchie encore plus en péril ! Votre plan est idiot !

Le colonel Duvilliers s'approcha du comte et le regarda fixement.

— Monseigneur, ce que je vais vous dire m'attriste sans doute presque autant que vous, mais il faut se rendre à l'évidence : qu'on le veuille ou non, la monarchie va être renversée.

Le frère du roi se redressa, sidéré.

— Que me dites-vous là ?

— Je ne vous dis que la vérité, comme elle est, car j'ai juré de ne jamais vous la cacher. C'est écrit, Monseigneur ! Les choses sont trop avancées pour que nous y échappions.

— Je vous ai demandé un moyen pour moi de sortir vainqueur de ce qui se trame, et vous me dites que tout est perdu d'avance ! Quel piètre conseiller vous faites, colonel !

— Le règne de votre frère est condamné d'avance. Et la monarchie tombera avec lui. Alors il ne fait aucun doute que la France, privée de ses racines, sombrera dans le chaos. Les richesses, Monseigneur, resteront à jamais entre les mains de la noblesse et quand, paniqué, le peuple se cherchera un sauveur, il faudra que ce soit Son Altesse Royale.

— J'ai peur de vous comprendre…

— Assurez-vous, pour le long terme, les faveurs et la fidélité de la noblesse, et laissez votre frère porter

seul le poids du désastre vers lequel nous nous diri-
geons. Dans quelques années, Monseigneur, vous seul
pourrez restaurer la monarchie.

Le comte de Provence se mit à réfléchir en silence.

— Faire renvoyer Necker par mon frère pour précipiter sa chute, laisser la France sombrer dans la
misère, et revenir en sauveur ? Votre plan est machiavélique, affirma-t-il d'un ton presque admiratif. Mais
très risqué…

— Les temps le sont, Monseigneur. Et qu'avez-vous
à perdre ? La monarchie, telle que nous la connaissons,
est déjà finie. Il ne vous reste plus qu'à prendre vos
distances avec le roi, le désigner aux yeux du peuple
comme seul coupable de ses malheurs, et renforcer vos
liens avec les nobles qui, demain, vous porteront sur
le trône dont vous avez toujours rêvé…

C'était un projet périlleux, voire insensé, mais, à y
réfléchir, le comte de Provence commença à lui trouver quelque intérêt. Si la chute de la monarchie ne lui
semblait pas aussi certaine que le disait son conseiller,
il fallait bien reconnaître qu'elle se faisait chaque jour
un peu plus probable. Quel serait, alors, le meilleur
moyen de se tirer d'un si mauvais pas ?

— Je vais… Je vais y méditer, conclut-il avant de
congédier le colonel Duvilliers.

De fait, le frère du roi, la mine grave, passa plusieurs heures dans la plus profonde solitude à étudier
ces diaboliques desseins. Avant la fin de l'après-midi,
il prit sa décision.

En début de soirée, le ministre des Finances reçut
dans son office un billet où le roi, sans explication, le
sommait de partir, de s'exiler même. Necker, terrifié

par cet ultimatum et usé par une bataille qui n'avait que trop duré, quitta sur l'instant le château de Versailles pour rejoindre Bruxelles au plus vite.

Quant au maréchal duc de Broglie, il reçut l'ordre de faire avancer ses troupes vers le cœur de la capitale.

Ayant mené à bien la première partie de ce funeste plan en manipulant savamment son frère, il ne restait plus au comte de Provence qu'à s'assurer que le départ de Necker fût rapidement connu du plus grand nombre.

45.

Rien ne transpire de ce gouffre

Si la première lettre du Loup lui avait glacé les sangs, la seconde avait presque inspiré à Gabriel une enthousiaste excitation ! Ainsi, le justicier anonyme lui lançait un défi ? Il allait voir !

Le jeune homme n'était pas dupe. Cette histoire de « prisonnier secret de la Bastille » était, à l'évidence, une façon pour le Loup de le détourner de ses primes investigations, mais elle serait peut-être aussi un moyen de se rapprocher de lui, car les deux affaires avaient sûrement un lien… Si ce mystérieux assassin voulait jouer, Gabriel avait bien l'intention de lui montrer qu'il n'était pas du genre à abdiquer devant une compétition !

L'expression « prisonnier secret de la Bastille » rappelait inévitablement la célèbre légende de l'homme au masque de fer, mais le journaliste était persuadé que le Loup faisait référence à quelque mystère plus récent. Ne sachant par où commencer, tant la piste était vague, le jeune homme s'était décidé à aller du général au particulier, conformément aux règles du raisonnement déductif. La première étape consistait donc à réunir une somme suffisante d'informations sur la Bastille.

Quand il arriva dans la salle théologique du couvent des Cordeliers, il sourit en voyant Lorette Printemps tourner vers lui son doux visage, illuminé par l'éclat de ses yeux bleus.

— Bonjour, Lorette.

La bibliothécaire lui répondit avec l'un de ces signes inventés quelques années plus tôt par l'abbé Charles-Michel de l'Épée, qui permettaient aux sourds ou aux muets de dialoguer entre eux. Par la grâce de ces gestes délicats, Lorette lui parut plus délicieuse encore.

— Je vais de nouveau avoir besoin de votre aide, expliqua-t-il en s'approchant.

La muette attrapa son carnet et écrivit :

« Vous n'avez toujours pas trouvé votre mystérieux Loup ? »

— Non, pas encore, avoua-t-il. Je m'intéresse aujourd'hui à la Bastille.

Lorette écarquilla les yeux.

« Auriez-vous peur qu'on vous y enferme ? »

— Je le prendrai comme un compliment ! Avez-vous des livres au sujet de cette charmante prison ?

La jeune femme hocha la tête et partit vers les étagères. Après quelques investigations, elle récupéra le fameux *Des lettres de cachet et des prisons d'État* de Mirabeau, mais aussi d'autres précieux ouvrages comme *L'Inquisition françoise ou l'Histoire de la Bastille*, écrit par Constantin de Renneville en 1724, les *Remarques historiques et anecdotes sur le château de la Bastille*, signées par Joseph Brossays du Perray en

1774, ou les *Mémoires sur la Bastille et sur la détention de M. Linguet*, rédigées par lui-même en 1783.

Les rapportant à bout de bras, elle posa les lourds volumes sur le pupitre.

« Celui de Mirabeau n'est pas très objectif », prit-elle la peine de préciser malicieusement par écrit.

— Oui, je l'ai déjà lu… Mais ne vous inquiétez pas, je sais faire la part des choses.

Sans tarder, Gabriel se mit au travail.

Bien sûr, il commença par se rafraîchir la mémoire en lisant tout ce qu'il put trouver sur l'homme au masque de fer, ce mystérieux prisonnier enfermé à la Bastille en 1698, et au sujet duquel les registres de la prison eux-mêmes précisaient qu'on ne devait pas « dire son nom ». Malgré ce que son sobriquet laissait entendre, cet illustre inconnu avait porté tout au long de sa détention un masque de velours noir, afin que personne ne pût le reconnaître. De nombreuses légendes couraient encore aujourd'hui sur son identité réelle…

L'histoire de la Bastille, en vérité, était pleine d'autres secrets, et Gabriel se remémora ce que Louis-Sébastien Mercier en avait dit dans son *Tableau de Paris* : « Rien ne transpire de ce gouffre, non plus que de l'abîme muet des tombeaux. » Pendant plus d'une heure, le jeune homme prit des notes sur tout ce qui l'intéressait.

Sous les ombres sinistres du mystère et des rumeurs de la torture, la Bastille inspirait aux Parisiens depuis la nuit des temps les peurs les plus irrationnelles, d'autant qu'elle restait attachée, par la grâce de feu le cardinal de Richelieu, aux infâmes lettres de cachet, signées de la main du roi et ordonnant un emprisonnement sans jugement. Toutefois, si elle renfermait encore de terribles cachots, la Bastille ne méritait plus tout à fait son affreuse réputation : isolé des regards, son intérieur était devenu une prison presque confortable, où l'on n'enfermait guère plus que les nobles, les grands bourgeois, les écrivains ou philosophes jugés licencieux et les libraires rebelles. Quel prisonnier secret pouvait donc encore y résider ? On y avait détenu des hommes aussi célèbres que M. Voltaire ou Joseph Balsamo, et même le député et médecin Guillotin. Quant au sulfureux marquis de Sade, pamphlétiste, dramaturge et auteur de plusieurs ouvrages érotiques, il y était toujours incarcéré, pour mauvaises mœurs. Le tableau épouvantable que d'aucuns livraient de la Bastille était certes exagéré, mais il entretenait la légende redoutable de cette vieille prison, ce qui ne dérangeait guère son administration : elle était une menace dissuasive, un épouvantail planté au milieu de Paris.

Ce que Gabriel découvrit avec surprise, et ce que la plupart des Parisiens ignoraient encore, c'était qu'un projet envisageait la prochaine destruction de cette forteresse, sur les lieux de laquelle on voulait établir une place à la gloire de Louis XVI, où se serait érigée, sous la direction de l'architecte Corbet, une statue du monarque. Ainsi, les nouveaux prisonniers qu'elle aurait dû recevoir étaient conduits depuis plusieurs mois à Saint-Lazare, et les derniers qui y subsistaient devaient être bientôt transférés à Bicêtre...

Quand il eut le sentiment d'avoir réuni assez d'informations, Gabriel revint vers Lorette et l'aida à ranger les ouvrages dans la bibliothèque.

« Avez-vous trouvé votre bonheur ? » écrivit-elle.

— Plus ou moins. Mais il faudrait maintenant que je mette la main sur la liste des prisonniers qui y sont enfermés...

« Vous ne trouverez pas cela ici. Vous devriez aller voir au dépôt des archives de la Bastille elle-même... »

Gabriel acquiesça, mais la chose était bien plus facile à dire qu'à faire.

46.

Une feuille de marronnier

Il faisait très chaud, en ce dimanche 12 juillet. Le soleil brûlait plus fort qu'il ne l'avait fait depuis le début de l'été, et sans doute cette canicule ne permit-elle pas aux esprits de rester tempérés. Paris étouffait. L'air était si sec que, des Champs-Élysées aux Tuileries, on voyait se soulever sur les promenades des nuages de poussière qui salissaient les habits et irritaient les gorges.

— On vient de m'informer que le roi a renvoyé Necker ! annonça d'un air ravi le duc d'Orléans en laissant entrer le marquis de La Fayette dans ses appartements, qui donnaient sur le jardin du Palais-Royal.

Le duc ignorait que c'était le frère du roi lui-même qui s'était arrangé pour que l'information lui parvînt au plus vite. Mais l'eût-il su que cela n'y eût rien changé : la nouvelle était authentique et servait ses intérêts. Le matin même, pour s'attirer la sympathie des Parisiens, il s'était volontairement engagé à payer ce qu'il appelait un « impôt d'honneur », sous la forme de trois cent mille livres, qu'il entendait offrir pour le soulagement des plus infortunés. Combinée à celle du renvoi de Necker, cette nouvelle allait faire du duc le héros du peuple, et de Louis XVI un tyran.

— Diable ! se lamenta La Fayette. Je viens d'apprendre que cette femme qu'on appelle Théroigne de Méricourt a disparu, et que deux hommes ont été retrouvés morts chez elle ! Mille complots se trament entre Versailles et Paris, qui ne me laissent présager rien de bon !

— Il faut annoncer au plus vite le renvoi de Necker ! continua le duc d'Orléans.

— Mon frère ! s'alarma le marquis. Si les Parisiens apprennent que Necker a été révoqué, il va y avoir une émeute terrible !

— Et alors ? Devrions-nous leur cacher la vérité ?

— Nous ne pouvons mentir au peuple, certes, et je vois l'intérêt que vous espérez y trouver pour vous-même, mais devons-nous précipiter cette annonce sans en avoir étudié ni le contexte ni la véracité ?

— La nouvelle est authentique : Necker a été chassé sans ménagement par les gardes du corps du roi !

Louis XVI, manipulé par son frère, avait en effet ordonné à ses hommes de conduire le ministre des Finances vers la sortie avec fermeté…

— La raison quitte les hommes, se désola La Fayette. Tout le monde manigance, pour tromper tout le monde ! De toutes parts, c'est le mensonge qui l'emporte sur la dignité. Le roi promet au peuple de le protéger, mais il rassemble ses armées pour écraser la révolte populaire. À l'Assemblée, Mirabeau intrigue aussi avec je ne sais qui, et vous-même, mon frère, vous distribuez au peuple des fortunes pour vous attirer ses faveurs…

— Les véritables bouleversements ne se font jamais dans la douceur. Vous qui avez combattu auprès des insurgés américains, vous voilà devenu bien timide ! Si ce changement doit passer par un soulèvement du peuple, eh bien, soit : donnons-lui les raisons de se soulever !

Le marquis, qui devinait avec effroi les effets désastreux qu'une telle annonce aurait sur la nation, poussa un long soupir. Rien ne pourrait empêcher d'Orléans de diffuser la nouvelle, et le Palais-Royal lui en offrirait le plus efficace et le plus rapide moyen.

De fait, une heure plus tard, un financement secret permit d'imprimer des milliers d'affiches et les nouvellistes relayèrent l'information aux portes des cafés alentour. « Le roi a renvoyé Necker ! Le roi a renvoyé Necker ! » criait-on d'un bout à l'autre du jardin, et la stupeur puis la colère montèrent sous les arcades brûlantes du Palais-Royal.

Il était trois heures de l'après-midi et, au café de Foy, Desmoulins essayait de convaincre Momoro de publier *La France libre*, ce texte qu'il venait de terminer. Le libraire reprochait à Camille d'avoir écrit un libelle trop enflammé, un brûlot, et celui-ci de lui répondre qu'il tenait à sa liberté d'expression quand, soudain, la nouvelle coupa court à leur débat.

— Ainsi, c'est donc vrai ! s'exclama Camille, ébranlé. Toutes ces ru… rumeurs qui nous viennent de Versailles depuis quelques jours étaient fondées ! Necker des… destitué ? C'est le coup d'envoi : la force va être employée contre Paris ! Nous ne pouvons rester là sans rien faire !

— Et que veux-tu que l'on fasse ? répliqua le libraire.

— Qu'on prenne les armes ! Ou bien serions-nous de ces lâches qui n'ont du courage que pour parler ?

Momoro éclata de rire.

— Les armes ? Toi ? Tu n'as jamais utilisé un pistolet ni même une épée de ta vie, Camille !

L'avocat, vexé, se leva d'un bond et tendit la main vers le libraire.

— Donne-moi ton pistolet !

— Pardon ?

— Donne-moi ton pistolet, et je vais te montrer !

Le libraire, intrigué peut-être, se laissa faire quand Desmoulins lui prit son arme, et, entre amusement et perplexité, le regarda sortir du café de Foy d'un pas décidé.

Dehors, l'agitation était déjà grande et, sous les rayons ardents du soleil de juillet, il y avait tellement de monde au Palais-Royal qu'on voyait des gens jusque dans le bassin, ou accrochés aux branches des arbres.

Il est des moments où un homme, fédérant à lui seul les désirs muets de tout un peuple, peut faire basculer le cours des choses. Des moments où un seul homme, jusqu'ici méconnu, se soulève, enivré de colère, et se transforme en un meneur audacieux. C'est précisément ce qui arriva à cet instant-là, quand un petit avocat sans gloire et sans argent, bègue, et qui avait jusqu'alors brillé davantage par son idéalisme que par ses intentions belliqueuses, se mua, sous l'effet de la fureur et de l'espérance à la fois, en un authentique chef de guerre, insufflant à ses troupes la dernière bribe de courage qu'il leur manquait pour partir au combat.

Brandissant l'arme de Momoro vers les cieux, M⁣ᵉ Desmoulins se faufila au milieu de la foule, monta sur une table et se mit à hurler :

— Citoyens ! La nation tout entière avait demandé que Necker lui fût conservé, et nous apprenons qu'on l'a chassé ? Peut-on nous braver plus insolemment ?

Il ne bégayait plus.

Un à un, les Parisiens se retournèrent vers ce jeune homme à la longue chevelure sauvage, et la clameur commença à monter.

— Après ce coup, ils vont tout oser et, pour cette nuit, ils méditent sans doute une Saint-Barthélemy des patriotes ! Les troupes du Champ-de-Mars entreront ce soir dans Paris pour égorger les habitants ! Aux armes !

La foule, nourrie par sa propre colère autant que par la verve de ce jeune avocat, se mit à scander à son tour ces deux mots terribles : « Aux armes ! Aux armes ! »

— Mes amis ! Attendez ! reprit Desmoulins, grisé par son propre discours. Nous devons pouvoir nous reconnaître entre nous !

Alors, toujours debout sur sa table, se saisissant d'une feuille de marronnier, il l'attacha au col de sa veste.

— Que tous ceux qui veulent se battre pour la liberté portent cette cocarde verte, couleur de l'espérance ! Ce sera le symbole des vrais patriotes !

Un à un, les hommes et les femmes qui l'entouraient se mirent à l'imiter, accrochant à leurs vêtements une feuille d'arbre et brandissant qui une épée, qui un pistolet, qui un simple bâton.

Devant cette agitation grandissante, des soldats de la garde de Paris, qui venaient d'entrer dans le jardin du Palais-Royal, s'approchèrent, la main au fusil.

— L'infâme police est ici ! cria Desmoulins en les pointant du doigt. Eh bien ! Qu'elle me regarde ! Qu'elle m'observe ! Oui, c'est moi qui appelle mes frères à la liberté ! Ils ne me prendront pas en vie, et je saurai mourir glorieusement ! Il ne peut plus m'arriver qu'un malheur, celui de voir la France devenir esclave ! Aux armes ! Aux armes !

Et alors la multitude avança vers les policiers, qui n'eurent d'autre choix que de s'enfuir, et il s'en fallut de peu pour que les pierres que l'on envoya dans leur dos n'en emportassent un ou deux.

En quelques minutes à peine, le peuple s'embrasa, et le quartier du Palais-Royal résonna des coups de feu que l'on tirait en l'air, des cris que l'on poussait, des vitres que l'on brisait. Une à une, les boutiques fermèrent pour se préserver du pillage. Dans un ballet désorganisé, les rues s'emplirent ici, se vidèrent là et, comme la masse de Parisiens furibonds ne cessait d'enfler, il se trouva des femmes pour distribuer aux nouveaux arrivants des petits bouts de ruban vert, si bien que cette cocarde d'espérance s'accrocha à tous les chapeaux, à toutes les vestes.

Desmoulins guida le cortège enflammé vers l'atelier du sculpteur Guillaume Curtius, boulevard du Temple. Là, on s'empara des bustes en cire de Necker et du duc d'Orléans, et on les porta en triomphe dans les rues, comme autant de symboles d'une juste révolte. Bientôt, ce ne fut plus un rassemblement, mais une armée qui marchait à travers Paris en hurlant sa fureur, et il se compta parmi cette multitude non seulement des petites gens et des bourgeois, des hommes et des femmes, mais aussi des gardes-françaises, qui avaient pris leur parti.

« Plus de joie ! criait-on, fermez les spectacles ! », et alors on ferma les théâtres, les cafés et les magasins.

Il était cinq heures de l'après-midi quand la foule, de plus en plus nombreuse et agitée, se rendit vers le cœur de la capitale. Arrivée à la hauteur de la place Vendôme, elle se retrouva nez à nez avec les cavaliers du Royal-Allemand qui, sous le commandement de Charles-Eugène de Lorraine, prince de Lambesc, s'alignèrent pour tenter de repousser le peuple. Que faisaient-ils là ? N'était-ce point la preuve que le roi s'apprêtait à faire massacrer les patriotes ? suggéra Desmoulins. Alors, plutôt que de rebrousser chemin, cet essaim exalté se remit en marche.

Le prince de Lambesc ordonna à ses soldats d'arrêter les deux hommes qui portaient les effigies du duc d'Orléans et du ministre Necker, s'imaginant sans doute que cela suffirait à disperser la multitude. Deux cavaliers chargèrent aussitôt et firent tomber les statues de cire des mains de leurs porteurs, blessant ceux-ci au passage. Mais la foule redoubla de fureur, ramassa les deux statues, les porta de nouveau en triomphe et commença à lancer des pierres sur les cavaliers.

Voyant qu'ils ne pourraient repousser une si vaste marée humaine, le prince de Lambesc ordonna aux soldats du Royal-Allemand de faire demi-tour et de se rassembler sur la place Louis-XV[1].

Le peuple, malheureusement, les suivit.

---

1. Actuelle place de la Concorde.

47.

Qui ne dit mot consent

Gabriel avait depuis longtemps terminé son travail, mais il était resté au *Journal* dans l'espoir d'y trouver l'information qu'il cherchait : la liste des prisonniers de la Bastille. Il était en train de fouiller les archives quand il entendit monter le ton de la voix du directeur, dans la pièce voisine.

Percevant par la fenêtre une étrange rumeur, le jeune Joly comprit qu'il se tramait quelque chose. Intrigué, il s'approcha discrètement et entrouvrit la porte du bureau de son oncle, où celui-ci semblait engagé dans une houleuse conversation avec Jean-Michel Xhrouet.

— Il est tout de même difficile de passer cela sous silence ! lança Cadet de Vaux, assis dans son fauteuil, le front soucieux.

— Vraiment ? rétorqua le directeur sur le ton du défi. Et faudrait-il alors parler de renvoi ou de démission ? Dans les deux cas, l'annonce aurait de désastreuses conséquences, monsieur ! Vous ne m'avez pas employé pour détruire ce journal !

— Et pourtant, le renvoi a bien eu lieu, répondit le propriétaire en poussant un soupir. Je vous avoue que je suis très embarrassé…

N'y tenant plus, Gabriel passa la porte et s'avança dans la petite pièce.

— Le renvoi de qui ? demanda-t-il sans ambages.

Les deux hommes, qui ne l'avaient pas entendu entrer, se tournèrent vers lui, surpris. Ils échangèrent un regard circonspect, puis Cadet de Vaux baissa les épaules d'un air dépité.

— Ah, mon pauvre Gabriel… Le roi a renvoyé Necker.

Le jeune homme, qui devinait ce que risquait de déclencher une telle décision, écarquilla les yeux.

— Mais… Il a perdu la tête ! C'était le seul qui pouvait nous sauver ! Les Parisiens vont…

— Nous ne savons pas dans quelle circonstance M. Necker est parti ! intervint Xhrouet, agacé. Cela n'a rien à faire dans notre journal, où le censeur ne nous autorise à parler que des seules séances des états généraux. Si la chose est mentionnée dans une prochaine séance, nous l'annoncerons.

— Tout de même, la chose est grave ! répliqua Gabriel. Ne sommes-nous point tenus d'informer nos lecteurs ?

À ces mots, le directeur entra dans une vive colère, et ses yeux semblèrent s'injecter de sang.

— *Nos* lecteurs ? Mais de quoi vous mêlez-vous, jeune homme ?

— Mon cher neveu ! s'interposa Cadet de Vaux, confus. Allons, laissez-moi discuter de cela avec M. Xhrouet. Il est vrai que ce ne sont point vos affaires…

Mais Gabriel, que la prudence maladive du journal excédait de plus en plus, n'avait pas la moindre intention de se retirer.

— Mon oncle, à quoi servirait votre journal, s'il ne pouvait informer ses lecteurs du renvoi du ministre des Finances ? Sans compter que cet homme s'est dévoué à la sauvegarde de notre pays ! En se taisant, le *Journal* ne risque-t-il pas de se couvrir de ridicule ?

— C'est vous qui êtes ridicule, Joly ! rétorqua le directeur. Contentez-vous de votre rubrique des spectacles ! Vous n'êtes ici que par la volonté de votre oncle !

— Jean-Michel…, tenta vainement Cadet de Vaux pour calmer son directeur.

— Vous croyez qu'avec votre misérable article sur cette histoire de fantôme vous avez voix au chapitre ? continua Xhrouet. Mais pour qui vous prenez-vous ?

— Pour un citoyen qui se fait du journalisme une idée bien plus noble que la vôtre, monsieur !

— Pardon ? cracha le directeur en s'avançant d'un air menaçant, comme s'il était prêt à en venir aux mains.

Mais Gabriel, plutôt que de prendre peur, s'avança lui aussi en bombant le torse.

— Vous êtes un lâche et un incapable ! lança-t-il.

— Gabriel ! intervint Cadet de Vaux, outré. Enfin ! Vous ne pouvez pas parler comme ça à notre directeur !

— Et vous, mon oncle, vous n'auriez pas dû employer un homme aussi pleutre pour diriger votre journal ! D'ailleurs, je n'y mettrai plus les pieds tant qu'il sera sous son administration !

— Vous ne croyez pas si bien dire ! rétorqua Xhrouet. Vous êtes renvoyé, jeune effronté !

— Renvoyé ? s'esclaffa Gabriel. Mais c'est trop tard, lamentable incompétent ! Voyez-vous, je vous *informe*, moi, qu'il s'agit là d'une démission et non d'un renvoi ! Si tant est que vous soyez capable de faire la différence ! Monsieur Xhrouet, vous êtes une honte pour votre profession ! Adieu !

Aussitôt, Gabriel fit volte-face et quitta les bureaux du *Journal de Paris* tête haute, laissant derrière lui les visages pantois de son oncle et du fâcheux directeur.

48.

Mes bijoux ? Quels bijoux ?

Quand il avait quitté Montrouge pour revenir s'installer à Paris, dans la ville qui l'avait vu naître, Louis-Sébastien Mercier avait élu domicile rue des Maçons[1], celle-là même où avait vécu Racine un siècle plus tôt, et qui menait d'une part à la rue des Mathurins et de l'autre à la place de Sorbonne, à la limite orientale du district des Cordeliers. Par la proximité de l'université et de sa considérable bibliothèque, cette rue se trouvait de fait prisée des libraires et des hommes de lettres.

Choqué par le renvoi de Necker, Mercier avait préféré rentrer chez lui avant l'arrivée du soir, craignant, avec raison, que la colère parisienne ne s'accompagnât de violentes agitations. Si la révolte lui semblait justifiée, il avait peur qu'elle ne tombe entre de mauvaises mains. En outre, la disparition de Mlle Terwagne l'avait

---

1. Actuelle rue Champollion.

plongé dans une inquiétude qui ne l'invitait guère à se mêler à la foule.

Or, justement, après avoir gravi les marches qui menaient à son appartement, l'écrivain s'immobilisa sur le palier en découvrant la jeune femme qui attendait devant sa porte !

Bien qu'elle ne portât point son célèbre costume et que son visage fût beaucoup plus pâle qu'à l'accoutumée, il avait tout de suite reconnu les traits délicieux d'Anne-Josèphe Terwagne.

— Mon enfant ! s'exclama-t-il en la prenant dans ses bras. J'étais si inquiet ! Que vous est-il arrivé ? J'ai appris qu'on avait trouvé chez vous deux cadavres !

— On a voulu me tuer !

Voyant que la jeune femme se tenait le ventre en grimaçant, Mercier s'empressa d'ouvrir sa porte.

— Entrez, entrez ! Vous voilà dans un bien triste état. Je vais vous donner de quoi vous soigner !

L'écrivain installa son amie sur le canapé de son salon et lui apporta des linges propres, de l'alcool pour désinfecter la plaie que le coup de lame lui avait faite, et de la toile pour confectionner un bandage.

Une fois soignée, la Liégeoise raconta à son ami toute sa mésaventure, par le détail.

— Et vous les avez tués tous les deux ? répéta Mercier, incrédule. D'un seul coup de sabre ?

— Eh bien, oui ! C'étaient eux ou moi !

Un sourire se dessina sur le visage de l'écrivain.

— Anne-Josèphe ! Vous êtes décidément une femme étonnante ! Je vais finir par tomber éperdument amoureux !

— Tout le monde ne semble pas partager votre enthousiasme…

— Allons, la ville est pleine de brigands. On aura voulu vous voler vos bijoux.

— Mes bijoux ? Quels bijoux ? Non, ces deux hommes n'ont rien pris dans l'appartement. Ils m'attendaient. C'était une tentative d'assassinat, monsieur Mercier !

— Alors il faut aller voir le lieutenant général de police !

— Non ! Je ne veux pas avoir affaire au Châtelet.

— Auriez-vous quelque chose à cacher ? s'étonna Mercier.

— Je préfère m'occuper moi-même de mes ennemis.

— Alors il va falloir être plus prudente à présent, et vous montrer moins !

— Me montrer moins ? s'exclama-t-elle. Vous n'y songez pas ! Si l'on veut me tuer, c'est la preuve que je dérange, et si je dérange, c'est que je fais bonne route ! Cette tentative d'assassinat ne fait que renforcer mes convictions et mon désir de prendre part à la révolte, Louis ! Il faut simplement que je me trouve une nouvelle adresse. Une adresse secrète.

— Vous voulez vivre ici ? proposa l'écrivain avec un sourire malicieux.

— Allons ! Ce ne serait une adresse ni secrète ni convenable. Non, je voudrais trouver quelque chose à Versailles, pour être au plus près des états généraux.

— Fichtre ! Cela devient une obsession !

— Si l'on veut me tuer au combat, qu'au moins cela soit sur le front !

— Vous seriez bien mieux à Paris ! rétorqua Mercier.

— Ah, Louis ! Je suis touchée que vous vouliez me garder près de vous, tout fripon que vous êtes ! Mais ma place est auprès des députés. Avec tous les amis, tous les frères que vous comptez, vous avez bien le moyen de me trouver là-bas un logement discret, n'est-ce pas ? Et de veiller à ce que nul autre que vous ne sache que j'y suis installée ? Vous êtes le dernier homme en qui je garde encore toute ma confiance.

— Est-ce toujours par la flatterie que vous obtenez des hommes ce que vous désirez ?

— Non. Parfois, c'est par les armes.

— Dieu m'en préserve ! s'exclama Mercier en riant. Allons, je vais voir ce que je peux faire. Mais ce soir, vous dormez ici !

— Louis…

— Tsss ! Je vous donnerai ma chambre, et je jure sur la mémoire de Jean-Jacques Rousseau que je resterai sagement dans le salon !

— Alors j'accepte votre invitation, et je vous en suis infiniment reconnaissante.

— À moins, bien sûr, que vous ayez besoin de compagnie dans votre lit. Ce qui serait tout à fait compréhensible, après ce que vous avez vécu…

Terwagne sourit en secouant la tête.

— Ne cesserez-vous donc jamais, vilain ragondin ? Je vous l'ai déjà dit, Louis : je ne veux plus d'amants.

— Je vais finir par croire que vous aimez les femmes !

— N'y aurait-il donc que l'amour saphique pour expliquer qu'une femme ne soit plus attirée par les hommes ?

333

— Eh bien, non : il y a aussi le monachisme, la sénilité et la componction, plaisanta l'écrivain. Mais vous ne ressemblez ni à une nonne, ni à une vieille dame, ni à une femme étouffée par le repentir.

— Qu'en savez-vous ? Et, d'ailleurs, que me trouvez-vous que vous ne trouvez pas chez toutes ces courtisanes qui entourent certainement un auteur de votre renommée ?

À cet instant, le visage de Mercier se transforma, presque imperceptiblement.

— La communion d'une douleur morale, peut-être, murmura-t-il comme s'il se parlait à lui-même.

Terwagne eut le sentiment de voir le véritable Mercier pour la première fois, et ses joues se mirent aussitôt à blanchir.

— Par… pardon ? balbutia-t-elle.

— Il y a dans vos yeux, Anne-Josèphe, les reflets d'un paysage d'automne que je ne connais que trop bien. Je crois que nous avons vu tomber les mêmes feuilles.

— Autour de moi, ce ne sont plus les feuilles qui tombent, monsieur, ce sont des arbres tout entiers. Je serais bien incapable de vous apporter le moindre bonheur.

— Et alors ? On ne soigne pas la mélancolie par la fréquentation du bonheur. Je ne suis pas sûr qu'on puisse vraiment la soigner, d'ailleurs. On s'efforce seulement de la supporter, en trouvant une âme qui la connaît assez, elle aussi, pour la comprendre et la partager…

Après un silence suspendu, leurs bouches se frô-lèrent dans un chaste baiser. La Liégeoise se redressa soudain dans un frisson et, le regard fuyant, elle se leva en marmonnant d'inaudibles excuses, avant de disparaître dans la chambre de l'écrivain, où elle s'enferma pour la nuit.

Louis-Sébastien se laissa tomber de tout son long sur le canapé et poussa un soupir. Quand le chat, qui avait fui comme toujours à l'arrivée d'un visiteur, refit son apparition au milieu du salon, l'écrivain tapota sur sa poitrine pour l'inciter à y grimper. L'animal obtempéra et planta ses yeux dans ceux de son maître, avec une lueur brumeuse que Mercier voulut assimiler à de la compassion.

— Bah, n'aie point trop pitié de moi, Milord ! L'amour ne blesse que les cœurs qui consentent à être blessés.

Ils s'endormirent l'un contre l'autre après de longues caresses.

49.

Le tournant des Tuileries

En descendant la rue Plâtrière, Gabriel éprouvait une sorte de libération, de soulagement, et presque d'euphorie : non seulement il venait de se débarrasser d'un travail qui était devenu pesant et ennuyeux, mais surtout il avait dit au directeur Xhrouet des vérités qu'il avait tues trop longtemps. Certes, ce n'était pas la meilleure façon de remercier son oncle de la chance qu'il lui avait offerte en le prenant au *Journal*, et il espérait que celui-ci saurait lui pardonner, mais voilà : dût-on choquer ou blesser, on ne trichait pas avec ses convictions !

Ainsi, le jeune homme se félicitait de mener le plus dignement possible sa vocation de journaliste quand, en découvrant l'atmosphère particulière qui avait gagné Paris, il comprit que le renvoi de Necker avait déjà provoqué des agitations. Apercevant un groupe d'hommes qui couraient dans la rue Saint-Honoré et qui portaient au col un petit ruban vert, il se décida à les suivre.

Ici et là, la chaussée était couverte de débris et, au bas des maisons, de nombreuses fenêtres étaient cassées. Autour de lui, les bruits des pas résonnaient dans un silence inquiétant, de ceux qui précèdent les pires orages.

Le cœur battant, Gabriel arriva à proximité de la place Louis-XV. De part et d'autre de la statue équestre de l'ancien monarque, entre les Tuileries, les Champs-Élysées et la Seine, la grande esplanade était noire de monde.

Partout où le journaliste posa son regard, il remarqua cette cocarde verte qu'arboraient les Parisiens en signe de ralliement. On brandissait des piques, des bâtons, des épées, on se pressait en criant : « Vive le tiers état ! Vive Necker ! » et on avançait vers le bas de la place, où était massé un nombre considérable de soldats.

Grimpant sur le rebord d'une fenêtre, Gabriel inspecta ces troupes de loin. Jamais il n'avait vu autant de militaires au cœur même d'une ville, et le spectacle faisait tristement penser aux prémices d'une terrible bataille. Il n'y avait là que des régiments étrangers, ces mercenaires que le royaume recrutait hors des frontières et que l'on considérait comme l'élite des armées.

Devant un tel déploiement de force, le jeune homme hésitait à avancer quand il vit un petit groupe de gardes-françaises qui, tête nue et cocarde verte à la poitrine, avaient quitté leur caserne pour se joindre aux Parisiens et se frayaient maintenant un chemin à travers la foule avec laquelle ils avaient fraternisé.

— Que faites-vous ? demanda Joly, en retenant l'un d'eux par le bras.

— Nous allons dire à nos frères étrangers de baisser leurs armes et de se ranger, comme nous, du côté du peuple !

Profitant de l'ouverture que cette petite cohorte faisait dans la multitude, Gabriel la suivit jusqu'au bas de la place.

C'était si émouvant de voir ces Parisiens acclamant les soldats sur leur passage que le jeune homme se mit à espérer que la réconciliation était encore possible. Quand ils arrivèrent devant les lignes des régiments d'infanterie et de cavalerie, l'un des gardes-françaises demanda qu'on le laisse s'approcher du baron de Besenval, qui supervisait les troupes, afin de pouvoir s'entretenir avec lui. L'accès lui en fut formellement interdit. Alors, apercevant le prince de Lambesc au milieu du régiment Royal-Allemand, le jeune soldat l'interpella par-delà les rangées de militaires.

— Votre Altesse ! Vos cavaliers allemands ne sont-ils pas, comme nous, les soldats de la nation ? Je suis venu devant vous pour vous dire que le peuple de Paris n'est pas ici pour vous tendre des piques, mais la main !

Le prince de Lambesc, dont l'embarras était évident, resta muet.

— Rengainez vos sabres ! le supplia encore le garde-française, et il n'y aura guère ici que célébrations ! Mais sachez que si le baron de Besenval vous ordonne la moindre violence contre nos concitoyens, alors le premier coup de feu sera pour vous !

Le prince de Lambesc se retourna vers ledit baron, posté à l'arrière-garde, espérant peut-être que celui-ci ordonnerait le repli. Mais il n'en fut rien. L'armée resta impassible.

Les huées s'élevèrent de la foule et, dans l'un de ces mouvements incontrôlables que produit la fureur collective, on vit bientôt la masse pousser vers l'armée.

Gabriel, devinant les affreux malheurs qu'une confrontation entraînerait, se faufila vers le côté et grimpa le long d'une colonnade des Tuileries pour s'y mettre à l'abri du tumulte.

De là où il était, il put voir précisément ce qu'il se passait et, si la scène qui suivit fut souvent relatée avec inexactitude, nul n'en eut une plus juste idée que cet observateur à l'esprit pur et que la vérité seule passionnait.

Dans un premier temps, malgré la pression de la foule, l'armée ne bougea pas, et il convient d'affirmer que le baron de Besenval retint ses hommes longtemps après qu'une partie des révoltés, qui s'étaient regroupés du côté des Tuileries, eurent commencé à leur jeter des pierres.

Voyant que plusieurs cavaliers blessés par les projectiles tombaient à terre, et que certains gardes-françaises commençaient à tirer des coups de fusil, le baron donna l'ordre au prince de Lambesc de charger la multitude pour la dissiper.

Ce dernier, que l'idée d'assaillir des compatriotes n'enchantait guère, se fit répéter la consigne. Devant la persistance de sa hiérarchie, il se résolut à exécuter l'instruction et demanda aux cavaliers du Royal-Allemand non pas de charger, mais de repousser la foule et de la disperser dans le jardin, qui était séparé de la place Louis-XV par un pont tournant.

Avec calme d'abord, les cavaliers avancèrent vers la foule et l'encerclèrent, mais tandis qu'ils approchaient du pont tournant, ils furent accueillis par une volée de chaises, de cailloux et de bouteilles qu'on leur jetait des terrasses, et alors le détachement se mit à charger.

Une panique immense gagna le cœur de la capitale. Les gardes-françaises firent feu sur la cavalerie, et celle-ci riposta violemment. La manœuvre repoussa le millier de Parisiens vers le jardin des Tuileries, et si aucun cavalier ne donna de coup de sabre, leurs chevaux blessèrent plus d'un homme en les renversant.

Au centre du jardin, près de la statue de Mercure, les insurgés les plus téméraires, refusant de partir, érigèrent à la hâte une barricade avec des morceaux de chaises et de barrières, auxquels ils mirent le feu.

Le prince de Lambesc, qui ne voulait point que la scène se transformât en un épouvantable massacre, ordonna à ses hommes de revenir vers la place Louis-XV. Mais des cris s'élevèrent aux terrasses, tout près de l'endroit où se trouvait Gabriel : « Fermez le pont ! Fermez le pont ! »

Voyant que des hommes se précipitaient pour leur barrer l'accès et les encercler, les cavaliers commencèrent à tirer en l'air afin de faire fuir ces émeutiers et se frayer un passage. Un meneur, toutefois, ne prit pas peur et s'acharna à vouloir fermer le pont. Le prince de Lambesc fit aussitôt galoper son cheval vers lui et, d'un coup de sabre, le blessa à l'épaule. L'homme s'écroula sur le sol et perdit connaissance.

Aussitôt, la fureur redoubla d'un côté comme de l'autre. Des coups de feu résonnèrent dont on ne savait s'ils venaient du peuple, des gardes-françaises ou de l'armée, et les chevaux du Royal-Allemand galopèrent vers la place. Un homme, foulé aux sabots des bêtes en furie, mourut sur le coup. Craignant pour leur vie, les révoltés commencèrent à se disperser.

Gabriel, trop exposé là où il était, descendit à la hâte de son perchoir et courut aussi vite qu'il put. C'était trop tard : les soldats suisses étaient déjà là qui, du plat de leur sabre, assommaient les Parisiens un à un, les blessaient souvent. Le jeune homme entreprit d'enjamber une rambarde mais, debout sur l'étroit garde-corps, il fit un mouvement fâcheux et trébucha.

Les yeux emplis d'effroi, Gabriel tenta de se rattraper à la rambarde, mais sa tête heurta la pierre, et il fallut une sorte de miracle pour qu'au dernier instant il parvînt à s'agripper, d'une seule main, aux colonnades.

Sonné, il pendait ainsi dans le vide, au-dessus du quai, et ce fut comme si le monde tournait autour de lui, tel un carrousel céleste. Ses doigts commencèrent à glisser sur la pierre, si bien que la chute devenait inévitable.

Soudain, au moment où il se croyait perdu, le jeune homme sentit une main se fermer sur son poignet, et il reconnut la large manche de la redingote rouge de Récif qui, d'une belle poigne, le hissa sur la terrasse.

— Me… merci, balbutia Gabriel, aussi abasourdi qu'incrédule.

— Tais-toi et suis-moi, imbécile !

Ils se mirent aussitôt à courir, non plus vers la Seine, mais vers le couvent des Feuillants, à l'opposé.

— Tu es fou ! haleta Gabriel, comme cette direction les obligeait à repasser au milieu du jardin des

Tuileries, où les gardes-suisses pourchassaient encore les Parisiens.

— Fais-moi confiance et cours ! lui ordonna le Salétin.

À bout de forces, le jeune homme dut puiser au plus profond de lui-même l'énergie qu'il lui fallait pour suivre le pirate de bosquet en bosquet. Récif, qui, depuis longtemps, s'était fait de l'ombre une amie fidèle, parvint à le guider habilement d'un bout à l'autre du jardin sans qu'un seul soldat pût les voir. Arrivés de l'autre côté sains et saufs, ils passèrent dans une ouverture de la grille et se jetèrent dans les potagers du monastère.

— Là-bas ! murmura le pirate en indiquant une petite chapelle.

L'instant d'après, les deux hommes, essoufflés, se retrouvèrent dans la pénombre, assis au pied d'une statue de la Vierge Marie. Gabriel, qui s'était vu mourir, fut soudain pris d'un fou rire nerveux.

— Fais moins de bruit, sombre idiot ! Tu vas nous faire repérer !

Le jeune homme mit ses mains sur sa bouche et reprit lentement son calme.

— Tu m'as sauvé la vie pour la deuxième fois, Récif ! lâcha-t-il enfin en secouant la tête.

— Et ce ne sera sans doute pas la dernière. Tu n'as pas l'air d'être très doué pour la conserver tout seul…

— Tu es un ange gardien !

Le Salétin ricana.

— D'aucuns diront que si j'étais un ange, ce serait des enfers !

— Que faisais-tu là ?

— Les hommes comme moi aiment bien se trouver là où il y a du grabuge. À nous, le désordre profite toujours…

— Les Parisiens ont de bonnes raisons de se révolter, pour se sortir de la misère, et toi, tu en profites ? s'indigna Gabriel.

— Ne sois pas si dupe ! Je croyais que tu voulais avoir sur les choses un regard juste et honnête…

— Eh bien ?

Dans le clair-obscur de la petite chapelle, le jeune homme vit le pirate poser sur lui des yeux presque moqueurs.

— Ce n'est pas la misère qui gronde. Le peuple de France n'est pas plus miséreux aujourd'hui qu'il ne l'était il y a dix, quinze ou cinquante ans ! À vrai dire, sa condition n'a cessé de s'améliorer depuis des décennies…

— Comment peux-tu dire cela ? s'offensa Gabriel.

— Parce que c'est la vérité ! Et je croyais que tu aimais la vérité ! Quand le peuple est dans la misère, il ne se révolte pas : il n'en a pas les moyens. Aujourd'hui, si la France se soulève, contrairement à ce que tout le monde dit, ce n'est pas parce que le peuple est miséreux, c'est parce que le peuple a été éclairé sur sa condition par les Lumières, et que l'État, lui, est plus pauvre que jamais…

Le journaliste fronça les sourcils.

— Ce n'est pas tout à fait vrai. Les récoltes de l'an dernier ont été les plus mauvaises depuis des décennies. Le prix du pain a tellement augmenté qu'il représente aujourd'hui plus de la moitié des dépenses d'un ouvrier ! Et, tu le sais, les bonnes charges sont données à ceux qui ont déjà de l'argent. Le fossé se creuse chaque jour un peu plus entre les riches et les pauvres, qui voient seulement grandir le luxe auquel ils n'ont pas droit.

— Je te l'accorde. Mais, dans l'ensemble, les Français gagnent mieux leur vie aujourd'hui qu'hier. L'État, en revanche, s'est lourdement endetté en soutenant les insurgés américains et ne peut plus assurer les fonds nécessaires aux services qu'il doit à la nation. Ce sont les conditions idéales pour une révolte. Les impôts ne sont, en vérité, pas aussi excessifs qu'on le dit, mais ils sont vexatoires : la taille se base sur les revenus. Plus les Français gagnent d'argent, plus ils sont taxés ! Et comme ils en gagnent aujourd'hui davantage qu'hier, ils sont plus lourdement taxés, et ont le *sentiment* de s'appauvrir, même si ce n'est pas le cas. Pendant ce temps-là, ils voient leur gouvernement endetté qui serre la vis d'un côté et multiplie de l'autre les dépenses frivoles, en offrant à la Cour de trop grandes faveurs, d'indignes gratifications…

— Alors le peuple a raison de se révolter !

— Les changements auxquels il aspire ont déjà eu lieu, Gabriel ! Les philosophes, les clubs, les académies qui se sont multipliés ces dernières années ont déjà grandement œuvré pour la liberté de parole et de pensée. C'est précisément parce qu'il *est* plus libre qu'hier que le peuple a la liberté de se révolter.

Gabriel hocha la tête sans conviction. La démonstration du pirate, quoique choquante au début, lui semblait cependant de moins en moins saugrenue.

— Sans doute estime-t-on, à raison, que cette liberté n'est pas achevée.

— On n'est jamais assez libre. Mais regarde les hommes qui alimentent cette révolte, mon ami. Qui sont-ils ? Le duc d'Orléans, le marquis de La Fayette, l'abbé Sieyès, Bailly, le comte de Mirabeau. Oserais-tu me dire que ces hommes-là vivent dans la misère ?

— Ce sont des députés, Récif ! Ils ont été élus par le peuple, il n'y a rien d'étonnant à ce qu'ils soient tous, ou presque, des notables ! Mais ils parlent au nom de la nation !

— Il n'empêche que ce sont eux qui ont lancé le mouvement. Et toi et tes amis des Cordeliers ? Qui agite vraiment ton district ? Un journaliste, des avocats, un membre des Neuf Sœurs, un imprimeur… Réfléchis bien, Gabriel ! Ce n'est pas le peuple qui se révolte, c'est la bourgeoisie ! Vous imaginez être le peuple, alors que vous êtes de bons gros nantis, mon garçon !

— Mais le peuple est avec nous, et c'est pour lui que nous nous battons !

— Ah, ça, oui, il vous suit, et il suivra toujours, tout naïf qu'il est, au péril de sa vie. Tu remarqueras aussi que le peuple n'est pas seul : les gardes-françaises lui prêtent main-forte. Pourquoi, à ton avis ? Il se murmure ici et là que ces soldats ont reçu discrètement de jolies sommes du Palais-Royal… Faites attention, Gabriel, si vous n'y prenez pas garde, les grands bourgeois d'aujourd'hui seront les aristocrates de demain !

— Tu voudrais que tout reste comme avant ?

— Pas du tout ! Si tout cela permet de bousculer un peu ce vieux régime, où l'Église et les seigneurs se sont taillé depuis cinquante générations la plus belle part, alors ce n'est que justice et je m'en réjouis.

Simplement, ne me dis pas que c'est la misère qui aura conduit à la révolte. C'est l'envie ! L'envie bourgeoise.

Gabriel sourit.

— Tu as peut-être raison… Mais si l'envie nous offre une déclaration des droits de l'homme et le suffrage universel, applaudissons-la !

— Si tu veux. Seulement, ne me reproche pas, à moi, de vouloir y trouver mon intérêt ! répliqua le pirate en lui tapotant l'épaule.

Au-dehors, les choses avaient fini par se calmer.

Sortant prudemment de la chapelle, ils purent constater que la foule avait presque disparu du jardin des Tuileries, et que l'armée, elle, ne bougeait plus, regroupée sur la place Louis-XV.

— Allez, dit Récif à voix basse, rentre chez toi, le journaliste ! Tu n'as plus rien à faire ici. Pour moi, la nuit va être longue…

— Je vois… Ne sois pas trop méchant homme ! lui lança Gabriel.

— Allons ! Je suis comme Robin de Loxley[1] ! Je ne vole qu'aux riches pour donner aux pauvres !

Ils se séparèrent après une accolade amicale.

Filant vers le Louvre, Gabriel se pressa de rentrer chez lui pour aller prendre des notes sur tout ce qu'il avait vu.

En chemin, il entendit dans les rues de Paris ce que d'aucuns racontaient : on assura que le Royal-Allemand avait tiré sans sommation sur la foule place Louis-XV, que les Parisiens, qui n'étaient là que pour se promener dans les Tuileries, étaient morts par dizaines, et

_____
1. Robin des Bois.

que Lambesc avait même égorgé un vieillard, lequel, à genoux, lui avait pourtant demandé grâce ! Gabriel ne put s'empêcher de s'indigner en entendant ces fausses nouvelles. Si violents qu'eussent été les affrontements, c'était, à l'évidence, une grande exagération des faits. S'il eût certes été préférable que le baron de Besenval reçût le délégué des gardes-françaises pour chercher une conciliation, le prince de Lambesc, lui, n'avait fait qu'obéir aux ordres, et même avec une certaine retenue ! À sa connaissance, il n'y avait pas eu des dizaines de morts, mais un seul, sous les sabots d'un cheval. Il y avait eu, en revanche, de nombreux blessés, et la chose était déjà assez choquante.

Voyant que la foule n'aspirait point à la raison, il se garda bien d'aller rectifier la vérité, mais il éprouva une grande tristesse. Quoi que Récif pût dire sur ses motifs réels, le soulèvement des Français était légitime, et voilà qu'on le salissait en lui donnant de faux arguments, qui risquaient de le discréditer. Quel terrible travers, donc, poussait ainsi les hommes à inventer de folles balivernes pour donner à leur opinion plus de poids ? La vérité n'était-elle pas une arme plus redoutable que le mensonge ? Le roi avait renvoyé Necker, puis il avait dirigé ses troupes au cœur de Paris contre son propre peuple, celles-ci avaient fait un mort et de nombreux blessés… Avait-on besoin d'en ajouter pour justifier la révolte ?

Ces fausses informations, en tout cas, produisirent leur effet : Paris s'embrasa. Pendant une partie de la nuit, Notre-Dame et toutes les églises de la capitale sonnèrent le tocsin.

Dans le même temps, les troupes postées tout autour de la ville se rassemblèrent au Champ-de-Mars, et ce fut comme si le roi lui-même voulait jeter de l'huile sur le feu d'une colère déjà trop grande.

50.

Un coup de poignard

En ce treizième jour de juillet, l'arrivée de Mlle Terwagne dans la tribune numéro six de la salle des Menus-Plaisirs, après plusieurs jours d'absence, ne manqua pas de faire son effet et mit un terme aux rumeurs qui avaient couru sur sa mort. Armée de son sabre et coiffée de son chapeau à plume, la Liégeoise s'en était venue directement du petit appartement dans lequel, grâce à Mercier, elle avait pu s'installer discrètement le matin même, rue de Noailles, à quelques pas de là.

En haut des gradins, en la voyant prendre place, l'homme au visage anguleux et aux longs cheveux bruns qui s'était glissé parmi les spectateurs se redressa sur son banc. Malgré la grande chaleur, il était curieusement emmailloté dans une veste de velours noir, dans la poche de laquelle il plongea la main pour se saisir du poignard qu'il y avait dissimulé. Ses yeux, dès lors, ne quittèrent plus la silhouette de Mlle Terwagne qui, quelques rangs devant lui, commença à écouter les débats de l'Assemblée.

Depuis la veille, tout s'était précipité. À la suite de Necker, le roi avait renvoyé trois autres ministres, parmi les plus modérés, et les avait fait remplacer par des hommes dont les noms ne masquaient guère les desseins du monarque, tels le baron de Breteuil et le maréchal duc de Broglie, tous deux apôtres de la plus ferme répression. Le message adressé à la nation était clair : Louis XVI avait l'intention de sévir !

M. Le Franc de Pompignan, archevêque de Vienne et nouveau président de l'Assemblée constituante, se leva péniblement de son siège en tenant à la main une enveloppe qu'il montra aux députés.

— Messieurs ! L'Hôtel de Ville vient de nous remettre cette lettre. La foule est immense au Palais-Royal, les barrières du nord de Paris ont été saccagées et l'on a fait fuir les commis qui y prélèvent l'octroi. On raconte qu'en ce moment même des brigands tentent d'ouvrir les prisons pour libérer les détenus…

— La capitale se trouve écrasée entre des pillards indisciplinés, qui ne sont dans la main de personne, et des militaires disciplinés, qui sont dans la main du despotisme ! s'exclama l'abbé Sieyès. Cette nuit, on a vu des artilleurs se poster près des canons des Invalides et de la Bastille ! Des Français vont tirer sur des Français !

Un murmure d'effroi parcourut l'Assemblée.

L'homme à la veste de velours noir, la main toujours plongée dans sa poche, se déporta lentement vers la droite, glissant sur le banc vide qu'il occupait. Arrivé au bord, sans se lever, il posa un pied dans l'allée qui traversait les tribunes et conduisait directement à la rangée de fauteuils où la Liégeoise était installée.

Au même instant, les émissaires partis pour le château de Versailles supplier le roi de faire enlever ses troupes de la capitale et de rappeler les ministres qu'il avait injustement congédiés reparurent dans la salle. Dans un grand silence, tout le monde regarda le rapporteur monter au pupitre.

— Voici la réponse de Sa Majesté : « Je vous ai déjà fait connaître mes intentions sur les mesures que les désordres de Paris m'ont obligé à prendre. C'est à moi seul de juger de leur nécessité, et je ne puis à cet égard apporter aucun changement. »

— C'est une honte ! s'exclama Terwagne dans les tribunes.

Indignés, tous les spectateurs s'étaient levés en même temps qu'elle en protestant. Profitant de l'agitation, l'homme aux longs cheveux bruns descendit les marches qui le séparaient de la Liégeoise et vint se placer derrière elle. Son poing se ferma sur le manche du poignard au fond de sa poche.

— Le roi affirme que Paris est aux mains des pillards, expliqua le rapporteur. Le palais Bourbon serait en feu, ainsi que Bagatelle au bois de Boulogne…

— C'est faux ! s'insurgea Sieyès. Rien ne brûle à Paris que quelques barricades, et ces barrières indignes dont on a encerclé la ville pour lever un nouvel impôt ! Si le peuple en chasse les commis, c'est qu'il espère seulement faire baisser le prix du grain !

— Le roi veut diffuser de fausses nouvelles pour justifier la présence de ses troupes ! confirma un autre député. Si nous le laissons faire, il se servira des pillards comme prétexte pour écraser les Parisiens et, demain, notre Assemblée elle-même !

Un garde s'en revenant de la porte principale annonça d'une voix inquiète que de nouveaux soldats étrangers s'amassaient au-dehors. Des murmures épeurés se mêlèrent aux protestations.

Idéalement placé derrière la Liégeoise, l'homme à la veste de velours noir était sur le point de sortir son arme quand il fut bousculé par un couple de spectateurs qui, effrayés par la nouvelle, passèrent vivement devant lui et se dirigèrent vers la sortie. Il pesta, renfonça le poignard dans sa poche et vint se placer de nouveau derrière Mlle Terwagne.

— Pour la préserver des violences dont nous la sentons menacée, déclarons notre Assemblée en permanence ! proposa le marquis de La Fayette.

Les députés, la mine grave, approuvèrent la proposition et, à la hâte, nommèrent La Fayette vice-président, afin de soulager M. de Pompignan, trop fatigué pour siéger jour et nuit.

Parmi les élus comme les spectateurs, la confusion ne cessait de grandir et l'on pouvait sentir dans l'air le poids d'une funeste alarme.

Au milieu du chahut, l'homme aux longs cheveux bruns, le front trempé de sueur, sortit de nouveau son poignard, s'avança au plus près de Mlle Terwagne, debout devant lui, et approcha la lame de son omoplate gauche.

— Gardes ! s'exclama La Fayette. Faites vider les tribunes ! Nous ne pouvons plus garantir la sécurité de nos dévoués spectateurs !

Les fauteuils et les bancs commencèrent à se vider dans un mouvement de foule. Mais Terwagne, elle, semblait ne pas vouloir partir. L'homme dans son dos serra le poing. Correctement donné, le coup allait perforer le cœur et le poumon de sa victime. La mort serait immédiate.

— Qu'importe notre sécurité si c'est le sort de la nation qui se joue ! s'écria la jeune femme en se précipitant soudain vers la rambarde, désespérée. Messieurs les députés, le peuple est avec vous comme vous êtes avec lui !

Ce faisant, sans le savoir, elle venait d'échapper à un assaut qui lui eût sans doute été fatal.

L'homme à la veste noire grimaça, furieux, cacha son arme sous le pan de son vêtement et passa entre les fauteuils pour se mettre de nouveau à portée de sa proie. Cette fois-ci, collée à la rambarde des tribunes, elle ne pouvait plus lui échapper. Il était sur le point de porter son attaque quand des gardes, arrivés du haut des gradins, surgirent dans l'allée.

— Mademoiselle de Méricourt ! la supplia l'un d'eux d'une voix bienveillante. Nous devons faire respecter les décisions de l'Assemblée. Veuillez sortir comme tout le monde.

— Ma place est ici ! protesta-t-elle.

— S'il vous plaît, insista le garde en lui tendant la main. Mademoiselle ! Ne nous obligez pas à vous forcer. Nous sommes du même camp !

Quand la Liégeoise céda enfin et se laissa raccompagner jusqu'à la sortie, l'homme qui avait tenté de l'assassiner avait disparu.

Le cœur lourd, plutôt que de retourner seule dans son nouvel appartement, Terwagne s'en alla pour Paris.

51.

L'ombre du Loup

La nouvelle de la démission du lieutenant général de police, à la mi-journée, avait laissé le commissaire Guyot dans une grande perplexité. Certes, la gouvernance du Châtelet était devenue bien pénible à assumer et, depuis quelques semaines, il ne faisait guère bon appartenir à la police dans les rues parisiennes, où l'on chassait les mouches à coups de bâton, et où les inspecteurs eux-mêmes hésitaient à montrer leur nez... Mais abandonner ? À qui allaient incomber les tâches de sûreté dans la capitale, au moment où elle en avait le plus besoin ? À la garde que promettaient l'Assemblée et l'Hôtel de Ville, mais qui n'était pas encore prête, ou aux soldats étrangers, que le roi amassait dans la ville ? Le commissaire ne faisait confiance ni à l'une ni aux autres.

Sans sa lieutenance, le Châtelet vacant, la police parisienne existait-elle encore vraiment ? M. Guyot ne pouvait se résoudre à quitter lâchement une fonction qui lui tenait tant à cœur et, si la sûreté n'était plus du ressort des commissaires, rien ne l'empêchait, pour l'instant, de poursuivre ses affaires judiciaires et civiles en cours. Aussi, plutôt que d'assister, impuissant, aux inquiétantes émeutes qui secouaient Paris, le policier avait-il décidé, accompagné de deux agents de l'Inspection générale des carrières, d'aller fouiller les galeries souterraines du quartier des Cordeliers, comme il l'avait promis à Gabriel Joly.

Cela faisait plusieurs heures que les trois hommes, à la lumière de puissantes lanternes, arpentaient ce dédale blanchâtre de couloirs, de carrefours et de cavernes, dans un air humide et frais, quand le commissaire, épuisé par la marche, poussa un soupir découragé. Certes, ils avaient bien relevé des empreintes de loup, et en grand nombre, mais dans tant de lieux différents qu'il était impossible d'en tirer la moindre logique, et aucune piste ne menait nulle part : toutes se perdaient, disparaissaient quand le sol devenait dur ou que l'on croisait les canaux des égouts...

— Je vous l'ai dit, commissaire, il faudrait un régiment entier de la garde pour avoir la moindre chance de trouver ici ce que vous cherchez, expliqua l'un des agents de l'Inspection. M. Guillaumot lui-même reconnaît qu'il existe encore plusieurs galeries qui n'ont même pas été cartographiées par nos services.

— L'an dernier, renchérit l'autre, nous avons mis plus d'un mois à trouver l'atelier où des bandits de la Tombe-Issoire venaient cacher leur butin ! Et, il y a deux ans, nous n'avons jamais pu mettre la main sur une bande de Montsouris qui se réfugiait pourtant chaque soir dans les anciennes carrières.

M. Guyot hocha la tête d'un air résigné. Mieux équipé que le jeune Joly, il avait espéré trouver quelque chose, une cache, ou au moins de nouveaux indices... Mais il fallait se rendre à l'évidence : l'ampleur de la tâche était bien trop considérable.

— Eh bien, remontons à la surface, abdiqua-t-il.

Marchant en file indienne dans un étroit corridor de calcaire, ils étaient en train de se diriger vers l'escalier en colimaçon qui menait au Val-de-Grâce quand, soudain, le commissaire s'immobilisa en retenant par le bras l'agent qui le précédait.

— Vous avez entendu ? demanda-t-il à voix basse, les yeux écarquillés.

L'homme fit non de la tête, et son collègue haussa les épaules. Guyot porta son index devant sa bouche et leur fit signe de ne pas bouger.

Après un moment de silence, les trois explorateurs échangèrent un regard entendu. Des bruits de pas venaient de résonner derrière eux !

— Baissez la lanterne ! murmura le policier, exalté. Allons voir !

Ils refirent leur parcours en sens inverse. Quand ils arrivèrent au premier carrefour, ils s'arrêtèrent et tendirent l'oreille. Sous l'effet trompeur de l'écho, ils ne parvenaient pas à déterminer catégoriquement duquel des trois couloirs qui remontaient vers le jardin du Luxembourg venaient ces bruits distants.

— C'est celui du milieu, chuchota l'un des agents.

— J'aurais dit celui de droite, rétorqua le second.

Guyot grimaça.

— Il faut nous séparer !

— C'est trop dangereux, commissaire !
M. Guillaumot nous a demandé de…

— Pas le choix ! l'interrompit le policier, impatient.
Le premier qui voit quelque chose donne un coup de
sifflet ! Pressons-nous !

Les deux hommes acquiescèrent, chacun alluma une
torche et s'engagea de son côté.

D'un pas vif, le commissaire remonta le couloir de
gauche, et il sentit bientôt les battements de son cœur
s'accélérer. Poursuivre soi-même un assassin dans le
ventre de Paris ne faisait pas partie des fonctions habi-
tuelles d'un magistrat, mais les temps eux-mêmes sortaient de l'ordinaire, et le zèle que le jeune Joly mettait
à mener cette enquête, alors qu'il n'était même pas
policier, lui commandait, par respect, de se dépenser !

La flamme vacillante projetait sur les murs une
funèbre clarté qui faisait danser les ombres et offrait
à l'allée souterraine une allure mystérieuse et inquiétante. Il trottait depuis plusieurs minutes quand il se
rendit compte que les bruits avaient peu à peu disparu.
M. Guyot s'arrêta et tenta de calmer sa respiration pour
mieux écouter. Mais il n'entendit que les palpitations
de son propre sang et le crépitement de sa torche.

Il comprit qu'il avait choisi le mauvais couloir quand
il entendit, dans le lointain, un coup strident de sifflet,
dont l'écho se répéta plusieurs fois entre les parois de
pierre.

— Fichtre ! pesta-t-il.

Le petit homme replet fit volte-face et se mit, cette
fois, à courir véritablement. Quand il fut revenu au
carrefour, il se trouva, de nouveau, devant un choix
cornélien. L'appel au secours était-il venu du couloir

du centre ou de celui de droite ? Écoutant son instinct, il opta pour le premier sans réfléchir davantage et reprit sa course.

Ses pieds glissaient à chaque pas sur la poudre de calcaire, et il manqua plusieurs fois de perdre l'équilibre, se rattrapant d'une main à la paroi rugueuse, alors que de l'autre il tentait de maintenir sa torche à distance pour ne pas se brûler. Combien de temps devrait-il courir avant de décider qu'il avait choisi la mauvaise piste ? Et pourquoi n'entendait-il plus un seul bruit ?

Devant lui, le couloir commença à s'élargir, et les contours d'une large caverne bordée de remblais se dessinèrent dans le ballet des ombres. Ralentissant le pas, il aperçut une silhouette étendue sur le sol, au pied d'une récente maçonnerie de renfort.

Saisi d'un frisson d'effroi, le commissaire se précipita aux côtés de l'homme inconscient, dont le front saignait abondamment.

— Commissaire ? Commissaire ! résonna au loin la voix du second agent.

— Par ici ! répondit Guyot tout en prenant dans sa poche un mouchoir pour nettoyer la blessure. Le couloir du milieu !

Après de petites claques sur les joues, l'employé de l'Inspection générale des carrières revint doucement à lui.

— Que s'est-il passé ? le pressa le commissaire, alors que l'autre venait aussi de les rejoindre.

— Je… je le tenais ! balbutia le blessé. L'homme à la capuche ! Je le tenais !

— Doucement ! lui conseilla M. Guyot alors que l'infortuné jeune homme se redressait contre le mur.

— Il m'a… Il m'a assommé du plat de son sabre ! dit-il en se tenant le crâne. Il aurait pu me tuer, s'il l'avait voulu !

— Dieu merci, il ne l'a pas fait ! Était-il avec son animal ?

— Non. Il était seul.

— Es-tu sûr que c'était lui ? lui demanda son collègue en s'agenouillant près de lui. C'était peut-être un simple brigand ?

— Non. C'était bien lui ! J'ai vu la laisse apparaître sous les pans de sa cape !

— Avez-vous vu son visage ?

— Non. Je n'ai rien vu sous sa capuche. On eût dit un fantôme, monsieur ! Mais j'ai ceci !

L'homme leva alors devant lui son poing serré. Dedans, il tenait fermement un petit bout d'étoffe.

— Au début, il a voulu s'enfuir, j'ai tenté de le retenir. Dans la lutte, le bas de sa cape s'est déchiré. C'est là qu'il m'a assommé. Mais je n'ai pas lâché.

Le commissaire Guyot prit le morceau de tissu noir et épais dans ses mains. Il poussa un soupir. Ce n'était pas grand-chose, mais c'était déjà cela.

52.

Cette poudre-là
n'est pas pour les perruques

En milieu de matinée, espérant y obtenir l'autorisation de consulter le dépôt des archives de la Bastille, Gabriel se rendit à l'Hôtel de Ville. Après avoir traversé un Paris encore enfumé par une nuit d'émeutes, il arriva sur la place de Grève, où une foule nombreuse s'était amassée. De la berge de sable qui bordait la Seine jusqu'au bâtiment officiel, on pouvait lire dans les yeux des Parisiens tantôt la colère, tantôt la peur. Ici, des petits commerçants dont on avait brûlé les boutiques suppliaient qu'on les protège, là des blessés témoignaient des violences dont ils avaient été victimes au jardin des Tuileries... Sous cette chaleur écrasante, le tumulte avait les accents de l'apocalypse.

Se frayant un chemin parmi le nombre, Joly parvint à se glisser à l'intérieur. Au milieu des citoyens angoissés, il fut surpris de reconnaître la silhouette perruquée de son ami Danton.

— Que fais-tu là, Georges ?

— Je suis venu aider à la formation d'une milice citoyenne, pour nous protéger tant des soldats du roi que des pillards qui sont en train de saccager Paris !

— Je croyais que tu n'aimais pas te mêler de politique, s'étonna le jeune homme.

— De politique, non, mais de sûreté, oui ! J'aime trop notre quartier pour le voir détruit par le roi ou par les brigands ! J'éprouve le besoin de faire quelque chose, je suis resté trop longtemps spectateur. Et dire que c'est notre bon Camille qui a déclenché tout ça !

— Allons, sourit Gabriel. Camille est certes un tribun remarquable, mais tu lui accordes là un peu trop de crédit…

— On dit que c'est par son discours au Palais-Royal que tout a tout commencé !

— Georges ! C'est par le renvoi de Necker et des siècles d'injustice que tout a commencé.

— Quoi qu'il en soit, les brigands en profitent ! répliqua Danton. Et ce désordre fait les affaires du roi ! M. de Flesselles, prévôt des marchands, a été nommé ce matin à la tête d'un comité permanent par les électeurs parisiens. Je vais lui dire que je veux me charger de la milice de notre district.

Réunis autour d'une table, les membres dudit comité tentaient, derrière la barrière qui les séparait de l'audience agitée, de gérer dans l'urgence les demandes que leur apportaient leurs concitoyens.

En quelques heures, Flesselles et ses associés avaient reçu l'adhésion de tous les districts, qui étaient venus applaudir ici la souveraineté que la ville se donnait à elle-même. Les gardes-françaises et la garde de Paris s'étaient présentés eux aussi successivement devant cette autorité nouvelle pour saluer son installation et, dans un élan de fraternité, il se trouva même dans le peuple de Paris nombre de patriotes pour converger vers la place de Grève et y apporter des provisions, des vêtements, des chariots emplis de grain… Devant le drame, la plus touchante solidarité populaire se manifestait déjà, et c'était comme si des milliers de Parisiens, qui, hier, ne se connaissaient pas, étaient soudain devenus frères.

— Nous avons décrété, annonça Flesselles à la foule, que la commune de Paris créerait aujourd'hui même sa propre milice citoyenne, sous le commandement du marquis de La Salle, afin de garantir la sécurité de ses habitants. Quarante-huit mille hommes vont être désignés parmi les soixante districts, qui patrouilleront nuit et jour dans les rues. S'y joindront les soldats de la garde de Paris, et ceux des gardes-françaises qui ont déjà fraternisé avec le peuple !

Un cri d'ovation parcourut l'assemblée.

— Qu'ils portent la cocarde verte de Me Desmoulins ! lança Danton en s'approchant de la barrière. C'est la couleur de l'espérance !

— Mais c'est aussi celle du comte d'Artois, frère du roi ! fit remarquer l'électeur Moreau de Saint-Méry d'un air embarrassé.

— Qu'ils portent la cocarde rouge et bleu, aux couleurs de Paris ! suggéra un autre.

La proposition fut accueillie par des acclamations.

— C'est bien, mais ça va être trop long de faire vot' milice ! protesta un Parisien au milieu de la salle. Nous, c'qu'on veut, c'est des armes, pour nous défendre nous-mêmes, et tout de suite !

— Oui ! hurla la foule. On veut des armes !

— Il n'y a plus d'armes, ici ! s'exclama Flesselles. Soyez patients, citoyens ! D'ici demain, nous aurons notre milice, et nous l'armerons pour qu'elle vous protège.

— On veut pas attendre demain ! rétorqua un homme dans la foule. On s'fait tirer dessus par les maudits soldats étrangers, et il en arrive d'autres !

— Et on s'fait piller nos boutiques !

— C'est tout de suite qu'on veut des armes !

— Il n'y a pas d'armes à l'Hôtel de Ville ! répéta à tue-tête le prévôt des marchands, la mine sombre.

— Alors on va aller prendre celles des Invalides ! lança un Parisien en se tournant vers ses concitoyens.

— Aux Invalides ! crièrent-ils en chœur.

— Non ! s'exclama Flesselles en se levant, de plus en plus tourmenté. Écoutez… Si vraiment vous voulez des armes, il y en a… Il y en a aux Chartreux, aux Quinze-Vingts et à l'Arsenal !

— Alors allons aux Chartreux ! cria l'assemblée. Aux Chartreux !

Il y eut un mouvement de foule et la salle se vida peu à peu. Tandis que tout le monde se dirigeait vers la sortie, Gabriel se tourna vers Danton.

— Aux Chartreux ? Des armes dans un couvent ?

L'avocat secoua la tête.

— Ils n'en trouveront pas plus qu'à l'hospice des Quinze-Vingts. Quant à l'Arsenal, cela fait longtemps qu'il n'est plus utilisé…

— Mais, alors, pourquoi Flesselles les envoie-t-il là-bas ?

— Je crois que le prévôt fait cela pour disperser les foules et gagner du temps. Et il n'a pas tort. Avec ce qu'il s'est passé cette nuit, il convient d'armer la milice citoyenne, et elle seule…

— Mais c'est un mensonge de plus ! soupira le jeune homme, dépité. Il ne peut rien en sortir de bon !

— Il faut parfois mentir aux hommes pour les protéger.

— Non ! On ne combat pas le mensonge par le mensonge, on le combat par la vérité ! Ce Flesselles ne m'inspire pas confiance. S'il ment aux Parisiens sur les armes, il peut leur mentir sur autre chose…

— Si tu veux que la vérité l'emporte, il faut que nous nous dépêchions d'instaurer cette milice citoyenne, Gabriel, car elle seule nous protégera des troupes royales et donc des manigances de la Cour. Retournons au district des Cordeliers pour nous en assurer !

Comprenant que les circonstances ne lui permettraient pas d'obtenir l'autorisation qu'il était venu chercher, Gabriel se résigna à suivre l'avocat.

53.

Fak Fak !

Derrière les murs de la prison, qui faisaient dix à douze pieds d'épaisseur, l'air avait conservé sa fraîcheur. Alors que la canicule frappait Paris depuis plusieurs jours, un vent glacial semblait souffler dans les galeries obscures de la Bastille.

— Gouverneur ! hurla l'homme à la cicatrice, les deux mains agrippées à la grille de son cachot.

Ses cris résonnèrent dans l'écho de l'escalier qui descendait la tour de la Bertaudière.

— Qu'est-ce que tu fais ? s'écria son voisin en tapant contre le mur qui séparait leurs cellules. Fak ! Fak ! Qu'est-ce que tu fais ? Pourquoi appelles-tu le gouverneur ? Tu ne dois rien lui dire ! Fak !

— Tais-toi ! lui répondit le balafré en crachant par terre.

Dans l'ombre de la sinistre forteresse, un sourire se dessina sur ses lèvres.

— Tu m'as trahi ! grogna l'autre avec la voix étrange d'un aliéné. Tu vas lui dire ! Hein ? Fak,

fak ! C'est ça ? Misérable traître ! Tu vas tout lui répéter !

— Mais tais-toi donc, vieux fou ! Gouverneur ! Gouverneur ! appela-t-il encore en secouant la grille de sa cellule.

— Méchant homme ! Tu m'as berné ! se désespéra son voisin en se laissant glisser, dans l'obscurité, sur le sol glacial de son cachot. Je te maudis ! Fak, fak ! Ah, je te maudis, scélérat !

Alerté par les cris, un gardien de la prison alla chercher le gouverneur de Launay, qui arriva bientôt d'un pas vif.

— Que se passe-t-il ? demanda-t-il en s'avançant dans l'ombre vers l'homme à la cicatrice.

— Il faut que vous préveniez qui vous savez ! lui répondit celui-ci à voix basse. J'ai fait ce que j'avais à faire… Il doit venir me sortir de là au plus vite !

Launay jeta un coup d'œil vers le prisonnier qui sanglotait dans la cellule voisine.

— Il a parlé ? demanda-t-il en faisant un geste de la tête vers le pauvre homme.

— Ce ne sont pas vos affaires, répliqua le balafré. Faites-moi sortir de là, c'est tout ce que je vous demande !

Le gouverneur sourit et donna une tape sur l'épaule du balafré qui s'était laissé volontairement enfermer depuis maintenant presque trois mois.

— D'accord, d'accord ! Je vais informer votre ami et nous allons organiser votre sortie.

— Faites vite ! Je ne supporte plus cet endroit !

— Allons ! Encore un peu de patience, monsieur, murmura Launay. Mes ordres sont clairs : personne ne doit vous voir sortir. Vous l'ignorez peut-être, mais le peuple de Paris s'est soulevé. Le roi a fait venir ici de nouveaux renforts, et j'ai dû disposer sur les tours quinze pièces de canon, et trois de plus dans la grande cour. J'ai fait prendre les armes à toute ma garnison et fermer toutes les portes du fort ! Vous comprenez ? Il ne va pas être aisé de vous extraire d'ici discrètement dans un pareil tumulte.

L'homme à la cicatrice passa une main à travers les barreaux et attrapa le gouverneur par le col, puis l'amena vers lui en le plaquant contre la grille.

— Dépêchez-vous, Launay ! Je ne resterai pas un jour de plus dans votre maudite prison ! le menaça-t-il, avant de relâcher son emprise.

Le gouverneur fit un pas en arrière et épousseta sa veste. Songeant à la somme qui était en jeu, il hocha la tête et disparut dans l'ombre de la Bertaudière.

54.

Un certain
quatorzième jour de juillet

Le lendemain matin, Anne-Josèphe Terwagne ouvrit prestement un box dans la cour de son immeuble, passa des rênes à un grand cheval noir et le monta à cru. Elle caressa le cou de l'animal puis, d'une pression des talons, le fit partir au galop.

Le cheval jaillit dans la rue de Noailles et fila vers l'avenue de Paris, les fers de ses sabots claquant sur le pavé. Le regard fixe et droit, la lame de son sabre cognant contre sa cuisse, Anne-Josèphe Terwagne ressemblait plus que jamais à une guerrière amazone, chevauchant vers Priam pour affronter Achille.

L'abbé Sieyès venait de lui apprendre la nouvelle : quelques heures plus tôt, le prévôt des marchands avait menti aux Parisiens en les envoyant chercher des armes là où il n'y en avait pas ! Au lieu de les calmer, il n'avait fait que les enrager davantage, et ils étaient en train de marcher vers les Invalides pour y prendre des fusils ! Le roi, quant à lui, venait de donner l'ordre à ses troupes de se rassembler au Champ-de-Mars, et tout indiquait qu'un assaut allait être donné contre le peuple. Terwagne n'avait pas hésité un instant de plus. Sa place était auprès des Parisiens. Traversant la forêt de Meudon au galop, elle rejoignit la capitale par la Sablonnière, et il lui fallut à peine plus d'une heure pour arriver derrière les Invalides, où elle descendit enfin de la pauvre bête épuisée.

Dégainant son sabre d'un geste majestueux, Mlle Terwagne jeta un coup d'œil vers l'ouest, où une masse considérable de soldats et de cavaliers, sur le pied de guerre, occupait le Champ-de-Mars, puis elle s'avança d'un pas décidé vers l'hôtel royal des Invalides.

Le grandiose édifice – dont la vocation était d'offrir une retraite honorable aux soldats qui avaient versé leur sang pour la défense de la patrie – s'étendait sur la plaine de Grenelle, face au fleuve de Seine, alors que le dôme de son église étincelait de toutes ses dorures sous le soleil de juillet. Longeant le bâtiment par la gauche, à l'ombre de la rangée d'arbres qui encadraient l'hôtel, la Liégeoise vit se dessiner la silhouette de ces dizaines de milliers de Parisiens rassemblés sur l'esplanade en demi-lune. Aussitôt, un frisson lui parcourut l'échine. De toute sa vie, Anne-Josèphe n'avait jamais vu foule aussi immense et, quand elle se mêla enfin à ces hommes et à ces femmes, elle éprouva la ferveur indicible que seul le nombre procure, quand un seul et même espoir le rapproche.

Il y avait là, soutenus par quelques gardes-françaises, des roturiers déguenillés, des commerçants, des artisans, des bourgeois, des curés même, tout un peuple bruyant et coloré, réuni non pas pour piller de l'or, mais pour obtenir les moyens de sa seule défense.

— Des armes ! Des armes ! criait-on d'un bout à l'autre de l'esplanade.

Terwagne, sabre au poing, se fraya un chemin parmi cette nuée pour rejoindre la première ligne, qui faisait face à la grille noire des Invalides.

Il semblait à la jeune femme que sa vie entière n'aurait pu la conduire ailleurs qu'en cet endroit précis. Elle songea aux humiliations de son enfance comme à celles des récentes années, elle songea aux malheurs que la tyrannie des hommes lui avait fait subir, aux mortifications, à l'opprobre que lui avait infligé la maladie, et ce fut comme si son âme elle-même se mêlait à la cause de tous les insurgés du monde.

Du coin de l'œil, elle vit les artilleurs des Invalides allumer la mèche des boutefeux qu'ils tenaient dans leur main. Autour d'elle, quelques hommes prirent peur et commencèrent à reculer. Lors, plutôt que de céder à la même prudence, la gorge serrée, Terwagne avança et, debout face aux canons, les bras en croix, elle adressa aux soldats invalides un regard de défi.

— Nous sommes comme vous ! cria-t-elle. Les enfants blessés de la nation !

Ce cri du cœur redonna immédiatement force et courage à ceux qui entouraient cette étrange amazone, et la clameur dans son dos retrouva son intensité.

— Des armes ! On veut des armes !

Un homme en uniforme d'officier apparut au loin, à la porte Royale, traversa l'avant-cour jusqu'à la grille, et l'on vit alors que c'était M. le général de Sombreuil, commandant des Invalides.

S'approchant aussi près que possible de la foule, il leva la main pour l'inviter à se taire, et lança :

— Citoyens ! Je me rends devant vous avec l'honneur d'un soldat ! Et si je puis vous assurer que nous sommes nombreux ici à partager votre cause, je vous demande, non, je vous *prie* de respecter notre conscience et le vœu de fidélité que nous avons fait à notre commandement !

— Eh ! rétorqua un garde-française en montrant fièrement sa cocarde rouge et bleu. Nous aussi, on est des soldats ! Et notre fidélité, elle est à la nation !

— On veut juste des armes, le vieux ! Foutre ! Ouvre donc ! lui lança un autre homme dans la foule.

— J'ai fait partir un courrier à Versailles ! cria le général avec un geste d'apaisement. Nous demandons au roi l'autorisation de vous remettre nos armes et, si Sa Majesté nous la donne, je le ferai volontiers ! Allons ! Attendons le retour de ce courrier !

— Voilà une nouvelle manœuvre pour nous faire perdre du temps ! riposta Anne-Josèphe. J'ai vu les cavaliers au Champ-de-Mars, prêts à attaquer ! Monsieur, vous ne valez guère mieux que le prévôt Flesselles ! Pour l'amour de la liberté, ouvrez ! Nous ne sommes pas venus ici pour violer l'asile de la bravoure française, nous demandons des armes pour résister à la force par la force !

Sombreuil, dépité, poussa un soupir et recula de quelques pas.

Rapidement, les cris reprirent de plus belle et, quand la colère du peuple fut si grande qu'il sembla prêt à attaquer l'hôtel, le général, livide, se tourna vers les artilleurs et s'écria :

— Canonniers, à vos pièces ! Faites feu sur les émeutiers !

À ces mots, le sang de Mlle Terwagne se glaça. Ainsi, le peuple allait tirer sur le peuple ! Pourtant, comme la multitude autour d'elle, elle ne recula point. Alors qu'elle était prête à perdre la vie, elle remarqua que les artilleurs n'avaient pas bougé.

Sombreuil, prenant une profonde inspiration, répéta son ordre d'une voix plus forte encore.

— Feu !

Mais ses soldats ne bougèrent pas davantage et, au lieu de cela, certains foulèrent à leurs pieds les mèches allumées de leurs boutefeux.

— Nous ne pouvons ni ne devons obéir ! cria un invalide en jetant au sol son épée.

Et ce fut comme un signal pour les Parisiens.

D'un seul élan, ils traversèrent le fossé qui les séparait des grilles et se mirent à arracher celles-ci. Sous le poids du nombre, le fer céda plus vite qu'on ne s'y était attendu. Aucune digue au monde n'eût pu arrêter pareil torrent et, dans une clameur formidable, on pénétra par milliers dans l'avant-cour.

Sous le regard sévère du bas-relief de Louis XIV, les invalides quittèrent leurs canons et vinrent embrasser le peuple dans un émouvant élan de fraternité. Les vétérans, qui, mieux que nul autre, connaissaient le sens véritable de l'amour de la nation, aidèrent même à faire entrer des chevaux pour enlever les douze pièces d'artillerie qui protégeaient l'hôtel.

Tandis que la foule s'éparpillait dans la cour royale, d'autres invalides sortirent des bâtiments et désignèrent volontiers le chemin vers le caveau où étaient entreposées les armes.

— Servez-vous ! criaient-ils. Servez-vous ! Le général de Sombreuil nous a ordonné hier de mettre les fusils hors service en enlevant chiens et baguettes, mais n'ayez crainte : nous n'y avons pas touché ! Ils sont intacts !

Dans le petit escalier qui menait sous terre au magasin, ce fut une cohue épouvantable. Par centaines, par milliers même, les citoyens se précipitèrent dans ce passage trop étroit et descendirent vers ce gouffre obscur, pour aller y prendre qui un fusil, qui un pistolet, qui une épée, avant de remonter à la surface à la hâte. On se marchait dessus, on se bousculait, on s'écrasait et, quand le caveau fut vidé des trente mille armes qu'il avait abritées, il y resta des hommes blessés ou évanouis. Sous l'effet du nombre, les Parisiens semblaient s'être livrés à une exaltation qui ne laissait plus la moindre place à la raison.

Mlle Terwagne, s'alarmant de ce spectacle désolant, se précipita pour secourir ceux qui, épuisés par la bousculade, peinaient à remonter. Parmi la masse des blessés qu'on sortait pour aller les coucher sur le gazon, elle reconnut ce jeune avocat bouillonnant qu'elle avait rencontré au district des Cordeliers.

— Desmoulins ! cria-t-elle.

Camille attrapa cette main tendue et s'extirpa péniblement de l'escalier.

— Nous sommes libres, mademoiselle ! cria-t-il en frappant le sol de la crosse du fusil qu'il venait de prendre.

Anne-Josèphe le serra un instant contre elle, comme si, à travers lui, c'était le peuple tout entier qu'elle étreignait, puis elle répondit d'un air grave :

— Nous ne sommes pas encore libres, maître Desmoulins ! Vous avez des fusils, certes, mais il vous manque encore les munitions ! Et, pour vos canons, point de boulets !

— La poudre, les balles et les boulets, ils… ils sont à la Bastille ! rétorqua Camille d'une voix enflammée.

Et alors, montant sur un muret au milieu de la cour des Invalides, comme il l'avait fait au Palais-Royal, le jeune homme brandit son arme vers les cieux et se mit à crier :

— Citoyens ! À la Bastille ! À la Bastille !

55.

Un marché de dupes

Une heure plus tard, Gabriel Joly et Georges Danton entrèrent de nouveau dans l'Hôtel de Ville pour y apporter la déclaration du district des Cordeliers que le président Archambault venait de rédiger à leur demande. À peine à l'intérieur, ils virent le marquis de La Salle, commandant de la toute nouvelle milice parisienne, se porter sur l'estrade et faire une annonce.

— Nous allons envoyer à la Bastille une délégation pour obtenir du gouverneur de Launay qu'il enlève des tours ses canons, et qu'il fournisse à notre milice ses munitions !

Il fut applaudi par les nombreux représentants des districts qui étaient présents.

— Il faut que j'aille avec eux, murmura Gabriel en se tournant vers Danton.

— Et pourquoi donc ?

— Le peuple aura besoin d'un témoin de bonne foi ! affirma-t-il, cachant à son ami qu'il avait une autre raison de vouloir se rendre à la Bastille.

Danton acquiesça en souriant et lui donna une tape amicale sur l'épaule.

— Va, mon garçon ! Ce sera peut-être ton heure de gloire.

Ainsi, Joly, son carnet de notes dans les mains, s'approcha vivement de la barrière et interpella le marquis de La Salle.

— Monsieur, je suis Gabriel Joly et…

— Ah ! Le neveu de mon cher Cadet de Vaux ! l'interrompit le marquis. Votre oncle m'a dit que vous vous étiez emporté contre son directeur et que vous aviez quitté le *Journal de Paris* pour voler de vos propres ailes… Très bon choix : Xhrouet est un imbécile. Que faites-vous là ?

— J'aimerais accompagner votre délégation à la Bastille, afin de consigner ce qu'il s'y dira et peut-être d'en tirer un article.

L'homme, qui avait été lieutenant-colonel dans l'armée avant de démissionner deux ans plus tôt, et qui s'était aussi fait connaître comme écrivain et dramaturge, était réputé pour sa droiture comme pour sa générosité. Il regarda Gabriel en hésitant.

— Cela pourrait être dangereux, jeune homme.

— Quel journaliste serais-je si je n'étais pas prêt à prendre des risques ? Ne vous êtes-vous pas mis vous-même en danger, en intégrant le comité permanent ?

La Salle sourit. Après tout, l'Hôtel de Ville allait avoir besoin d'un peu de publicité.

— Soit. Allez-y ! Mais pressez-vous ! Il faut que la délégation parvienne à faire céder Launay avant que le peuple ne s'en revienne des Invalides. Nous voulons à tout prix éviter qu'un combat s'engage.

Gabriel acquiesça avec un sourire reconnaissant et courut rejoindre les trois hommes en partance pour la Bastille : M. Belon, officier de la compagnie des chevaliers de l'arquebuse, M. Billefod, sergent-major d'artillerie, et M. Chaton, ancien sergent des gardes-françaises. En somme, trois militaires qui, espérait-on, auraient plus facilement l'oreille du gouverneur.

Quand il arriva devant la voiture qui devait conduire les trois délégués à la Bastille, celle-ci venait de démarrer et, courant derrière, il dut sauter à l'intérieur en s'excusant.

— Gabriel Joly, journaliste, se présenta-t-il. Je suis ici avec l'autorisation du marquis de La Salle.

Les trois hommes assis dans le fiacre froncèrent les sourcils mais lui laissèrent une place auprès d'eux, alors que les chevaux se mettaient au galop vers la rue Saint-Antoine.

Par la fenêtre, Gabriel remarqua les nombreux hussards qui patrouillaient, la main au fusil. Dans leurs yeux se lisait une funeste tension. Le jeune homme soupira. Quand donc le roi retirerait-il ces troupes, qui semaient dans Paris le désordre plutôt que l'ordre ?

Alors que la voiture filait sur le pavé, la forteresse de la Bastille se dessina au-dessus des maisons de Saint-Antoine. Gabriel observa l'immense château, composé de huit grosses tours, reliées entre elles par des murs épais au pied desquels coulait un large fossé. Sur le flanc sud, il aperçut la cour du Gouvernement, un ensemble de bâtiments extérieurs au fossé et protégés par leur propre pont-levis.

Il était dans les dix heures du matin, et le peuple de Paris n'était pas encore revenu des Invalides quand la délégation de l'Hôtel de Ville passa sous le premier portail, qui menait à l'avant-cour.

Sur le côté droit, Joly vit défiler les casernes de la garnison et, sur le gauche, une rangée de boutiques, prudemment fermées ce jour-là... Le fiacre longea les écuries et s'immobilisa devant le premier pont-levis, dit de l'avancée.

Après quelques minutes d'une longue attente, comme M. Belon avait fait annoncer sa délégation au nom de l'Hôtel de Ville, le pont s'abaissa enfin, et la voiture put entrer dans la cour du Gouvernement, où était érigé l'hôtel du gouverneur.

Gabriel éprouva quelque appréhension quand, dans le vacarme de ses chaînes, le pont-levis se referma derrière eux. Les mots du Loup lui revinrent en mémoire : « S'il vous faut un mystère à résoudre, regardez plutôt du côté du prisonnier secret de la Bastille ! » Les circonstances allaient peut-être lui permettre de lever le voile sur cette intrigante énigme.

Quand la délégation descendit de la voiture, elle fut accueillie par le major de Losme, auxiliaire du gouverneur, sur qui retombait toute la charge de l'administration intérieure, car le rôle du gouverneur, pourtant gratifié de quinze mille livres par an, était principalement honorifique : l'essentiel de son travail consistait à recevoir à dîner un ministre ou quelque grand personnage quand celui-ci se rendait à la Bastille...

— Messieurs, soyez les bienvenus ! Le gouverneur va vous recevoir dans un instant en son hôtel, annonça de Losme en désignant le corps de logis haut de trois étages qui faisait face au second pont-levis. Si vous voulez bien me suivre, je vais vous conduire à l'anti-chambre.

Gabriel suivit diligemment le major et les trois délé-gués de l'Hôtel de Ville. Jetant un dernier coup d'œil derrière lui vers la forteresse, il ne put s'empêcher de remarquer les canons disposés en haut des tours, ainsi que les nombreux soldats derrière les créneaux. Trente gardes-suisses du régiment de Salis-Samade étaient venus trois jours plus tôt renforcer la garnison des quatre-vingt-quinze invalides, et tout ce monde était en poste à l'intérieur. Le fort, à l'évidence, était sur la défensive.

De Losme fit entrer les visiteurs dans l'hôtel du gou-verneur, étonnamment désert, et les invita à s'asseoir quelques instants.

En prenant place, Gabriel songea que les lieux étaient étrangement calmes et l'attente terriblement longue : pouvait-il y avoir plus urgent pour le gouverneur de la Bastille, en un jour pareil, qu'une délégation de l'Hôtel de Ville ? N'était-ce pas un affront fait à la ville que de faire attendre son comité ? Tendant l'oreille, il crut entendre une conversation dans la pièce voisine. Elle semblait se livrer à voix basse, comme si l'on complo-tait. Se pouvait-il que cela ait quelque rapport avec le message du Loup ? Le justicier avait-il souhaité attirer l'attention du journaliste sur un complot qui se jouait dans les murs de la prison ?

Quelques instants plus tard, enfin, le marquis de Launay apparut à l'entrée de l'antichambre. En bel habit militaire, la croix de chevalier de Saint-Louis fièrement accrochée à sa poitrine, le gouverneur ouvrit

chaleureusement les bras pour accueillir les quatre visiteurs.

— On me dit, messieurs, que vous m'apportez un
message de l'Hôtel de Ville ? lança-t-il tout sourire.

— En effet, gouverneur, répondit vivement
M. Belon, que l'attente avait agacé. Nous sommes
tous trois délégués du comité permanent, et ce jeune
homme est journaliste.

— Journaliste ? répéta le gouverneur. Soit. J'espère
que vous venez avec de bonnes nouvelles ! Après
qu'on a incendié les barrières de Paris, je ne voudrais
pas qu'on vienne brûler mes ponts ! Suivez-moi !

Leur emboîtant le pas, il les fit entrer dans une salle
de réception, dont le luxe détonnait avec la froide
sobriété de la forteresse au-dehors.

Gabriel inspecta la pièce d'un air suspicieux. Avant
que le gouverneur fût apparu, il avait entendu non pas
un, mais deux bruits de portes que l'on ouvrait puis
refermait. Il repéra la deuxième issue de l'autre côté,
et son instinct le poussa à regarder par les fenêtres.
À cet instant, il vit passer furtivement la silhouette
d'un homme dont le visage était caché par le col d'une
grande cape noire, et il fut certain que celui-ci venait
de sortir discrètement par l'arrière. Qui donc le marquis
de Launay pouvait-il avoir reçu en secret avant eux ?

— Monsieur le gouverneur, expliqua Belon d'une
voix solennelle, nous arrivons de l'Hôtel de Ville pour
vous engager, au nom du comité permanent, à retirer
vos canons qui sont dirigés sur la rue Saint-Antoine,
à livrer à la commune de Paris les munitions dont
vous disposez afin qu'elles soient remises à la nouvelle milice parisienne, et à donner votre parole de ne

commettre aucune hostilité à l'endroit des citoyens de Paris. Nous vous assurons, de notre côté, que le peuple ne portera à aucune entreprise funeste contre vous et contre la place que vous commandez.

Le marquis de Launay hocha la tête, comme si la chose ne le surprenait guère.

— Messieurs, vous êtes mes invités ! Si cela peut rassurer le bon peuple de Paris, je m'en vais de ce pas donner l'ordre de retirer les canons et, en attendant, je vous propose de vous joindre à moi pour une petite collation.

Il désigna des mets et boissons qu'on avait disposés sur une table près de lui. Un festin.

Les trois émissaires, après quelques hésitations embarrassées, s'approchèrent de la table et commencèrent à y piocher, pendant que le gouverneur ordonnait au major de Losme d'aller faire retirer les canons.

Gabriel, qui ne pouvait s'empêcher de trouver la scène inappropriée, sinon étrange, masqua à peine son indignation et resta à l'écart.

— Sachez, messieurs, reprit le gouverneur en servant du vin aux délégués, que je vous reçois de bon cœur et que j'accepte de faire retirer les canons non pas par peur d'une attaque, mais par compassion pour le peuple. Ces pièces d'artillerie ne sont là qu'à titre préventif, étant donné les nombreux désordres que Paris connaît depuis deux jours…

— Elles sont apparues en haut de vos tours bien avant ! fit remarquer Gabriel, avec une légère impudence.

De nouveau, le gouverneur sourit et, au goût du jeune homme, il souriait trop.

— Allons ! Sachez que la Bastille, avec ou sans canons, est parfaitement imprenable !

— Le but d'une prison est-il d'empêcher qu'on y entre, ou bien qu'on en sorte ? rétorqua Gabriel avec malice.

— Pour quel journal travaillez-vous ? demanda le gouverneur, que son agaçant sourire était en train de quitter peu à peu.

— J'écris des occasionnels chez le libraire Momoro.

— Ah ! je vois ! répliqua Launay, condescendant. Eh bien, pour répondre à votre question, le but premier d'une prison, vous avez raison, est d'empêcher qu'on en sorte…

— Pourtant, plusieurs en sont sortis, il me semble. M. Henry, dit Latude, ne s'est-il pas échappé de votre prison par trois fois ? Si vous ne pouvez garantir qu'on s'échappe de la Bastille, êtes-vous si certain qu'on ne puisse y entrer ?

— La sécurité a depuis été renforcée ! Quant à Latude, il était sorti par les cheminées, et je les ai fait enlever.

Au même moment, le major de Losme réapparut dans la salle de réception.

— Monsieur le gouverneur, les canons ont été retirés, annonça-t-il sur le pas de la porte.

— Parfait ! Voyez, messieurs, je vous ai fait preuve de ma bonne foi.

— Absolument ! répondit M. Belon, ravi, en terminant son verre de vin.

— Pardon, intervint Gabriel, mais pour parler de preuve, ne faudrait-il pas que nous puissions la constater par nous-mêmes ?

Le gouverneur se tourna vers lui.

— Jeune homme, ma parole de gouverneur devrait suffire, et il est contraire à notre règlement de faire pénétrer des visiteurs dans l'enceinte de la forteresse.

— Si cela peut mettre un terme à leur inquiétude, intervint timidement le major de Losme derrière lui, je veux bien conduire ces messieurs dans la tour du Trésor.

— Pardon ? s'exclama le gouverneur, furieux, en dévisageant son adjoint.

— Monsieur le gouverneur, répliqua le bon major avec l'assurance de l'honnête homme, nous n'avons rien à cacher, et il serait dommage de laisser les esprits s'échauffer pour si peu. J'ai fait retirer les canons, comme vous l'avez demandé, et, si ces messieurs veulent s'en assurer pour conforter le peuple de Paris, je veux bien les y conduire. Le règlement m'y autorise.

Launay le foudroya du regard.

— Très bien, céda-t-il néanmoins, alors suivez-moi, messieurs !

Ainsi, les quatre visiteurs sortirent des beaux appartements du marquis et traversèrent la cour du Gouvernement pour monter sur le large pont de pierre – dit pont dormant – qui menait à la forteresse elle-même.

On abaissa le plus petit des deux pont-levis, entouré d'un treillis de fil de fer sous lequel veillait une sentinelle. Traversant cet étroit portail, ils arrivèrent dans la cour intérieure de la Bastille, entourée de murailles qui dépassaient chacune les cent pieds de hauteur et dans lesquelles n'était percée aucune fenêtre. On avait l'impression d'être ici au fond d'un puits, et l'air chaud y était irrespirable. La grande cour avait pour seul décor une horloge, dont l'encadrement, par quelque cruelle ironie, était fait de fers sculptés qui figuraient deux chaînes emmêlées, et l'on imaginait aisément l'effroi que pouvait inspirer le lent décompte des minutes à ceux qui étaient enfermés là pour de nombreuses années.

La délégation se dirigea vers la tour du Trésor. À la lumière d'une torche, ils empruntèrent l'escalier en colimaçon et gravirent les marches jusqu'au sommet. Gabriel, qui était monté tout de suite après le gouverneur, remarqua que celui-ci jetait régulièrement des coups d'œil à sa montre de gousset et que, chaque fois, il accélérait un peu le pas. Avait-il un autre rendez-vous ?

Il était bientôt midi quand, juchés sur cette tour, ils purent constater que des hommes, de plus en plus nombreux et venus des quatre coins de la capitale, commençaient à affluer vers la Bastille. La foule des Invalides n'était pas encore là mais, alertés par la rumeur, les environs comptaient bien plus de Parisiens qu'à l'accoutumée.

— Messieurs, dit le gouverneur en regardant ces groupes qui approchaient, j'espère que vous tiendrez parole et que le peuple de Paris n'entreprendra rien contre la Bastille. Il courrait à sa perte !

Gabriel observa non seulement les boulets de canon entassés contre les remparts, mais aussi les tas de pavés qui avaient été disposés à côté. L'absence de poussière semblait indiquer qu'ils venaient d'être montés ici, sans doute pour se défendre d'éventuels assiégeants. Le long des créneaux étaient postés une demi-douzaine de soldats.

— Monsieur le gouverneur, vos canons ont été reculés des embrasures, en effet, mais de quatre pieds seulement, et ils sont toujours en direction, fit remarquer M. Belon, embarrassé. Cela n'est guère rassurant pour la foule. Il conviendrait de les retourner totalement, afin qu'ils ne soient plus dirigés vers l'extérieur, et de dire à vos soldats de ne point se montrer ainsi.

Irrité, le gouverneur secoua la tête puis, après un grognement, il promit qu'il allait en donner l'ordre.

— Bien, fit Belon, il nous reste à régler la question des munitions…

— Monsieur ! s'emporta cette fois le marquis de Launay. Nous n'avons pas à la Bastille plus de munitions qu'il n'en faut pour sa garnison. Si l'Hôtel de Ville imagine qu'il y a ici une réserve considérable de poudre et de balles, il se trompe !

Il y avait en réalité dans l'entrepôt une honorable quantité de poudre pour les canons et, dans la nuit du 12 au 13 juillet, sur ordre du baron de Besenval, on en avait fait venir un nouvel approvisionnement…

— Gouverneur, notre délégation a pour mission de vous faire livrer vos munitions à l'Hôtel de Ville, et nous devons l'exécuter.

— Je ne peux pas faire une chose pareille sans le mandat de l'autorité municipale ! Avez-vous un mandat ?

Gabriel fit une grimace de dépit. Le marquis, à l'évidence, y mettait la plus mauvaise volonté.

— Non, nous n'avons pas de mandat, répliqua Belon, mais nous parlons au nom du comité. Au nom de la patrie !

— C'est un mandat qu'il me faut, s'entêta Launay.

Les trois délégués échangèrent un regard perplexe. Malheureusement, ils n'avaient pas le choix.

— Si c'est un mandat qu'il vous faut, je vais aller le chercher, céda le sergent-major Billefod. Mais alors, plus d'atermoiement !

Sans attendre, il s'engouffra dans l'escalier pour redescendre au plus vite dans la grande cour.

S'approchant du côté sud de la tour, Gabriel regarda vers la Seine. Son visage s'assombrit.

56.

Était-ce un piège ?

C'est à ce moment précis que le cortège de citoyens qui avait quitté l'hôtel des Invalides une heure plus tôt arriva au quartier Saint-Antoine. C'était un spectacle formidable que ces milliers de Parisiens exaltés, portant la cocarde rouge et bleu, qui suivaient en marchant comme un seul homme les canons tractés par des chevaux, en criant : « À la Bastille ! » Et ce peuple de Parisiens, parmi lesquels beaucoup s'enorgueillissaient hier encore de porter la perruque, allait tête nue. On avait les cheveux coupés à la Titus, et on portait le chapeau rond !

Derrière certaines fenêtres, quelques grands bourgeois, effrayés par les cris de la populace, s'étaient barricadés, mais toutes les autres étaient grandes ouvertes et, quand elle passait, on acclamait cette cohorte pleine d'espérance, on lui lançait des fleurs et des rubans, on lui criait des « Hourra ! ». Il y avait dans cette marche solennelle le symbole d'un peuple qui n'aspirait qu'à conquérir sa liberté. Car il serait bien naïf de croire que Paris marchait ainsi seulement pour chercher dans les entrailles d'une forteresse les munitions qui lui manquaient. Si on allait vers la Bastille, c'était aussi qu'une inspiration souveraine poussait le peuple vers l'emblème incarné du despotisme et de la privation de liberté ; ce qu'on voulait voir tomber, ce n'étaient pas seulement les murs d'une vieille prison, mais l'allégorie de l'oppression et de l'asservissement.

Voyant que la tête du cortège s'apprêtait à remonter vers la rue Saint-Antoine, Camille Desmoulins courut en levant les bras et s'écria :

— Arrêtez-vous ! La rue Saint-Antoine est exposée aux canons de la Bastille ! Si nous voulons nous garder de la poudre, nous devons éviter cette voie et nous rapprocher de la forteresse par l'Arsenal ! Citoyens ! Le gouverneur de Launay y possède une belle mai… maison, il n'osera jamais faire tirer les canons dans cette direction ! Par l'Arsenal !

— Par l'Arsenal ! répondit la foule en pointant ses piques et ses fusils vers les jardins qui, depuis la Seine, s'étendaient jusqu'à la Bastille.

La troupe se remit en mouvement. Cheminant vers le nord, ils virent enfin se dessiner dans le ciel d'azur la silhouette terrible des huit tours de la Bastille.

— Mademoiselle ! glissa Desmoulins en se portant à la hauteur d'Anne-Josèphe Terwagne, qui marchait derrière les canons. Êtes-vous sûre de vouloir rester ici ? Je crains que l'affrontement ne soit plus violent qu'aux Invalides…

La Liégeoise se tourna vers lui, offusquée.

— Camille ! Sachez qu'il y a peu d'hommes autour de vous capables de se servir d'un sabre ou d'un pistolet aussi bien que moi. Ma place est ici. Mais vous ? Je vous retourne la question…

— Oh, moi… je me suis découvert depuis deux jours une âme de guerrier !

— Malheureusement, maître, on ne se bat pas contre la poudre avec son âme. Restez près de moi, je vous protégerai.

Desmoulins, vexé à son tour, se renfrogna alors qu'ils arrivaient sous le passage qui menait aux premières dépendances de la Bastille.

Sur leurs gardes, les Parisiens, soudain muets, avancèrent entre les casernes et les boutiques, et il leur sembla que les lieux avaient été abandonnés : aucun homme, aucun soldat, aucun autre bruit que celui de leurs propres pas.

Quand ils arrivèrent devant le pont-levis de l'avancée, par lequel on passait dans la première cour, ils virent qu'exceptionnellement il était relevé. En haut du corps de garde, qui le surplombait par la gauche, aucune sentinelle n'apparut. Tout était calme. Les lieux étaient enveloppés d'une déconcertante tranquillité.

Le convoi s'immobilisa un instant devant le fossé puis, peu à peu, des milliers de voix firent monter vers le ciel le même cri.

— La Bastille ! Nous voulons la Bastille ! En bas la troupe !

À cette clameur aucun mouvement ne répondit derrière les remparts du premier corps de garde. Pendant de longues minutes, l'assemblée continua de crier, de demander à d'invisibles interlocuteurs qu'on abaisse le pont, mais en vain. Les remparts méprisants de la cour du Gouvernement restèrent silencieux.

— Regardez, dit Mlle Terwagne à Desmoulins en pointant le doigt vers le sommet de la forteresse, sur leur gauche. Les canons aussi ont été enlevés du haut des tours !

— C'est étrange, acquiesça le jeune avocat. Croyez-vous que le gouverneur et ses soldats auraient fui ? On dirait que toute la prison et ses alentours ont été désertés…

Autour d'eux, en effet, toutes les dépendances du château étaient vides.

— On dirait surtout un piège ! rétorqua la Liégeoise.

La foule, exaltée par la victoire qu'elle venait de remporter aux Invalides, s'excita de plus en plus, qui ignorait qu'une délégation de l'Hôtel de Ville était venue négocier avec le gouverneur à l'intérieur de la Bastille et attendait en ce moment même le retour du sergent-major Billefod.

Deux hommes grimpèrent sur le toit de l'une des boutiques de l'avancée et parvinrent à se hisser sur le rempart qui menait au corps de garde. Escaladant vaillamment le mur, ils basculèrent de l'autre côté et, après un moment de silence, on les vit réapparaître et crier :

— Il n'y a personne de ce côté-ci non plus !

— Ouvrez le pont-levis ! leur répondit la foule.

Les deux intrépides disparurent et bientôt, dans un grand vacarme, on les entendit briser, à coups de hache, les lourdes chaînes qui retenaient le pont, et ce bruit seul revigora les acclamations.

La haute porte en bois se mit à pivoter vers l'avant, puis elle tomba dans un fracas terrifiant, soulevant autour d'elle des nuages de poussière.

La tonitruante file d'insurgés pénétra aussitôt dans la cour du Gouvernement, en poussant des cris de triomphe, et s'amassa peu à peu dans ce deuxième enclos désert. Autour d'elle, il n'y avait que des bâtiments vides : l'hôtel du gouverneur, les cuisines, le deuxième corps de garde… Tout était abandonné.

— Ils se sont enfermés dans la forteresse ! cria-t-on en s'avançant vers le pont dormant.

— S'ils apparaissent en haut des tours et que nous restons là, s'inquiéta Desmoulins en marchant près de la Liégeoise, ils vont nous abattre comme des rats !

Alors qu'ils approchaient du deuxième pont-levis, une par une, ils virent apparaître les baïonnettes au sommet des larges tours.

— C'était bien un piège ! s'exclama Camille. Mademoiselle Terwagne, il faut que nous sortions de là !

— Allez-y, si vous voulez, répondit Anne-Josèphe, les yeux envahis de flammes. Moi, je reste avec le peuple !

57.

Pendant ce temps-là, aux Gobelins

— Les rues sont bien désertes, aujourd'hui, mon cher Michel ! s'inquiéta Charles-Axel Guillaumot en recevant le commissaire dans le bureau qu'il occupait à la manufacture des Gobelins.

Trois mois plus tôt, à la mort du peintre Jean-Baptiste Pierre, M. Guillaumot, déjà directeur de l'Inspection générale des carrières, avait été nommé par Louis XVI à la tête de la manufacture en récompense de son grand dévouement au royaume, si bien qu'il devait assurer à présent les deux charges.

— Vous n'avez pas entendu ? Tout Paris est entre les Invalides et la Bastille, répliqua M. Guyot, le front soucieux. Je crains le pire…

— Et vous n'y êtes pas ?

— La police n'y est pas bienvenue, mon ami. En outre, on nous l'a interdit en haut lieu, soupira le commissaire en prenant place dans le large fauteuil. Quand on a juré de protéger les Parisiens, il est bien ardu de le faire contre celui qui vous y emploie !

Sise au milieu de la rue Mouffetard, la manufacture royale des Gobelins – ainsi nommée en mémoire de Jehan Gobelin, l'un des plus grands teinturiers parisiens du XVe siècle – avait pris une ampleur prodigieuse depuis le règne de Louis XIV. Sous la direction de grands peintres et de brillants architectes, on usait ici des procédés de teinture les plus modernes pour confectionner des tapisseries dont la splendeur faisait la fierté des maisons royales et leur renommée à travers toute l'Europe.

— C'est donc cela ! De nombreux apprentis ne sont pas venus travailler ce matin. Ah, nous traversons une périlleuse époque, Michel, et sachez que ma charge ici est à peine plus aisée que la vôtre ! Le Trésor peine à nous donner les moyens de maintenir cette grande maison… Mais je ne saurais me plaindre, mes maux ne sont rien à côté de ceux que subit le peuple parisien. Allons, que me vaut le plaisir de votre visite ? J'ai reçu l'autre jour à l'Inspection des carrières ce jeune journaliste que vous m'avez envoyé, et on m'a dit que vous étiez descendu sous terre vous-même, avec deux de mes collègues…

— Eh bien, justement, Charles, c'est dans le cadre de cette affaire que je viens vous voir aujourd'hui, répondit le commissaire en sortant de son sac le bout d'étoffe qu'il avait précieusement conservé. J'aimerais savoir s'il est possible d'obtenir des informations au sujet de ce tissu, d'en déterminer la provenance, par exemple.

L'administrateur, intrigué, mit un binocle sur son nez et étudia le bout de cape que son ami venait de lui tendre.

— Voyons… Ce n'est pas un tissu très noble.

— Vous savez d'où il provient ?

— J'ai bien ma petite idée, mais je sais votre besoin d'exactitude, et je préfère m'enquérir de l'avis d'un expert.

Guillaumot envoya chercher dans les ateliers M. Vildieu, maître tapissier de haute lisse, et celui-ci, après une longue et minutieuse inspection, rendit son verdict.

— L'étoffe est fort solide mais pelucheuse, on y trouve un mélange de lin et de coton. Elle a été initialement teinte à l'indigo, avant d'être colorée en noir, ce qui aurait pu nous induire en erreur, mais la trame de fils blancs ne laisse aucun doute. C'est de la futaine de Gênes.

— De Gênes ?

— Oui. C'est une toile si solide que la marine génoise l'utilise d'ailleurs tant pour ses vêtements que pour les voiles de ses navires, et que les tisserands de Nîmes s'en sont inspirés pour créer la toile de Nîmes. Celle-ci est relativement ancienne, elle a été fragilisée par le temps. À en juger par la trame, je dirais qu'elle a au moins cinquante ans.

— Elle viendrait donc de la République de Gênes ?

— À l'origine, oui, mais qui pourrait dire quel trajet elle a ensuite effectué ? Les Anglais, par exemple, sont de grands importateurs de la futaine de Gênes. Toutefois, la teinture noire me suggère autre chose…

— Quoi donc ? le pressa le commissaire.

— L'étoffe n'a pas été teinte au bois de campêche, qui donne un noir plus profond, mais légèrement violet. Je pencherais plutôt pour de la noix de galle, cette excroissance que les piqûres d'insectes produisent sur les rameaux des chênes, et dont on se sert pour faire de l'encre noire ou de la teinture.

— Et alors ?

— Ce n'est qu'une hypothèse, commissaire, et rien ne me permet de l'affirmer catégoriquement, mais je ne peux m'empêcher de penser à l'habit des révolutionnaires corses. Pour échapper aux colons qui les pourchassaient dans le maquis, les insurgés se sont fabriqué des capes à partir de futaine bleue de Gênes, qu'ils teignaient en noir à la noix de galle, laquelle se trouve en grande quantité dans les chênes de l'île.

Guyot écarquilla les yeux.

— Vous pensez donc que cette étoffe pourrait venir de Corse ?

Le maître tapissier haussa les épaules.

— Ce n'est qu'une hypothèse. Mais l'ancienneté du tissu, son origine génoise et la méthode de teinture correspondent assez bien.

58.

Et alors tout bascula

Quand il entendit le terrifiant raffut qu'avait fait le premier pont-levis en tombant, le gouverneur, furieux, entraîna les deux délégués qui restaient et Gabriel vers la tour de la Comté, laquelle surplombait la cour du Gouvernement. Cette fois-ci, ils furent accompagnés dans leur ascension non plus seulement du major de Losme mais aussi du capitaine de Monsigny, commandant de la garnison des invalides de la Bastille.

En montant les marches, Gabriel se laissa gagner par la plus vive inquiétude. Ainsi, le peuple était arrivé avant le retour du délégué Billefod et les événements risquaient de prendre une bien mauvaise tournure !

Au sommet de la tour, il constata que la foule était entrée massivement dans la cour du Gouvernement et, poussant des cris et brandissant des armes, commençait déjà à grossir sur le large pont de pierre, au pied de la forteresse.

— Qu'avez-vous fait ? s'exclama le marquis de Launay en se retournant vers les deux délégués. Vous m'aviez promis que le peuple de Paris n'attaquerait point notre place si je retirais les canons !

— Ce n'était pas la seule condition, répliqua Belon, peinant toutefois à masquer son embarras. Vous deviez aussi confier vos munitions à la milice parisienne… Laissez entrer le peuple, ouvrez-lui le magasin, et tout se passera dans le calme.

Les gardes-suisses et les invalides apparurent au sommet des tours et, à la vue de leurs fusils, les Parisiens en contrebas se mirent à pousser des huées.

— Retenez vos hommes, gouverneur ! supplia Belon. Vous allez embraser le peuple !

— Si le peuple m'y oblige, répliqua Launay, je lui ferai tirer dessus !

Gabriel s'approcha d'une embrasure pour mieux voir le pont dormant. Soudain, au milieu des piques, des fusils et des poings levés, il crut apercevoir une plume noire sur un chapeau de feutre. Sa mâchoire se crispa. Oui ! C'était bien elle : Mlle Terwagne ! Et, à ses côtés, il reconnut aussitôt Camille Desmoulins !

Au même moment, un roulement de tambour résonna au loin, et les cris de la foule s'éteignirent. La nuée s'écarta pour laisser passer trois hommes. Le premier, c'était le tambour, le deuxième, le délégué Billefod, et le troisième, l'abbé Fauchet, membre du comité permanent.

— Voici les hommes de l'Hôtel de Ville, s'exclama Gabriel, reprenant espoir. Ils vous apportent le mandat !

Tout le monde s'approcha du bord, et l'on vit les trois émissaires s'arrêter devant le fossé, face au pont-levis.

— Je suis membre du comité permanent ! Nous venons en parlementaires ! hurla l'abbé Fauchet. Baissez vos fusils !

Launay ne montra aucune réaction.

— Gouverneur ! supplia Gabriel. Vous dites vouloir la paix, ces hommes vous en offrent la clef ! Dites à vos soldats de baisser leurs armes ! Il ne vous en coûte rien.

Le marquis fit un signe en direction du capitaine de Monsigny. Le commandant de la garnison transmit l'ordre, et les soldats, rangés au sommet des tours, baissèrent un à un leur fusil et ôtèrent leur chapeau en signe de bienveillance.

En bas, aux côtés de l'abbé Fauchet, le sergent-major Billefod brandit la feuille qu'il avait dans la main.

— Nous avons votre mandat ! cria-t-il, avant d'en donner lecture à vive voix. « Le comité permanent de l'Hôtel de Ville charge les délégués qu'il adresse à M. le marquis de Launay, commandant de la Bastille, de lui demander de recevoir dans cette place les troupes de la milice parisienne, qui la garderont de concert avec les troupes qui s'y trouvent actuellement, et qui seront aux ordres de la Ville. Fait à l'Hôtel de Ville, le 14 juillet 1789, à onze heures cinquante du matin. »

Dans un mouvement de dédain, le gouverneur se pencha par-dessus le rempart et cria à son tour :

— Cela n'a aucune valeur ! Je ne peux pas voir la signature !

Alors que les cris furieux de la foule s'élevaient depuis le pont dormant, Gabriel entra dans une colère folle, se précipita vers le gouverneur et l'attrapa par sa veste, à l'endroit précis où étincelait sa croix de chevalier de Saint-Louis.

— Vous êtes un imposteur ! s'exclama-t-il.

Le capitaine de Monsigny vint s'interposer et repoussa Gabriel, fermement mais sans violence.

— Jeune homme ! lui lança-t-il. S'il vous plaît. Ne m'obligez pas !

Le marquis de Launay afficha un sourire narquois.

— N'est-ce pas vous qui me disiez tout à l'heure que, pour avoir une preuve de quelque chose, il fallait la vérifier par soi-même ?

Gabriel s'apprêtait à lui sauter dessus une nouvelle fois quand M. Belon le retint par le bras et lui fit signe de se calmer.

— Vous êtes ici pour témoigner, lui murmura-t-il à l'oreille. Si vous vous faites enfermer, nous perdrons notre témoin. Reprenez vos esprits, monsieur Joly !

Au pied du pont-levis, le délégué Billefod, qui avait fait taire la foule, interpella de nouveau le gouverneur.

— Ouvrez-nous ! supplia-t-il en agitant sa feuille. Ouvrez-nous si vous voulez voir la signature !

Le marquis resta impassible.

— Pour l'amour de Dieu ! Il faut le laisser entrer ! l'exhorta Belon.

— C'est hors de question ! Si j'ouvre le pont-levis, les émeutiers rentreront eux aussi, et ce sera un massacre ! Regardez combien de fusils jaillissent de cette foule !

— Mais il faut qu'il vous donne le mandat, puisque vous voulez le voir !

— Impossible ! rétorqua Launay. C'est trop tard !

Une fois encore, ce fut le brave major de Losme qui proposa une solution.

— Je vais lui dire de me le faire passer par une meurtrière de la tour !

Il se précipita dans l'escalier, avant même que le gouverneur n'eût pu l'arrêter.

Gabriel se pencha hardiment par-dessus une embrasure et vit de Losme apparaître par une meurtrière, juste en dessous de lui. Le major fit signe au sergent-major Billefod de monter sur le toit des cuisines, bâtiment le plus proche de la tour. Les deux hommes tendirent le bras l'un vers l'autre par-dessus le vide, mais leurs mains étaient encore trop éloignées et n'avaient pas la moindre chance de s'atteindre.

— Mettez la feuille sur une pique ! cria de Losme depuis la forteresse.

Billefod s'exécuta et tendit de nouveau le papier vers la tour.

C'était mieux, mais il manquait encore quelques pieds et il sembla à Gabriel que le sort lui-même ne voulait pas que cette conciliation pût se faire !

Un second homme monta sur le toit des cuisines et attrapa le délégué Billefod par le bras pour lui permettre de se pencher davantage sans tomber dans le vide. Le major de Losme s'étira, lui, de toutes ses forces. C'était un spectacle si incroyable que toute la foule y était suspendue. Il ne manquait plus que quelques pouces quand, soudain, la main du sergent-major Billefod glissa dans celle de l'homme qui le retenait.

La foule poussa un cri d'effroi alors que le délégué tombait dans le vide, jusque dans l'eau boueuse du fossé, d'où on ne le vit pas reparaître.

— Le gouverneur se moque de nous ! hurla un homme.

La fureur s'empara du peuple et des coups de feu retentirent au milieu du pont dormant.

— Non ! hurla Gabriel, qui ne devinait que trop bien quelle suite dramatique allaient provoquer ces détonations.

De fait, le gouverneur de la Bastille fit volte-face, regarda fixement le capitaine de la compagnie des invalides et lâcha d'une voix martiale :

— Capitaine ! Ordonnez à la garnison de faire feu sur les émeutiers !

Monsigny, le visage blafard, resta immobile, comme s'il n'avait pas entendu.

— Ordonnez à la garnison de faire feu ! répéta Launay, impétueux.

Mais de nouveau, le capitaine des invalides ne put se résoudre à faire tirer sur des compatriotes. Malheureusement, sur la tour voisine, le lieutenant des gardes-suisses n'eut pas les mêmes scrupules, et il ordonna au détachement de Salis-Samade de faire feu.

En un instant, les décharges de mousqueterie éclatèrent au sommet de la Bazinière, et les balles décimèrent les premiers assaillants. La bataille commença.

La poudre répondit à la poudre et, comme on leur tirait dessus, les invalides, bien malgré eux, finirent eux aussi par s'engager dans le combat.

Sous les yeux horrifiés de Gabriel, ce fut un échange sanglant. De là où ils étaient, les révoltés n'avaient aucune chance : mal organisés et enfermés entre la forteresse et la cour du Gouvernement, ils ne pouvaient se défendre contre cette pluie de balles. Parmi eux, les morts tombèrent par dizaines, s'écroulant sur les pierres du pont dormant comme des poupées de chiffon, alors que les soldats de la garnison, protégés par les hauts remparts, restaient hors d'atteinte.

Comme si cela n'avait point suffi, gagné par une folie meurtrière, le gouverneur lança à ses hommes un ordre plus terrible encore :

— Artilleurs ! Remettez les canons en place !

Quand la flamme s'alluma à l'extrémité des boutefeux, Gabriel eut l'impression que c'était son cœur qu'on brûlait.

S'il en avait eu le courage, il eût volontiers pu pousser le marquis de Launay par-dessus bord, mais il s'en trouva incapable. Ses seules pensées furent pour Desmoulins et Terwagne qui, peut-être, faisaient déjà partie des victimes. Il se précipita vers l'escalier et commença à dévaler les marches de la tour, bousculant sans vergogne les soldats qui, eux, y montaient.

Arrivé dans la cour déserte, il fonça vers le mécanisme de levage, mais il eut beau tirer de toutes ses forces, les chaînes reliées au contrepoids ne bougèrent pas d'un pouce. Il pesta en constatant que, seul, il n'arriverait pas à baisser le pont-levis. De l'autre côté de la paroi, il entendait, impuissant, les râles des hommes et des femmes blessés.

Envahi par le désespoir, Gabriel se laissa tomber sur les genoux, alors qu'en haut des tours résonna le premier coup de canon.

C'était donc bien une guerre, malheur de tous les malheurs, qui s'ouvrait sous ses yeux. Il se remémora alors les paroles de Récif. Si cette conquête de la liberté était légitime, qui en profiterait vraiment, et qui en payerait le plus lourd tribut ? Il n'en était plus sûr, à présent.

Gabriel était là, enfermé dans le cabinet de ses sombres réflexions, quand son regard fut attiré par des formes qui venaient de s'agiter dans l'ombre, au pied de la tour de la Bertaudière.

Redressant la tête, il plissa les yeux pour mieux voir. Il crut reconnaître la longue cape noire de l'homme qu'il avait aperçu tout à l'heure devant l'hôtel du gouverneur. Gabriel se précipita aussitôt dans le renfoncement du pont-levis et s'y cacha.

La scène à laquelle il assista alors lui parut très singulière, en un tel moment. Sorti discrètement de la tour de la Bertaudière, l'homme à la cape tenait par l'épaule un individu, visiblement éreinté, des fers aux pieds, et qui pouvait à peine marcher.

Mais qui était donc ce prisonnier qu'un homme camouflé faisait sortir de la prison, en plein milieu des combats, après avoir comploté quelques heures plus tôt avec le gouverneur ? Comment ne pas penser au « prisonnier secret » de la Bastille, dont le Loup avait parlé dans sa lettre ?

Le cœur battant, Gabriel espionna les deux étranges fugitifs. Quand il les vit entrer dans le dépôt des archives, sans hésiter, il se lança à leur poursuite.

59.

Comme Ulysse

Du haut de la forteresse, les balles continuaient de pleuvoir, tel un déluge infernal. Livrés à leur inexpérience et luttant à découvert contre d'invisibles ennemis, les Parisiens se laissaient faucher par dizaines. Quelques gardes-françaises, plus aguerris, parvenaient par moments à toucher un soldat en haut des murailles, mais pour un défenseur qui tombait, vingt assaillants succombaient. La rue de la Cerisaie, où les médecins et les apothicaires du quartier se dépêchaient pour soigner les blessés, ruisselait de sang.

Debout au milieu de la cour, comme si la mort n'avait pu la faire trembler, le bras tendu vers les hauteurs de la forteresse, Anne-Josèphe Terwagne tira une nouvelle fois, s'abandonnant à l'absurde frénésie de la cause qu'elle avait épousée.

Derrière elle, frustrés de ne pouvoir mieux faire, des Parisiens mettaient le feu aux dépendances de la Bastille. L'hôtel du gouverneur, les écuries, les boutiques et les casernes s'embrasaient, et le ciel d'été se transforma bientôt en ciel d'orage.

Alors qu'elle s'apprêtait à charger de nouveau son pistolet par la gueule, Terwagne sentit une main l'attraper par le bras et, surprise, elle se laissa entraîner par Camille Desmoulins qui la mit à l'abri.

— Anne-Josèphe ! Vous allez vous faire tuer ! Et cela n'aura servi à rien !

— La Bastille tombera ! répliqua la jeune femme avec le regard d'une possédée. Nos cadavres combleront les fossés !

Camille se plaça devant elle et la prit fermement par les épaules.

— Reprenez vos esprits, Terwagne ! Ce n'est pas à la liberté que vous allez donner votre vie, c'est à la bêtise ! Il doit bien y avoir un autre moyen que de se faire volontairement massacrer ! Nous ne sommes pas venus mourir, mais conquérir !

— Et que voulez-vous que nous fassions ?

Desmoulins grimaça.

— C'est un siège, mademoiselle ! Ré… réfléchissons ! Allons ! Comment mène-t-on un siège ?

— En coupant les vivres des assiégés ! Pensez-vous donc que nous allons rester ici plusieurs mois ? soupira-t-elle en secouant la tête.

— Non ! Bien sûr ! Mais on peut aussi per… percer une brèche dans les défenses ! rétorqua l'avocat.

— Et par quel miracle ? Nous avons les canons des Invalides, mais pas de boulets !

— Il y a sûrement un autre moyen !

À ces mots, Terwagne se hissa sur la pointe des pieds et observa le fiacre dans lequel les délégués de l'Hôtel de Ville étaient arrivés le matin, et qui était encore là, au beau milieu de la cour du Gouvernement.

Voyant que le visage de la jeune femme s'était soudain illuminé, Desmoulins se retourna pour voir ce qu'elle regardait.

— À quoi pensez-vous ? demanda-t-il. Un cheval de Troie ?

Anne-Josèphe acquiesça et se précipita vers un Parisien qui, à quelques pas de là, était en train de mettre le feu aux boutiques.

— Donnez-moi votre torche ! dit-elle.

— Pour quoi faire ? demanda l'autre.

— Nous allons enflammer ce fiacre et le jeter contre le pont-levis !

— Vous n'êtes pas sérieuse ? Il se sera éteint avant même d'atteindre le pont… Ça ne marchera jamais ! Ce qu'il nous faut, c'est une charrette ! répliqua l'insurgé. Une charrette emplie de fumier !

Le jeune homme, comme investi d'une nouvelle mission, courut vers l'Arsenal et cria qu'il fallait amener au plus vite une charrette de fumier. Quelques minutes plus tard, on en fit venir non pas une mais deux, de la rue des Charbonniers.

Bientôt, ce furent douze hommes qui, cachés derrière ces deux carrioles, aidèrent Terwagne et Desmoulins à les pousser au milieu de l'enfer. Si la cadence de tir du haut de la forteresse avait diminué, des balles sifflaient encore ici et là, et ils étaient arrivés au milieu du pont dormant quand le jeune homme qui avait eu l'idée de chercher ces charrettes fut soudain atteint en pleine gorge.

Fauché dans son élan, il s'écroula sur le sol. Anne-Josèphe, horrifiée, se précipita à ses côtés et lui prit la tête dans les mains. Mais son visage était déjà bien pâle et un torrent de sang s'échappait de sa nuque.

— Tenez bon, mademoiselle, murmura-t-il dans un dernier souffle. Tenez bon : vous la prendrez !

Il s'éteignit.

Terwagne, le cœur renversé, ramassa la torche que le jeune homme avait lâchée, puis elle se redressa, mit le feu aux charrettes et donna l'ordre de les lancer contre le pont-levis. Tous ensemble, ils se mirent à courir puis, quand il leur parut qu'ils avaient assez d'élan, ils lâchèrent ces deux tombereaux enflammés.

Pendant quelques minutes, il leur sembla que leur plan allait marcher. Des étincelles jaillissaient en craquant au-dessus des charrettes, et les flammes, de plus en plus hautes, venaient lécher le pont-levis. Dans les exhalaisons de feu et de fumée, on aurait pu croire que la porte allait s'embraser, mais ils durent bientôt se rendre à l'évidence : le fumier commençait déjà à s'éteindre, et le pont-levis était intact, ses planches tout juste noircies.

Soudain, le bruit terrible d'un nouveau tir de canon résonna du sommet de la tour de la Bazinière, et une explosion se fit voir de l'autre côté de la cour du Gouvernement.

Desmoulins et Terwagne, dans un triste soupir, regardèrent leur plan échouer en se tenant par le bras.

— Nous n'y arriverons jamais ! se lamenta Camille. Et toutes ces bonnes gens seront morts pour rien !

L'épaisse fumée qui s'élevait alentour avait commencé à envelopper la forteresse et, dans le camp adverse, le marquis de Launay semblait se laisser gagner, lui aussi, par le doute. Le major de Losme en profita pour le supplier une nouvelle fois de capituler.

— Gouverneur ! implora-t-il. De grâce ! Nous ne pouvons tirer encore sur des Français ! Il faut ouvrir le pont-levis !

— Ils vont nous massacrer ! rétorqua Launay.

— Pas si nous nous rendons ! intervint le capitaine de Monsigny, que ce spectacle horrifiait aussi. Monsieur le gouverneur, je ne peux plus ordonner à mes invalides de tirer sur la foule ! Ils s'y refusent eux-mêmes ! Nous préférons nous livrer à la fureur du peuple plutôt que de le faire périr !

— Les miens ne se rendront pas ! s'exclama alors le commandant des gardes-suisses. Si nous nous rendons, ils n'épargneront personne ! Gouverneur, la Bastille est imprenable ! Il faut résister !

À cet instant, du haut de la Comté et par-delà les nuages de fumée, dans un magnifique rayon de soleil, le marquis de Launay vit arriver une troupe de soldats par la rue Saint-Antoine.

Aussitôt, son visage se transforma et un sourire se dessina sur ses lèvres. Il regarda sa montre de gousset. Les renforts qu'on lui avait promis étaient enfin là !

Ils étaient sauvés !

60.

Visite l'intérieur de la terre !

Le dépôt des archives avait été récemment construit entre les tours de la Bazinière et de la Bertaudière afin d'y conserver les documents relatifs à l'administration de la Bastille. C'était précisément ici que Gabriel avait espéré pouvoir trouver la liste des prisonniers, mais, pour l'instant, il avait mieux à faire que fouiller dans ces montagnes de papiers.

La salle des archives secrètes, réservée aux documents les plus sensibles, était solidement verrouillée et, en dehors du gouverneur lui-même, personne n'en avait les clefs, pas même l'archiviste. Dans cette pièce obscure se trouvait l'une des entrées du tunnel connu du seul marquis de Launay, par lequel les deux hommes mystérieux étaient entrés quelques mois plus tôt, et par lequel ils s'apprêtaient maintenant à ressortir…

Caché à l'entrée du dépôt, Gabriel épiait les deux hommes qui venaient de se glisser à l'intérieur. Dans l'urgence, celui qui portait la grande cape noire négligea de refermer la porte derrière lui, et le jeune homme put se faufiler.

Sur la pointe des pieds, il avança dans la pénombre au milieu des hautes étagères où étaient conservés les plus lourds secrets de la prison. Il frissonna à l'idée que ces boîtes poussiéreuses renfermaient des lettres de Voltaire ou du marquis de Sade qui avaient été interceptées, et peut-être même quelque document livrant l'identité de l'homme au masque de fer ! Soudain, il remarqua sur sa droite un placard qui, écarté du mur, venait visiblement d'être déplacé.

Serrant les poings, il fit le tour du meuble et découvrit, stupéfait, la porte dérobée qui se cachait derrière. Un passage secret !

Tendant l'oreille, Gabriel entendit l'écho des pas et le tintement des fers. Les deux hommes s'échappaient ! Prenant une grande inspiration, il pénétra dans le tunnel étroit.

Très vite, l'odeur nauséabonde qui envahissait l'air ne lui laissa aucun doute : ce souterrain communiquait avec les égouts ! S'il ne se dépêchait pas, il risquait de perdre la trace des deux fuyards dans ce dédale obscur. Couvrant son nez du haut de sa chemise, il accéléra.

Devant lui, le bruit des fers lui sembla de plus en plus proche mais, à mesure qu'il s'enfonçait dans le ventre de Paris, la lumière, elle, se faisait de plus en plus faible, et il arriva vite un moment où l'obscurité fut entière.

Gabriel s'immobilisa. Le sol était devenu fort humide et, quand il posa les mains sur les murs, il sentit qu'ils ruisselaient. À tâtons, s'appuyant sur ces parois suintantes, le jeune homme reprit lentement sa progression dans les ténèbres.

Plus il avançait, plus ses pieds s'enfonçaient dans l'eau, et ce n'était point un bain purificateur. Dans quelle direction avançait-il ? Il lui sembla que c'était l'est, ou le sud-est, mais le noir total lui jouait peut-être des tours. Et depuis combien de temps marchait-il ? Bien trop longtemps à son goût.

De plus en plus oppressé par l'absence de lumière, il était sur le point de faire demi-tour quand il crut apercevoir une lueur orangée sur sa droite. Il s'arrêta, et la chose lui apparut de nouveau, plus distinctement cette fois. C'était bien la flamme d'une torche lointaine et, sans elle, il aurait manqué l'intersection à laquelle il se trouvait maintenant.

Sans hésiter, il partit dans la direction où l'invitait cette lumière vacillante. S'il ne voulait plus la perdre, il devait se dépêcher. L'eau des égouts lui montait à présent jusqu'aux chevilles. Plusieurs fois, il grogna d'écœurement en entendant à ses côtés les hordes de rongeurs affamés. N'était-ce pas le royaume des ténèbres qui était en train de remonter à la surface pour s'étendre sur Paris ?

Chassant ces sombres pensées, il s'efforça de marcher aussi vite qu'il le pouvait, pour tenter de rattraper les deux hommes dont les voix lui parvenaient sans qu'il pût toutefois y distinguer de précises paroles.

Bientôt, il aperçut la lumière du jour qui pénétrait dans le tunnel et découpait la silhouette des deux fugitifs. La sortie n'était plus loin !

Il s'approcha des deux hommes et, quand il fut assez près et que l'issue du long corridor apparut enfin devant eux, il se plaqua contre la paroi.

Il saisit alors quelques bouts de phrases.

— … sûr qu'il a dit la vérité sur le lieu de (…) ?

— Je l'espère ! (…) n'a plus l'air d'avoir toute sa raison et (…) qu'il était enfermé. Mais les détails (…) du trésor sont tellement (…) pensé qu'il ne pouvait pas me mentir.

— Vous vous rendez compte, s'il a dit vrai ? Nous allons (…) Paris, et nous pourrons alors tous les deux vivre sans plus jamais (…).

— (…) que je ne suis pas resté enfermé pour rien dans cette maudite Bastille !

— Allons, sortons ! On nous attend !

Se penchant en avant, Gabriel regarda les deux hommes sortir du tunnel. Sur la pointe des pieds, il reprit sa marche. Quand il ne fut plus qu'à quelques pas de l'issue, luttant contre la répulsion que lui inspirait le parterre, il se mit à ramper.

Arrivé au bout du souterrain, la tête au ras du sol, il risqua un coup d'œil au-dehors. Sur la gauche, il vit une grille ronde que les deux évadés avaient dû enlever pour sortir. Inspectant les alentours, il constata qu'il était dans les jardins cultivés d'un grand monastère. Mais duquel s'agissait-il ? On était bien à la capitale, car dans ces jardins, point d'avoine ou de blé, mais des melons, des groseilles, des fraises ! Là, une église, ici, une chapelle, de ce côté-là, une autre, puis un réfectoire et, plus loin encore, deux autres dépendances. Sobre mais parfaitement entretenu, il lui sembla que ce monastère ne pouvait être que celui des Frères de la pénitence du tiers-ordre de saint François, plus couramment appelé couvent de Picpus, du nom de l'ancien village de Piquepuce.

Gabriel se redressa lentement. Près de lui, plusieurs grottes artificielles, ornées de rocailles, avaient été érigées au milieu du jardin, et ce fut à côté de l'une d'elles qu'il aperçut les deux hommes qui marchaient côte à côte à travers le potager.

Sortant du souterrain, le dos courbé, il se précipita derrière la première grotte pour les espionner. De là où il était, il ne pouvait toujours pas voir le visage de celui qui portait la grande cape noire, mais celui du second lui apparut enfin. Et une chose le frappa aussitôt : l'homme portait sur la joue gauche une longue cicatrice.

Arrivés au bout du jardin, les deux fugitifs enjambèrent le mur qui séparait le couvent de la grande place du Trône. Pour ne pas les perdre de vue, Gabriel se mit à courir, puis il se hissa à son tour sur l'enclos. De là, il vit que les hommes venaient de monter dans un fiacre qui, à l'évidence, les avait attendus ! Quelques instants plus tard, la voiture disparaissait à toute bride de l'autre côté du Trône, emportant une étonnante énigme…

Gabriel se laissa retomber sur la place en poussant un soupir. Qui donc étaient ces hommes ? Et quel rapport pouvaient-ils avoir avec le Loup des Cordeliers ? Le justicier ne pouvait pas l'avoir mis sur la piste de ce prisonnier secret sans raison : il y avait sûrement un lien !

61.

Deus ex machina

Au sommet de la tour de la Comté, en voyant arriver par la rue Saint-Antoine cette formidable troupe de soldats, le marquis de Launay se crut sauvé.

Il se trompait.

Car, en vérité, ce n'étaient pas les renforts que le gouverneur attendait : conduits par deux officiers insurgés, le sous-lieutenant Élie, du régiment d'infanterie de la reine, et le sergent Hulin, des gardes-suisses, il s'agissait là de deux cents militaires factieux. La plupart venaient des gardes-françaises et, rangés du côté du peuple, ils portaient tous au chapeau la cocarde rouge et bleu !

Alors que cette armée rebelle arrivait près de l'entrée du Passage, le sous-lieutenant Élie pointa son sabre en direction de la forteresse.

— Venez, mes amis ! cria-t-il d'une voix résolue. Nous allons sauver Paris ! Je vous ramènerai victorieux, ou vous me ramènerez mort !

Des quelques centaines de Parisiens qui étaient encore dans la cour du Gouvernement, Camille Desmoulins fut le premier à voir entrer cette compagnie providentielle. Les yeux écarquillés de joie, il poussa un cri si fort que tous les hommes et les femmes autour de lui se retournèrent pour voir ce qu'il se passait.

— Vive la nation ! hurla Desmoulins en levant le poing.

Aussitôt, découvrant leurs sauveurs, les assaillants de la Bastille l'imitèrent et, de joie, jetèrent leurs chapeaux dans les airs.

Derrière cette colonne armée, on vit arriver d'autres ouvriers, d'autres marchands, des bourgeois, des prêtres, des femmes… Ils s'en venaient des quatre coins de Saint-Antoine !

Les artilleurs insurgés, qui transportaient une charrette courte pleine de boulets de seize livres, contournèrent la cour du Gouvernement pour aller placer leurs deux canons directement dans le jardin de l'Arsenal, d'où ils pouvaient braquer, en façade, les tours de la Comté et de la Bazinière.

— Anne-Josèphe ! La voici enfin venir, notre brèche ! s'exclama Camille en prenant la Liégeoise par le bras.

Devant ce renversement de situation, les invalides qui étaient encore postés au sommet de la forteresse, désobéissant au gouverneur, ôtèrent leurs chapeaux et les secouèrent en l'air, y ajoutant ici et là un mouchoir blanc, en signe de reddition. Malheureusement, la Bastille était envahie d'une telle fumée qu'ils ne purent savoir si le peuple parvenait à les voir et, sur d'autres tours, les gardes-suisses, eux, continuaient à tirer !

Au milieu de cette confusion, le marquis de Launay se laissa tomber sur la roue d'un canon. Son visage était si pâle que les os de son crâne semblaient se dessiner sous la peau.

— Nous… nous sommes perdus, bredouilla-t-il, le regard flottant dans le vide. Le peuple va nous massacrer.

Devant ce pitoyable spectacle, le délégué Belon se rua sur le gouverneur et le saisit par le col.

— Launay ! Ouvrez le pont-levis, pour l'amour de Dieu ! Rendez-vous ! C'est votre meilleure chance. Non. C'est votre *seule* chance !

Le marquis sembla ne pas l'entendre, pas plus qu'il ne semblait le voir. Accablé, lointain, il marmonnait d'inaudibles paroles en fixant le sol. Puis, soudain, il redressa la tête, et son regard, à cet instant, ressemblait en tout point à celui d'un déséquilibré.

— On ne prend pas ce qui est imprenable ! cracha-t-il en se précipitant vers un artilleur invalide.

D'un geste rageur, il ramassa le boutefeu que le soldat avait depuis longtemps laissé tomber au sol, puis il se jeta vers l'escalier en colimaçon pour redescendre vers la grande cour de la Bastille.

— Que fait-il ? demanda M. Belon, perplexe.

— Aucune idée, répondit le capitaine Monsigny. Il n'y a pas de canon dans la cour… Je ne vois pas ce qu'il veut faire !

— Mon Dieu ! s'exclama soudain le major de Losme. Le malheureux ! Il va…

Il ne termina pas sa phrase et attrapa par le bras le soldat qui se trouvait le plus près de lui.

— Suivez-moi ! Vite !

Ils se précipitèrent dans l'escalier.

Malheureusement, le marquis de Launay avait déjà pris beaucoup d'avance. Dévalant les marches quatre à quatre, il arriva bientôt dans la grande cour, sur le sol de laquelle gisaient les corps de six ou sept soldats tombés des remparts. Sans y prêter attention, le regard fixe et droit, il traversa la chaussée ensanglantée et fonça vers la tour opposée, celle du Puits, la plus éloignée du pont-levis. Et si le gouverneur courait dans cette direction, c'était que dans le sous-sol de ladite tour se trouvait ce qu'il cherchait : le magasin de poudre.

Arrivé au pied du Puits, il descendit jusqu'aux caveaux et ouvrit la grille de la deuxième chambre, qui menait aux réserves de munitions. Là, d'un coup de pied rageur, il renversa un baril de poudre et regarda celle-ci se déverser sur le sol, au milieu des autres fûts.

D'une main tremblante, Launay prit un briquet sur une étagère et alluma la mèche de son boutefeu. Puisque tout était perdu, et que la reddition était inenvisageable à ses yeux, dans un désespoir suicidaire et meurtrier, l'homme était résolu à faire sauter la forteresse, pour ensevelir sous ses ruines assiégeants et assiégés. Avec plus de vingt mille livres de poudre, l'explosion serait titanesque et risquait d'emporter non seulement la Bastille mais aussi une partie du quartier Saint-Antoine !

Le front trempé de sueur, le marquis fit de la main droite un signe de croix sur sa poitrine, puis, de la gauche, il approcha son boutefeu de l'explosif.

Il n'était plus qu'à quelques pouces du tas de poudre quand l'invalide et le major de Losme firent leur apparition. Le premier lui sauta dessus pendant que le second s'emparait de son boutefeu.

— Laissez-moi ! hurla le gouverneur alors que le soldat le maintenait au sol.

— Launay ! cria le major en éteignant la mèche. Vous… vous avez perdu la raison !

— Laissez-moi ! C'est vous qui l'avez perdue ! Ne voyez-vous pas qu'ils vont nous massacrer un par un ? Plutôt mourir que se rendre à la populace ! Nous devons résister ! Ils ne prendront pas la Bastille !

— La Bastille ne sera pas prise, gouverneur : elle se rendra ! Attachez-lui les mains et amenez-le dans la cour ! ordonna le major de Losme. Il est temps de mettre un terme à toute cette folie !

62.

Ils ne savent pas ce qu'ils font

Alors que les artilleurs des gardes-françaises s'apprêtaient à donner leur premier coup de canon du jardin de l'Arsenal, le sergent Hulin accourut en agitant les bras.

— Arrêtez ! Arrêtez ! cria-t-il. Regardez !

Il pointa le doigt vers le sommet des tours et, au milieu de la fumée, ses hommes virent que tous les soldats postés en haut de la forteresse, gardes-suisses compris, agitaient des drapeaux blancs.

— La Bastille capitule ! souffla l'officier, les yeux pétillants de joie. Ne tirez pas !

Dans la cour du Gouvernement où, depuis quelques minutes, les coups de feu avaient cessé, une clameur fantastique s'éleva vers les cieux.

— La Bastille capitule ! répéta-t-on de la rue Saint-Antoine jusqu'à l'Arsenal.

Mlle Terwagne, le visage couvert de suie et les mains de sang, son chapeau depuis longtemps perdu, sa robe en charpie, se jeta dans les bras de Desmoulins, qui pleurait de joie.

— Cette fois-ci, Camille, vous pouvez le dire : nous sommes libres !

— Nous sommes libres ! répéta le jeune avocat dans une poignante candeur. C'est la victoire du peuple.

Ils étaient tous deux entre le rire et les pleurs quand, soudain, l'immense pont-levis de la forteresse commença à s'abaisser.

— Camille, reprit Terwagne d'un air soudainement grave. Il faut que vous couriez à l'Hôtel de Ville prévenir le comité !

Desmoulins hésita.

— Mais… Il faut… il faut que nous empêchions d'abord le peuple de se livrer à la plus cruelle vengeance sur ces soldats qui se rendent, dit-il en voyant avancer autour de lui les Parisiens, dont l'exaltation était tout à la fois réjouissante et inquiétante.

— Allez-y, Camille, répéta Terwagne. Je vais m'assurer que le sous-lieutenant Élie et ses gardes-françaises contiennent le peuple.

L'avocat acquiesça, jeta un dernier coup d'œil à la Bastille, puis partit en courant vers la rue Saint-Antoine.

Rejoignant prestement le sous-lieutenant Élie sur le pont dormant, Terwagne lui fit part des inquiétudes qu'elle partageait avec Desmoulins.

— Nous allons faire de notre mieux, mademoiselle. Gardes-françaises ! cria-t-il alors en marchant vers le pont-levis. En formation, derrière moi ! Sur ma foi d'officier, nous devons offrir aux soldats qui se rendent les honneurs de la guerre ! Messieurs, veillez à ce qu'aucun d'entre eux ne soit traité mal, puisqu'ils capitulent !

Aussitôt, les quelque deux cents gardes-françaises, bientôt rejoints par le sergent Hulin, vinrent se placer derrière Élie et, quand le pont fut enfin abaissé, ils s'engouffrèrent dans la grande cour de la Bastille.

Ce fut alors un spectacle mémorable que celui offert par la garnison des invalides : rangés en haie d'honneur au milieu de l'atrium, leurs fusils déposés tête-bêche contre les murs et leurs chapeaux plaqués avec humilité sur la poitrine, ces hommes, dignes et droits, se livraient respectueusement aux mains du sort.

— Aucun mal ne vous sera fait ! promit Élie en avançant vers eux d'un pas solennel.

Derrière lui, une fois ses hommes passés, le peuple commença à s'engouffrer dans la forteresse, et ce fut un torrent que rien ne pouvait arrêter.

— Et qui c'est, ceux-là ? cria un homme dans la foule, en désignant la vingtaine d'hommes en chemise blanche qui étaient rassemblés le long d'un mur.

— Ce sont les prisonniers ! cria un autre. Regardez ! Les pauvres bougres n'ont que des chemises pour se vêtir ! Voilà comment le gouverneur traitait ses détenus !

Aussitôt, les Parisiens se précipitèrent vers eux en poussant des cris d'acclamation, mais alors, plusieurs de ces hommes en chemise prirent peur et se mirent à courir.

— Qu'est-ce qui leur prend ? s'étonna-t-on ici et là.

La réponse ne tarda pas à venir.

— C'est pas les prisonniers ! C'est les gardes-suisses ! cria une femme dans la foule, qui avait compris que le régiment étranger, de peur qu'on le reconnaisse, avait ôté son uniforme.

Alors, tout bascula, et le sous-lieutenant Élie et le sergent Hulin, malgré leur volonté de retenir la multitude, ne purent rien y faire. Avec une rage vengeresse, on se mit à poursuivre les soldats étrangers du roi, et on les tua presque tous d'une horrible manière, laissant au pied de la forteresse leur sang se mêler à celui qu'ils avaient versé.

Le désordre et la frénésie s'emparèrent de la Bastille. Partout, on vit des hommes courir vers les tours, les bâtiments de l'état-major, la bibliothèque, les archives… En divers endroits, le peuple saccagea, pilla, alluma des incendies. Dans cette soif de vengeance aveugle, les prenant pour des gardes-suisses en fuite, on exécuta même d'inoffensifs servants de la Bastille, qui étaient allés se cacher dans la chambre du Conseil.

Comprenant qu'il ne pourrait gérer la situation, le sous-lieutenant Élie ordonna à ses hommes de ne point se disperser et d'escorter les invalides jusqu'à l'extérieur, pour les libérer sans que le peuple les agresse, et il prit avec lui un détachement de douze hommes.

— Le gouverneur ! leur dit-il à voix basse. Il faut que nous arrêtions le gouverneur avant que le peuple ne le trouve !

De nouveaux coups de feu résonnèrent entre les murailles de la cour, et on vit des corps tomber du haut des remparts et s'écraser sur le sol avec fracas. Des gardes-suisses qui avaient pris la fuite et que le peuple poussait dans le vide…

— Où sont les prisonniers ? criaient certains, qui fouillaient la prison. Voici la liberté !

Le peuple exalté, affamé de représailles, s'enfonça sous les voûtes, se perdit dans les labyrinthes de la forteresse, et, bientôt, trouva les cachots.

À leur grand étonnement, les Parisiens, qui connaissaient mal la réalité de cette prison, ne trouvèrent dans les cellules que sept misérables prisonniers, qu'ils portèrent malgré tout en triomphe jusque dans la cour.

Des cachots insalubres, on extirpa aussi d'horribles instruments de torture, des machines qui n'avaient probablement pas servi depuis fort longtemps, parmi lesquelles un vieux corset de fer qui semblait pouvoir retenir un homme par toutes ses articulations… Il fut jeté au milieu de la cour, comme un symbole de la tyrannie mise à terre.

De leur côté, le sous-lieutenant Élie et ses douze gardes-françaises continuaient de chercher le marquis de Launay, mais les nombreux incendies qui gagnaient l'édifice rendaient les recherches de plus en plus difficiles. Ils avaient fouillé les bâtiments de l'état-major, les tours, les remparts, et ils revenaient bredouilles quand un garde-française, désignant le dépôt des archives, s'écria : « Ils sont là ! »

Aussitôt, le peuple se précipita dans le bâtiment, avant qu'Élie, Hulin et leurs hommes n'eussent pu les devancer. Quand les deux officiers parvinrent enfin à se glisser au milieu de cette féroce cohue, le major de Losme et le capitaine de Monsigny – qui en vérité avaient tout fait pour obliger le marquis à se rendre – venaient d'être roués de coups jusqu'à la mort la plus atroce, et l'on commençait à lyncher le marquis de Launay.

— Arrêtez ! hurla le sergent Hulin. Au nom de la nation, arrêtez !

Comme on ne l'écoutait pas, il tira en l'air un coup de pistolet, et les gardes-françaises qui l'accompagnaient repoussèrent le peuple pour que la vie du gouverneur soit épargnée.

Le marquis, allongé au sol, le visage en sang, avait lui aussi quitté son uniforme, son chapeau et sa belle croix de chevalier de Saint-Louis, dans l'espoir qu'on ne le reconnût point. Vêtu d'un modeste costume gris et blanc, il tremblait contre le mur comme un animal blessé.

À l'appel d'Élie et de Hulin, les gardes-françaises formèrent un cercle autour de lui.

— Pitié pour le gouverneur ! cria Hulin en se tournant vers la foule. Nous devons le conduire à l'Hôtel de Ville, où il sera jugé !

— Pitié ? s'exclama une femme à l'autre bout du dépôt. Est-ce qu'il a eu pitié, lui, des pauvres prisonniers, quand il les torturait ?

— Est-ce qu'il a eu pitié de nos enfants, quand il a fait tirer tout à l'heure ses canons sur la rue Saint-Antoine ? cria une autre.

— À lui, maintenant, de gémir et de trembler !

Voyant que la foule ne cessait de grossir dans le dépôt des archives, le sergent Hulin fit passer l'ordre à ses hommes :

— Conduisons-le au plus vite à l'Hôtel de Ville !

Et alors Hulin, Élie et les gardes-françaises, formant autour du marquis un solide cordon, commencèrent à écarter la foule et se frayèrent un chemin vers la sortie de la Bastille.

Bousculé de toutes parts, Launay trottait au milieu de cette escorte de fortune, esquivant les projectiles que le peuple lui lançait. Tant bien que mal, l'équipage arriva bientôt rue Saint-Antoine et, à mesure qu'on avançait vers l'Hôtel de Ville, la foule se faisait de plus en plus menaçante, de plus en plus cruelle, multipliant les crachats et les injures, et il fallut aux gardes-françaises bien des efforts pour continuer leur route.

Malgré la rangée de baïonnettes qui l'entourait, des femmes se jetaient parfois sur le cortège et réussissaient à attraper le gouverneur par les cheveux pour lui secouer sauvagement la tête. Quand l'homme parvenait à se libérer, d'autres encore lui donnaient des coups de bâton et, après un trajet qui parut interminable, c'est le visage et le corps tuméfiés, couverts de glaire et de sang, que le marquis de Launay arriva sur la place de Grève.

— Demandez au Comité de lui préparer une cellule dans l'Hôtel de Ville ! cria Hulin à l'un de ses hommes en tête de cortège.

Mais alors qu'ils approchaient de la grande porte, les gardes-françaises se trouvèrent assaillis et, refusant de donner à la foule les coups de baïonnette qui auraient permis de l'écarter, sous ce déchaînement collectif, leur lien finit par rompre.

Dans cette brèche, on se jeta par centaines sur le gouverneur. Pendant quelques instants, le sergent Hulin, faisant barrage de son corps, parvint à protéger Launay, mais le nombre finit par l'emporter. Épuisé, impuissant, l'officier se laissa repousser et livra le gouverneur à la colère des insurgés.

Quand les Parisiens se furent saisis de lui, la vindicte du talion les poussa à la plus grande sauvagerie. Frappé, giflé, piétiné, transpercé de coups de pique, Launay s'effondra, et ainsi l'homme qui, quelques heures plus tôt, avait ordonné de faire tirer sur la foule, écorché, mutilé, démembré, mourut au milieu d'elle dans d'indicibles souffrances.

Tandis que les restes de son corps sans vie baignaient dans une mare de sang au pied des marches de l'Hôtel de Ville, un boucher de la rue Saint-Antoine s'approcha et, d'un puissant coup de hachoir, lui trancha la tête. Dans sa terrible excitation, le peuple, poussé par la haine jusqu'à la barbarie, planta la tête du marquis au haut d'une pique, et la promena sur la place de Grève au milieu des acclamations, alors qu'à deux lanternes pendaient déjà les cadavres de gardes-suisses qu'on avait rattrapés.

Au même moment, le reste des gardes-françaises s'en revenait de la Bastille, entourés eux aussi d'une troupe immense, mais en liesse celle-ci, et parmi eux marchait Mlle Terwagne. À l'avant du cortège, un soldat portait victorieusement au bout de sa baïonnette les clefs de la Bastille !

Lorsqu'ils arrivèrent sur la place de Grève, la Liégeoise découvrit le chaos qui y régnait. On chantait, on criait, on dansait et, plus loin, on crachait encore sur les cadavres des pendus. Une délégation – portant en triomphe les sept misérables prisonniers libérés des cachots de la Bastille – venait de se mettre en route vers l'hôtel des Invalides, où on promettait de les soigner.

Quand, dans ce désordre phénoménal, Terwagne aperçut la tête mutilée du marquis, que l'on promenait en haut d'une pique, elle poussa un profond soupir. Certes, les souffrances qu'avait dû endurer ce fâcheux marquis n'étaient rien à côté de ce que la nation éprouvait depuis des siècles, sous le joug du despotisme ; certes, cet homme qui avait ordonné qu'on tire sur le peuple était responsable du massacre qui venait de se terminer, mais il y avait dans la férocité de la vengeance populaire quelque chose que la jeune femme peinait à accepter. N'étaient-ce point là les graines de la même inhumanité dont faisaient preuve les princes que l'on voulait renverser ? Si l'on pouvait se réjouir de faire tomber l'ennemi, quelle gloire y avait-il à le frapper au sol ?

Détournant les yeux de ce spectacle indigne, Anne-Josèphe se dépêcha de rejoindre l'Hôtel de Ville, où elle espérait retrouver Desmoulins et le comité permanent. Quand elle entra, en nage, dans la grande salle, elle aperçut le jeune avocat en compagnie de Danton, devant l'estrade du comité. Mais celle-ci était vide.

— Où sont-ils ? s'inquiéta la Liégeoise en s'approchant des deux hommes. Il faut qu'ils calment le peuple !

— Je leur ai raconté tout ce qu'il s'était passé à la Bastille, répondit Desmoulins. Ils sont en train de parlementer dans la petite salle du Conseil, juste à côté, où ils ne veulent pas être dérangés.

— C'est une très mauvaise idée ! Ils doivent sortir et parler au peuple ! On va penser qu'ils se cachent !

— Je sais, se lamenta Camille. Je le leur ai dit. Mais c'était une exigence du prévôt Flesselles…

— Ah ! se lamenta Anne-Josèphe. Je comprends mieux ! Lui, il a toutes les raisons de se cacher ! Peut-être ferait-il même mieux de s'enfuir…

Un groupe de Parisiens entra dans la grande salle de l'Hôtel de Ville et demanda où était le comité. Desmoulins monta sur l'estrade et répondit que ses membres étaient en train de délibérer dans la pièce voisine et qu'ils allaient bientôt revenir, mais déjà les flots venus du dehors inondaient la grande salle.

— Pourquoi se cachent-ils ? hurla-t-on. On ne se cache que quand on complote ! Qu'ils viennent ici, délibérer sous l'œil des Parisiens !

— Où est Flesselles, qui nous a trompés en nous envoyant chercher des armes là où il n'y en avait pas ?

— Citoyens ! s'écria Desmoulins, espérant que sa récente renommée leur inspirerait un peu de respect. Soyez patients ! Le comité prépare une adresse au roi, il doit être au calme pour travailler !

— Foutre ! Ce n'est plus la peine d'écrire au roi ! La Bastille est tombée ! Et on en a, des armes, maintenant ! Qu'ils sortent !

La multitude s'écarta pour laisser passer deux hommes conduisant sans ménagement un courrier qu'ils venaient d'arrêter sur l'esplanade de l'Hôtel de Ville, et qui portait dans ses mains une lettre adressée, justement, au prévôt des marchands !

— Ouvrez la lettre ! cria la foule. Ouvrez la lettre !

— Allons, messieurs ! riposta Desmoulins. Elle est adressée au président du comité. Nous la lui donnerons quand il sortira…

— Laisse-les faire, intervint Danton. Il est grand temps que ceux qui nous gouvernent sachent qu'ils ne peuvent plus se jouer de nous.

— Mais… ils vont le tuer ! Tu as vu ce qu'ils ont fait à Launay ?

— Et alors ? répliqua Danton. Ces gens-là ne m'inspirent aucune pitié. Qu'ils aillent au diable !

Desmoulins adressa un regard suppliant à son confrère. Mais celui-ci haussa les épaules, réajustant sa perruque blanche sur son large crâne.

Un homme dans la foule s'empara de la missive. Sous les encouragements de ses pairs, il monta sur une chaise pour en donner lecture à vive voix.

— « Cher Monsieur de Flesselles, M. de Launay résistera jusqu'à la dernière extrémité ; nous lui envoyons les forces suffisantes. Ce 14 juillet 1789. Signé : le baron de Besenval. »

Dans un transport d'indignation, l'assemblée fut parcourue de huées. Ainsi, le prévôt était en lien avec les troupes royales, et celles-ci avaient été sur le point de venir sauver la Bastille ! La preuve était là, qui venait confirmer la rumeur : Flesselles était bien du côté du roi, et il avait comploté avec lui contre ses propres concitoyens ! Les Parisiens, scandalisés, se pressèrent contre la porte de la salle du Conseil.

— Donnez-nous Flesselles ! réclamaient les uns.

— Donnez-nous le traître ! répétaient les autres.

En entendant ces cris, les membres du comité, pétrifiés, sortirent de leur petite pièce et, sous les sifflets de la foule, ils montèrent sur l'estrade pour tenter de la calmer.

— Citoyens ! cria le marquis de La Salle, qui espérait n'avoir point perdu, lui, l'amitié de la ville. L'heure est aux célébrations, plutôt qu'aux émeutes. Paris a conquis sa liberté, la Bastille est tombée ! La milice parisienne est enfin armée ! Retournez dans vos districts pour porter la bonne nouvelle. Vive la nation ! Vive Paris !

Une partie de l'assemblée, la plus modérée, répéta en chœur : « Vive la nation ! Vive Paris ! », mais une autre, exaltée par les combats, poussa vers l'avant en demandant où était M. de Flesselles.

Au même instant, Desmoulins, qui était resté sur le côté de l'estrade avec Terwagne et Danton, aperçut ledit prévôt des marchands qui, caché derrière la porte de la salle du Conseil, la mine pâle, commençait à reculer discrètement vers une autre sortie.

Camille, comprenant que l'homme ne pourrait échapper longtemps aux Parisiens, et qu'il se ferait lyncher comme le marquis avant lui, demanda à son confrère de le suivre. Ils se précipitèrent à la poursuite du prévôt et l'arrêtèrent par le bras.

— Que faites-vous, Flesselles ? demanda Danton en le soulevant presque, de sa force colossale.

— Puisque je suis suspect, je me retire ! trembla le traître.

— Non, monsieur ! répliqua Desmoulins. Vous êtes responsable des malheurs qui sont arrivés ! Si vous fuyez, la foule vous ra… rattrapera et vous tuera ! Une seule chose peut vous sauver : un procès ! S'il vous reste un peu de dignité, soumettez-vous au jugement que vous méritez !

Pendant que Danton maintenait fermement le prévôt cloué au mur, Camille appela Terwagne dans la grande salle, où les protestations continuaient de s'élever.

— Anne-Josèphe ! chuchota-t-il. Faites discrètement mais rapidement venir le sous-lieutenant Élie et ses hommes !

En voyant que le vigoureux avocat retenait Flesselles, elle comprit et s'exécuta aussitôt.

Quand Élie arriva avec ses soldats, Camille lui expliqua la situation.

— Voici le prévôt des marchands. Si nous voulons éviter un nouveau lynchage, conduisez-le au Palais-Royal, pour qu'il y soit jugé !

Le militaire acquiesça et ordonna à ses hommes de former une escorte.

— Monsieur ! intervint Danton en dévisageant le prévôt. Remettez-nous les clefs de la ville, dont vous n'êtes plus digne !

Les mains tremblantes, Flesselles tira un trousseau de sa poche et le lui tendit. Par-delà la grande salle, à travers les fenêtres, il aperçut la tête du gouverneur de Launay que l'on promenait encore sur une pique.

— Par pitié ! s'écria-t-il en implorant le sous-lieutenant Élie du regard. Par pitié ! Ne me jetez pas à la populace !

— Ce n'est pas la populace, monsieur, c'est la nation ! Et nous ne vous livrons pas à elle, nous vous emmenons au Palais-Royal !

Les gardes-françaises s'avancèrent pour escorter le prévôt des marchands. Quand ils arrivèrent sur le seuil de la grande salle, le sous-lieutenant Élie, que les Parisiens voyaient comme leur sauveur, monta sur l'estrade et s'adressa à l'assemblée :

— Citoyens ! Nous venons d'arrêter le prévôt des marchands ! Mes hommes et moi avons tantôt juré de vous défendre, nous l'avons fait ! Nous faisons maintenant le serment de défendre cet homme, afin qu'il soit jugé et condamné, comme il mérite de l'être. Si votre cœur, comme vous ne cessez de me le dire, veut nous remercier du combat que nous avons livré pour vous, qu'il se montre maintenant magnanime ! Ne devenons pas tyrans à notre tour ! En mémoire de nos frères tombés aujourd'hui, laissez-nous passer, que justice soit rendue dans la plus grande dignité !

Cette belle supplique sembla porter ses fruits car, quand Élie et ses hommes s'avancèrent avec Flesselles, la foule s'écarta pour les laisser passer, sans toutefois épargner au prévôt une flopée d'injures et de quolibets.

Dehors, Flesselles vit que la multitude était plus immense encore qu'il n'avait pu l'imaginer, lui qui n'était plus sorti depuis la veille. La place de Grève tremblait sous les cris confondus de victoire et de colère. Trempé de sueur, tremblant de la tête aux pieds, le traître se laissa conduire par les soldats à la cocarde rouge et bleu à travers l'esplanade, vers une voiture qui, postée sur le quai Pelletier, était sa seule chance de survie.

Le prévôt des marchands n'était plus qu'à quelques pas du fiacre quand, surgi de la masse, un homme armé d'un pistolet se faufila entre les gardes-françaises et fit feu sur lui.

Flesselles mourut sur le coup.

63.

Une célèbre litote

Le lendemain matin, à l'aube, dans le silence de mort où Versailles était plongé, le duc de Liancourt, député, proche ami du roi, et qui, par son titre de grand maître de la garde-robe, était l'un des rares à pouvoir approcher le monarque à tout moment, entra dans la chambre de celui-ci pour le réveiller.

Louis XVI, surpris, se plaignit qu'on le sortît si tôt d'un doux sommeil alors qu'il avait festoyé la veille à la terrasse de l'Orangerie avec ses frères et la Cour, mais en découvrant la mine livide de son ami, il l'écouta lui faire le terrible compte rendu des événements qui avaient secoué Paris la veille.

— La Bastille ? bredouilla le roi, incrédule. Cette vieille prison ? Mais, pourquoi donc ? C'est… c'est une révolte ?

Le duc de Liancourt, d'une voix grave et prostrée, répondit dans un souffle :

— Non, Sire, c'est une révolution !

Livre troisième

**Le secret de Montmartel,
où Gabriel lève le voile
sur bien des mystères**

64.

Le costume de Mirabeau

Il était un peu plus de huit heures du matin quand le domestique du comte de Mirabeau vint frapper timidement à la porte du « parloir » où son maître avait passé la nuit avec deux des plus jolies filles de l'Abbaye.

— M. de Mirabeau est attendu à l'Assemblée nationale dans trente minutes, risqua le valet, avant de recevoir en plein visage l'oreiller que lui lança son maître en grognant.

La « maison » de Mlle Brion, sise rue Croix-des-Petits-Champs, était un luxueux temple de Vénus parisien, l'un des rares à avoir survécu aux ordonnances royales et au récent règlement de police contre les sérails clandestins. Ici, seuls les hommes de bonne condition étaient admis, et le comte de Mirabeau y avait ses habitudes, car les filles de Mlle Brion, qui allaient de quatorze à vingt-quatre ans, étaient notoirement plus belles et plus savantes que celles qu'on trouvait dans les pages de l'*Almanach des demoiselles de Paris*, ou du *Calendrier du plaisir*.

Dans cet hôtel particulier, les tarifs étaient plus élevés que chez la concurrence, mais on savait pourquoi. Les clients étaient reçus par la mère abbesse en personne, qui les conduisait en leur faisant une aimable conversation vers le salon doré, où clapotait l'eau d'un grand bassin. Là, au son de la harpe et dans l'effluve épicé des encens, ces messieurs pouvaient prendre leur temps pour consulter le *Livre des beautés*, inventaire illustré des pensionnaires de l'établissement, avec le portrait de chacune, son tempérament et ses spécialités. Aux clients les plus exigeants on fournissait le *Livre des passions*, offrant le détail des accessoires et prestations de l'Abbaye, sa collection de verges, cravaches, fouets et martinets, ses salons particuliers, tel celui de Vulcain, où se trouvait un siège d'amour ingénieux : aussitôt que la fille s'asseyait dessus, son dossier basculait vers l'arrière et la demoiselle, les jambes solidement ancrées, se trouvait prête à accueillir tous les outrages. Pour réveiller les natures paresseuses, Mlle Brion proposait même, contre une jolie somme, de miraculeuses pastilles à la Richelieu qui, disait-on, rendaient les hommes fous d'amour pendant plusieurs heures…

Dans une maison aussi prestigieuse et promettant la meilleure hygiène, la simple *passe*, rafraîchissement compris, où l'on amusait charnellement le client jusqu'à parfaite effusion, coûtait trente livres, mais pour cent, le client pouvait avoir le souper et le coucher, c'est-à-dire la nuit entière avec la ou les compagnes de son choix. Et pour une somme qui restait secrète, la mère abbesse proposait parfois même une pucelle à la défloration.

Mais, derrière ce luxe d'apparat et ces jeux de galanterie, les choses étaient à l'évidence moins douces pour les pensionnaires qu'elles ne l'étaient pour les consommateurs. Ces pauvres enfants, qu'on allait chercher à travers toute la France dans le lit de la misère, étaient dès leur entrée soumises à l'odieuse tyrannie de la mère abbesse. Livrées au vice des satyres qui se délectaient de leur jeune âge, forcées de sourire et de se plier aux plus folles demandes en simulant le plaisir, ces filles n'étaient rien d'autre que des esclaves, et leur corps une marchandise.

Les clients tel Mirabeau, ces nobles, ces grands bourgeois et ces ecclésiastiques ignoraient-ils que, chaque fois qu'ils entraînaient une fillette dans les étages, ils la détruisaient un peu plus, dans sa chair comme dans son âme ? Combien de ces malheureuses mais lucratives servantes, aviles, écorchées, meurtries, tombaient malades dans d'horribles conditions, combien périssaient de la syphilis, et combien étaient bannies à jamais quand elles la contractaient ? Combien mouraient en couche, après un dixième avortement ? Et celles qui, par miracle, survivaient à ce calvaire infâme, que devenaient-elles, leurs vingt-quatre ans passés ?

Ces questions, Mirabeau ne semblait pas se les poser ce matin-là quand, donnant à chacune de ses compagnes nocturnes une claque sur la fesse, il finit par se lever et s'habiller pour partir à Versailles.

Le comte avait la réputation d'être un homme vénal ; il l'était. On l'accusait d'être libertin ; il l'était. Mais de même qu'il n'existe pas de héros sans ombre, de même il y a toujours, dans le plus mauvais des hommes, des failles et des blessures que chacun devrait connaître avant de le juger. Ce brillant tribun, ce génie politique était aussi un homme qui avait, sur la vie, une légitime revanche à prendre. Né fort laid, pour ne pas dire monstrueux, il avait été rejeté par son père, qui le disait mal né et l'avait toujours traité comme un bâtard. Estimant toutefois mériter la fortune et les avantages qu'aurait dû lui offrir sa naissance, Mirabeau avait multiplié les intrigues, contracté de nombreuses dettes, et avait nourri pour l'aristocratie une haine profonde. Ses choix l'avaient maintes fois conduit en prison, où son propre père l'avait fait enfermer ! Enfin, l'homme avait connu, dans la première moitié de sa vie, une malheureuse histoire avec Sophie de Ruffey, la femme d'un autre. Leur amour avait été aussi violent qu'impossible, et ladite Sophie, s'étant retirée dans un couvent pour fuir l'opprobre, venait de s'y donner la mort ! Mirabeau, en somme, était un homme malheureux, se sentant l'objet d'une profonde injustice et, si son parcours n'excusait peut-être pas ses pires travers, au moins les expliquait-il un peu...

Traversant en fiacre un Paris qui portait les stigmates des émeutes de la veille, sous un ciel où flottait encore la fumée de la Bastille, il fila vers l'ouest, arriva en retard à l'Assemblée, et c'est drapé dans sa célèbre suffisance qu'il alla prendre place sur la banquette.

Comme les troupes étrangères du roi étaient à Paris et à Versailles, et qu'on avait même appris, avec indignation, que leur état-major avait passé la soirée de la veille à festoyer au château, on s'apprêtait à envoyer une nouvelle délégation au roi pour le supplier de retirer ses soldats, quand Mirabeau se leva, affectant un transport outré.

— Dites à Sa Majesté que, toute la nuit, ces soldats étrangers, gorgés d'or et de vin, ont festoyé avec la Cour, prédit dans leurs chants impies l'asservissement de la France, et que leurs vœux brutaux invoquaient la destruction de l'Assemblée nationale ; dites-lui que, dans son palais même, les courtisans ont mêlé leurs danses au son de cette musique barbare !

Et il se trouva autour de lui de nombreux députés pour s'émouvoir et applaudir cet homme dont l'honneur et la probité transparaissaient plus aisément dans le discours que dans la conduite…

La députation se mit en route, dirigée par le duc de Liancourt, que le roi estimait, et moins d'une heure plus tard elle revint avec une bonne nouvelle. Le duc annonça que le monarque s'était déterminé à venir au milieu des représentants de la nation pour leur communiquer ses bonnes dispositions.

Quand Louis XVI apparut à la porte de l'Assemblée, le silence s'y abattit. Au grand étonnement de chacun, il était venu sans garde, entouré seulement de ses deux frères, les comtes de Provence et d'Artois. Tête nue, dans une posture d'humilité, il resta debout pour prononcer son discours devant les députés, que cette soudaine et courageuse attention séduisit immédiatement.

— Messieurs, le chef de la nation vient avec confiance au milieu de ses représentants leur témoigner sa peine et les inviter à trouver les moyens de ramener l'ordre et le calme. Aidez-moi à assurer le salut de l'État ; je l'attends de l'Assemblée nationale.

J'ai donné ordre aux troupes de s'éloigner de Paris et de Versailles. Je vous autorise et je vous invite même à faire connaître mes dispositions à la capitale.

C'était la première fois que Louis XVI accordait au nom « assemblée » l'adjectif « nationale », et le discours humble du monarque comme sa promesse d'éloigner les troupes furent reçus par de retentissantes acclamations, lesquelles parvinrent jusqu'au peuple immense qui était déjà rassemblé autour des Menus-Plaisirs.

Pressé de disparaître, le roi salua les députés et, entouré de ses frères, se dirigea vers la sortie pour rejoindre le château, à pied. C'était une chose singulière et sans précédent que de le voir marcher, sans sa garde, au milieu de l'avenue de Paris ! Aussitôt, tous les députés, de quelque rang qu'ils fussent, se levèrent et se précipitèrent à sa suite. Ceux qui étaient au plus près du roi firent une chaîne pour le protéger de l'affluence, et cette proximité transporta la foule d'allégresse. « Vive le roi ! » se mit-on à crier de tous côtés. Tout semblait déjà oublié.

De retour à l'hôtel des Menus-Plaisirs, l'Assemblée désigna quatre-vingt-huit de ses membres pour les envoyer, sous la présidence du marquis de La Fayette, à Paris, où ils devaient employer tous leurs moyens pour y ramener le calme. Les députés Bailly et Sieyès étaient du nombre. Quant au comte de Mirabeau, il devait en être aussi mais, en chemin, il obliqua discrètement vers la Bastille…

65.

Une bibliothèque
peut en cacher une autre

Appuyé contre la porte de la salle théologique, Gabriel écoutait de loin Danton, Desmoulins et la trentaine de citoyens réunis autour du président Archambault pour débattre de l'attitude que le district des Cordeliers devait adopter vis-à-vis de l'Hôtel de Ville.

Il sursauta en sentant une main se poser sur son épaule.

— J'espérais vous trouver ici, chuchota le commissaire en lui souriant. Allons nous mettre à l'écart !

— Vous avez du nouveau ? le pressa le jeune homme en suivant le petit chauve replet dans un coin du jardin.

M. Guyot lui raconta alors, par le détail, ses recherches dans les anciennes carrières de Paris et les informations que lui avait livrées le bout d'étoffe arraché de la cape du Loup.

— Tout ceci est hypothétique, concéda-t-il, mais on ne peut négliger aucune piste, dans une affaire si nébuleuse.

— La cape d'un insurgé corse, dites-vous ? marmonna Gabriel, songeur. À ma connaissance, aucun de mes cinq suspects privilégiés n'a de rapport avec l'île. Mlle Terwagne a certes vécu en Italie, mais…

— C'est ici que notre collaboration prend tout son sens, jeune homme ! le coupa Guyot d'une voix satisfaite. Vous ne pouvez pas tout savoir !

— Allons, dites-moi !

— Connaissez-vous bien Archambault ? demanda le policier en faisant un geste de la tête vers la salle théologique.

— Le président du district ? Je le connais un peu…

— Savez-vous que sa femme a été sauvagement assassinée rue de la Huchette, il y a cinq ans, alors qu'elle attendait un enfant ?

— Mon oncle me l'avait dit, en effet. Et alors ?

— Mme Davia Archambault, née Lecchia, était corse, cher ami !

— Davia ? répéta le journaliste, intrigué.

Prenant le temps d'analyser la nouvelle, il ne put s'empêcher de noter que ce prénom commençait par la lettre D, à laquelle ressemblait la fameuse signature du Loup des Cordeliers ! Un justicier sauvant les femmes victimes de la cruauté masculine, en mémoire de son épouse assassinée ? Cela tenait la route…

— Je reconnais que c'est une piste qui repose sur beaucoup de suppositions hardies, reprit Guyot.

— Elle mérite toutefois qu'on s'y intéresse, répondit Gabriel. Pour ma part, je suis aussi tombé sur quelque rebondissement… inattendu.

Il raconta au commissaire comment une lettre du Loup l'avait mis sur la voie du prisonnier de la Bastille,

et toutes les aventures que lui avait fait vivre son investigation…

— Vous avez reçu une lettre du Loup chez vous, et
vous ne m'avez rien dit ? s'exclama Guyot.

— J'ai été entraîné par le cours des événements,
s'excusa le jeune homme, omettant de préciser que
cette lettre n'était pas la première…

— Vous avez pris beaucoup de risques ! lui reprocha le commissaire.

— N'en prenez-vous pas vous-même ?

— Cela fait partie de mon métier, jeune homme !

— Et aussi du mien ! rétorqua Gabriel, déterminé.

Le policier secoua la tête dans une grimace de répro-
bation.

— N'avez-vous pas peur que le Loup veuille faire
diversion en vous entraînant sur une tout autre enquête ?

— Quelque chose me dit que les deux sont liées.
Le Loup ne m'a certainement pas conduit à la Bastille
par hasard. On aurait plutôt dit qu'il avait besoin
d'aide…

— Et vous voulez aider un assassin ? gronda Guyot.
Je savais que vous commenciez à éprouver pour ses
crimes quelque indulgence, mais de là à faire le travail
à sa place !

— N'exagérons rien ! Je veux simplement suivre
toutes les pistes qui pourraient nous mener jusqu'à lui.
Ce prisonnier clandestin a sûrement un rapport avec
notre affaire…

— Si vous le dites.

— Il y a là, quoi qu'il en soit, un mystère qui mérite
amplement qu'on s'y intéresse !

— Bien, céda le policier, voyant qu'il était inutile de résister. Dans ce cas, poursuivez et, de mon côté, je vais me renseigner sur M. Archambault et cette piste corse. Mais soyez prudent, monsieur Joly ! Si j'apprends que le Loup vous menace une nouvelle fois sans que vous m'en teniez informé, je mettrai immédiatement un terme à notre accord !

— C'est entendu.

Ils échangèrent une poignée de main et, quand Gabriel revint dans la salle théologique, il vit que tout le monde était sur le départ.

— Où allez-vous ? demanda-t-il en attrapant Danton par le bras.

— À l'Hôtel de Ville. Une députation de l'Assemblée nationale y est annoncée. Tu viens ?

— J'essaie de vous rejoindre au plus vite, répondit le jeune homme.

Il regarda la bruyante cohorte sortir du couvent.

Quand tout le monde fut parti, Lorette s'approcha du journaliste et écrivit sur son carnet :

« Vous n'allez pas avec eux ? »

— Non. J'ai une affaire qui ne peut pas attendre.

La bibliothécaire lui retourna un regard intrigué.

— Je dois vérifier quelque chose, se contenta-t-il d'expliquer.

« Encore un mystère à percer ? » écrivit Lorette en souriant.

— Exactement !

« D'où vous vient cette obsession pour les mystères ? »

Gabriel resta un instant décontenancé par la question. À vrai dire, il ne se l'était jamais posée lui-même.

— Eh bien, bredouilla-t-il, je ne sais pas... Un mystère, c'est une vérité qu'on ignore. Le peuple aspire à la liberté, mais est-on libre quand on est dans l'ignorance ?

« Allons, cette obsession vient sûrement chez vous de quelque chose... », insista la jeune femme.

— La lecture d'Hérodote, de Thomas d'Aquin, de Descartes, de Voltaire et de Rousseau, peut-être. Ou bien... quelque mauvais souvenir de mon enfance, répondit-il évasivement.

« Quel souvenir ? »

— Vous êtes bien curieuse, aujourd'hui !

La jeune femme continua de le regarder, attendant sa réponse.

Gabriel poussa un soupir.

— Il y a... il y a une vérité que mon père m'a cachée quand j'étais plus jeune. Voilà. J'en ai beaucoup souffert. Il faut croire que cela m'a rendu curieux, méfiant et opiniâtre...

Joly éprouva une grande gêne. Jamais il n'avait parlé de cette chose-là, à quiconque. C'était un douloureux secret, enfoui dans les profondeurs de sa mémoire, un secret qu'il n'avait pas pardonné à son père, et il ne savait pas pourquoi il s'était soudain laissé aller à l'évoquer devant la jeune femme, même aussi vaguement. Lui inspirait-elle, par sa propre discrétion, une confiance inattendue ?

La bibliothécaire le regarda avec un air nouveau, qui ressemblait presque à de l'espièglerie.

— Qu'y a-t-il ? demanda le jeune homme, voyant qu'elle hésitait à lui écrire quelque chose.

« Moi aussi j'ai un secret. Savez-vous garder les secrets ? »

— Lorette, si vous me demandez de garder un secret, je le conserverai comme le plus précieux des trésors !

La jeune femme sourit.

« C'est justement un trésor que je vais vous montrer ! »

Avec une légèreté qu'il ne lui connaissait guère, Mlle Printemps le prit par le bras et le tira derrière elle. Le cœur battant, Gabriel la suivit vers le fond de la salle théologique, où ils s'arrêtèrent devant la dernière étagère. Que lui voulait-elle ? Allait-elle enfin...

Le cours de ses spéculations fut interrompu quand Lorette, portant un doigt à ses lèvres, l'invita à ne pas faire de bruit. Après qu'elle eut jeté un coup d'œil vers le cloître pour s'assurer que personne ne venait, elle glissa sa main sous une planche et actionna le mécanisme qui y était dissimulé. La jeune femme attrapa la haute étagère et l'ouvrit comme une porte.

Stupéfait, Gabriel se laissa entraîner à l'intérieur d'une pièce carrée, grande comme un cabinet. Autour de lui, il découvrit les murs... d'une seconde bibliothèque !

— Mon Dieu ! murmura-t-il. Mais qu'est-ce que c'est ?

Lorette, dont les yeux étincelaient de malice, prit son carnet et écrivit :

« C'est mon trésor à moi ! Ma bibliothèque secrète ! Si les moines la découvrent, je suis perdue ! »

Subjugué, le journaliste se promena le long des étagères. Il n'y avait là que des livres proscrits par la censure royale, ou mis à l'Index par l'Église. Des ouvrages que les moines des Cordeliers, à l'évidence, n'auraient point voulu voir dans leur salle théologique ! Laissant ses doigts glisser sur le dos des volumes alignés, il repéra l'*Encyclopédie* de Diderot et d'Alembert, mais aussi *De l'esprit des lois*, de Montesquieu, *Le Barbier de Séville* de Beaumarchais, l'*Histoire naturelle* de Buffon, *De l'esprit* d'Helvétius, et des centaines d'autres encore, certains d'une grande rareté ; philosophie, sciences modernes, histoire, médecine, occultisme, mémoires secrets…

— C'est incroyable, Lorette !

« Vous êtes le premier à entrer ici ! » écrivit-elle, avant de lever le doigt dans un geste de mise en garde.

— Je n'en parlerai à personne ! promit le jeune homme, ébahi.

« Si un jour vous cherchez un livre particulier, vous saurez où le trouver. »

— Ah, Lorette, c'est une faveur qui me touche au plus profond de mon âme ! murmura-t-il en prenant la magnifique édition originale allemande des *Écrits du noble et savant philosophe médecin Philippe Théophraste Bombast de Hohenheim, dit Paracelse*, publiés par Georg Husner en 1589.

Les yeux écarquillés, il feuilleta précautionneusement ce bijou, avant de le remettre à sa place avec la plus grande vigilance, pour ne point l'abîmer.

« La plupart de ces livres ont été légués au couvent par la veuve de Jean-René de Longueil, membre de l'Académie royale des sciences, qui a sa sépulture dans notre église. Ils sont restés longtemps dans un vieux coffre et les moines m'ont demandé de les classer.

J'ai sauvé du feu ceux dont je savais qu'ils les auraient brûlés… »

— C'est tout simplement extraordinaire ! lâcha Gabriel avec une authentique émotion.

La jeune femme laissa au journaliste le plaisir de parcourir encore les trésors de sa chambre secrète, puis elle finit par lui écrire :

« Nous devons ressortir avant que les moines arrivent. »

Gabriel acquiesça, qui aurait voulu pourtant rester de longues heures dans cet antre merveilleux.

Lorette, après avoir jeté un coup d'œil dans le passage secret, lui fit signe de la suivre. Elle s'empressa de refermer la porte dérobée et, posant une main sur l'épaule du jeune homme, lui répéta sa mise en garde en faisant mine de coudre ses lèvres du bout des doigts.

— Je serai… Je serai aussi muet que vous ! promit Gabriel.

Cela fit rire la jeune femme et, dans un transport d'ivresse, il prit la main posée sur son épaule et s'approcha lentement, cherchant du bout des lèvres un baiser. Lorette recula avec une moue offusquée.

— Pardon, murmura Gabriel. Pardon, j'ai cru que… Je suis idiot…

La bibliothécaire croisa les bras et lui adressa un regard mécontent.

— Je… je vais y aller, marmonna-t-il, la gorge nouée.

Le cœur gros, songeant qu'il avait encore bien des choses à apprendre sur les femmes, il se dépêcha de rejoindre la sortie ; sans se retourner, cette fois.

66.

Sous le regard de Washington

Ce matin-là, Paris offrit aux députés qui y entrèrent un spectacle tout à fait extraordinaire. Les rues étaient noires de leurs habitants comme des patrouilles de la nouvelle milice citoyenne. Les Parisiens avaient reconstruit eux-mêmes les barrières des fermiers généraux, pour se prémunir la nuit contre les bandes de brigands. S'attendant à un possible retour des troupes royales, ils avaient aussi monté de nombreuses barricades sur les faubourgs, certaines gardées par des canons. La ville semblait installée dans la fragile trêve d'une guerre civile.

Descendant de leurs équipages sur la place Louis-XV, les députés entreprirent de traverser le jardin des Tuileries à pied. La foule qui les suivit semblait partagée entre méfiance et enthousiasme. Toutefois, lorsque quatre membres du comité permanent vinrent à la rencontre des élus de l'Assemblée pour les accompagner jusqu'à l'Hôtel de Ville, dans une franche clameur, on se mit à lancer des fleurs par les fenêtres, et ce fut comme si Paris, soudain, retrouvait les couleurs que les fumées de la Bastille lui avaient enlevées.

Le cortège arriva sur la place de Grève sous les hourras.

Anne-Josèphe Terwagne faisait partie des quelques Parisiens qu'on avait laissés entrer ce jour-là dans la grande salle de l'Hôtel de Ville pour assister à la venue de cette députation et, comme tous les citoyens autour d'elle, elle applaudit chaleureusement à son entrée.

Invités à rejoindre le comité permanent sur l'estrade, les députés traversèrent la foule et restèrent debout parmi les électeurs. Le marquis de La Fayette, ému, fut le premier à prendre la parole :

— Messieurs, voici enfin le moment le plus désiré de l'Assemblée nationale. Le roi a été trompé, il ne l'est plus ; il connaît nos malheurs, et il ne les connaît que pour empêcher qu'ils se reproduisent jamais. Il est venu aujourd'hui au milieu de nous, sans troupes, sans armes. Il nous a dit qu'il avait donné ordre aux soldats de se retirer…

La salle explosa de cris de joie.

— Vos réclamations étaient justes, déclara solennellement le comte de Lally-Tollendal, soucieux de flatter les Parisiens. Vos douleurs étaient profondes, et votre monarque avait méconnu un moment les sentiments de la nation qu'il a l'honneur et le bonheur de commander. Il a dit qu'il se fiait désormais à nous, c'est-à-dire à *vous* ! C'est au nom de votre roi que nous vous apportons la paix, et il faut qu'en votre nom nous portions la paix à votre roi.

Ce discours de réconciliation entre un peuple et son monarque fut accueilli par de nouvelles acclamations : « Vive la nation ! Vive le roi ! »

Moreau de Saint-Méry, qui avait pris provisoirement la présidence du Comité parisien après la mort de Flesselles, fit aux députés une réponse tout aussi enflammée.

— Dites au roi qu'il acquiert aujourd'hui le titre glorieux de « Père de ses sujets » et que ceux qui lui ont inspiré des terreurs l'ont trompé. Dites-lui que le premier roi du monde est celui qui a l'honneur de régner sur les Français !

Le député Lally-Tollendal serra chaleureusement la main de Saint-Méry et reprit :

— L'Assemblée entend vous aider à consolider votre milice bourgeoise, que nous appellerons volontiers Garde nationale. Nous proposons, afin de rendre hommage à la couleur des gardes-françaises, qui ont beaucoup œuvré pour ces événements, que le blanc soit ajouté au rouge et au bleu de la cocarde. Le blanc, c'est aussi la couleur de la nation, c'est la couleur du drapeau de Jeanne d'Arc !

La proposition fut applaudie.

— La Garde nationale portera donc la cocarde bleu, blanc et rouge ! Il convient à présent que vous en confiiez le commandement à un homme en qui vous avez toute votre confiance.

Les membres du comité permanent échangèrent quelques paroles à voix basse, puis, avec un sourire malicieux, Moreau de Saint-Méry répondit non pas par une phrase, mais par un geste. Levant lentement la main droite, il pointa le doigt vers les deux statues qui siégeaient au pied de l'estrade.

Ces bustes avaient été offerts à la ville de Paris par l'État de Virginie. Le premier était celui de Washington, le second du marquis de La Fayette.

— Nous voulons M. de La Fayette ! lança d'une seule voix le Comité.

À ces mots, l'audience éclata d'allégresse tant cet homme, qui avait si admirablement aidé à l'indépendance américaine, était cher au cœur des Français.

Bouleversé par ce témoignage d'affection, le marquis et député, sortant son épée pour faire le salut militaire, accepta avec déférence sa nouvelle charge.

On demanda ensuite au sieur Jean-Sylvain Bailly, qui avait courageusement présidé l'Assemblée nationale à ses débuts, s'il acceptait de devenir prévôt des marchands, à la place du défunt Flesselles.

Mais alors, des cris s'élevèrent dans la salle.

— On ne veut plus de prévôt ! On veut un maire ! demandèrent les Parisiens.

— Bailly, maire de la ville ! répéta la foule en écho.

Le député, malgré son âge avancé, toujours désireux de se mettre au service du peuple de Paris, accepta lui aussi avec humilité.

— Et Necker ? cria un homme dans l'audience. Le roi doit rappeler Necker !

Les députés promirent qu'ils s'efforceraient de faire entendre ce vœu de la nation à leur monarque dans les meilleurs délais.

L'archevêque de Paris, empressé d'associer l'Église à cette renversante réconciliation, annonça que la députation était attendue à Notre-Dame, où l'on célébrerait un *Te Deum* en l'honneur de la paix retrouvée. L'idée ne les enchanta pas tous mais, pour faire bonne figure, les députés y consentirent et se mirent en route diligemment.

Leur apparition au seuil de l'Hôtel de Ville répandit sur la place de Grève le plus vif enjouement. La procession passait devant Anne-Josèphe Terwagne quand l'abbé Sieyès s'arrêta pour la saluer.

— Nous nous retrouvons enfin sous un jour plus heureux ! dit le député au milieu de la clameur.

Il se retourna vers le marquis de La Fayette et ajouta :

— Vous connaissez Mlle Terwagne, n'est-ce pas ?

— Théroigne de Méricourt ?

— Terwagne tout court. Nous nous sommes croisés à l'hôtel de Lussan en mai dernier, lui rappela Anne-Josèphe, lorsqu'on y a fait jouer la pièce d'Olympe de Gouges pour la Société des amis des Noirs.

— Je vois très bien qui vous êtes, mademoiselle. Il a plusieurs fois été difficile de vous ignorer, dans les tribunes des spectateurs de l'Assemblée ! lâcha La Fayette avec un sourire.

— Tant mieux ! Cette Société dont vous êtes membres tous les deux, sous les bons auspices de M. de Condorcet, est l'une des rares à accepter les femmes en son sein. Mais à l'Assemblée, monsieur de La Fayette ? À l'Assemblée, qui parle pour les femmes, qui n'ont même pas le droit d'y siéger ?

Le marquis, troublé, fronça les sourcils.

— Que voulez-vous dire ?

— Vous avez fait vous-même une proposition de déclaration des droits de l'homme. Je me suis réjouie en entendant le député Rabaut Saint-Étienne réclamer la liberté pour les Juifs, ce peuple proscrit et voué à l'humiliation. Mais les femmes ? Ne devraient-elles pas avoir les mêmes droits ? Ne devraient-elles pas aspirer à l'égalité politique ? Ne méritent-elles pas, autant que les Noirs, d'être affranchies du droit d'aînesse masculin ?

La Fayette, pris de court, peina à trouver les mots pour répondre.

— Eh bien, oui, je comprends… Je… je parlerai pour vous, mademoiselle. Je m'y engage. Je parlerai pour les femmes…

— Je serai là pour vous écouter, répliqua Terwagne.

L'affirmation pouvait être interprétée tant comme un remerciement que comme une mise en garde.

67.

Dans un tas de ruines

Dans tout le quartier Saint-Antoine, des placards annonçaient qu'il était formellement interdit d'approcher de la Bastille, comme son état la rendait dangereuse. La place forte, encore fumante, avait été confiée à la surveillance de cinquante gardes-françaises.

Gabriel, bravant l'interdit, se dirigea vers le portail. Quand il arriva dans l'avant-cour de la Bastille, il aperçut le marquis de La Salle, désormais commandant en second de la Garde nationale, entouré de deux hommes.

— Monsieur le marquis, fit le jeune homme en inclinant la tête devant celui qui, la veille, l'avait autorisé à accompagner les délégués à la Bastille.

— Monsieur Joly ! Je suis heureux de vous savoir en vie ! J'ai été si inquiet, hier, quand les délégués m'ont dit que vous aviez disparu. Je ne me serais jamais pardonné de vous avoir envoyé vers quelque funeste destin.

— J'ai réussi à quitter la Bastille au plus fort des combats, monsieur. Et j'ai pu prendre sur les événements de nombreuses notes que je garde à la disposition du comité.

— Vous m'en voyez ravi !

— Puis-je vous demander ce que vous faites ici, à présent ? demanda le journaliste.

— J'accompagne M. Poyet, architecte de la ville, et M. Palloy, maître maçon, afin que nous étudiions ensemble les lieux, pour préparer la destruction de la Bastille, qui a été votée ce matin par le comité.

— Me permettez-vous, en prenant toutes les précautions nécessaires, d'aller constater par moi-même l'étendue des dégâts ? demanda Gabriel.

— Je n'y serais pas très favorable à votre place, monsieur le marquis, intervint le sieur Palloy. Le sol a été fragilisé. Il y a des souterrains sous la Bastille qui, à tout moment, peuvent provoquer un effondrement.

Gabriel ne put s'empêcher de sourire intérieurement. Oui, les souterrains de la Bastille, il les avait vus de près...

La Salle sembla hésiter.

— Je promets d'être très prudent ! insista le jeune homme.

— Ah ! céda le marquis. Comment pourrais-je vous le refuser, vous qui étiez hier au premier rang ? Allons, je vous y autorise, mais à condition que vous ne montiez guère dans les tours ou sur les remparts, que vous ne restiez qu'un court instant et que vous soyez très précautionneux.

— Je vous le promets, monsieur.

Le marquis écrivit alors une commission sur une feuille de papier et la tendit au jeune homme.

— Tenez, si le commandant des gardes-françaises vous demande ce que vous faites là, montrez-lui ce papier signé de ma main. Votre ami Me Danton est venu ce matin lui aussi et, croyant que la Bastille avait un nouveau gouverneur, il a fait tout un scandale…

— Danton ? s'exclama Gabriel, surpris.

— Oui. Il a dit qu'il venait au nom de la milice parisienne, dont il se disait capitaine, et qu'il ne comprenait pas pourquoi la Bastille n'était pas entre les mains de celle-ci, ce qui était un quiproquo absurde, puisqu'elle l'est. Bref… J'aimerais éviter un nouvel esclandre…

— Je comprends. Merci infiniment.

Se demandant ce que son ami Danton était venu faire là, et de quel droit il s'était dit capitaine de la milice parisienne, le journaliste salua les trois hommes et se dirigea vers la cour du Gouvernement.

Les écuries, les remises, l'hôtel du gouverneur, les cuisines… toute cette partie avait été si dévastée par les flammes qu'on reconnaissait à peine les bâtiments. Traversant le pont dormant, Gabriel entra dans la forteresse et, sans hésiter, se dirigea tout droit vers le dépôt des archives.

La première pièce était dans un indicible désordre. Les murs étaient encore maculés de sang, les meubles avaient été renversés, de nombreux documents avaient brûlé, et la plupart traînaient sur le sol, éparpillés comme par un tremblement de terre. En poussant un soupir, il se dirigea vers la salle des archives secrètes, celle-là même où il était entré la veille à la poursuite des mystérieux fugitifs, et où était cachée l'entrée du souterrain.

Il venait de pousser du pied la porte à moitié détruite quand une silhouette sur sa gauche le fit sursauter.

Il reconnut aussitôt le corpulent comte de Mirabeau, dont le visage, crevassé par la petite vérole, était difficile à oublier...

Le comte avait sursauté lui aussi en voyant entrer le journaliste, si bien qu'il avait presque lâché les volumes qu'il portait sous le bras.

— Ah ! Vous êtes M. Joly, n'est-ce pas ? bredouilla le député d'un air embarrassé. Celui qui aide Me Desmoulins pour les corrections de mon journal...

— Oui, monsieur le comte. C'est bien moi, répondit Gabriel en regardant les livres que Mirabeau serrait contre lui.

— Et que faites-vous ici ?

Gabriel se garda de lui retourner la question, car il devinait la raison secrète de la présence du député : la Bastille, considérée comme inviolable, avait été un lieu de dépôt pour de très nombreux documents d'importance, tels que les archives de la lieutenance de police, des chambres de l'Arsenal, du Châtelet, et des affaires judiciaires du parlement de Paris...

— Je suis ici pour un article, avec l'autorisation du marquis de La Salle, expliqua-t-il. Je cherche le registre des prisonniers...

— Ah, le registre d'écrou, voulez-vous dire ? Et qu'espérez-vous y trouver ? demanda Mirabeau, suspicieux.

— Des informations sur les prisonniers qui étaient dans la Bastille au moment de sa chute.

— Mon pauvre ami, vous risquez d'être déçu : ils n'étaient que sept !

— Je le sais. Mais j'aimerais avoir plus d'informations à leur sujet.

— Je vois. Eh bien, il me semble que je l'ai vu quelque part dans la première pièce, fit Mirabeau en désignant celle par laquelle le jeune homme était arrivé.

— Et ici, vous avez trouvé des choses intéressantes ? le titilla Gabriel. Il me semble que c'était dans cette pièce que le gouverneur conservait les documents les plus... confidentiels.

— Oh, non, rien d'extraordinaire, s'empressa de répondre Mirabeau. Tout a été détruit ou volé... Je n'ai trouvé que des livres de comptes, que je vais confier à l'Assemblée.

Il mentait, à l'évidence.

— Moi qui espérais que vous aviez trouvé l'identité de l'homme au masque de fer ! plaisanta Gabriel.

Mirabeau partit d'un grand rire factice.

— Non, malheureusement, je crois bien que ce mystère durera pour l'éternité !

Les deux hommes restèrent un moment à se regarder sans plus savoir que dire, dans un silence embarrassant.

— Bon, lâcha finalement le journaliste. Je vais chercher le registre à côté, alors...

À contrecœur, et un peu agacé, il retourna dans la première pièce, où il trouva en effet ce qu'il cherchait.

Le registre d'écrou, fort épais, contenait la liste des prisonniers des sept dernières années. Tenu par le major de la Bastille, il précisait le nom et la qualité de chaque détenu, le motif de son incarcération, ainsi que la tour et le numéro de la cellule dans laquelle il était enfermé. Dans une première colonne figurait la date d'entrée, et dans une seconde celle de l'ordre de sortie, contresigné par le prisonnier lui-même.

Conscient qu'il ne pouvait emporter le volume – Gabriel avait visiblement plus de respect que le comte de Mirabeau pour le bien public –, il sortit son carnet et recopia le nom des prisonniers pour lesquels aucune date de sortie n'était précisée et qui, donc, devaient encore se trouver à la Bastille la veille. Sans grande surprise, il n'en trouva bien que sept, et il se demanda si ce fameux huitième prisonnier qu'il avait vu la veille n'était pas un nouvel homme au masque de fer, détenu anonymement par le gouverneur...

Méticuleusement, à côté du nom des sept détenus – Béchade, de Whyte, La Corrège, Laroche, Pujade, Tavernier et le comte de Solages –, il prit le soin de noter les informations qui les concernaient.

En jetant un coup d'œil dans la pièce voisine, il vit que Mirabeau continuait de fouiller dans les décombres, et il préféra s'en aller, non sans éprouver quelque jalousie : combien il aurait aimé, lui aussi, inspecter cette mystérieuse pièce des archives secrètes ! Mais il tint à respecter la promesse qu'il avait faite au marquis de La Salle en quittant promptement la Bastille.

68.

Le bon mathématicien

— Vous m'avez encore donné bien du tourment, misérable Terwagne ! s'exclama Louis-Sébastien Mercier quand il trouva celle-ci à la porte de son appartement de la rue des Maçons. N'en avez-vous pas assez de jouer à la loterie avec votre propre vie ?

— Allons ! Je suis justement venue vous rassurer. Je suis vivante ! s'amusa la Liégeoise en prenant le bras de son ami qui la conduisait dans le salon.

— Asseyez-vous, mon amazone, et ne bougez plus, pour une fois ! Qu'êtes-vous donc allée faire aux Invalides et à la Bastille, vilaine téméraire ? Quand la mort ne vient pas vous chercher, c'est vous qui allez à sa rencontre ?

— Et vous ? rétorqua-t-elle. Que n'y étiez-vous point ? Je vous croyais rangé du côté du peuple !

— Pardon, mais écrire est un acte tout aussi patriotique, madame ! Mourir pour ses idées n'est rentable que quand elles sont mauvaises ! Les génies comme moi doivent se préserver, pour le bien de la nation. Nous lui sommes plus utiles vivants que morts !

— Ah, car vous êtes utile à la nation, vous ? se moqua gentiment Anne-Josèphe.

— Allons, je lui suis essentiel ! Que puis-je vous servir à boire ?

— Je prendrais bien un chocolat, répondit-elle en posant sur le canapé son chapeau à plume noire.

— Un chocolat ? Vous n'êtes pas sérieuse, gourgandine ! Les boissons coloniales, thé, café et chocolat, sont formellement proscrites chez moi !

— Et pourquoi ?

— C'est le café qui a détruit nos cabarets ! La tristesse a envahi nos estaminets quand on en a fait des « cafés ». Le café, c'est le vide absolu ! Adieu, la belle humeur d'antan, celle du vin généreux dont nos pères s'enivraient ! Chez moi, madame, vous ne trouverez que vin, de Bourgogne ou de Champagne, cidre de Normandie, liqueur ou eau-de-vie.

— Prenons un verre de vin, alors ! s'amusa Terwagne.

L'écrivain réapparut quelques instants plus tard avec une bouteille de beaune qui trempait dans un rafraîchissoir garni d'eau et de glace, et il en servit deux grands verres.

Au même moment, on frappa à sa porte.

— Ah ! Mais que me veut-on encore ? grogna Mercier en reposant la bouteille pour aller ouvrir.

Approchant la quarantaine, le petit homme qui se tenait sur le seuil n'avait pas, pauvre bougre, une physionomie des plus avantageuses. Un gros nez plongeant, un crâne dégarni sur le dessus et des cheveux frisés sur les côtés, des yeux voilés par une profonde myopie et enfoncés dans leurs orbites, un ventre bien rond, il n'avait pour lui que l'agréable et rassurante douceur de son regard. On eût dit un gentil moine.

Ce visiteur, c'était Gilbert Romme, membre lui aussi de la loge des Neuf Sœurs, dont il s'était longtemps absenté pour devenir précepteur du fils du comte Stroganoff en Russie. Tout juste revenu à Paris, M. Romme n'était donc plus un franc-maçon très assidu ; il ne venait que très rarement en loge, mais conservait pour certains de ses frères, tel Mercier, une profonde affection.

— Mon bon Gilbert ! Que me vaut le plaisir ?

— Êtes-vous au courant pour Montmorency-Luxembourg ?

— Quoi ? Il a reconstruit la Bastille ? plaisanta Mercier.

— Non ! Il a démissionné, tant de l'Assemblée que de son poste d'administrateur du Grand Orient de France, et il a fui le pays ! On dit qu'il est parti se réfugier à Londres !

— Ah, lui aussi ? Les rats quittent le navire, fit simplement Mercier. Eh bien, entrez, Gilbert !

L'écrivain conduisit son ami et frère dans le salon, où il le présenta à Anne-Josèphe Terwagne.

— Je suis enchanté de vous rencontrer, mademoiselle ! Je vous ai souvent vue à la tribune de l'Assemblée, où je me rends régulièrement…

— Je me souviens de vous, répondit la Liégeoise. Vous accompagnez toujours ce jeune homme très élégant…

— Je suis son précepteur. Louis-Sébastien, j'ignorais que vous aviez de la compagnie, je vous dérange sûrement ! s'excusa Romme.

— Un peu, répondit mesquinement Mercier.

— Pas du tout ! objecta Anne-Josèphe en donnant une tape sur le bras de l'écrivain. Je n'ai pas pu m'empêcher d'entendre ce que vous venez de dire à notre méchant ami, monsieur. Allons ! Asseyez-vous et racontez-nous !

— C'est-à-dire…, bredouilla Romme, embarrassé.

Mercier fit un geste las de la main.

— Vous pouvez parler librement, mon frère, cette adorable étrangère connaît tout de ma vie maçonnique, et je la considère volontiers comme une sœur. Enfin… spirituellement, s'entend.

Gilbert Romme s'installa dans le salon, où on lui servit un verre de vin.

— Je disais à Louis-Sébastien que le duc de Montmorency-Luxembourg, administrateur de notre confrérie, avait fui la France cette nuit. Il aurait expliqué qu'il était favorable à une restauration de notre régime et non à ce qu'il désigne comme une subversion générale…

— Alors nous ne le pleurerons pas, répondit Anne-Josèphe en haussant les épaules.

— Ah, mademoiselle ! Ce n'est pas un méchant homme. Il s'entête simplement dans sa fidélité au monarque…

— Il me paraît surtout d'une grande lâcheté, rétorqua la Liégeoise.

— Je m'inquiète de ce qu'il laisse le Grand Orient dans une fâcheuse situation. Il en était le véritable Grand Maître, car le duc d'Orléans ne l'est qu'à titre honorifique, si je puis dire, et je ne crois pas qu'il soit capable de diriger l'ordre.

— Il ne vous reste plus qu'à le remplacer, Gilbert ! lança Mercier en levant son verre.

— Moi ? Vous plaisantez, mon frère ! Je n'ai jamais été homme à diriger. Et j'ai perdu beaucoup de foi en notre maçonnerie qui, comme l'a prouvé ce conflit entre d'Orléans et Montmorency-Luxembourg, est trop sujette aux guerres intestines ! Je suis plus attiré par les clubs politiques, qui me semblent plus ouverts et moins soumis à la lourdeur bureaucratique. En outre, nos ateliers séparent les hommes des femmes, qu'on cantonne dans des loges d'adoption, et c'est fort regrettable…

— Vers quel club vous dirigeriez-vous, alors ? demanda Anne-Josèphe, que la dernière remarque de Romme avait séduite.

Et, ainsi, ils conversèrent longuement de politique et de philosophie. Romme expliqua comment ses voyages, de la Sibérie à l'Helvétie, en passant par la Crimée, lui avaient donné un regard nouveau sur la France et son régime, qu'il jugeait archaïque. Il s'étendit sur le besoin qu'avait la nation de recouvrer sa souveraineté, et celui des citoyens de se réapproprier le débat politique. À l'écouter ainsi parler, la Liégeoise tomba sous le charme paternel de ce petit homme plein d'humanité et à l'évidente probité, et lui-même, pédagogue dans l'âme, ne fut pas insensible à l'enthousiasme de la jeune femme, si bien que notre bon Mercier, jaloux comme un pigeon, ne cessa de les enquiquiner l'un et l'autre.

— Pourquoi ne formerions-nous pas notre propre club ? conclut Anne-Josèphe.

— Mon Dieu ! s'exclama Louis-Sébastien. Un autre club ! Même Zoppi vient de créer le sien ; la *Société des habitués du café Procope* ! Si cela continue, il y aura à Paris plus de clubs qu'il n'y a d'habitants !

— Il en manque un où les femmes seraient reconnues comme les égales des hommes ! rétorqua la Liégeoise.

— C'est ce à quoi vous aspirez ? Être nos égales ? Parbleu ! Quel manque d'ambition !

— Vous vous moquez des clubs, mais n'êtes-vous pas vous-même membre de la Société des amis des Noirs ?

— Par amitié pour Condorcet, uniquement. Si vous la voulez, je vous cède volontiers ma place. Les femmes y sont acceptées, même blanches !

Anne-Josèphe secoua la tête et, regardant l'horloge du salon, elle annonça qu'elle devait rentrer chez elle. La nuit était déjà tombée.

— Vous ne restez pas ? se vexa l'écrivain, qui avait espéré une autre issue à cette soirée.

— Non, je suis fatiguée. Gilbert, ajouta-t-elle en se tournant vers M. Romme, revoyons-nous bientôt, et reparlons de cette idée de club !

— Avec grand plaisir, mademoiselle !

— Ah ! se moqua Mercier. La France est sauvée !

Il la raccompagna jusqu'à la porte où il fit mine d'attendre un baiser. Mais la jeune femme, plutôt que de l'embrasser, le regarda d'un air mélancolique et réprobateur à la fois.

— Le masque de l'ironie perd de son charme, Louis, quand on ne l'enlève jamais. Je me doute que vous avez beaucoup à cacher sous vos sarcasmes mais, avec moi, il faudra bien un jour que vous arrêtiez de jouer.

Mercier passa délicatement la paume sur son propre visage et changea d'expression, mimant soudain la tristesse, comme s'il venait d'enfiler un masque de tragédie italienne.

— Ne plus jouer, mademoiselle, c'est mourir. La vie est un cabaret.

69.

Comme une anguille

Après sa visite à la Bastille, Gabriel s'était installé seul à l'étage du café Procope pour réfléchir à son enquête. Il était tard quand, après avoir soupé d'un bœuf à la mode et d'une salade, d'un sou de pain et d'un carafon de vin, il se décida à faire un tour du côté de la rue Dauphine, où il avait vu, sur une affiche dans la cour, qu'un appartement avec chambre, cuisine et cave, était à louer pour quatre-vingt-cinq livres par an.

Par correction, le jeune homme s'était promis de quitter au plus vite la chambre que lui prêtait son oncle : ayant démissionné du *Journal de Paris*, il ne pouvait pas continuer d'occuper gratuitement ce logement. Sa révision des textes que Desmoulins écrivait pour Mirabeau et ses publications chez Momoro lui donnaient à présent les moyens de louer son propre appartement.

Si elle l'éloignait un peu du couvent des Cordeliers, la rue Dauphine avait le double avantage d'être située à quelques pas du Procope et de donner directement sur le Pont-Neuf, et donc d'offrir un accès rapide à l'autre rive de Paris. Elle était, pour ainsi dire, au centre de la capitale.

Sortant du café par la rue des Fossés-Saint-Germain, Gabriel salua les miliciens de la Garde nationale qui, cocarde bleu, blanc, rouge au chapeau, patrouillaient en silence. En quelques jours à peine, Paris, maîtresse de l'improvisation, s'était déjà armée.

Après avoir traversé la rue Saint-André-des-Arcs, les réverbères de la rue Dauphine lui permirent d'avoir une bonne vue sur l'immeuble où se trouvait l'appartement à louer, et il resta un moment à regarder la façade. Il s'imaginait déjà vivre ici. Songeant qu'il allait louer son premier logement à Paris, sur ses propres deniers, un sourire se dessina sur son visage. Que de chemin parcouru, depuis Évreux, Cantorbéry et Liège !

Il en était là de ses pensées quand il lui sembla entendre, du côté de la Seine, un étrange vacarme. On eût dit que des gens se battaient ! Poussé par son incorrigible curiosité, Gabriel remonta la rue Dauphine en courant et, quand il arriva sur le quai des Augustins, ce qu'il vit le pétrifia.

Sur sa droite, une grande voiture était arrêtée.

Sur sa gauche… Eh bien, sur sa gauche, il n'eut aucune peine à identifier la terrifiante silhouette drapée de noir, son visage caché par une large capuche, qui était en train de se battre contre deux hommes, et qui tenait en laisse un loup !

Stupéfait, Gabriel assista à la violente scène, qui ne dura guère. Un coup de sabre, puis un deuxième, des ruisseaux de sang, l'acharnement de la bête sauvage bondissant à la gorge d'un survivant, un nouveau coup de lame sur le front de l'un des hommes à terre, et ce fut fini.

Une femme en chemise blanche, le visage horrifié, surgit alors de la rue de Nevers, où elle avait dû se tapir, et courut en tenant par la main un abbé.

— Que... que..., balbutia Gabriel, perplexe, en voyant cet improbable duo passer devant lui et sauter dans la grande berline où les attendaient d'autres personnes.

La voiture partit aussitôt vers l'est sur les chapeaux de roues.

Se retournant de nouveau vers la rue de Nevers, Gabriel vit que le Loup des Cordeliers (qui, sans le savoir peut-être, venait de sauver des griffes de deux brigands la comtesse Diane de Polignac[1]) avait déjà disparu.

Abandonnant les cadavres des deux malandrins sur le quai, Gabriel se mit aussitôt à courir et aperçut au loin les silhouettes du justicier et de son animal qui s'enfuyaient. Plutôt que de suivre la même voie qu'eux, le jeune homme obliqua vers la rue Dauphine, dans l'espoir de leur couper la route.

Alors que ses pas claquaient sur le pavé et que le sang battait contre ses tempes, il se demanda si cette poursuite était vraiment une bonne idée... Qu'espérait-il accomplir ? Attraper à mains nues un homme armé et un immense loup, pour les confondre ? C'était ridicule !

---

1. En route pour l'exil avec sa sœur la duchesse de Polignac, l'époux de celle-ci et leur fille, la comtesse venait de les obliger à s'arrêter rue de Nevers pour y chercher, dans une maison de jeu clandestine, son ami l'abbé de Ballivières, aumônier du roi, afin de l'emmener à Bâle avec eux...

Pourtant, il continua sa course, tant l'envie de découvrir l'identité du Loup le hantait !

Quand il arriva à l'angle de la rue de Nevers, il n'y vit personne. La chose était pourtant impossible : dans leur fuite, la bête et son maître n'avaient d'autre issue que celle-ci ! Furibond, il poussa un juron au beau milieu de la chaussée. Par quel prodige le Loup des Cordeliers s'était-il ainsi volatilisé ? Une seule explication : il devait y avoir quelque part un accès aux carrières souterraines.

Le souffle court, Gabriel remonta lentement la rue de Nevers, inspectant chaque recoin. Nulle part il ne trouva de bouche ou de trappe donnant sur le ventre de Paris. Le Loup avait dû rejoindre une cave ouverte sur les souterrains de la capitale, derrière une porte cochère, mais toutes celles que le jeune homme tenta d'ouvrir étaient fermées !

— Foutre de foutre, de bon sang de foutre ! ragea-t-il en tapant le sol du pied.

Il avait été si proche ! Si proche de la vérité !

Contrarié et fatigué, il se laissa glisser le long d'une porte et, assis sur une marche, il se mit à réfléchir.

N'y avait-il rien dans la scène qu'il venait de voir qui pût lui donner quelque nouvel indice ? Tout s'était passé si vite ! Fermant les yeux, il essaya de se remémorer les détails de la rixe. Le loup noir et puissant tirant sur sa laisse, le justicier, sa cape, sa capuche, son sabre... Qu'avait-il vu que Fauchette ou Antonie ne lui auraient déjà raconté ? Rien !

Il y avait tout de même un détail : la carrure de l'homme. Le Loup des Cordeliers lui avait paru beaucoup moins grand et large que ce qu'il avait jusqu'ici imaginé, et cela éliminait d'emblée l'un des cinq suspects qu'il retenait encore : Danton.

Il ne restait donc que quatre hypothèses, parmi celles que la première lettre du Loup l'avait incité à envisager : Desmoulins, Archambault, Mercier et Terwagne. Il poussa un soupir. Il n'arrivait décidément pas à croire que ce justicier sanguinaire pût être Camille, qui n'était ni assez belliqueux ni suffisamment doué pour l'escrime. Quant à Mercier, cela ne tenait pas debout, pour les mêmes raisons. Archambault et la Liégeoise étaient des suspects plus crédibles. Si la piste corse évoquée par le commissaire Guyot pouvait les faire pencher en faveur du président du district, plusieurs éléments désignaient aussi Mlle Terwagne : son féminisme, sa rage, son gabarit, son goût pour les costumes, son sabre… Malheureusement, si plausible fût-elle, ce n'était qu'une nouvelle supposition hasardeuse. Pour valider l'une ou l'autre hypothèse, ce qu'il lui fallait, c'était une preuve. Irréfutable.

Gabriel éprouva alors le besoin de vérifier quelque chose. Avec une légère appréhension, il retourna vers les deux cadavres au bout de la rue et s'approcha de l'un d'eux ; celui sur le front duquel il avait vu le Loup donner un dernier coup, à la pointe de son sabre.

Il reconnut aussitôt la signature du justicier.

Gabriel s'agenouilla et y regarda de plus près. Comme sur les deux lettres qu'il avait reçues chez lui, la branche droite du triangle renversé dépassait vers le haut. Encore une fois, la signature avait été faite si vite qu'il n'était pas certain que cela fût volontaire. Mais… tout de même ! Il y avait peu de chances que ce fût une coïncidence.

Soudain, comme si la mémoire lui revenait enfin, le jeune homme eut le sentiment étrange d'avoir déjà vu ce symbole quelque part, dans un autre contexte…

70.

Une leçon de démocratie

Le lendemain matin, Gabriel trépigna de joie quand Antoine-François Momoro, à la porte duquel il cognait depuis plusieurs minutes, vint enfin lui ouvrir.

— Tout doux, tout doux ! s'exclama l'imprimeur-libraire, les cheveux ébouriffés. Quelle mouche te pique, poil de brique ? Foutre ! On n'a pas idée de réveiller un bon ouvrier avant la mise en train !

Certain de pouvoir trouver ici la confirmation qu'il cherchait, Gabriel n'avait presque pas dormi de la nuit, attendant fébrilement l'ouverture de l'imprimerie.

Sans dire bonjour, il fouilla l'atelier du regard, puis il dévisagea Momoro d'un air tourmenté.

— Où sont les livres de la Société typographique de Neuchâtel qui étaient ici l'autre jour ? le pressa-t-il comme si rien d'autre n'avait d'importance.

Ces dernières années, la censure royale qui s'exerçait en France avait incité de nombreux auteurs à faire imprimer leurs ouvrages dans des pays frontaliers plus permissifs, à Amsterdam, à Bruxelles ou en Suisse. On avait vu apparaître, dans les années 1760, à Neuchâtel, Lausanne et Berne, des imprimeurs qui avaient pris le nom de *Société typographique* et qui reproduisaient, dans des quantités parfois considérables, des ouvrages interdits ou indisponibles en France, de Voltaire, Rousseau, Diderot, et même de Louis-Sébastien Mercier...

— Je les ai rangés, gueule de raie ! Tu vois pas que j'ai plus de place dans ce merdier ?

Le journaliste acquiesça en regardant les piles d'exemplaires de *La France libre* de Desmoulins, qui s'accumulaient par milliers autour de la presse.

— Alors finalement, tu es bien content de publier le pamphlet de Camille, n'est-ce pas ? se moqua-t-il.

— Bah ! fit le libraire d'un air faussement blasé. Grâce à tes corrections, le texte est un peu moins assommant...

Le jeune homme, qui commençait à connaître la vénalité de son éditeur, secoua la tête.

— Dis plutôt que, maintenant que Camille est devenu un héros parisien, après son discours au Palais-Royal, tu espères bien te remplir les poches !

— Dis donc, tête de melon, c'est pour m'emmerder que t'es venu me réveiller si tôt ?

— Non ! Où as-tu rangé les livres de la Société typographique de Neuchâtel ? répéta Gabriel.

— Et ton article sur la Bastille ? Hein, empaillé ? Il est où, ton article ?

— Tiens ! répondit Gabriel en lui tendant le rouleau de papier qu'il sortit de sa veste.

— Ah ! Tout de même ! souffla Momoro en récupérant le texte du journaliste. Foutre ! Ça m'a l'air long ! Va falloir châtrer tout ça !

— Châtre, châtre, misérable castrateur ! Mais vas-tu me montrer ces livres maintenant, oui ou non ?

— Mais qu'est-ce que tu leur veux, à mes babillards, nom de deux ?

— Tss ! Dépêche-toi !

Bougonnant, le libraire conduisit le jeune homme dans une remise où des montagnes de livres menaçaient de s'écrouler les unes sur les autres.

Gabriel se précipita au milieu de ces fragiles tours de Babel et commença à les inspecter frénétiquement.

— Eh ! Oh ! Doucement ! protesta Momoro. Ne va pas m'abîmer ces foutus bouquins ! Je compte les réimprimer, maintenant que M. le censeur n'a plus le temps de nous cavaler au cul !

Mais le jeune homme ne l'écoutait pas et il avait déjà éparpillé plusieurs piles quand, soudain, il attrapa un ouvrage des deux mains en poussant un cri de victoire. Mouillant son index du bout de la langue, il se mit à en tourner nerveusement les pages et, quand il y trouva enfin la gravure qu'il avait cherchée, un sourire se dessina sur son visage.

Reposant le livre au milieu de l'indicible bazar, Gabriel prit le crâne de Momoro entre ses mains et lui baisa le front bruyamment.

— Ça va pas, non, bardache ? s'exclama le libraire.

Au sol, l'exemplaire de l'*Histoire de l'isle de Corse* était encore ouvert à la même page. On y voyait l'exacte réplique de l'emblème du Loup des Cordeliers : un triangle renversé, dont le côté droit dépassait vers le haut. Une représentation simplifiée des contours de l'île de Corse.

Gabriel donna une tape amicale sur la joue du libraire, puis sortit dans la rue sans rien ajouter, pressé d'aller annoncer au commissaire Guyot que la piste corse venait de passer du rang d'hypothèse douteuse à celui de prémisses irréfutables.

Alors qu'il se dirigeait, fier de lui, vers le Théâtre-Français, en s'engageant dans la rue des Fossés-Monsieur-le-Prince, il tomba nez à nez avec Camille Desmoulins.

— Tu… tu as entendu la nouvelle ? s'exclama l'avocat, jovial.

— Laquelle ?

— Le roi a accepté de rappeler Necker !

— Vraiment ? C'est formidable !

— N'est-ce pas ? Louis XVI a même annoncé qu'il allait ve… venir à Paris en personne pour célébrer sa réconciliation avec le peuple !

— Le vent tourne, ironisa le jeune homme.

— Allez ! Viens ! Nous allons arroser ça avec Georges aux Cordeliers !

— Eh bien, c'est-à-dire…

— Gabriel ! Necker va revenir ! Le roi s'est plié aux demandes du peuple ! Que pourrais-tu avoir de… de plus urgent à faire que de trinquer avec nous ?

Le journaliste sourit puis, préférant ne pas mentionner sa collaboration avec le commissaire, et songeant que cela pouvait effectivement attendre, il finit par céder.

— Entendu ! Je t'accompagne !

Ainsi, les deux jeunes hommes retrouvèrent Danton dans la salle théologique, où ils partagèrent de matinales santés.

Quand Lorette apparut sur le pas de la porte, les bras chargés de livres, elle secoua la tête en voyant les trois hommes festoyer de si bonne heure et s'empressa d'aller classer ses ouvrages dans la bibliothèque. Aussitôt fait, elle ressortit d'un pas vif, sans adresser un seul regard à Gabriel.

— Eh bien ! s'exclama Danton. Qu'est-ce qu'elle a, celle-là, aujourd'hui ? Elle en fait, une tête !

— C'est peut-être ma faute, avoua le journaliste d'un air embarrassé. Je crois que je me suis montré un peu indélicat avec Mlle Printemps…

— Ne t'en fais pas, Gabriel ! Quand une femme se montre distante, c'est qu'en vé… vérité, elle veut s'approcher ! plaisanta Desmoulins.

C'est le moment que Momoro choisit pour les rejoindre, qui ne manquait jamais une occasion de boire.

— J'ai fini ton article, poil de brique ! annonça le libraire en agitant le rouleau de papier dans les airs.

— Et alors ?

— C'est de la merde.

— Pardon ? s'offusqua Gabriel.

— C'est de la *bonne* merde ! s'esclaffa Momoro. Ça va se vendre comme du pain !

— Beaucoup trop cher, tu veux dire ? persifla Danton.

— Oh, mon moutard ! se réjouit le libraire en attrapant Gabriel par l'épaule. Tu m'emplis de joie, avec ton journalisme machin-chose !

— C'est surtout tes bourses qui s'emplissent ! rétorqua le jeune homme.

Les rires de Danton et de Desmoulins résonnèrent sous la voûte de pierre. Tout absorbés qu'ils étaient par leur bonne humeur, personne n'avait vu entrer l'homme qui venait d'arriver et tout le monde sursauta quand il les salua.

En voyant se dessiner derrière le libraire le tricorne et la redingote rouge du Renégat, Gabriel ouvrit un franc sourire.

— Mes amis, vous connaissez Récif ? dit-il en désignant le Salétin.

— Hmm, oui, *tout le monde* connaît Récif, répliqua le libraire, que son sourire béat avait soudainement quitté.

À l'évidence, la présence du Renégat dans le couvent des Cordeliers avait jeté un froid. On eût dit que Méduse elle-même était entrée avec, dans la chevelure, ses horribles serpents.

— Bonjour, messieurs, fit le pirate d'une voix assurée.

Il les dépassait tous au moins d'une tête. Avec une sorte de nonchalance, il les salua un par un, puis il donna à Gabriel une accolade amicale et, en voyant le regard perplexe de ses compagnons, le journaliste ne put s'empêcher d'éprouver une pointe de puérile fierté.

— Vous avez l'air de fort bonne humeur ! s'amusa le Salétin en regardant les bouteilles de vin que la troupe avait déjà vidées. Profitez-en, la fête ne va pas durer.

— Allons ! Le peuple est enfin libre ! lança Desmoulins.

— Cette liberté n'aura qu'un temps. Nul doute que l'Assemblée voudra bientôt récupérer l'autorité que les événements ont provisoirement rendue aux districts. Vos électeurs sont encore vos mandataires aujourd'hui mais, demain, ils changeront de camp, car rien n'effraie tant le pouvoir que la démocratie franche.

— Nous… nous la défendrons ! répliqua Desmoulins.

— Je ne sache pas que, dans l'histoire, quiconque fût parvenu à conserver les armes d'une démocratie véritable, maître. En dehors de nous.

— Vous, les Renégats ? ironisa Momoro.

— Nous les pirates. C'est un beau rêve de démocratie que le vôtre, mais vous ne parviendrez pas à l'accomplir.

— Et pourquoi donc ? demanda Camille, de plus en plus agacé par la suffisance qu'affichait leur visiteur.

— Parce que vous avez trop à perdre. Vous êtes des sédentaires, des propriétaires, des salariés. Vous allez vite vous ramollir, de peur de perdre vos biens, vos maisons, vos emplois. Il faut n'avoir rien à perdre, comme nous, pour se battre jusqu'au bout.

— Ah, parce que les pirates sont de grands démocrates ? railla Danton.

— Nous vivons libres et égaux, nous partageons équitablement la propriété et nous avons éliminé tout rapport de domination. Chez nous, il n'y a pas de salariés, mais seulement des associés. Vous n'en serez jamais capables. Ceux qui prendront demain le pouvoir, les futures élites que je vois déjà se dessiner, vous feront croire que la chose est impossible dans un grand État. Ils vous diront qu'il y a besoin d'intermédiaires, lesquels seront à leur solde et non plus à la vôtre, et ils les multiplieront. Au nom de la souveraineté nationale, ils vous mangeront.

Un silence de plomb s'abattit sur le petit groupe. Les amis de Gabriel ne s'étaient pas attendus à ce que cet homme aux boucles d'oreilles dorées, qu'ils voyaient comme un brigand irréfléchi, pût avoir sur la chose politique une position si assurée, et sa prophétie était des plus funestes. Pis : elle sonnait juste.

— Je… je te sers quelque chose ? lança Gabriel, entre gêne et amusement.

— Volontiers.

Ils s'éloignèrent tous deux vers le buffet, laissant derrière eux les trois autres, quelque peu désemparés.

— Quelle entrée en scène ! plaisanta le journaliste. Tu aimes jouer les oiseaux de mauvais augure ?

— Quand on dit chérir la vérité, il faut savoir l'entendre ! Alors comme ça, tu as disparu au beau milieu de la Bastille, en pleine bataille ? demanda le Salétin sur un tout autre ton.

Gabriel, perplexe, écarquilla les yeux.

— Comment sais-tu cela ?

— Tu oublies que je sais beaucoup de choses.

— Eh bien, oui. Mais je n'ai pas disparu par lâcheté, précisa le jeune homme. Je tentais de résoudre… un mystère.

— J'en suis ! lança aussitôt Récif.

— Tu en es ? De quoi ?

— De ton enquête !

— Mais ! Tu ne sais même pas de quoi il s'agit !

— Si tu as disparu dans les souterrains de la Bastille, c'est que tu poursuivais quelqu'un. Et quelqu'un qui s'enfuit par des souterrains… Quelque chose me dit qu'il y a un trésor à la clef !

Gabriel resta bouche bée. Les deux hommes qu'il avait suivis dans le tunnel avaient en effet parlé de trésor ! Récif pouvait-il le savoir ?

— Alors ? insista le Salétin. On travaille ensemble, moussaillon ?

Le jeune homme hésita. Son enquête sur le *huitième prisonnier*, comme il le baptisait désormais, risquait d'être dangereuse. Après tout, l'aide du pirate pourrait s'avérer salutaire. En outre, Récif lui avait sauvé la vie par deux fois. Comment refuser sa collaboration ?

— Bon. D'accord ! lâcha le jeune homme en lui tendant la main.

Le pirate tapa dedans, puis il avala son verre cul sec et sortit du couvent, avec cette démarche imposante qui lui donnait toujours l'air de surpasser le monde et les hommes autour de lui.

— Tu as de drôles d'amis, chuchota Danton en revenant vers Gabriel.

— Et toi, il paraît que tu as fait un esclandre à la Bastille, en te présentant comme capitaine de la milice des Cordeliers ?

— Je le suis ! J'ai convaincu Archambault qu'il devait me prendre à ses côtés pour conduire notre milice !

— Georges ! Ne serais-tu pas en train d'y prendre goût, à cette révolution ? se moqua gentiment le journaliste.

— Si nous la laissons à Desmoulins, elle va manquer de muscles !

71.

La corruption est dans l'homme
comme l'eau est dans la mer

— Je ne vous cache pas que j'envisage l'exil, moi aussi, murmura le comte de Provence en regardant le soleil se coucher au loin, derrière les sapins du parc de Gros-Bois. Le comte d'Artois mon frère, le prince de Condé, le duc de Bourbon, et même le duc et la duchesse de Polignac, pourtant si proches de Marie-Antoinette... tous ont quitté Versailles !

Le colonel Duvilliers admira à son tour les magnifiques teintes de rose et de bleu que la fin du jour peignait sur le ciel, avant qu'il ne s'éteigne. Au-dessus des arbres, des volées de pigeons tournoyaient incessamment. Il se demandait s'il n'avait pas misé sur le mauvais cheval...

Le château de Gros-Bois, au sud du village de Boissy-Saint-Léger, était l'une des propriétés que le comte de Provence avait achetées quelques années plus tôt à proximité de Paris. Dominant un parc boisé où les chênes, les sapins, les ormes et les châtaigniers se disputaient en largeur comme en élévation, la bâtisse, cerclée de fossés en eau, était disposée en fer à cheval. Les briques roses et les pierres blanches de ses façades, sobres et sans fantaisie, s'épousaient avec élégance. Le comte de Provence, qui en appréciait le calme, avait l'habitude de se rendre à Gros-Bois quand il voulait, comme ce soir-là, rencontrer quelqu'un à l'abri des regards de Versailles.

— Sa Majesté votre frère doit se rendre demain à Paris, Monseigneur. Nous devrions peut-être attendre de voir ce qu'il en ressort…

— Ce ne sera qu'un pompeux signalement de la chute de l'autorité royale ! grogna le comte de Provence. Mon frère va aller baiser les pieds de la capitale, alors qu'il devrait aller à la tête de ses troupes pour renforcer la monarchie, depuis une autre ville du royaume. Paris est devenue un repaire de cafards qu'il faudrait écraser !

Au même instant, un page annonça qu'un visiteur était arrivé.

— Ah ! Enfin ! Faites-le entrer !

Le colonel Duvilliers, qui avait l'habitude d'être seul avec le comte lors de ces réunions secrètes, fronça les sourcils en voyant apparaître le comte Honoré-Gabriel Riqueti, dit Mirabeau.

— Monseigneur ! fit le disgracieux député dans une révérence maladroite.

— Venez vous asseoir, mon ami !

Quand il prit place, l'homme avait sur les lèvres un sourire dont ni le comte de Provence ni le colonel n'auraient pu deviner l'origine. Car, dans les ruines fumantes de la Bastille, Mirabeau avait dérobé un véritable trésor : plusieurs manuscrits du marquis de Sade, confisqués par le gouverneur et conservés dans les archives secrètes. Si les œuvres du sulfureux écrivain n'avaient pas encore rencontré le succès, elles étaient déjà des objets de convoitise pour quelques fins connaisseurs... Le matin même, Mirabeau avait obtenu une fort belle somme en vendant à un riche acquéreur, le marquis de Villeneuve-Trans, l'incroyable rouleau des *Cent Vingt Journées de Sodome*, un cylindre de papier long de douze mètres, où le romancier emprisonné avait écrit, sur recto et sur verso, l'œuvre qui allait le rendre célèbre...

— Vous semblez plus réjoui que nous, Mirabeau ! J'étais en train de parler d'exil...

— Son Altesse Royale n'y songe pas, j'espère ! répliqua le député, qui n'avait pas adressé un regard au colonel Duvilliers.

— Et pourquoi devrais-je y renoncer ?

Mirabeau ouvrit un sourire machiavélique.

— J'ai fait en sorte que Sa Majesté votre frère vous confie la lieutenance générale du royaume.

Le comte de Provence resta bouche bée. Ce titre permettait au monarque, lors de grandes crises, d'autoriser un membre de son Conseil à exercer en son nom, si nécessaire, tout ou partie de l'autorité royale.

— Son Altesse Royale comprend donc qu'il serait préférable de rester encore quelques jours à Versailles. S'il arrivait quelque chose au roi – Dieu nous en préserve –, Monseigneur devrait alors assumer le pouvoir à sa place... Et ce serait pour la France certes une grande tristesse, mais aussi une chance. J'ai un immense respect pour Sa Majesté votre frère, mais sa peur de mal faire le laissera toujours dans l'indécision. Or nous avons besoin d'un monarque qui, plutôt que de la subir, prenne la tête de cette révolution. Nous sommes plusieurs à penser que vous seriez l'homme de la situation, Monseigneur...

— Je... je vois, en effet, marmonna le frère du roi, alors qu'une nouvelle lumière s'était allumée dans ses yeux.

— La patience, Monseigneur, a beaucoup plus de pouvoir que la force. L'art politique est un art de la guerre sans effusion de sang. Ou si peu.

— Alors vous êtes un grand artiste, Mirabeau. Vous recevrez tout à l'heure la compensation que je vous ai promise.

Sans un mot de plus, le député se leva, salua le comte et quitta le cabinet. Il n'avait toujours pas regardé Duvilliers.

Celui-ci, perplexe – sinon vexé –, attendit que l'homme fût sorti pour demander des explications.

— M. de Mirabeau a changé de camp ? hasarda-t-il.

— Pas du tout, colonel ! répliqua le frère du roi avec un sourire narquois. Vous n'êtes pas aussi bon espion que vous le croyez, mon ami : Mirabeau n'a jamais eu d'autre camp que le sien, et il a toujours voulu sauvegarder la monarchie ! Et puis... il a une faille : sa situation financière est plus désespérée encore que la vôtre.

72.

L'envers du décor

Jamais la place de Grève et le parvis de l'Hôtel de Ville n'avaient vu foule si importante que celle qui s'y rassembla en ce dix-septième jour de juillet.

— Je suis bien aise que vous ayez accepté de m'accompagner, Gilbert, se réjouit Terwagne en tenant le bras de M. Romme. Mercier est de fort mauvaise compagnie devant les grands événements de la nation !

— Vous savez bien que Louis-Sébastien n'aime la foule que quand c'est lui qu'elle est venue voir !

Anne-Josèphe sourit.

— Il est aussi odieux que vous êtes charmant.

— Et pourtant, vous l'aimez tendrement, n'est-ce pas ?

La Liégeoise se contenta de hausser les épaules.

Leur réputation les autorisa à entrer dans la grande salle de l'Hôtel de Ville, parmi les notables et les électeurs. Ils rejoignirent l'une des hautes fenêtres et se glissèrent parmi le nombre pour voir arriver celui que tout le monde attendait.

Accompagné du maréchal de Beauvau, du comte d'Estaing et du marquis de Nesle, le monarque, fébrile, était monté dans le carrosse qui devait les conduire à Paris. Au pas, les chevaux avaient traversé Versailles et Sèvres, sous les regards circonspects des paysans venus des villages voisins, puis, quand ils étaient arrivés aux portes de Paris, la Garde nationale avait pris le relais des gardes du corps du roi, afin de ne pas donner aux Parisiens un signal alarmant.

Ce fut alors un spectacle incroyable que ces dizaines de milliers de miliciens parisiens qui, rangés en double haie, cocarde tricolore au chapeau, mais en uniformes dépareillés, formaient une allée glorieuse pour le roi. Nombre d'entre eux étaient d'anciens gardes-françaises, et donc, aux yeux de Louis XVI, des déserteurs, sous l'humiliante protection desquels il devait se soumettre aujourd'hui...

Entré dans Paris, le carrosse s'arrêta et le sieur Bailly s'approcha d'un pas solennel. Par la portière, le tout nouveau maire tendit au roi un écrin de vermeil sur lequel étaient disposées deux clefs en or.

— Sire, j'apporte à Sa Majesté les clefs de sa bonne ville de Paris. Ce sont les mêmes qui ont été présentées à Henri IV. Il avait reconquis son peuple. Ici, le peuple a reconquis son roi.

Malgré la déférence, c'étaient des paroles sévères, et le roi tremblait quand il accepta le présent en s'efforçant de sourire. Quand le peuple s'écria « Vive la nation ! » et « Vive nos intrépides députés ! » au lieu de « Vive le roi ! », il ne fut guère plus rassuré. Quel sort lui réservait donc la capitale ?

Le convoi se remit en route et, de nouveau, quand des acclamations s'élevèrent alentour, ce n'était pas pour le roi, mais pour le beau marquis de La Fayette qui, droit sur son cheval blanc, ouvrant la route, semblait un général passant ses troupes en revue.

Ce fut donc dans une ambiance bien singulière que Terwagne et Romme virent arriver cette procession au milieu de la multitude qui inondait la place de Grève. Quand le roi et ses conseillers descendirent du carrosse et montèrent les marches de l'Hôtel de Ville, les deux rangées de soldats qui se trouvaient de chaque côté tirèrent leurs épées du fourreau et les joignirent au-dessus du passage. Le monarque, pris de peur, s'arrêta, mais le marquis de Nesle, qui marchait avec lui, posa aussitôt une main amicale sur son bras et lui glissa un mot à l'oreille. Rassuré, Louis XVI reprit son ascension sous ce dôme de lames croisées.

— Que se passe-t-il ? murmura Terwagne en se penchant vers Romme, qui venait de sourire.

— Le frère La Fayette a dû demander aux gardes de faire ce geste qui, en loge, est une façon d'accueillir les visiteurs de haut rang. Nous appelons cela la « voûte d'acier ». Le marquis de Nesle, qui connaît nos mystères, a certainement réconforté le roi en lui expliquant que ce n'était pas un geste hostile, mais honorifique…

— Ah ! Jetez une pièce dans le ciel parisien, elle retombera sur un franc-maçon ! se moqua Anne-Josèphe.

Arrivé dans la salle au milieu des murmures, le roi prit place sur le trône qu'on avait préparé pour lui.

Quand tout le monde eut ôté son chapeau, Bailly s'approcha du monarque. Repoussant du pied le carreau de velours sur lequel s'agenouillait jadis le prévôt des marchands pour s'adresser au roi, il resta debout et déclara :

— Sire, ni votre peuple ni Votre Majesté n'oublieront jamais ce jour : c'est le plus beau de la monarchie, c'est l'époque d'une alliance auguste, éternelle, entre le monarque et le peuple. La première fonction de la place où m'ont conduit les citoyens est de vous porter l'expression de leur respect et de leur amour.

La déclaration fut suivie de battements de mains et de trépignement de pieds, et le roi hocha la tête d'un air reconnaissant.

Moreau de Saint-Méry, président des électeurs de Paris, s'avança à son tour et ajouta :

— Quel spectacle donne aujourd'hui un roi citoyen ! Vous deviez votre couronne à la naissance ; vous ne la devez maintenant qu'à vos vertus.

Quand le monarque voulut répondre, il s'en trouva bien incapable, soit qu'il fût troublé par l'émotion, soit que l'humiliation d'un pareil moment le paralysât.

S'empressant de combler un silence qui devenait gênant, le député Lally-Tollendal vint aux côtés de Louis XVI et, se tournant vers le public, s'exclama :

— Voilà le roi que vous désiriez voir au milieu de vous avec tant d'ardeur !

Les applaudissements et les acclamations résonnèrent à l'intérieur de l'hôtel municipal.

Puis, s'adressant de nouveau au monarque :

— Voilà ce peuple qu'on a calomnié et qui vous aime.

— Le peuple peut toujours compter sur mon amour, répondit le roi de sa voix chevrotante.

Le maire Bailly lui présenta alors une cocarde tricolore. Louis XVI, embarrassé, la prit dans ses mains, sans se résigner à la mettre à son chapeau, tant elle était le symbole de cette révolution qui le pétrifiait.

Devinant le trouble du roi, La Fayette lui chuchota à l'oreille :

— Sa Majesté remarquera qu'au rouge et au bleu, nous avons, en son honneur, ajouté le blanc, qui est la couleur des Bourbons.

Ce n'était pas tout à fait exact, puisque c'était davantage en hommage aux gardes-françaises que l'on avait adjoint le blanc à cette cocarde, mais Louis XVI, ne pouvant ignorer l'attention qu'on disait lui porter, se résolut à l'accrocher à son chapeau. Le pourpre qui monta aussitôt à ses joues révéla la profonde vexation que la chose lui faisait éprouver.

Pressé d'en finir, il se leva et, d'un pas mal assuré, marcha vers l'une des fenêtres, à quelques pas seulement de Terwagne et de Romme. Là, il ôta son chapeau pour l'agiter sous les yeux de l'océan humain qui attendait sur la place de Grève et, quand celui-ci y vit la cocarde tricolore, il fut transporté de liesse, et cria enfin ce « Vive le roi ! » tant attendu.

Profitant du soulagement que lui apportait cette ardeur, le roi resta un moment à la fenêtre et, saluant encore la multitude, il pleura un peu, alors que s'envolaient des myriades de rubans, ondoyant dans les airs. N'étaient-ce pas là, finalement, les Parisiens qu'il connaissait ? Pareils à eux-mêmes : frondeurs, fiers, mutins, toujours prêts à la contradiction, à narguer leurs maîtres, mais se gardant bien, à la fin, de les abattre vraiment, de peur que cela ne nuise à leur commerce…

Retournant parmi ses conseillers, Louis XVI sortit de l'Hôtel de Ville pour rejoindre son carrosse.

— Croyez-vous que la révolution est terminée ? murmura Terwagne à l'oreille de M. Romme, en voyant s'éloigner le cortège sous les vivats des Parisiens.

— Terminée ? s'exclama le mathématicien. Madame, elle vient à peine de commencer !

73.

La maison de Charenton

— J'ai honte de n'avoir pas fait le rapprochement moi-même. Vous êtes décidément un fin limier, monsieur Joly ! Ainsi, il n'y a plus de doute : notre Loup a bien un rapport avec la Corse !

Gabriel but une gorgée du délicieux gin que le commissaire, désireux de lui rappeler l'Angleterre, lui avait aimablement servi.

— C'est en tout cas ce que revendique sa signature. Vous pensez que cela place M. Archambault en haut de notre liste de suspects ? demanda le journaliste.

— Peut-être. J'ai mené mes recherches et, si le rapport d'Archambault à la Corse est certes le plus évident, il n'est toutefois pas le seul à en avoir un. Mlle Terwagne, quand elle vivait à Londres auprès de son premier amant, y a fréquenté le révolutionnaire corse Paoli, qui y était exilé. On est en droit de penser que c'est lui, d'ailleurs, qui aura insufflé à notre Liégeoise son esprit insurrectionnel…

— Cela suffirait-il à expliquer qu'elle signe ses meurtres de l'emblème de l'île, et qu'elle porte une cape d'insurgé corse ? douta Gabriel.

— Non, bien sûr, mais cela ne s'arrête pas là. La Liégeoise a ensuite fait plusieurs séjours en Corse, au moins quatre au cours de l'année 1787, avec son deuxième amant, le castrat italien Tenducci. Ne me demandez pas comment on peut prendre un castrat pour amant…

— L'ablation des testicules n'empêche pas forcément l'activité sexuelle, commissaire, mais seulement la production de semence et…

— Oui, oui, d'accord. Bref. Sur le papier, rien n'explique ces quatre voyages de Mlle Terwagne, ni un concert de son compagnon ni le moindre événement notoire auquel ils auraient pu être invités. Que faisaient-ils sur l'île ? Plus intrigant encore : la jeune femme ne s'y faisait plus appeler Terwagne, mais utilisait le nom de sa famille maternelle, Campinado, comme en témoigne sa signature sur divers contrats signés avec son mentor, ce qui n'a pas facilité mes recherches…

— C'est un nom corse ? s'étonna le journaliste.

— Non, espagnol. Mais pourquoi user d'un faux nom précisément au moment où elle fréquente la Corse et l'Italie ? Cela mérite que je m'y intéresse davantage. Quoi qu'il en soit, Terwagne et Archambault ont tous deux des rapports directs avec la Corse. Pour les autres, je n'ai rien trouvé. Et vous, mon cher, où en êtes-vous de vos investigations ?

— J'ai pu récupérer le registre d'écrou de la Bastille. À l'évidence, mon huitième prisonnier n'y figure pas,

mais cela m'a permis de découvrir l'identité des détenus qui étaient dans la prison en même temps que lui
et, en particulier, celle de l'homme enfermé dans la
tour de la Bertaudière, d'où j'ai vu sortir nos deux
mystérieux comploteurs. Il s'agit d'un certain Auguste
Tavernier. J'aimerais beaucoup l'interroger. Comme
les autres prisonniers, après avoir été libéré le 14 juillet, il a été soigné aux Invalides, mais ensuite, je ne
sais pas ce qu'il est devenu...

Un sourire se dessina sur le visage du commissaire.

— À la demande de la ville de Paris, M. Tavernier
a été de nouveau incarcéré, jeune homme. Il est à la
maison de Charenton.

— Dans ce cas, monsieur, je vous salue ! répliqua
Gabriel, tout sourire.

Tirant sa révérence, il sortit de l'hôtel de M. Guyot
et se dirigea d'un pas preste vers la place du Théâtre-
Français.

— Alors, on fricote avec le condé ? demanda Récif
d'un ton railleur, en surgissant des ombres.

— Que veux-tu ? Le journaliste d'enquête se doit
d'être l'égal ami du flique et de l'arsouille !

— Tu as trouvé ce que tu voulais ?

— Oui-da, prince mahométan des mers ! Cap
sur Charenton !

Ainsi, après avoir traversé en fiacre la partie méridio-
nale du bois de Vincennes, Gabriel et Récif arrivèrent
en milieu d'après-midi à ladite maison de Charenton,
qu'à Paris on appelait vulgairement la maison des
fous...

Plus petit que la Salpêtrière ou que Bicêtre, cet
hôpital, dirigé par des moines, recevait à peine plus

d'une centaine de pensionnaires. Les conditions de vie y étaient moins dures que dans les institutions parisiennes, mais les soins délivrés aux insensés n'y étaient pas vraiment meilleurs : ils se résumaient à des prières, des saignées, des purgatifs et des lavements, selon qu'ils avaient été classés comme frénétiques, sauvages, imbéciles, ivrognes, crapuleux, maniaques ou mélancoliques. Dans les cas les plus extrêmes, on soumettait les patients à des commotions électriques, produites par une bouteille de Leyde, un condensateur qui générait de puissantes étincelles. Aux frénétiques les plus retors, on administrait de grandes saignées, d'abord sur le pied, puis sur l'artère temporale et enfin la jugulaire, en les faisant toujours copieuses, car les médecins affirmaient qu'on ne pouvait guérir ce mal que par des hémorragies abondantes. Aux mélancoliques on rasait la tête et on y appliquait un bonnet d'Hippocrate, un bandage trempé dans un mélange d'eau et de vinaigre froid... Quant à la seule boisson à laquelle les pensionnaires avaient droit, il s'agissait d'une décoction d'orge édulcorée avec de la réglisse et acidulée avec de la crème de tartre. On la disait très efficace.

— Je te laisse y aller, dit Récif en regardant la bâtisse. Je t'attends dans le jardin.

— Tu n'entres pas avec moi ?

— Tu ne verras jamais mes pieds dans une prison, Gabriel.

— Ce n'est pas vraiment une prison.

— C'est pis encore !

Le jeune homme acquiesça et se dirigea vers le bureau du médecin en chef, un certain Jean Colombier, dont la réputation était grande à travers toute la France, comme il avait écrit un ouvrage novateur : *Instruction sur la manière de gouverner les insensés.*

Quand le journaliste demanda à voir le fameux Auguste Tavernier, le médecin lui annonça que le public n'était pas admis à l'intérieur de la maison, qu'il n'avait accès qu'aux cours et jardins, et que des permissions particulières n'étaient accordées qu'aux parents des aliénés. Or Tavernier n'avait justement plus de famille.

Le jeune homme, qui savait que M. Colombier avait été inspecteur général des hôpitaux, des dépôts de mendicité et des prisons, tenta un coup d'esbroufe.

— Ah ! je comprends… C'est très fâcheux car, voyez-vous, mon oncle, Antoine-Alexis Cadet de Vaux – qui, comme vous le savez, était inspecteur des objets de salubrité –, m'a suggéré de venir ici pour interroger ce pensionnaire, dans le cadre d'un article que je pourrais écrire sur les progrès accomplis grâce à vous dans le traitement des maladies mentales.

Gabriel, qui avait pour règle de ne jamais mentir, avait pris garde à employer la forme conditionnelle.

— Vous êtes le neveu de M. Cadet de Vaux ? s'exclama le médecin en chef. Ah ! mais que ne me l'avez-vous pas dit plus tôt ! Je vais vous organiser cela tout de suite, jeune homme !

— Vous êtes sûr ? Je ne voudrais pas déranger…

— Mais pas du tout ! Simplement, je vous préviens : M. Tavernier est dans un état avancé de démence. Considéré comme dangereux, il fait partie des quelques pensionnaires que nous devons garder enchaînés dans une cellule. Je ne doute pas que les commotions électriques auxquelles nous le soumettons pourront bientôt l'en sortir, mais il n'est ici que depuis trois jours…

— Ce n'est pas un problème, monsieur. Allons, je ne vous cache pas que c'est même préférable : je n'aurais pas été rassuré de le rencontrer dans d'autres conditions.

— Toutefois, puis-je vous demander pourquoi c'est Tavernier que vous voulez voir ? J'ai des patients plus intéressants pour votre article…

— J'aimerais montrer que les conditions sont ici meilleures qu'elles ne l'étaient pour ce pauvre homme à la Bastille. Cela renforcerait l'image de sérieux de votre établissement et lui attirerait les faveurs du peuple.

Quelques minutes plus tard, l'un des moines conduisit le journaliste vers le sous-sol où se trouvaient ces cellules particulières.

Isolé au bout d'un couloir lugubre, le cachot d'Auguste Tavernier ressemblait en tout point à ceux de la Bastille : tout de vieille pierre, une grille en barrait l'entrée, et le malheureux était enchaîné au mur par les fers qu'il portait aux pieds.

Il régnait là une odeur nauséabonde où se mêlaient les émanations d'urine, d'excréments et de vieux aliments qui avaient pourri.

— Bonjour, monsieur Tavernier, fit Gabriel en s'approchant de la grille.

Il s'efforça de masquer la nausée qui l'avait gagné, alors que l'homme assis par terre, et qui paraissait un vieillard, était en train d'essayer de se lécher le nez avec le bout de la langue.

— Je m'accorde, fak fak, dans l'élément onirique et confusionnel corroboré par tous les témoins, répondit le prisonnier en levant la tête.

— Ah, euh, d'accord, bredouilla le journaliste, perplexe. Et…

— Fak fak ! le coupa Tavernier. L'hypothèse est plausible, étant donné les caractères particuliers des lourdes tares héréditaires, oui ou non ?

— Je… je ne sais pas… Monsieur Tavernier, est-ce que vous vous souvenez de l'endroit où vous étiez enfermé la semaine dernière ?

— L'auteur de ce vaudeville ne dira pas ce qu'il est, par la raison qu'il se plaît à voir de loin la Bastille !

— Oui ! C'est ça ! s'exclama Gabriel, comme s'il venait de remporter une incroyable victoire. Vous étiez à la Bastille, dans la tour de la Bertaudière !

— Au bord de l'Yerres. Fak.

— Non ! Au bord de la Seine ! À la Bastille, monsieur Tavernier ! Ma question est simple. Écoutez-moi bien : étiez-vous seul, dans cette tour ? Dans la tour de la Bertaudière ?

— Les idées de persécution existent. Je suis toujours seul. Toujours. Fak fak. Bon, bien sûr, il y a les murs…

Gabriel se mordit les lèvres, comprenant que les choses n'allaient pas être simples.

— À la Bastille, y avait-il un autre prisonnier avec vous ? insista-t-il.

Soudain, le vieil homme se leva d'un bond et se jeta vers la grille, si violemment que Gabriel se recula, de peur qu'il ne l'attrape à travers les barreaux. Mais le pauvre Tavernier, ses bras entravés dans une camisole, et qui n'avait plus que la peau sur les os, ne put rien faire d'autre que se heurter fougueusement, et de manière répétée, contre la grille de fer.

— Ah ! c'est toi, scélérat ! hurla cette malheureuse créature dans un accès de fureur. Menteur ! Traître ! Tu as caché ta cicatrice ! Mais je te reconnais ! Fak fak ! Judas !

À ces mots, Gabriel sentit son cœur s'arrêter.

— Une cicatrice ? Oui ! C'est cela, Tavernier ! L'homme à la cicatrice ! Il était enfermé avec vous ?

— Infidèle ! Félon ! Beuh euh ! Tu m'as volé mon secret !

— Quel secret ?

— Ah ! tu crois que je ne sais pas ? Hein ? C'est Louis XV qui t'envoie ?

Gabriel fronça les sourcils.

— Louis XV ? Mais, enfin… Monsieur Tavernier, Louis XV est mort depuis longtemps…

— Non ! Puisqu'il m'a enfermé ! Fak fak ! À cause de mon secret ! C'est lui qui a envoyé l'homme à la cicatrice, hein, c'est cela, hein ? Monsieur le gouverneur ! Monsieur de Launay ! Au secours ! Il veut encore me voler mon secret ! Je n'ai jamais commis le moindre forfait, monsieur le gouverneur ! Au secours, au secours !

Le malheureux semblait de plus en plus paniqué.

— Mais de quel secret parlez-vous, monsieur Tavernier ?

— Fak, fak, fak, fak ! Tu le sais puisque tu me l'as volé, vilain abbé !

— Qui vous a volé quel secret ?

Dans un grognement animal, le dément lui cracha au visage et repartit de l'autre côté de sa cellule, où il se recroquevilla sur le sol, alors que Gabriel, écœuré, essuyait la glaire qui lui coulait sur la joue.

Le journaliste retrouva peu à peu son calme, s'avança tout doucement, dans l'espoir de faire encore parler le pauvre homme, mais celui-ci ne semblait même plus l'entendre. Roulé en boule, il sanglotait sur le sol glacé de son cachot comme un chien battu.

Quand Gabriel sortit de la prison, ébranlé, il raconta à Récif ce qu'il s'était passé.

— Cela confirme qu'il y avait bien un huitième prisonnier dans la Bastille, conclut le pirate. Avec une cicatrice.

— Et qu'il était *peut-être* abbé… Et qu'il a *peut-être* appris un secret de la bouche de Tavernier, mais je ne sais pas lequel…

— Probablement la cache du trésor dont tu m'as dit que les deux hommes avaient parlé, petit malin ! répliqua le Salétin. Il nous reste à trouver qui était ce balafré, pourquoi et par qui il a été libéré.

— Il était forcément là avec la complicité du marquis de Launay, fit remarquer le journaliste, puisqu'il ne figure pas sur le registre d'écrou. L'homme à la cape noire, avec lequel il s'est échappé, parlementait en secret avec le gouverneur quand je suis arrivé…

— Malheureusement, Launay est mort, Gabriel. Et je peux faire parler bien des gens, mais rarement les défunts !

74.

Fut-ce un fratricide ?

La cohorte des nobles qui quittaient la France ne cessait de grandir, même parmi ceux qui avaient entouré le roi à Versailles et profité, pendant de nombreuses années, de ses copieuses gratifications. Les uns après les autres, on fermait les appartements du palais, lequel s'emplissait d'un silence que seuls les murmures inquiets des valets venaient déranger.

Louis XVI et Marie-Antoinette, livrés à leur mélancolie respective, étaient bien esseulés dans l'immense château. Ainsi, c'était au moment où le trône était le plus menacé qu'il était abandonné ! Pis : le monarque n'était pas seulement délaissé par ceux qu'il avait entretenus, il était attaqué ! Dans les rangs de la noblesse, on accusait le roi de tous les maux : on lui reprochait son refus d'employer la force, ses doutes, ses variations, son impuissance… En somme, son incapacité à gouverner.

Quant aux nouvelles de province, elles n'étaient pas meilleures : des jacqueries, des révoltes se répandaient dans tout le royaume, entraînées, sans doute, par l'annonce de la prise de la Bastille. À Marseille, à Grenoble, à Lyon, à Strasbourg et en Normandie, on relatait des pillages, des incendies, des émeutes. À cela s'ajoutait la multiplication des fausses nouvelles, qui parlaient ici de complots aristocratiques, là d'invasion anglaise... Dans les campagnes, le peuple attaquait soudain un château sur la base des plus folles rumeurs, et alors ce ne fut plus seulement de Paris que les nobles s'exilèrent, mais de nombreuses autres villes, d'où l'on partait pour rejoindre la Suisse, l'Angleterre ou Bruxelles...

Il régnait une fort mauvaise ambiance à Versailles quand le comte d'Estaing, l'un des rares amis du monarque à être restés à ses côtés, demanda à s'entretenir avec lui, accompagné de Jean-Baptiste de Brémond, directeur du Secret du roi.

Lorsqu'ils entrèrent dans sa chambre, la vision qu'ils eurent l'un et l'autre de leur souverain leur brisa le cœur. Sous le regard accusateur des portraits de ses ancêtres, Louis XVI paraissait un enfant perdu. Sur la commode, au milieu de deux magnifiques girandoles en or, une sculpture en plâtre attirait les yeux du roi ; elle représentait sa fille, encore enfant, jouant avec un dauphin...

— Sire, je n'ai d'autre choix que de venir troubler la quiétude de Sa Majesté, souffla le comte d'Estaing d'un air embarrassé. Car voilà : j'ai eu vent d'un effroyable complot, et je ne peux rester silencieux.

Le roi, dominé par le chagrin, fit un petit signe de tête pour dire qu'il écoutait.

— Il semble que de mauvaises gens aient résolu de... de porter atteinte à la vie de Sa Majesté, cette nuit.

Le roi, perplexe, se tourna vers ses deux visiteurs.

— Allons ! dit-il. Ce n'est qu'une autre rumeur idiote.

— Malheureusement, Sire, j'ai pu recueillir moi aussi les mêmes informations, confirma M. de Brémond sur le ton de l'inquiétude.

— Je ne peux me résoudre à y croire ! s'agaça Louis XVI. Qui donc oserait ?

— On dit que la chose serait organisée par un grand personnage de la Cour, répondit son secrétaire, fort mal à son aise.

— C'est ridicule !

— Souvenez-vous de votre grand-père, Sa Majesté le roi Louis XV ! intervint le comte d'Estaing. Vous n'aviez pas quatre ans quand l'odieux Robert-François Damiens lui porta des coups de couteau, ici même, pour l'assassiner ! La vie d'un roi est toujours en danger, Sire. Celle de Sa Majesté l'est aujourd'hui plus que jamais.

— Que voulez-vous qu'il m'arrive ? Je serai dans ma chambre, cette nuit !

— Que Sa Majesté daigne au moins laisser M. de Brémond passer la nuit dans l'antichambre.

Le roi secoua la tête.

— Votre zèle me touche, messieurs, mais cela me paraît inutile.

— Sire, insista Brémond à son tour, si infime que soit le risque, je me refuse à le prendre pour Sa Majesté. Permettez-moi simplement de veiller cette nuit à vos côtés.

Louis XVI, que la chose lassait, finit par céder.

On fit doubler le nombre des sentinelles qui gardaient le château et ses avenues et, quand le soir fut venu, M. de Brémond se posta dans l'antichambre avec une épée.

Après un rapide souper au Grand Couvert, le roi partit se coucher, se soumettant sans joie au rituel habituel, où l'on voyait défiler successivement le Premier médecin, le Premier chirurgien, les officiers de la chambre et de la garde-robe, puis le Premier valet. On se privait à présent des traditionnels honneurs de la Cour, car elle était trop vide, mais le roi s'en réjouissait plutôt. L'accablement, la peur et la tristesse semblaient avoir rendu Louis XVI narcoleptique : depuis le 15 juillet, il avait passé plus de temps endormi qu'éveillé.

Toute la soirée, entendant derrière la porte les ronflements du monarque, M. de Brémond resta assis dans la pénombre de l'antichambre, ses sens en éveil. Si quelque chose devait arriver au roi sous sa surveillance, il n'aurait pu se le pardonner.

Le tic-tac de l'horloge, l'obscurité... Les heures passaient et Brémond lutta pour ne pas s'endormir alors que le silence du palais ne faisait qu'appesantir une atmosphère déjà lourde. Tout était si calme que le directeur du Secret du roi s'imagina entendre les fantômes des Louis quatorze et quinzième, venus d'outre-tombe tancer leur héritier avec indignation, pour ce qu'il avait fait de leur trône et de la maison de France...

Ses yeux étaient sur le point de se fermer quand, deux heures après minuit, M. de Brémond entendit des bruits de pas dans le couloir. Des bruits de pas qui approchaient lentement !

Comme foudroyé par l'éclair de la panique, l'homme bondit aussitôt de sa chaise, se saisit de son épée et alla réveiller le roi dans sa chambre.

— On vient, Sire ! On vient ! s'écria-t-il à côté du lit. Je mourrai avant vous !

Louis XVI, réveillé en sursaut, resta un instant dans sa torpeur nocturne, puis, dans un accès de colère, il se leva de son lit, repoussa M. de Brémond qui voulait le retenir et se précipita vers la porte.

— Sire ! implora son secrétaire. Ils sont là !

— Si l'on veut m'affronter, que l'on m'affronte et que l'on en finisse ! rétorqua le roi en traversant l'antichambre.

Quand il ouvrit la seconde porte, dans l'ombre, Louis XVI sursauta en apercevant la silhouette d'un homme qui portait un poignard et qui, surpris au milieu de son complot, fit aussitôt demi-tour et repartit en courant dans le sens opposé.

— Qui êtes-vous ? cria Louis XVI en luttant contre la faible lumière.

Mais l'assassin avait déjà disparu, et le roi n'eut ni la force ni le courage de le poursuivre.

Brémond, restant auprès du monarque son épée en main, fit appeler les gardes du corps et leur ordonna de fouiller Versailles.

Moins d'une heure plus tard, le chef de la garde revint pour dire qu'on avait inspecté chaque recoin du palais et qu'on n'y avait trouvé personne qui n'eût de bonne raison d'y être.

— Comment est-ce possible ? s'emporta Louis XVI, qui tournait en rond dans l'antichambre comme un fauve dans une cage.

— Il n'y a qu'une seule explication, Sire : l'assassin est toujours dans les murs.

— Faites chercher la reine, nos enfants, mon frère et son Béziade[1] ! Que tous les miens se rassemblent ! Si je suis en danger, ils le sont aussi !

On exécuta les ordres du monarque et, quelques instants plus tard, Louis XVI se retrouva entouré de Marie-Antoinette, de leurs enfants, du comte de Provence et de son favori.

— Que se passe-t-il, Sire ? demanda Monsieur, ennuyé.

— On a essayé de me tuer, Stanislas ! Ici même ! On a voulu m'assassiner dans ma chambre, à Versailles !

Son frère ne sembla pas éprouver de peine à y croire…

— Savez-vous qui ? demanda-t-il plutôt.

— Qui sait ? Le duc d'Orléans, peut-être ! Il en serait capable ! C'est un coup d'État !

— Louis… Tous ces événements ont multiplié nos ennemis. Peut-être est-ce le signe que nous devrions briser l'Assemblée nationale et regagner le pouvoir que nous avons perdu !

---

1. Antoine Louis François de Béziade, comte d'Avaray, maître de la garde-robe du comte de Provence, en était aussi le favori, c'est-à-dire l'amant officiel. L'épouse du frère du roi, Marie-Joséphine de Savoie, quant à elle, vivait dans son propre domaine, le Pavillon Madame, et intéressée davantage, comme son mari, par les gens de son propre sexe, elle avait pour amante sa lectrice, Marguerite de Gourbillon, qui fut le véritable amour de sa vie…

La nuit fut bien agitée, et le roi exigea que sa famille restât auprès de lui jusqu'au petit matin.

On ne retrouva jamais l'auteur de ce complot, mais de nombreuses rumeurs circulèrent. Et, à l'évidence, on évoqua M. le comte de Provence lui-même, que d'aucuns surnommèrent bientôt le Fratricide.

75.

Épître à un philosophe

Les soupers chez les Danton n'étaient pas rares et ils étaient toujours l'occasion d'une belle fête. Gabrielle, qui avait longtemps aidé son père au café du Parnasse, était une maîtresse de maison remarquable. Pour satisfaire aux goûts campagnards et à la gourmandise de son mari, elle servait de généreuses portions de ragoûts ou de canards rôtis, pendant que son taureau de Georges abreuvait ses invités de gros vin. On était rarement moins de douze à table, dans le plus bel appartement de la cour du Commerce-Saint-André, entre avocats, écrivains, journalistes et comédiens, tout ce petit monde de libres-penseurs qui se retrouvait d'abord pour une liqueur au café Procope et montait ensuite gaiement « chez les Danton ! ».

Ce soir-là, il y avait notre bon Gabriel, Desmoulins, Momoro, Archambault, Mercier, Terwagne, Jules-François Paré, ami d'enfance et associé de Danton, Pierre-Jacques Duplain, imprimeur-libraire de la cour du Commerce-Saint-André, et quelques autres connaissances du couple, dont le célèbre Fabre d'Églantine, essayiste et dramaturge, qui était entouré de deux jeunes comédiennes auxquelles il avait promis un rôle dans une pièce qu'il ne terminerait jamais. L'homme, hilare, chantait à tue-tête la chanson qu'il avait écrite et qui l'avait rendu célèbre : *Il pleut, il pleut, bergère…* Les cheveux en arrière, les yeux petits, le nez tombant un peu sur la bouche et les pommettes saillantes, il avait une certaine allure, mais c'est sa verve et l'accent de sa Carcassonne natale qui lui offraient tant de succès auprès des demoiselles.

— Fabre ! Tu nous agaces, avec ta chanson ! lança Mercier de l'autre côté de la table.

— Mesdemoiselles, pardonnez au vieil écrivain, il est un peu jaloux…

— Jaloux ? Moi ? De tes chansons ? Chaque matin, en me levant, je pisse un poème d'une autre qualité !

— Ah, oui ? lança Fabre d'Églantine d'un air de défi.

— Absolument ! Tu veux en entendre un, qui parle justement des mauvais rimeurs de ton acabit ?

— De grâce, non ! Je préférerais qu'on me chatouille de la plume qui trône sur le chapeau de ton amie plutôt que de me faire endormir par la tienne !

— Oh, si ! s'écrièrent les autres invités, confortablement enivrés. Un poème ! Un poème !

Lors, Louis-Sébastien, imitant la préciosité des acteurs de la Comédie-Française, se leva sur sa chaise, tendit les bras vers son public, à la manière d'un tragédien, et déclama son texte :

De son talent chacun bien convaincu
Pense marcher par des routes nouvelles.
L'homme d'Église offre un couplet aux belles ;
Le petit maître une ode à la vertu ;
Le magistrat badine avec Thalie ;
L'écolier peint ce qu'il n'a jamais vu,
Et son début est une tragédie.
Et, tout le jour, bandant pour ses bergères,
L'infatué Fabre d'Églantine,
Assommant Paris de ses tristes vers,
Croit briller en frictionnant sa pine !

Les rires et les applaudissements accompagnèrent les révérences du maître Mercier, qui reprit alors sa place et leva son verre en direction de Fabre.

— C'est tout de même autre chose que ta fichue bergère qui rentre ses sales bêtes dans sa chaumière ! lança-t-il avec son adorable suffisance.

— Mais c'est la rue, mon ami, qui est le meilleur juge, et je ne l'ai jamais entendue chanter du Mercier ! Nous verrons bien, en cet an 2440 que tu as imaginé, lequel de nous deux sera toujours cité !

— La gloire après la mort n'a jamais fait revivre ! Je préfère boire de mon vivant ! Danton ! Ton vin est infâme, mais sers-nous-en encore !

On continua ainsi de se chamailler gentiment ; Terwagne parla de la cause féminine, Mercier de Terwagne, Momoro de ses succès, Desmoulins de son pamphlet, Danton de nourriture, Archambault de politique, Paré de droit romain, Duplain de Rousseau, Fabre de Molière, et notre bon Gabriel, lui, ne parla de rien, se contentant d'écouter avec plaisir cette belle compagnie, à la table de laquelle, un an plus tôt, il ne se serait jamais imaginé pouvoir souper !

— Et alors ? Ton Loup ? Tu ne l'as toujours pas démasqué ? lui lança Danton en voyant que le jeune homme restait silencieux.

— Toujours pas. Mais… qui sait ? Il est peut-être assis à cette table, répondit malicieusement le journaliste, inspectant les réactions de chacun, comme ses cinq suspects étaient effectivement là.

Il y eut des échanges de regards, des sourires, des moues dubitatives…

— À ma table ? Diantre ! Je ne sais si je dois avoir peur ou être honoré…

Gabriel, désireux de transmettre un message au Loup, si celui-ci faisait vraiment partie des convives, s'empressa d'ajouter, comme en réponse à sa dernière lettre de menace :

— Mon enquête m'a mené à la Bastille, dont j'ai interrogé ce matin même un ancien prisonnier. Malheureusement, il n'est pas toujours aisé à comprendre…

— Comment cela ? demanda Georges.

— C'est un dément. Il est à présent enfermé à la maison de Charenton, expliqua le journaliste.

L'avocat Jules-François Paré, assis à ses côtés, se pencha vers lui.

— Parlerais-tu d'Auguste Tavernier ?

— Oui. Comment le sais-tu ?

— L'Hôtel de Ville a demandé à Danton de le faire enfermer de nouveau, après sa libération de la Bastille. Comme Georges est très occupé par la milice bourgeoise, je m'en suis chargé. Je puis te dire que c'est une drôle d'histoire que celle de ce pauvre homme !

— Raconte-moi ! le pressa Gabriel, tandis qu'autour d'eux les conversations avaient repris.

— De ses soixante-quatre années d'existence, ton homme a passé les trente dernières en prison, ce qui explique son misérable état. Il est le fils de Nicolas Tavernier, qui était portier au service de Montmartel[1].

— Montmartel ? demanda le journaliste. Ce nom me dit quelque chose…

— Jean Pâris de Montmartel, précisa Paré. Un riche financier qui a fait fortune, notamment dans la traite négrière…

— Ça y est ! Je me souviens ! Notre ami Mercier en parle dans son *Tableau de Paris*. Et donc, le père de mon Auguste Tavernier travaillait pour ce M. de Montmartel ?

— Absolument. Le jeune Auguste, qui était fainéant, libertin et parfaitement ivrogne, désespérait ses parents, avec lesquels il se montrait parfois violent. M. Tavernier père, avec l'aide de son employeur Montmartel, a fait enfermer son fils une première fois à la maison de Charenton, pendant onze mois. Cela ne l'a pas guéri. Au printemps 1749, de nouveau en liberté, après s'en être pris à une patrouille du faubourg Saint-Antoine, ivre et armé d'un gourdin, le jeune homme a été enfermé une deuxième fois, au Grand Châtelet. Mais comme il se montrait de plus en plus violent, on

_____

1. L'orthographe exacte est *Monmartel*, mais tous ses contemporains l'écrivaient, à l'époque, avec un « t », Montmartel, comme la commune dont est issu ce patronyme.

l'a envoyé aux îles Sainte-Marguerite, où il est resté près de dix ans !

— Dix ans ! Seulement pour avoir pris à partie une patrouille du guet ?

— Là-bas, ce pauvre insensé se serait accusé lui-même d'être le complice de Robert-François Damiens, l'homme qui avait tenté d'assassiner Louis XV ! À l'évidence, c'était une élucubration, puisque Auguste Tavernier était en prison depuis huit ans déjà quand cette tentative de régicide a eu lieu ! Mais on l'a tout de même condamné à la perpétuité et transféré à la Bastille, il y a vingt ans.

— Pauvre homme ! murmura Gabriel en secouant la tête. Vingt ans à la Bastille, pour un crime qu'il n'avait pas commis...

— On traite encore les fous comme des criminels, Gabriel. Tu devrais en faire un article. Ce pauvre Tavernier n'est sorti de la Bastille que par la grâce de la révolution... Mais j'ai bien peur que sa longue détention ait achevé de le rendre fou, et la municipalité a donc décidé de le placer à Charenton. C'est moi qui me suis occupé du dossier. Il est certes bien mieux là-bas qu'à la Bastille, mais je crains qu'il n'en sorte jamais...

— « Bien mieux », c'est vite dit. Il n'est pas dans un état formidable, et son cachot est une insulte à la dignité humaine, rétorqua le journaliste.

Les pièces du puzzle arrivaient les unes après les autres, mais il restait à les mettre en place.

Il était près de onze heures du soir et tout le monde festoyait encore quand Mlle Terwagne s'excusa de devoir rentrer chez elle.

— Voulez-vous que je vous raccompagne ? demanda Mercier en se levant.

— Non, profitez de la fête, Louis, je vais aller dormir.

— Où allez-vous ? demanda Fabre d'Églantine en se levant lui aussi. J'habite rue de la Ville-l'Évêque, à quelques pas de l'église de la Madeleine ; je peux peut-être vous déposer ?

Les deux jeunes comédiennes assises à ses côtés, qui espéraient sans doute finir la nuit avec le dramaturge, écarquillèrent les yeux, offusquées.

— Merci, Philippe, répondit Terwagne, amusée. C'est très aimable, mais un fiacre m'attend déjà.

Elle alla remercier Gabrielle et Georges Danton de leur accueil mais, avant de la laisser sortir de l'appartement, notre jeune Joly se leva précipitamment et annonça qu'il devait se retirer lui aussi, pour aller travailler à un article.

— Eh bien ! lança Mercier en regardant d'un air suspicieux les deux convives qui s'apprêtaient à partir ensemble. Si je ne connaissais pas mieux mon amazone, je dirais aisément qu'il y a anguille sous roche !

Anne-Josèphe ricana en prenant Gabriel par le bras.

— Venez, mon bon Joly ! On me prête tellement d'amants, autant que le nouveau suspect soit le plus charmant ! Un grand roux aux beaux yeux verts !

Ils partirent sous les applaudissements et descendirent ensemble dans la cour du Commerce-Saint-André en riant. Gabriel, après avoir baisé la main de la Liégeoise, fit mine de se diriger vers la rue des Cordeliers, mais se glissa dans l'ombre, pour observer discrètement la jeune femme.

Quand, au lieu d'aller vers la rue des Fossés-Saint-Germain, où elle eût normalement pu trouver son fiacre, il la vit enlever son chapeau, comme pour le cacher, et trotter vers la rue Saint-André-des-Arcs, les battements de son cœur accélérèrent. Son instinct ne l'avait donc pas trompé : Terwagne ne s'apprêtait pas du tout à rentrer chez elle ! Elle cachait quelque chose, et il pensait savoir quoi !

Envahi d'excitation, il se mit à la suivre.

Si l'obscurité jouait pour lui, le silence, en revanche, risquait de le trahir. Gardant autant de distance que possible, telle une mouche de la police, progressant par à-coups pour se dissimuler régulièrement dans les ombres, il prit en chasse la Liégeoise qui, de Saint-André-des-Arcs, traversa vers la rue Saint-Séverin. Le sabre battant contre sa cuisse, la jeune femme semblait n'éprouver aucune peur dans ce quartier pourtant peu sûr. Mais où pouvait-elle aller, à une heure pareille ?

Le jeune homme remarqua alors qu'elle boitait légèrement ! Le témoignage d'Antonie lui revint aussitôt en mémoire : n'avait-elle pas dit que le Loup avait été blessé, lors de son attaque sur le bateau ? Dame ! Le faisceau d'indices ne cessait de grossir !

Rue Galande, Gabriel ne put réprimer un sursaut de surprise quand il vit sa proie entrer dans la cour qui menait au Château-Rouge ! Une femme de son rang, dans un tapis-franc si malfamé ? Quelque chose clochait ! Arrivé au bout de l'allée, le jeune homme y passa la tête et vit la Liégeoise monter les marches du sulfureux cabaret !

N'en croyant pas ses yeux, il lui emboîta le pas et entra dans le fief de Récif.

Comme toujours à cette heure, il y avait tellement de monde à l'intérieur que Gabriel ne parvint pas à retrouver la silhouette de Terwagne. Mais alors qu'il avançait au milieu des ivrognes, des noceurs, des brigands et des fillettes, il aperçut soudain les jambes de l'amazone qui montait vers les étages.

Viendrait-elle voir Récif ? songea Gabriel, interdit. Diantre ! Le Salétin avait-il découvert l'identité du Loup avant lui ? Ou pis : étaient-ils complices ?

Tout à coup, la chose lui parut fort probable ! Et si le Loup n'avait été ni un homme ni une femme, mais les deux, à tour de rôle ? Si Terwagne et Récif avaient inventé ensemble ce personnage ? L'hypothèse tenait !

Contrarié, Joly se précipita dans l'escalier et monta jusqu'à la cache des Renégats, à l'étage du Château-Rouge. Le colosse qui était toujours posté devant le rideau l'arrêta d'une main et passa la tête à l'intérieur.

— Récif ! Y a ton pistonné qu'est encore là !

— Laisse-le entrer.

L'herculéen aspirant s'écarta, et Gabriel entra d'une démarche conquérante. Il se tendit quand il vit qu'Anne-Josèphe Terwagne était assise à la place qu'il occupait lui-même d'habitude, en face du Salétin.

— Que… que faites-vous là ? lança le journaliste. Ne deviez-vous pas rentrer chez vous ?

— Je pourrais vous retourner la question, jeune homme ! répondit-elle, aussi surprise que lui. M'auriez-vous suivie ?

— Je viens souvent ici voir mon ami ! répondit Gabriel, pour ne pas mentir tout à fait.

— Viens t'asseoir, moussaillon. Mademoiselle est venue pour un renseignement…

— C'est-à-dire ? demanda le grand rouquin, encore suspicieux.

— Mademoiselle a été victime d'une tentative d'assassinat, il y a quelques jours, et elle aimerait connaître le nom du commanditaire.

— On m'a dit que vous étiez une personne fort bien renseignée sur… ces choses-là, déclara Anne-Josèphe en posant une petite bourse sur la table. Et je suis prête à vous payer pour cette information.

Gabriel, toujours méfiant, s'assit à leurs côtés et regarda successivement la Liégeoise et le Salétin. Récif savait-il qu'il avait en face de lui celle qui figurait à présent en haut de la liste de ses Loups potentiels ?

— Qu'est-ce que tu en penses, le journaliste ? demanda le pirate sans quitter des yeux la visiteuse. Je la renvoie, ou je fais affaire ? Nous autres, Renégats, n'avons pas pour habitude de donner dans la délation…

Gabriel hésita. S'étant d'abord cru trahi, il retrouva peu à peu son calme. La Liégeoise boitait-elle à cause de cette tentative d'assassinat ? C'était possible. Mais elle restait un suspect plus que légitime.

— Mlle Terwagne est une femme respectable, au sens où tes frères et toi l'entendez, déclara-t-il néanmoins d'une voix solennelle.

— Tu en es sûr ? insista Récif en continuant de dévisager la Liégeoise.

— Si quelqu'un a voulu la tuer, et que tu peux l'aider sans trahir ton propre code d'honneur, alors fais-le. On ne peut encourager l'assassinat d'une femme.

— Merci, Gabriel, fit celle-ci humblement. Si j'avais su que vous étiez amis, je serais passée par vous. Mais vous comprenez maintenant pourquoi j'ai préféré rester discrète sur ce que j'avais à faire ce soir…

— Je comprends.

En vérité, il était presque déçu.

La Liégeoise poussa un peu plus en avant sa bourse sur la table.

— Alors, monsieur Récif ?

— Rangez votre bourse, mademoiselle. Si je voulais votre argent, vous l'auriez perdu avant même d'entrer dans cette pièce. Chez nous, on ne prend pas d'argent pour révéler le nom d'un assassin. On le fait de sa propre volonté, ou on se tait.

— Alors ? Parlerez-vous ?

— J'ai d'abord une question à vous poser. Deux des trois hommes qui ont été embauchés pour vous assassiner, et que je connaissais bien, ont été retrouvés morts. Est-ce vous qui les avez tués ?

À la grande surprise de Gabriel, la Liégeoise ne prit pas même le temps de réfléchir pour répondre.

— Oui. Et si j'avais pu tuer le troisième, c'eût été avec plaisir.

— Et si je vous disais que ces hommes étaient de mes amis ?

— Je vous répondrais qu'ils sont morts dans l'exercice d'une fonction dont on accepte les risques, quand on la choisit. Et qu'il n'y a aucune gloire à se faire payer pour assassiner une femme. S'ils étaient vos amis, c'est que vous les choisissez mal.

Le Salétin ricana, comme s'il avait apprécié la hardiesse de cette réponse. Il sembla réfléchir un instant, puis d'une voix uniforme, il annonça :

— L'ordre de vous faire assassiner, mademoiselle, est venu de tout en haut. De Versailles.

Anne-Josèphe écarquilla les yeux.

— Louis XVI ?

— Je pencherais plutôt pour son frère, le comte de Provence. Mais la chose est difficile à prouver : vous vous doutez que ces ordres-là ne viennent jamais directement. Il y a eu plusieurs intermédiaires…

— Lesquels ? insista la Liégeoise.

— Je n'ai pas de nom à vous donner, malheureusement. Mais j'ai entendu dire que la chose avait été transmise… par un franc-maçon.

À ces mots, Gabriel fut aussi étonné que Mlle Terwagne.

— Un franc-maçon ? Mais… lequel ?

— Je ne vais pas mener l'enquête à votre place, mademoiselle ! À vous de chercher. Et si j'étais vous, je ferais vite. Votre tête est toujours mise à prix. Pour bien plus d'argent qu'il n'y en a dans votre bourse.

Anne-Josèphe avala sa salive en comprenant le sous-entendu.

— Si vous êtes encore en vie aujourd'hui, c'est que la sympathie que vous inspirez au peuple reste plus forte que la somme qui est en jeu. Mais ceux parmi nous qui vous apprécient ne pourront pas vous protéger indéfiniment.

— Parce que vous m'appréciez ? plaisanta la Liégeoise.

— Gabriel vous le confirmera : j'ai toujours eu un faible pour les agitateurs.

— Je vois. Eh bien, merci, monsieur Récif. Je n'oublierai pas le service que vous venez de me rendre.

Le Salétin sourit.

— N'ayez crainte, mademoiselle. Je m'en assurerai.

76.

À l'ombre de Notre-Dame

Gabriel regarda Mlle Terwagne sortir de la pièce et se faire raccompagner par l'aspirant des Renégats, puis il se tourna vers Récif.

— Tu... Tu sais que...

— Que c'est le Loup des Cordeliers ? demanda le pirate avec un sourire narquois.

— Tu le savais ? s'exclama le jeune homme, perplexe.

— Je n'en suis pas aussi sûr que toi ! Mais j'ai quelques soupçons, oui. Il n'est pas anodin que Versailles veuille se débarrasser d'elle. Elle est en tout cas l'objet de bien des convoitises, et je vais la garder à l'œil. Cela dit, pour ce qui est du Loup, je privilégie pour ma part un autre suspect...

— Qui donc ?

— Archambault, le président du district des Cordeliers.

Gabriel ne put retenir un ricanement. Décidément, Récif était plein de surprises.

— C'est ma deuxième hypothèse, reconnut-il.

— Elle est aussi crédible que celle de Mlle Terwagne, affirma le pirate. Archambault aime particulièrement son district. En outre, alors qu'il venait d'être inscrit au tableau de l'ordre des avocats à Paris, il a fait partie des hommes qui ont suivi La Fayette à bord de son bateau *La Victoire*, en avril 1777, pour aller combattre en Amérique aux côtés des insurgés. Archambault est revenu en France en septembre de la même année, après avoir été blessé à la bataille de Brandywine. Et il faut croire qu'il n'a rien perdu de son goût pour le sabre : il fait maintenant partie de l'une des compagnies de la Garde nationale du district des Cordeliers, dont il reste président. Enfin, comme tu le sais, sa femme a été violée et assassinée il y a cinq ans, rue de la Huchette.

— Assassinée, oui, mais j'ignorais qu'elle avait aussi été violée, murmura Gabriel, bouleversé.

— C'est le genre de drame qui pourrait pousser un homme à devenir le Loup des Cordeliers, tu ne penses pas ?

— Certes. Pauvre homme… Toutefois, il y a un détail qui me chiffonne, depuis que j'envisage cette hypothèse. Archambault a gardé de sa blessure de guerre un signe distinctif : il lui manque l'annulaire à la main gauche ! déclara Gabriel. Or, ni moi ni les autres témoins n'avons remarqué cela sur le Loup des Cordeliers !

— Que vous ne l'ayez pas remarqué ne signifie pas qu'il ne lui manquât pas un doigt. Peux-tu m'affirmer que tu as vu tous les doigts de sa main gauche ?

— Non, reconnut le jeune homme.

— La prochaine fois que l'un de nous deux voit le Loup, il faudra mieux regarder ses mains !

— Je vois que tu as mené ton enquête de ton côté, grommela Gabriel.

— Tu as ta favorite, Mlle Terwagne, j'ai le mien, Archambault. Le premier de nous deux qui apporte la preuve décisive a gagné ! s'amusa le pirate en tendant la main à Gabriel.

— Gagné quoi ? répondit le jeune homme en lui serrant la main malgré tout.

— Le respect de l'autre.

— Tu as déjà le mien…

— Alors la liste des services que tu me dois s'agrandira ! D'autant que je ne t'ai pas tout dit.

— Quoi, encore ?

— J'ai trouvé l'homme à la cicatrice !

— Décidément ! s'agaça Gabriel. Tu ne cesses de me doubler ! Qui est-ce ?

— C'est le baron de Saint-Martial.

— Pardon ?

— L'impasse Saint-Martial, sur l'île de la Cité, entre la rue de la Vieille-Draperie et la rue de la Calandre, est le chef-lieu d'une *confrérie* rivale de la mienne : celle des Rufians. On les reconnaît à la ceinture de tissu orange qu'ils ont autour de la taille. Ce sont eux qui tiennent l'île, et nous sommes régulièrement contraints de leur rappeler qu'ils n'ont rien à faire chez nous, à la Maub'. Pour tout te dire, ce sont des Rufians qui ont été embauchés pour tuer Mlle Terwagne.

— Tu lui as dit que c'étaient des amis à toi !

— C'était un test ! ricana le pirate. En réalité, j'ai beaucoup ri quand j'ai appris que deux Rufians s'étaient fait tuer par la femme qu'ils devaient assassiner… Et j'avoue que cela m'a incité à penser qu'elle pouvait être le Loup.

— Et donc, d'après toi, mon huitième prisonnier est un Rufian ?

— Comme par un étrange hasard, leur chef, Gallien de son vrai nom, mais qu'on appelle le Baron, et qu'on n'avait pas vu depuis quelques mois, vient de reparaître !

— Et alors ?

— Et alors, Gabriel, Gallien a une longue cicatrice sur la joue gauche.

Le jeune homme opina lentement du chef.

— C'est troublant, en effet… Toutefois, Auguste Tavernier, au sujet de l'homme à la cicatrice, m'a parlé d'un abbé…

— Ton Tavernier n'a pas toute sa tête… Je me suis dit qu'il avait peut-être confondu « abbé » et « baron ». Quoi qu'il en soit, la chose mérite qu'on la vérifie. Tu es prêt ?

— Prêt à quoi ?

— À aller voir le Baron, pardi !

— Je suis ton homme !

Vingt minutes plus tard, les deux amis traversaient le pont Saint-Michel pour pénétrer dans l'île de la Cité, à laquelle Paris s'était longtemps résumée. Là, entre les deux bras de la Seine, dès lors qu'on sortait de la rue de la Barillerie, on arrivait dans un dédale inextricable et insalubre, et c'était le territoire des Rufians.

Les rues, étouffées par leurs maisons aux charpentes noires et vermoulues, étaient si boueuses et l'atmosphère si putride qu'on imaginait cet endroit habité seulement de crapauds et de chauves-souris. Pourtant, le quartier des Rufians était plus illuminé à cette heure-là que le reste de la Cité, car ses cabarets, ses maisons de jeu et ses tapis-francs de bas étage restaient éclairés jusque tard dans la nuit.

La rue Saint-Éloi – dans laquelle se cachait l'impasse Saint-Martial – ressemblait à une cour des Miracles ; ses ombres grouillaient de figures louches, de buveurs avinés, de fillettes et de faux mendiants, elles sentaient l'urine et le rhum et, dans l'air, les chants et les rires se mêlaient aux grossièretés.

Récif marchait tout droit et d'un pas assuré, comme si aucun des malandrins qui eussent pu surgir à tout moment des ténèbres pour les attaquer ne lui fît la moindre peur. S'il avait ôté la redingote rouge et le tricorne des Renégats afin qu'on ne le reconnaisse pas trop aisément, le Salétin portait encore ses boucles d'or aux oreilles, et ses traits de Sarrasin étaient forcément connus des membres de cette bande rivale qui dominait la Cité. Pourtant, il ne vacillait pas. Gabriel songea que c'était bien là la marque des véritables seigneurs, de ceux qui ne restent pas à l'arrière-garde pour diriger le combat, mais marchent tout droit vers l'ennemi.

Ils arrivèrent enfin au bas de l'impasse Saint-Martial.

— Tu es sûr que c'est une bonne idée ? chuchota Gabriel. Nous risquons d'être en sous-nombre…

— Je viens parlementer, ils n'ont pas le droit de m'attaquer.

— Le *droit* ? Tu te moques de moi ?

— En général, ils respectent la charte-partie[1]…

_____

1. Code d'honneur des Renégats, inspiré de celui de la piraterie.

— En général ?

— De toute façon, à cette heure-là, ils sont probablement tous ivres. Le premier qui louvoie, je lui administre une gifle paléontologique.

Ils s'engagèrent dans l'allée obscure. Le ciel qui se dessinait au-dessus d'eux, entre les façades rapprochées des maisons étroites, était d'un noir biblique. De l'autre côté de l'impasse, ils virent apparaître les silhouettes d'un petit groupe d'hommes à l'allure épouvantable, qui portaient à la taille une ceinture de tissu orange. Les Rufians discutaient, ou complotaient plus vraisemblablement, sur les marches de la bâtisse qui terminait la voie. Quand ils virent arriver ces deux visiteurs nocturnes, ces crapules interrompirent leur conversation et les dévisagèrent d'un regard peu engageant.

— Gallien ! s'écria Récif en reconnaissant au loin l'homme à la cicatrice. J'ai à te parler !

Le Salétin, pour montrer qu'il venait en paix, avait écarté les bras de chaque côté de sa longue veste. Mais le Baron, aussitôt qu'il eut identifié le chef des Renégats, poussa un juron et se précipita par une petite porte, alors que ses complices s'éparpillaient pour s'enfuir eux aussi, mais par d'autres voies.

— C'est celui-là qu'on veut ! cracha Récif en désignant le chef et en se lançant à sa poursuite.

Gabriel se mit à galoper derrière lui et ils se jetèrent dans le corridor, au fond duquel résonnaient encore les pas du fugitif. La silhouette du Rufian apparut dans la pénombre, et ils le virent ouvrir au loin une porte, par laquelle il s'échappa.

— Allez ! s'impatienta Récif, comme Gabriel se laissait distancer.

Dans la petite cour sur laquelle ils débouchèrent, Gallien venait de renverser un tas de barils de vin pour couvrir ses arrières et il enjamba une grille qui donnait sur la rue des Fèves. Les tonneaux envahirent le patio et ralentirent le rythme de ses deux poursuivants.

Contournant les obstacles, Gabriel et Récif se hissèrent par-dessus la grille et se laissèrent retomber de l'autre côté.

Gallien, lui, était déjà en train de disparaître dans les ombres de la rue de la Calandre.

— Il va nous semer ! grogna Récif en reprenant sa course effrénée.

Rendus à l'angle de la rue de la Juiverie, comme ils l'avaient perdu de vue, ils durent s'arrêter pour tenter de trouver la direction que le fuyard avait choisie.

— Il est où, ce sagouin ?

— Là-bas ! s'écria Gabriel alors qu'il venait de voir l'homme à la cicatrice passer dans la lumière d'un réverbère. Il va vers Notre-Dame !

Ils reprirent leur cavalcade sur les pavés de la Cité. S'engageant à cœur perdu sur le parvis de la grande église, dont les deux tours carrées grandissaient rapidement au-dessus de leur tête, ils repérèrent le Baron sous le passage couvert du Pont-au-Double.

— Ce fou va vers la Maub' ! cria le Salétin en reprenant espoir. C'est notre territoire. Si on le rattrape, il est perdu !

Les deux amis traversèrent la Seine par cette voie obscure et resserrée. Quand ils arrivèrent en vue de la rue de la Bûcherie, ils s'immobilisèrent tous les deux. Rien n'aurait pu les préparer au spectacle auquel ils assistèrent alors.

À l'angle de la rue des Rats, le Baron des Rufians était étendu au sol, mort ou assommé, et derrière lui se dessinait la silhouette du Loup des Cordeliers, drapé dans sa cape noire et le visage masqué. Cette fois-ci, il ne tenait pas son animal en laisse, mais son sabre scintillait au-dessus de sa main.

Gabriel et Récif, aussi interdits l'un que l'autre, le regardèrent comme s'il se fût agi d'un fantôme. Dans la nébulosité de la nuit, il ne ressemblait à rien d'autre : un spectre. Une apparition.

À quelques enjambées d'eux seulement, le Loup des Cordeliers, dans un geste majestueux, leur fit un signe d'adieu, puis, s'enveloppant de sa cape, disparut dans les ténèbres !

Gabriel et Récif, reprenant leurs esprits, se précipitèrent vers le corps du Baron, couché sur le pavé.

— Le Loup ! Il faut qu'on essaie de le rattraper ! s'affola le journaliste.

— Une autre fois ! répondit Récif. Nous devons d'abord nous occuper de celui-là.

Ils s'agenouillèrent près de Gallien. Son visage était éclairé par les rayons d'une lune blonde, qui faisait apparaître clairement, le long de sa joue gauche, le dessin de sa cicatrice.

— Il respire encore, fit le pirate en posant sa main sur la poitrine du Rufian.

— C'est une bonne nouvelle. Mais il y en a une plus mauvaise, annonça Gabriel dans un soupir.

— Quoi ?

— Ce n'est pas lui. Ce n'est pas le huitième prisonnier, fit-il en se relevant, contrarié.

— Tu es sûr ?

— Sa cicatrice est aussi vilaine, certes, mais ce n'est pas notre homme. Ce n'est pas celui qui est sorti de la tour de la Bertaudière. Je n'ai pas vu le visage du complice qui l'a aidé à s'échapper, mais lui, je le reconnaîtrais entre mille !

Récif poussa un grognement de colère en secouant le corps inerte du Baron.

— Pourquoi cet imbécile s'est-il enfui quand je suis venu le voir, alors ?

— Tu as dû lui faire peur, voilà tout ! Tu fais peur, tu sais ?

Le pirate se releva à son tour, dépité.

— Nous avons donc laissé filer le Loup pour rien…

— Tu crois que le Loup l'a assommé pour nous aider ? demanda Gabriel en regardant du côté de la rue où le justicier avait disparu.

— Probablement. Il n'était pas avec son animal ; il n'a pas tué Gallien ; il n'a pas signé et il n'y avait pas de femme à sauver… Tout cela n'est pas dans son habitude.

Un sourire se dessina aussitôt sur le visage du journaliste.

— Mais alors, si le Loup nous a aidés…

— Je sais très bien ce que tu vas dire ! le coupa le Salétin en haussant les yeux au ciel. Tu penses que c'est une preuve de plus qu'il s'agit de Mlle Terwagne, et qu'elle a fait cela pour me remercier, parce que je lui ai donné le nom de l'homme qui veut la tuer…

— Hé, hé ! Un point pour Terwagne ! se réjouit Gabriel.

— Peut-être. Mais tu oublies un détail, moussaillon.

— Lequel ?

— Tu as vu ses mains ? Le Loup portait des gants !
Et que peut-on cacher, sous une paire de gants ?

— L'absence d'un doigt, reconnut Gabriel en grimaçant.

— Un point pour Archambault !

— Bah ! Une chose est sûre, en tout cas : le Loup
s'intéresse à nous, et il nous suit de près ! Lui qui m'a
mis sur la piste du huitième prisonnier, semble vouloir
nous aider… Quel peut être son intérêt ?

— Il doit être comme moi ! s'exclama Récif.

— Imprévisible ?

— Non, sourit le pirate. Il doit aimer les trésors !

77.

Par la grâce de l'Esprit saint

Le soleil venait tout juste de se lever sur Paris en ce dimanche 19 juillet, et la colline de Saint-Maurice, illuminée par les rais dorés qui se multipliaient à travers les feuilles des arbres, resplendissait dans la quiétude matinale. À l'écart de la capitale, dans ce doux silence que seul le chant des oiseaux venait rompre, rien n'aurait pu laisser imaginer que la France traversait l'un des plus tumultueux épisodes de son histoire.

Jean Colombier, médecin en chef de la maison de Charenton, en voyant revenir l'abbé, lui tendit le registre.

— Ah, ce sont des heures troubles que nous vivons, mon père ! Certains de nos pensionnaires ne semblent pas être conscients de tout ce qu'il se passe dans Paris, mais d'autres le savent et, vous avez dû le voir, il règne dans la salle commune une agitation plus grande encore que celle à laquelle nous sommes habitués.

L'abbé hocha lentement la tête, montrant qu'il partageait sa peine et son inquiétude.

— L'Église fait ce qu'elle peut pour ramener la paix dans notre ville, monsieur.

— Parfois, je me demande de quel côté de nos murs se trouvent vraiment les insensés ! plaisanta le médecin en chef.

L'abbé sourit, signa le registre et le rendit à M. Colombier.

— L'Hôtel de Ville s'occupera de la suite de cette affaire, monsieur. Mon travail à moi est fini. Je vous remercie encore de votre bienveillance…

— C'est nous qui vous remercions, mon père, d'être venu aussi vite. J'attendrai donc les ordres de la municipalité.

L'homme d'Église – qui, en vérité, était venu de son propre chef, sans l'autorisation de la Ville, et pour des raisons bien différentes de celles qu'il avait annoncées – fit demi-tour dans sa longue soutane noire et se dirigea d'un pas preste vers la sortie de la maison de Charenton, où un fiacre l'attendait.

Il venait de récupérer la dernière information dont il avait besoin, et la joie dessina sur son visage un large sourire, lequel creusa la longue cicatrice qu'il portait sur la joue gauche.

78.

Le mauvais frère

— Je partage, mon frère, ce que vous avez dit tout à l'heure en loge, se désola le docteur Guillotin en venant à la rencontre de Mercier à l'issue de leur tenue maçonnique. Je vois les colonnes de notre temple se vider, et il paraît que la chose est plus prononcée encore en province : de nombreux frères ne viennent plus, soit qu'ils aient peur, soit qu'ils se soient exilés...

— Beaucoup imitent notre administrateur général, qui a fui vers Londres, intervint Jacques-Étienne Montgolfier, l'homme qui avait inventé, avec son frère de sang, un fameux aérostat.

— Bon débarras ! répliqua Louis-Sébastien. N'oubliez pas que Montmorency-Luxembourg, quand il présidait l'ordre de la noblesse aux états généraux, était allé lui-même supplier le roi d'empêcher la réunion des trois ordres ! C'était une attitude contraire aux principes généraux de notre institution, pour laquelle la naissance ne peut créer de différence de rang entre les hommes !

— Oui, enfin…, intervint Gilbert Romme. Vous oubliez, mon bon Louis-Sébastien, que nous n'acceptons les domestiques qu'au titre de frères servants, et que les ouvriers sont encore refusés chez nous…

— Je ne l'oublie pas et je le regrette autant que vous ! rétorqua l'écrivain. Bah ! Tout ceci me fatigue, Gilbert. Rentrons !

Ainsi, plutôt que de rester tout l'après-midi au temple pour participer aux traditionnelles agapes du soir, Louis-Sébastien Mercier et Gilbert Romme quittèrent ensemble l'ancien noviciat des Jésuites et se rendirent chez l'écrivain, où ils entendaient échanger plus tranquillement autour d'une bonne liqueur.

À leur grande surprise, quand ils arrivèrent au pied de l'immeuble de la rue des Maçons, ils tombèrent nez à nez avec Anne-Josèphe Terwagne, qui semblait accablée des plus sombres pensées.

— Que faites-vous là ? demanda Mercier, inquiet.

— Je vous attendais !

— Moi ? Ou lui ? demanda l'écrivain en désignant Romme d'un air espiègle.

— Vous, Louis !

— Eh bien ? Que se passe-t-il ?

— J'ai appris une chose fort troublante au sujet de la tentative d'assassinat dont j'ai été victime !

— Quoi donc ?

— L'ordre serait venu de Versailles, peut-être du comte de Provence, et aurait été transmis… par l'un de vos frères !

Aussitôt, les deux hommes échangèrent un regard stupéfait.

— Vous en êtes sûre ?

— Certaine !

— Entrons, proposa Mercier. Vous allez nous raconter tout cela.

Ils pénétrèrent tous trois dans l'appartement.

— Voilà une bien terrible image que tout ceci me donne de votre maudite franc-maçonnerie ! s'exclama Mlle Terwagne en s'asseyant, furieuse, sur le canapé de Mercier.

— Notre ordre, mademoiselle, n'est pas infaillible, s'excusa Gilbert Romme en prenant place à côté d'elle. Il est fait d'êtres humains, rien de plus. Il y a toujours eu, et il y aura toujours, parmi nous, de mauvais frères ! Certains parviennent à se faire passer pour vertueux afin de rejoindre nos colonnes et se faufilent habilement entre nos boules noires[1].

— Mais quel odieux complot pourrait pousser l'un d'entre vous à commanditer mon assassinat ? demanda la Liégeoise en s'adressant tant à Romme qu'à Mercier.

— Je n'en ai pas la moindre idée ! répondit l'écrivain, alors qu'il apportait une bouteille de liqueur à ses invités. Mais ne nous avez-vous point dit que l'ordre serait venu de plus haut, du comte de Provence ?

— Pour le prouver, je vais devoir remonter la piste ! Y a-t-il parmi vos frères des hommes qui soient assez proches du frère du roi pour faire exécuter cet odieux commandement ?

---

1. En franc-maçonnerie, l'admission d'un impétrant se fait après un vote par scrutin à boules blanches et noires. En ce temps-là, si le résultat donnait trois boules noires ou plus, le profane était refusé.

— Peut-être, mademoiselle, répondit Romme d'un air navré. Le comte de Provence a été initié lui-même, à titre honorifique.

— À titre *honorifique* ? s'offusqua Anne-Josèphe.

— Les deux frères du roi ont tous les deux été initiés dans la loge militaire de Versailles mais, à ma connaissance, ils n'y ont jamais remis les pieds après la cérémonie. C'était davantage une façon de rendre honneur à ceux des gardes de Versailles qui avaient créé cette loge. Cela se fait, parfois…

— C'est ridicule ! Cela discrédite votre institution ! s'emporta la Liégeoise.

— Sur ce point, nous sommes d'accord, soupira le mathématicien.

— Anne-Josèphe, si je puis me permettre, intervint Mercier, ce n'est pas la franc-maçonnerie qui a commandité votre assassinat. C'est *un* franc-maçon. Et, comme Gilbert vous l'a dit, il existe toujours de mauvais frères. Si l'homme qui a transmis l'ordre du comte de Provence se trouvait être, par exemple, chanteur d'opéra, cela signifierait-il que tous les chanteurs d'opéra fussent de mauvaises personnes ?

— Peut-être pas, mais il n'en reste pas moins qu'il se trouve un homme au sein de votre institution qui aurait transmis l'ordre du comte de Provence, et j'ai besoin de savoir qui il est ! Alors dites-moi : y a-t-il parmi vous, oui ou non, quelqu'un qui soit suffisamment proche du frère du roi pour se charger d'un si terrible dessein ?

— Eh bien… Il pourrait y avoir quelqu'un, hasarda Romme, mais j'ai du mal à y croire, et je ne voudrais pas attirer d'inutiles suspicions sur un innocent.

— Qui donc ?

Le mathématicien regarda Mercier avec embarras.

— Duvilliers ? devina celui-ci. Non ! J'ai du mal à l'imaginer !

— Qui est ce Duvilliers ? demanda Mlle Terwagne.

L'écrivain poussa un long soupir.

— C'est un militaire dont on dit qu'il dirigerait le cabinet secret du comte de Provence, mais cela ne constitue en rien une preuve…

— La preuve, c'est moi qui la trouverai ! le coupa la Liégeoise. Parlez-moi de ce Duvilliers !

— Je ne le connais pas bien ; il n'est pas membre de notre loge mais d'une autre, et il ne vient aux Neuf Sœurs que de temps en temps, comme visiteur.

— Il était d'ailleurs parmi nous tout à l'heure, précisa Romme.

— Mais, encore une fois, je ne l'imagine pas capable d'une chose pareille ! reprit Mercier. Pour tout vous dire, je crois même me souvenir qu'il m'a un jour parlé de vous dans les meilleurs termes…

— Il vous a parlé de moi ?

— Vaguement, oui, répondit l'écrivain, embarrassé. De l'image que vous représentiez, en tout cas, dans le cadre de cette révolution. Il m'a toujours semblé être un frère modéré.

— Que savez-vous de lui, au juste ?

Louis-Sébastien servit à boire, haussa les épaules et se tourna vers son ami.

— Vous le connaissez mieux que moi, Gilbert.

— À peine mieux, il me semble. Je crois savoir qu'il est né à Cambrai, dans une famille de notables…

— Si je ne m'abuse, il a fait ses études au collège Louis-le-Grand, intervint l'écrivain en tendant un verre à Terwagne. Comme votre ami Desmoulins et le député Robespierre.

— Il connaît Me Desmoulins ? demanda Anne-Josèphe.

— Pas que je sache, répondit Romme. Ils n'ont pas le même âge, ils ne se sont sûrement pas connus sur les bancs du collège. Et il n'a pas grand-chose en commun avec le sérail des avocats parisiens. Duvilliers s'est engagé fort jeune dans l'armée et a rapidement atteint le grade de capitaine, sous lequel il a servi pendant la guerre de Sept Ans, ce qui lui a valu la croix de chevalier de Saint-Louis…

— Qu'il porte toujours avec beaucoup de fierté ! ironisa Mercier.

— Après cette guerre, continua Romme, lourdement endetté, il serait allé offrir ses services à la République de Gênes, qui faisait alors la guerre en Corse pour contrer la révolte menée par Pascal Paoli. Mais, se voyant éconduit, il serait allé trouver Paoli lui-même, dans le camp adverse, lequel l'aurait repoussé également ! Enfin, n'ayant été employé ni par les uns ni par les autres, il aurait présenté au duc de Choiseul un plan pour conquérir l'île au nom de la France ; le ministre l'aurait lui aussi refusé !

— En somme, Duvilliers n'est pas un homme d'une grande constance ni d'une grande fidélité, railla Anne-Josèphe. Comment diable un personnage aussi insidieux a-t-il pu devenir votre frère ?

— Nous n'étions pas là le jour de son admission, se défendit Mercier. J'ai trop d'amitié pour le peuple corse opprimé : j'aurais mis une boule noire !

— Qu'est-il devenu ensuite ?

— Quelques années plus tard, quand le ministre Choiseul a décidé de réduire Paoli et de conquérir la Corse, qui venait d'être rachetée par Louis XV à la République de Gênes…

— … alors que celle-ci ne la possédait pas réellement ! le coupa Terwagne, visiblement agacée.

— … bref, Choiseul aurait rappelé Duvilliers pour participer à la conquête de l'île, laquelle dura plus d'un an, jusqu'en 1769. Il me semble que c'est Duvilliers lui-même qui parvint à prendre le château de Corte.

— Vraiment ? s'étonna la Liégeoise, sur un ton soudain bien plus calme, comme si l'information lui évoquait quelque chose. Et il est resté en Corse après cela ?

— Non. De retour en France, il est resté au service de Choiseul, qui l'a fait nommer colonel et lui a offert une belle rente.

— Eh bien ! Que de revirements !

— C'est loin d'être terminé, mademoiselle. Quand le duc de Choiseul est tombé en disgrâce, Duvilliers a été envoyé par le maréchal duc de Broglie en Suède, pour assister le roi Gustave III. Là, il a été impliqué dans une sombre histoire de détournement de fonds secrets, dont je n'ai jamais compris la teneur… Toujours est-il qu'il s'est fait enfermer à la Bastille, pour trahison, en 1773 !

— Tiens donc ! Et cela, non plus, n'a pas éveillé les soupçons de votre ordre ? s'indigna la Liégeoise.

— Allons ! Anne-Josèphe ! la gronda gentiment Mercier. Vous faites du mauvais esprit ! S'il fallait consigner dans un livre la liste de tous les hommes que les lettres de cachet ont envoyés à la Bastille pour de mauvaises raisons, le volume serait plus épais que l'*Encyclopédie* de Diderot ! On nous y jetait pour simple infraction aux règlements de la librairie, ou pour déshonneur familial, un délit aux limites bien équivoques ! Combien de frères parmi les embastillés ? Voltaire, bien sûr, mais aussi le capitaine Mahé de La Bourdonnais, le libraire Pintiau, le maréchal duc de Richelieu Vignerot du Plessis, sans compter ce coquin de Joseph Balsamo, comte de Cagliostro...

— D'ailleurs, reprit Romme, Duvilliers en est ressorti innocenté, un an plus tard. Depuis lors, je ne sais pas trop ce qui l'occupe réellement ; je crois qu'il fait partie de ces officiers de mérite et de distinction qui ne commandent aucun régiment, mais que l'état-major envoie faire des tournées ici et là pour élaborer ses stratégies.

— Et on dit qu'il dirige, donc, le cabinet secret de Monsieur, le comte de Provence, conclut Mercier.

— Voilà tout ce que nous pouvons vous dire, mademoiselle.

— Je vais devoir enquêter sur ce Duvilliers, soupira la Liégeoise. Mais, à votre avis, pourquoi le comte de Provence aurait-il intérêt à me faire assassiner ? Quel danger puis-je présenter pour le frère du roi ?

— Je n'en ai pas la moindre idée, admit Mercier. Vous avez certainement dérangé la Cour, lors de vos mémorables interventions aux états généraux, ma chère petite guerrière...

— Je dois absolument remonter cette piste. Il faut d'abord que je m'assure que c'est bien Duvilliers qui a transmis l'ordre...

— Je vous promets de vous aider à trouver une explication, dit Romme en lui prenant amicalement la main.

— Et moi, je vous promets de vous couvrir de mon corps si jamais on essayait encore d'attenter à votre vie ! lança Mercier d'une voix faussement dramatique.

— Je n'ai pas envie de rire, Louis. Je compte sur vous pour éclaircir ce mystère. Et s'il a quelque chose à se reprocher, votre frère ferait bien de se méfier !

Les deux hommes hochèrent la tête. Ils virent dans ses yeux que la Liégeoise ne plaisantait pas.

79.

Les Enfants-Rouges

— Ah, tu es là, nom d'un chien ! Je te cherche partout, marin d'eau douce ! s'exclama Récif en entrant dans le salon du Procope.

— Que se passe-t-il ? demanda Gabriel, voyant que le pirate avait l'air contrarié.

— Auguste Tavernier est mort ce matin à la maison de Charenton ! Viens ! J'ai préparé deux chevaux !

Ainsi, avec la célérité de l'inquiétude, les deux hommes traversèrent Paris au galop et retournèrent à Charenton.

Alors que Récif l'attendait au-dehors, Gabriel entra d'un pas vif dans le bureau du médecin en chef.

— J'ai appris la terrible nouvelle concernant Auguste Tavernier, expliqua le journaliste. Que s'est-il donc passé ?

Colombier se leva et écarta les bras dans un geste désolé.

— Eh bien… Le pauvre homme s'est montré agité toute la nuit, et il est mort ce matin dans sa cellule.

Nous pensons que son cœur s'est arrêté, tout simplement.

— Mais pourquoi était-il si agité ? J'espère que ce n'est pas à cause de ma visite…

— Oh, non, monsieur Joly ! Je ne pense pas… Nous lui avons administré quelques commotions électriques après votre départ, cela l'avait beaucoup calmé.

— J'imagine, répliqua Gabriel en essayant de ne pas laisser paraître le dégoût que lui inspiraient ces gothiques méthodes.

— Mais, cette nuit, il s'est de nouveau beaucoup débattu et, ce matin, il agonisait. Il a fini par s'éteindre devant son confesseur.

Gabriel enragea. Tavernier, le seul homme qui eût pu lever le voile sur le mystère de la Bastille, était mort sans livrer son secret !

— Qu'allez-vous faire de sa dépouille ? demanda le journaliste. Vous me disiez qu'il n'avait pas de famille…

— Non, en effet. L'abbé, qui est passé ce matin pour lui offrir l'extrême-onction, m'a dit que l'Hôtel de Ville allait prendre en charge les…

— L'abbé ? le coupa Gabriel. Un abbé est passé ce matin ?

— Eh bien, oui ! Je suppose qu'il a été dépêché par M. Jules-François Paré, l'avocat qui s'est chargé du transfert de M. Tavernier et à qui j'avais laissé savoir que celui-ci était au plus mal.

— Et M. Paré vous aurait envoyé un abbé aussitôt ? insista le jeune homme, perplexe.

— Lui ou l'Hôtel de Ville, je ne sais pas…

— Cela arrive souvent ?

— À vrai dire, non, c'est la première fois, mais le contexte est un peu particulier et…

— Comment s'appelle cet abbé ? demanda le journaliste, irrité.

— Attendez, répondit M. Colombier en ouvrant le registre devant lui. Guibert ! Oui, c'est cela : l'abbé Guibert.

Gabriel, les lèvres pincées par la colère, hocha la tête.

— Dites-moi, monsieur, cet abbé… Est-ce qu'il avait… Comment dire ? Avait-il un signe particulier ?

— Que voulez-vous dire ? C'était un brave abbé, très aimable…

— Non ! Je vous demande s'il avait un signe *physique* particulier ?

— Ah ! s'exclama Colombier. Il avait une cicatrice sur la joue gauche, pourquoi ?

Gabriel, abasourdi, ne répondit pas.

— La dépouille de M. Tavernier est-elle encore dans sa cellule ?

— Oui. Nous attendons que l'Hôtel de Ville envoie un chirurgien afin qu'il délivre un permis d'ensevelissement. J'ai constaté la mort moi-même, mais nous n'avons pas le droit de procéder à la levée du corps avant la visite du chirurgien. C'est une simple formalité.

— Me permettez-vous d'aller voir ?

Colombier eut un geste de surprise.

— Pourquoi donc ?

Cette fois-ci, Gabriel choisit de jouer la carte de la vérité. L'heure n'était plus aux circonvolutions.

— Parce que je pense que votre pensionnaire, monsieur, a été assassiné. Et si c'est le cas, vous devez faire venir mon ami le commissaire Guyot au plus vite.

— Assassiné ? Mais par qui ?

— Si vous voulez que nous épargnions à votre maison un scandale, emmenez-moi tout de suite dans cette cellule ! répliqua le journaliste d'une voix autoritaire.

Après quelque hésitation, le médecin en chef, craignant pour la réputation de son hôpital, conduisit Gabriel dans les sous-sols et lui ouvrit le cachot.

M. Tavernier, étendu sur sa couche, offrait dans la mort un spectacle plus épouvantable encore que celui, déjà affligeant, qu'il avait offert dans ses derniers jours. Le crâne dégarni, le corps décharné, le cadavre avait atteint un stade de rigidité avancé, et les premières lividités étaient apparues.

Se couvrant le nez à l'aide d'un mouchoir, Gabriel entra dans la cellule et commença à tourner autour du macchabée, prenant garde à ne pas le toucher.

— Que cherchez-vous ?

— Une preuve, répondit Gabriel.

— Le corps ne présente aucune blessure par balle, aucune trace de coups, en dehors des hématomes que M. Tavernier se faisait lui-même, affirma le médecin, quelque peu vexé.

— Je m'en doute, répliqua le journaliste.

Ce n'était pas le type de preuves qu'il cherchait. Il continua son inspection.

Il put constater d'emblée que le visage du défunt n'était pas crispé dans un rictus, ce qui eût pu indiquer un empoisonnement à la sardoine, cette plante qui, à forte dose, provoquait une distension nerveuse fatale.

Humectant l'air au-dessus du corps, Gabriel chercha une éventuelle odeur d'amande, mais en vain.

L'absence de coloration rosée sur les oreilles, les lèvres, les pommettes et les ongles lui confirma qu'une intoxication au cyanure était à écarter également.

— L'estomac n'est pas gonflé, murmura-t-il comme s'il se parlait à lui-même. On ne lui a donc pas fait avaler de poudre de diamant ou de verre non plus. Mais alors quoi ?

— Monsieur ! reprit Colombier, de plus en plus agacé. Je vous ai dit que j'avais constaté la mort moi-même : il n'y a aucune trace d'empoisonnement ! Tavernier, j'en suis certain, est mort d'un arrêt cardiaque provoqué par sa démence avancée, voilà tout !

— Il y a de la vomissure par terre, répliqua Gabriel en pointant le sol du doigt sans quitter le cadavre des yeux.

— Et alors ? Il vomissait souvent ! Vous avez bien vu dans quel état il était quand vous êtes venu !

— Aucune trace d'urticaire pouvant révéler l'ingestion de colchique, continua Gabriel comme s'il n'avait pas écouté. Pas de signe de suffocation permettant de soupçonner une ingurgitation de vert-de-gris…

— Mais enfin ! Êtes-vous médecin ? s'emporta Colombier avec condescendance.

— Je n'ose vous retourner la question, railla Gabriel d'une voix calme.

Protégeant son index avec son mouchoir afin de ne pas toucher directement la peau, il s'approcha du crâne du pauvre Tavernier et souleva une paupière. Après avoir répété son geste sur la seconde, le jeune homme se mit à sourire et se redressa d'un coup avec une moue victorieuse.

— Eh bien ? Qu'y a-t-il ? demanda Colombier.

— Les pupilles sont très dilatées.

— Et alors ?

— Ajouté aux vomissures qui couvrent le sol, c'est très probablement le signe d'un empoisonnement à la belladone.

— Mais…

— Faites chercher le commissaire Guyot ! coupa Gabriel.

Il allait ressortir de la cellule quand son regard fut attiré par un détail qu'il n'avait pas remarqué en entrant, tant son attention s'était fixée sur le cadavre. Sur le mur droit du cachot, l'empreinte rouge sang d'une main apparaissait à hauteur d'épaule, et le jeune homme était certain qu'elle n'y était pas la première fois qu'il était venu ici. Intrigué, il s'approcha pour observer la marque rupestre.

C'était la trace d'une main droite, de taille adulte, aux contours imprécis, mais dont la position droite et franche laissait penser qu'elle avait été faite volontairement. Et ce n'était pas du sang : cela ressemblait plutôt à de la poudre. Effleurant délicatement le mur, Gabriel préleva un peu de matière et la frotta entre son pouce et son index. Il reconnut sans peine la texture d'un pigment de peinture.

— Hmmm, chuchota-t-il. De la cochenille vraisemblablement, à en juger par la profonde coloration pourpre.

La main droite de Tavernier ne présentant aucune trace rouge, Gabriel ne trouva qu'une seule explication logique à cette fresque murale : il s'agissait de la signature de l'assassin !

Le jeune homme sortit de la cellule, le front soucieux, et demanda au médecin en chef de le raccompagner. Quand ils furent dehors, il lui répéta sa demande :

— Faites venir le commissaire Guyot et le chirurgien du roi au plus vite ! Estimez-vous heureux, si c'est bien un meurtre, personne ne mettra en doute vos traitements. Pour l'instant.

M. Colombier, comprenant l'implicite menace, opina du chef et partit d'un pas preste vers son bureau. Gabriel, lui, s'en alla retrouver Récif, qui attendait toujours dans le jardin, près des chevaux.

Quand le jeune homme raconta au pirate tout ce qu'il venait d'apprendre, le visage de ce dernier se pétrifia.

— L'abbé Guibert, dis-tu ?

— Tu le connais ?

Une ombre noire passa sur le visage du Salétin.

— Je croyais que cet odieux personnage avait définitivement disparu !

— Si c'est bien notre homme, il n'avait pas disparu : il s'était enfermé à la Bastille avec le pauvre Auguste Tavernier ! conclut le journaliste.

— Mais s'il est venu le tuer, pourquoi a-t-il été assez stupide pour laisser son vrai nom dans le registre de l'hôpital ?

— Il n'avait peut-être pas le choix : tu n'es sûrement pas le seul à le connaître. Il espérait sans doute que son méfait passerait inaperçu. Il s'en est fallu de peu, d'ailleurs : il a utilisé un poison qui laisse peu de traces. Et le médecin en chef avait tout intérêt à faire enregistrer cette mort comme naturelle !

— En tout cas, si c'est bien lui, ton huitième prisonnier est un fort mauvais sujet !

— Qu'a-t-il fait ?

— C'est une longue histoire. Mais nous allons peut-être pouvoir lui dire un ou deux mots, répliqua le Renégat. Je pense savoir où il se cache ! Viens !

Les deux hommes remontèrent aussitôt à cheval et s'en allèrent vers Paris à bride abattue, soulevant autour d'eux des nuages de poussière dorée.

Ils arrivèrent bientôt dans le quartier du Temple et s'arrêtèrent au bout de la rue Portefoin, devant l'ancien hospice des Enfants-Rouges.

Cet hôpital modeste, qui avait jadis accueilli les orphelins nés en dehors de Paris, avait fermé en 1772, pour dettes. Depuis lors, ses locaux étaient occupés par les prêtres de la Doctrine chrétienne, qui enseignaient la religion aux enfants les plus démunis. Malgré leur zèle, on les appelait parfois les *Ignorantins*, car leur enseignement manquait de modernité et laissait peu de place à la science…

Par quelque fâcheux paradoxe, l'abbé Guibert avait été envoyé dans cet hospice après avoir fait l'objet d'un terrible scandale à l'hôpital de la Pitié, où cet homme infâme s'était livré à une traite d'enfants. Les enlevant de force de l'établissement, après les avoir asservis à ses propres perversités, il les avait vendus à d'autres gens de mauvaises mœurs. Avant que l'affaire ne fût portée devant un juge, confondu par l'une de ses jeunes victimes, l'abbé Guibert s'était confessé à l'évêque de Paris. Prétextant qu'il s'était perdu sous la loi tyrannique du célibat, l'abbé avait bénéficié d'un discret pardon du prélat qui, obligé de préserver le secret de cette confession, n'avait rien pu révéler de ce crime odieux. Peut-être aussi avait-il craint que l'affaire fît grand bruit et provoquât à Paris une nouvelle *Marche rouge*[1]... Quoi qu'il en fût, en guise de punition, on avait simplement enlevé l'abbé de la Pitié, pour le transférer aux Enfants-Rouges !

De cet épisode, le sinistre Guibert avait gardé une cicatrice sur la joue gauche, que lui avait faite en se débattant l'enfant qui l'avait dénoncé.

Alertés sur le passé de leur nouvel hôte, les prêtres de la Doctrine chrétienne n'avaient plus jamais laissé l'abbé entrer en contact avec les enfants, et on ne lui confiait guère que de vagues tâches administratives, sans s'émouvoir de ses nombreuses et longues disparitions, tant sa présence à l'hospice embarrassait. Ainsi, personne ne s'était inquiété de son absence pendant les trois mois qu'il avait passés secrètement à la Bastille. Pour bien signifier l'éloignement auquel on voulait le contraindre, on l'avait logé à l'écart des prêtres – et des enfants – dans une petite dépendance.

C'était justement vers ce bâtiment d'un seul étage, couvert de lierre, que Gabriel et Récif se dirigeaient maintenant.

— Va te poster devant la porte d'entrée, ordonna le Salétin en donnant l'un de ses poignards au jeune homme. À mon signal, tu entres !

— Quel signal ?

---

1. En mai 1750, une rumeur faisant état d'enlèvements d'enfants déclencha dans la capitale des émeutes, que l'on qualifia de « Marche rouge ». On soupçonnait l'Hôpital général de se livrer au commerce d'enfants avec de riches libertins. La répression de ces émeutes fut particulièrement violente et se termina par plusieurs condamnations à mort, mais entacha aussi l'image de l'Église, trop souvent associée à de terribles affaires de pédophilie...

— Tu ne risques pas de le rater.

Le rouquin acquiesça, serra le couteau dans sa main et marcha prudemment vers la porte, pendant que Récif contournait le bâtiment par l'autre côté.

Gabriel, bien conscient qu'il était plus doué pour la rhétorique que pour l'art martial, se demanda s'il serait capable de l'emporter en cas de rixe. Mais quel journaliste d'enquête serait-il, s'il n'y mettait pas au moins toute sa détermination ? Le cœur battant, il attendit le signal.

Soudain, il entendit le bruit d'une vitre qu'on cassait. Le jeune homme ouvrit la porte d'un coup sec et pénétra dans la maison, tenant son poignard si fermement qu'on eût dit que c'était un poteau auquel il se retenait pour ne point vaciller.

L'intérieur de la bâtisse lui apparut alors dans sa pénombre lugubre. C'était une seule pièce, insalubre, au sol en terre battue, et qui n'avait pour meubles qu'un lit, une table, une chaise et un grand placard.

Mais, dans cette pièce, il n'y avait personne ; la seule chose qui bougeait, c'était l'une des jambes de Récif, qui était en train de passer par la fenêtre brisée.

— Il n'est pas là ! grogna Gabriel.

— Je vois bien, répondit le Salétin. Mais il était là il n'y a guère longtemps !

Il fit un geste du menton vers la bougie allumée sur la table. Elle ne s'était consumée qu'à moitié.

Ils commencèrent à fouiller la pièce, mais il n'y avait presque rien à l'intérieur, sinon de vieux vêtements.

Se hissant sur la pointe des pieds, Récif passa la main au-dessus du placard.

— Tiens. Qu'est-ce que c'est que ça ? dit-il en attrapant une boîte qu'il posa sur le lit pour l'ouvrir.

À l'intérieur, un gant rouge était posé sur un carnet.

— Tu penses à la même chose que moi ? demanda le pirate en agitant le gant sous les yeux de Gabriel.

Le jeune homme acquiesça. L'empreinte rouge d'une main sur un mur, et maintenant ce gant…

— Qu'est-ce que ça veut dire, à ton avis ?

— Que c'est Richelieu qui a assassiné Tavernier ? plaisanta Gabriel.

— Ou un bourreau, répliqua le Salétin, moins rieur.

Gabriel haussa les épaules, prit le carnet dans la boîte et commença à le feuilleter.

— Regarde ! s'exclama-t-il soudain, exalté. Regarde !

Le pirate inspecta le carnet par-dessus son épaule. Avec des encres différentes, les premières pages étaient noircies de notes.

25 avril
Confirm. que Tavernier est enf. à la Bastille, Tour Bertaud.

— Le 25 avril, confirmation qu'Auguste Tavernier est enfermé à la Bastille, dans la tour de la Bertaudière ! traduisit Gabriel, transporté.

— Je te remercie, moussaillon ! répliqua Récif en secouant la tête. Je sais lire, même les abréviations !

1er mai
Arrivé tour Bertaud. avec vous. Cellule insalubre. Tavernier présent dans cellule voisine, mais

silencieux. Pas de lit dans la mienne ! Demandé au gouv. de L. de m'en faire porter un. Je ne veux pas dormir par terre, dans cette horrible odeur d'urine. Espère que vous viendrez régulièrement prendre de mes nouvelles.

6 mai

Cinq jours ont passé. Attends votre visite. Mon voisin Tav. toujours silencieux. Je l'entends bouger, chier, pisser, roter & grogner, mais il refuse de répondre à mes appels. Je n'entends jamais que des bruits ou des chuchotements. Le gouv. de L. m'a apporté un lit, mais les conditions de ma détention restent épouvantables. Comme vos instructions me dictent de rester à l'intérieur toute la journée pour surveiller mon voisin, je ne peux pas quitter ma cellule. Le temps est très long... J'espère que cela en vaut la peine ! Si je ne puis réparer mon honneur, qu'au moins je répare mes finances...

15 mai

Tav. toujours silencieux ! Le gouv. m'a demandé ce qui pourrait m'être utile, il m'a proposé de faire une promenade sur les tours, comme les prisonniers de haut rang, mais je dois rester discret et toujours attentif. J'attends votre visite.

20 juin

Tav. a commencé à parler à voix haute ! Mais ses propos n'ont aucun sens, du moins à mes oreilles. Je crois que c'est un dément... Ses paroles sont parfaitement incompréhensibles, et je commence à douter qu'il puisse me dire ce qui nous intéresse. Il répète seulement qu'il a soif, et de sa bouche sort par intermittence ce son étrange qu'il ne cesse de répéter : « Fak ». Toujours aucune nouvelle de vous.

23 juin

Reçu votre visite ce jour. Comme convenu, demandé du vin au gouv. pour tenter de faire parler Tav. qui répète tout le temps qu'il veut boire. Je vais essayer de l'amadouer par la boisson.

24 juin

De L. m'a apporté du vin cette nuit. Je l'ai offert ce matin à Tav. Il commence à tenir des propos plus cohérents. Il se souvient de vous, quand vous étiez enfermé ici, vous aussi ! J'essaie d'en faire mon ami, mais cela ne vas pas être facile, tant il est dur à saisir. La chaleur devient insupportable. Elle fait remonter depuis les sous-sols de terribles odeurs d'humidité et de rat crevé. Depuis le temps que la muraille de la Bastille a été construite, la Seine a si souvent débordé que les fondations de la prison trempent toujours dans l'eau. Parfois, je me dis que le temps que je passe ici expie un peu mes fautes du passé. Peut-être.

2 juillet

De L. a fait sortir ce matin le marquis de Sade pour le transférer dans une autre prison !

Ce gredin hurlait depuis hier, par la fenêtre de sa cellule, pour faire croire aux Parisiens que le gouv. était en train de nous tuer un par un... Le marquis de Sade a bien de la chance ; j'aimerais bien sortir, moi aussi, tant il fait chaud à présent. Tav. ne me dit toujours rien d'intéressant.

4 juillet
Tav. me parle, mais pas de son secret. Je commence à mieux comprendre ce qu'il me dit. Je continue de me lier d'amitié avec lui, mais je ne suis pas sûr qu'il sache vraiment quelque chose. Il dit seulement que c'est Louis XV qui l'a fait enfermer... Je crois que la Bastille l'a rendu fou. Et on peut le comprendre. Moi-même, qui y suis pourtant de ma propre volonté, j'ai parfois l'impression de perdre la raison. La nuit, je suis en proie à mes plus vieux démons.

7 juillet
Aujourd'hui, rien.

11 juillet
Tav. m'a dit qu'il n'avait jamais avoué vouloir assassiner Louis XV avec ce gredin de Damiens, mais que le roi l'avait fait enfermer seulement pour le faire parler. Tav. semble croire que Louis XV est toujours roi de France ! Il dit qu'il ne veut pas lui livrer son secret... Il parle donc bien d'un secret ! Je dois persister !

12 juillet

J'ai dit à Tav. que moi aussi j'avais été enfermé sur lettre de cachet de Louis XV ! J'essaie ainsi de m'attirer sa sympathie. Je crois que cela commence à porter ses fruits, et il est grand temps. Cela va faire plus de deux mois et demi que je suis ici, et vos visites se font bien rares…

13 juillet

Tav. a parlé ! Le trés. de M. est au C. de B. ! Ai demandé au gouv. de L. d'aller vous chercher pour me sortir d'ici au plus vite ! Je n'en puis plus !

14 juillet

Dehors, j'entends les grondements de la foule, et vous n'êtes toujours pas là. Si je ne sors pas aujourd'hui je vais devenir aussi fou que Tav. La chaleur est de plus en plus insupportable. J'entends maintenant des coups de fusil et les cris des soldats de la garde-suisse. Il y a de la fumée qui passe sous les…

19 juillet

Ai vu Tav. à Charenton. Il agonisait quand je suis arrivé. Il m'a donné le lieu plus précis du très. de M., et j'ai pu lui administrer le poison de l'apothicaire. Tav. dcd.

Le coffre est dans la bâtisse de la mach. de L. ! Une cache derrière les pierres non scellées, à 2 pieds à dr. des manivelles !

Les notes s'arrêtaient là.

La lueur de l'émerveillement illumina le regard du Renégat, et l'on eût dit que c'étaient déjà les reflets d'une montagne d'or.

— Tout est là ! dit-il avec son air roublard. Il parle du trésor et de l'endroit où il est caché !

— On dirait bien, acquiesça le journaliste, songeur.

— Il ne nous reste plus qu'à décrypter ces notes ! Paré à mouiller, mathurin[1] ?

— Pas ici ! Je pense que nous allons avoir besoin d'un peu de documentation…

---

1. Surnom donné par les pirates aux matelots.

80.

La Manorossa

Sur les hauteurs de la côte ligurienne, la colline offrait sur Gênes une vue imprenable mais échappait, par sa position, aux regards indiscrets. Au sommet de ce mont de verdure, la forêt encerclait une clairière à laquelle un unique chemin donnait accès. Ce chemin, dont l'entrée avait été soigneusement dissimulée, n'apparaissait sur aucune carte.

Là, à dix lieues du premier village, un temple antique, que tout le monde ici avait oublié, se nichait sous la terre. Son entrée était envahie de lierre, et tout laissait croire que la bâtisse avait été abandonnée depuis des temps immémoriaux. Tout, sauf les reflets orangés qui, ce soir-là, dansaient à travers le treillis de la végétation, par la grâce des trente-trois bougies allumées à l'intérieur de l'étrange grotte.

Dans cette lumière sourde, sous la voûte de pierre, douze hommes vêtus de rouge étaient répartis sur deux banquettes en granit qui se faisaient face. Leur visage caché par des masques figurant des têtes d'animaux, ils portaient de larges capuches par-dessus. À leur flanc scintillait le tranchant d'une épée, et leurs mains étaient recouvertes de gants d'un pourpre profond.

À l'extrémité nord du temple, dans cette partie qu'on appelait le sanctuaire et où une peinture murale représentait un guerrier terrassant un taureau, un treizième homme se tenait devant eux, une faucille dans la main. Il leva le bras droit et prononça son serment d'une voix grave et ténébreuse.

— Si grandes que soient l'obéissance et la loyauté que j'ai promises à la Manorossa, je jure, au nom du soleil invaincu, de ne jamais m'y soustraire !

Les onze autres répétèrent solennellement la phrase rituelle.

— Ô providence, ô fortune, si je venais à trahir mon serment et que je révélais au monde profane les secrets qui me sont ici délivrés, que mes frères frappent mon corps et mon âme d'un invisible glaive ! reprit celui qu'on appelait le Pater.

De nouveau, on répéta la sentence, et son écho retentit dans le morne silence.

Les hommes qui se trouvaient ici œuvraient dans les limbes souterrains du secret, déterminés à provoquer en surface des changements dont personne ne devait soupçonner l'origine. Qui étaient-ils ? Il y avait sous ces masques bestiaux de riches financiers venus de toute l'Europe, des hommes politiques, des penseurs, certains célèbres, mais dont nul ne devait connaître l'appartenance à cet ordre plus occulte encore que ne l'avait été celui des Illuminés de Bavière ou de la Rose-Croix. Parmi les enjeux obscurs de cette société clandestine, il en était un dont les circonstances risquaient de favoriser bientôt l'exécution : la propriété terrienne et, en particulier, celle qui restait aux mains des institutions ecclésiastiques sur tout le continent.

— Frère Heliodromus, veuillez transmettre à la *vendita* la nouvelle qui a motivé cette réunion exceptionnelle.

— Protège-moi, silence ! Le frère sentinelle nous a fait savoir qu'il avait accompli à Paris la mission dont nous l'avions chargé, et qu'il serait de retour parmi nous prochainement, porteur d'une obole de plusieurs millions de livres.

Des murmures admiratifs parcoururent l'assemblée.

— C'est une très bonne chose, intervint l'un des adeptes. Mais il omet de préciser que la première partie de son mandat n'a toujours pas été menée à bien, et que la personne qui est en possession du document qui pourrait nous compromettre court toujours !

— Rien ne prouve que ce document soit réellement en sa possession, et qu'elle en connaisse la véritable nature ! rétorqua un autre.

— Nous ne pouvons prendre le risque que vous vous trompiez, frère corbeau ! Vous avez déjà commis une erreur impardonnable en laissant cette femme approcher, à Lucciana, ce qu'elle n'aurait jamais dû approcher. La Manorossa recouvrera la quiétude indispensable à ses travaux quand ce document nous aura été restitué, et quand la mort aura posé un sceau inviolable sur ses secrets. Aussi, je soumets au vote de notre vénérable assemblée l'envoi de nouveaux frères soldats à Paris, pour accomplir ce que la sentinelle n'a pu achever.

Des battements de mains approuvèrent la demande, et l'on fit circuler sur les bancs une boîte dans laquelle chacun, à l'abri des regards, dut glisser une boule rouge ou une boule blanche.

Quand l'urne lui fut revenue, le Pater fit le compte des votes, puis il releva la tête vers ses frères.

— La proposition est adoptée à la majorité. Qu'il en soit ainsi. Nous devons maintenant parler de M. Mirabeau. Notre frère sentinelle nous informe que le député serait en train de comploter avec Monsieur, le frère du roi. Nous ne pouvons prendre le risque que cet aristocrate décadent écarte le comte de Provence du chemin que nous avons tracé pour lui. Mes frères, nous devons décider du sort que nous réservons à M. Mirabeau…

81.

Décryptages

La nuit commençait à tomber quand Récif et Gabriel arrivèrent au cloître du couvent des Cordeliers. Comme partout ailleurs dans Paris, l'atmosphère avait ici beaucoup changé, depuis la capitulation de la Bastille. Les moines, retirés dans leurs chambres aussi souvent que possible, se faisaient de plus en plus discrets, et le peuple de moins en moins. Désormais, les religieux prêtaient gracieusement leur salle théologique à l'assemblée du district, espérant se mettre ainsi à l'abri de l'aversion qui grandissait dans tout le pays envers les richesses de l'Église. Quand il y avait trop de monde pour cette salle pourtant grande, on se réunissait à présent dans l'église elle-même, et on faisait sonner ses cloches pour annoncer le début de la séance. C'étaient, indubitablement, les prémices d'un mouvement qui allait s'amplifier dans les mois à venir.

En traversant le paisible jardin du couvent dans la douceur du soir, Gabriel et Récif croisèrent le président Archambault.

— Bonsoir, messieurs. Je crains que vous n'arriviez trop tard : l'assemblée du district est terminée depuis longtemps.

— Nous allons à la bibliothèque, expliqua Gabriel.

— Ah ! Pour votre enquête ?

— M. Joly et moi avons l'intention de découvrir la vérité, glissa Récif d'un air malicieux, sinon sardonique.

— Que voulez-vous dire ? demanda le président du district.

— Nous comptons bien découvrir qui est le Loup des Cordeliers, répondit le Salétin.

— Ah ? Je vous le souhaite ! À bientôt, alors, et bonne chance ! lança Archambault avant de se remettre en route.

Le pirate le regarda s'éloigner.

— Je te dis que c'est lui, murmura-t-il en prenant Gabriel par l'épaule. Je le sens !

— Je dois reconnaître que les coïncidences sont troublantes, avoua Gabriel. Pourtant, quelque chose continue de me pousser à croire que c'est Mlle Terwagne !

— Tu n'aimes pas perdre, c'est tout ! se moqua le pirate.

Le jeune homme haussa les épaules alors qu'ils arrivaient devant la porte de la salle théologique.

— Bonsoir, Lorette ! lança Gabriel en entrant.

La jeune femme, occupée près de la bibliothèque, se retourna et, quand elle les vit, posa ses poings sur les hanches.

Ils s'avancèrent lentement vers elle.

— Nous avons besoin de quelques renseignements. Ce ne sera pas long. Nous ne voulons pas vous déranger, mais peut-être pouvez-vous nous aider...

La muette poussa un soupir, puis elle étudia le Salétin de haut en bas.

— Je vous présente Récif. C'est un ami.

— Vous n'avez jamais vu de pirate, Lorette ? demanda celui-ci comme elle continuait de le dévisager.

La bibliothécaire haussa les épaules avec une mimique blasée, pour leur faire entendre qu'elle n'était pas du tout impressionnée. Puis elle leur fit signe de la suivre jusqu'au pupitre qui jouxtait les hautes étagères. Elle griffonna énergiquement sur une grande feuille de papier.

« Qu'est-ce que vous voulez, encore ? J'allais fermer la salle ! »

— Eh ! lança Récif en la fixant à son tour. Ce n'est pas parce que tu es muette que tu dois mal nous parler ! Enfin… mal nous écrire !

La jeune femme fronça les sourcils puis, voyant la lueur de malice dans le regard du pirate, elle secoua la tête, amusée, et recommença à écrire.

« Vous faites une drôle de paire, tous les deux ! »

— Ah ! Voilà ! Elle se détend un peu, la bougonne ! Oui, nous sommes même une paire d'as ! Mais j'ai bien plus d'atouts que Gabriel !

Cette fois, un vrai sourire se dessina sur la bouche de Lorette, et elle écrivit une nouvelle phrase qu'elle tendit au pirate.

« *Ahlou Sala ahlou bala.* »

Récif resta pantois une seconde, deux peut-être, puis il hocha la tête avec une moue admirative.

— Qu'est-ce que ça veut dire ? demanda Gabriel.

— Ça veut dire que Lorette est plus cultivée que toi, et qu'elle sait reconnaître un Salétin. Je m'incline. Tu nous as amenés au bon endroit, moussaillon. Je l'aime bien, ta dulcinée. Montre-lui le carnet !

Gabriel adressa un regard réprobateur à son ami, puis il sortit de sa poche le cahier qu'ils avaient découvert chez l'abbé Guibert. Il le posa sur le pupitre, en le gardant bien fermé.

— Lorette, je travaille toujours sur le mystère dont je vous ai parlé l'autre jour. Nous pouvons compter sur votre discrétion, n'est-ce pas ?

La muette haussa les yeux au ciel. Ne lui avait-elle pas montré sa bibliothèque secrète ?

— Bien, reprit le journaliste en ouvrant le carnet. Nous devons essayer de comprendre les notes qui sont ici, et qui ont été prises par un prisonnier de la Bastille.

Elle lut le journal de Guibert avec attention.

« C'est une carte au trésor ! »

— Absolument ! rétorqua le pirate. Et si vous nous aidez à la décrypter… Eh bien, je vous donnerai une part de celle qui revient à Gabriel !

Un rire silencieux secoua la gorge de la jeune femme. D'ordinaire si réservée, elle semblait apprécier l'humour du Renégat… Essayait-elle d'éveiller chez le journaliste quelque sentiment jaloux, pour le punir du baiser qu'il avait voulu lui voler ?

— Bon, commença celui-ci. Ce que nous pouvons retenir pour l'instant de ces notes, c'est que l'abbé Guibert est arrivé dans la tour de la Bertaudière le 1er mai, avec son complice. Quand il dit « vous », on peut supposer qu'il parle de l'homme à la cape noire, que j'ai vu parlementer avec le gouverneur de Launay, et qui a ensuite aidé l'abbé à s'échapper. Notre sinistre personnage se serait donc volontairement fait enfermer dans la cellule voisine de celle d'Auguste Tavernier, dans l'espoir de le faire parler. Après de longs efforts, il a fini par y parvenir : le vieil homme, qui a affirmé que Louis XV l'avait fait emprisonner à cause de son « secret », a livré à l'abbé, le 13 juillet, ce que celui-ci espérait. Et ce secret serait le suivant : « Le trés. de M. est au C. de B. » Visiblement, l'abbé et son complice se seraient alors rendu compte que ces informations étaient insuffisantes, et Guibert serait retourné voir Tavernier à la maison de Charenton le 19 juillet, pour lui soutirer une dernière information, avant de l'empoisonner. Il aurait ensuite laissé une étrange signature sur le mur de la cellule : une empreinte de main rouge.

« Vous oubliez que l'abbé précise que son complice, l'homme à la cape noire, aurait lui aussi été enfermé à la Bastille par le passé. »

— Vous avez raison, Lorette : « Quand vous étiez enfermé ici, vous aussi », relut Gabriel. C'est peut-être au cours de ce premier enfermement qu'ils ont appris que Tavernier avait un secret. Il nous faut maintenant résoudre la première énigme : « Le trés. de M. est au C. de B. »

— Je pense que tout le monde sera d'accord pour dire que « trés. » est une habile abréviation du mot « trésor », plaisanta Récif. Pour la suite, je vous laisse la main.

— Figure-toi que j'y ai pensé pendant tout le trajet et que j'ai ma petite idée ! rétorqua Gabriel.

« M. comme *Monsieur* ? Le comte de Provence ? » proposa Lorette.

— Non. Je pense plutôt à Montmartel. L'un des hommes les plus riches du royaume.

— Pourquoi lui ? demanda Récif.

— Parce que le père d'Auguste Tavernier était son portier !

— Comment sais-tu cela ?

— C'est Jules-François Paré qui me l'a appris lors d'un dîner chez Danton. S'il y a un trésor caché quelque part, et que Tavernier le sait, j'imagine volontiers qu'il appartenait à ce riche financier pour lequel travaillait son père, plutôt qu'au frère du roi.

À cet instant, Lorette leva l'index pour leur faire signe de patienter et se précipita vers sa bibliothèque. Elle revint avec plusieurs livres, dont trois numéros du *Mercure de France* et les deux tomes du *Dictionnaire pittoresque et historique des établissements & monuments de Paris, Versailles, Marly...*, qu'elle déposa bruyamment sur le pupitre.

« Pâris de Montmartel était propriétaire du château de Brunoy ! *C. de B.* ! » écrivit-elle avec une lueur de fierté dans le regard.

— Mais oui ! Comment n'y ai-je pas songé plus tôt ! Le château de Brunoy ! s'exclama Gabriel en attrapant les mains de la bibliothécaire pour la féliciter.

Il refréna aussitôt ses ardeurs, craignant de se faire une nouvelle fois éconduire s'il exprimait trop tactilement sa ferveur.

— Voyons ce qu'on peut trouver dans ces livres !

Ils se mirent à parcourir les volumes que Lorette avait apportés et purent peu à peu reconstituer ensemble cette incroyable histoire…

Fils d'un aubergiste du Dauphiné, Jean Pâris de Montmartel avait été un homme d'une telle résolution qu'il était parvenu à vaincre les obstacles qui empêchaient d'ordinaire aux simples bourgeois de s'élever au rang des nobles les plus aisés. Par suite d'opérations de banque et de commerce admirablement menées, l'homme avait investi dans la traite négrière et était devenu immensément riche. En quelques années, il était arrivé à un tel degré d'opulence et de faveur qu'il pouvait adjoindre à sa signature les titres de comte de Sampigny, baron de Dagouville, seigneur de Brunoy, de Villers-sur-Mer, de Foucy, de Fontaine, de Châteauneuf et de Bercy, et préciser même qu'il était conseiller d'État, garde du trésor royal et secrétaire du roi !

— Ah ! comme il est profitable de vendre des êtres humains ! persifla Récif. Les plus grandes fortunes européennes se sont faites sur la vente d'esclaves et le pillage des colonies, et ces hommes sont couverts d'honneurs et de titres ! Pourtant, à leurs yeux, les vrais brigands, c'est nous, les pirates, qui n'avons jamais attaqué que des bateaux royaux où s'entassaient ces richesses indues…

En 1722, Jean Pâris de Montmartel avait donc acheté le château de Brunoy et en avait fait un chef-d'œuvre d'architecture. Ayant acquis une grande influence à la Cour de Versailles, il y avait reçu régulièrement d'illustres personnages, tels le ministre Choiseul ou la marquise de Pompadour. Le roi Louis XV lui-même lui avait fait l'honneur de dîner à Brunoy, un soir d'août 1746. Puis, quand il s'était éteint, en l'an 1766,

Pâris de Montmartel avait légué à son fils ce splendide domaine.

— Bon sang ! Je me souviens de cette histoire ! intervint Gabriel. Le fils était un excentrique : pour la mort de son père, il a organisé une cérémonie de deuil du plus extravagant mauvais goût ! Il a fait vêtir tous les domestiques de serge noire, de la tête aux pieds, il a fait caparaçonner le château d'un gigantesque rideau de la même couleur, et il a éparpillé des pleureuses dans tout le parc afin qu'elles sanglotent jusqu'au soir ! On raconte qu'il a même demandé que de l'encre noire soit versée dans les bassins et les jets d'eau du domaine !

— Ça devait être du plus bel effet ! ironisa Récif.

— Après la mort de sa mère, il a dilapidé la fortune familiale et a sombré dans l'alcoolisme. Je crois en réalité qu'il était complexé par sa richesse imméritée et les titres de noblesse nouvelle dont il avait hérité de son père.

« Pauvre garçon ! » écrivit Lorette avec un sourire narquois.

— Toujours est-il que, en quelques années, le fils Montmartel a contracté une dette de plusieurs millions de livres ! Ses oncles ont alors décidé d'intervenir et ont fait prononcer son interdiction judiciaire. Il me semble qu'il a fini ses jours assigné à résidence, dans son château de Villers-sur-Mer, sur la côte normande.

— Mais alors, à qui appartient aujourd'hui le château de Brunoy ? demanda Récif.

— Au comte de Provence ! répliqua Gabriel.

En effet, le frère de Louis XVI en avait fait l'acquisition en 1779, auprès des conseillers judiciaires du malheureux héritier. Trouvant le château trop grand et dépourvu de grâce, Monsieur avait fait transformer l'un de ses pavillons en « Petit Château », plus modeste par la taille, mais plus élégant par son architecture. C'était ici que le comte de Provence aimait à venir s'entourer de sa propre Cour et y donner de nombreuses fêtes loin de Versailles.

— Tout cela est très intéressant, mais ne nous parle pas d'un trésor ! reprit le pirate.

À ces mots, un sourire se dessina sur le visage de Lorette. D'un geste théâtral, elle attrapa une brochure non reliée qu'elle avait volontairement laissée en bas de la pile de livres et elle l'agita sous les yeux des deux hommes en mimant l'émerveillement.

Quand elle la posa fièrement devant eux, Gabriel et Récif purent en découvrir le titre prometteur : *Histoire secrète et abrégée des trésors anciens et modernes de France, par le docteur Maleville, précédée d'annotations sur la recherche de la pierre philosophale et de l'Œuvre universel*[1]. La première page, sans fioriture, précisait seulement que le livre avait été édité en 1775 par un libraire anonyme.

— Qu'est-ce que c'est que ça ? marmonna Gabriel.

Ouvrant l'ouvrage avec précaution, Lorette alla directement jusqu'au chapitre intitulé « Le très fabuleux trésor oublié du marquis de Brunoy ».

Récif ricana de plaisir et lut à haute voix l'histoire que renfermaient ces pages.

---

1. Pris dans son sens alchimique, le mot « œuvre » est masculin. Le Grand Œuvre est, pour les alchimistes, la réalisation de la pierre philosophale.

Selon l'auteur, dans ses vieux jours, Pâris de Montmartel s'était retiré dans son château de Brunoy pour y jouir paisiblement des fruits de son travail. Mais l'homme avait prêté tant d'argent au roi Louis XV qu'il éprouvait chaque jour une crainte grandissante, n'ignorant guère que rien, en ce bas monde, n'était plus dangereux que d'être créditeur d'un monarque… Lors, inquiet à l'idée qu'on pût lui enlever sa fortune, sinon la vie, Pâris de Montmartel s'était décidé à cacher une grande partie de ses biens dans un lieu secret de sa propriété, constituant un trésor dont le narrateur affirmait qu'il s'élevait à plusieurs millions de livres, en or et bijoux !

— Plusieurs millions de livres ! répéta Récif. Ha ! Tu vois, moussaillon ? Depuis le début, je te dis qu'il y a un merveilleux butin, dans cette affaire ! Nous autres, les pirates, nous avons le nez pour ces choses-là !

Quand il s'était éteint, le 10 septembre 1766, Montmartel avait supposément laissé derrière lui une énigme jusqu'à ce jour irrésolue : la cache de son immense trésor !

— Et donc, on peut imaginer qu'Auguste Tavernier, fils du portier de Montmartel, connaissait cette cache ! hasarda Gabriel. Ce pauvre homme a peut-être vraiment été embastillé par Louis XV, qui voulait, comme l'abbé Guibert et son complice, lui soutirer le précieux secret !

— Je comprends qu'il soit devenu fou ! renchérit Récif. Tu imagines un peu ? Savoir où sont cachés des millions et ne point pouvoir en jouir ! Il faut que nous trouvions le trésor avant ce satané Guibert !

— « Le coffre est dans la bâtisse de la mach. de L. ! Une cache derrière les pierres non scellées, à 2 pieds à dr. des manivelles », relut Gabriel.

— Que peut vouloir dire « la mach. de L. » ? demanda Récif.

« Dans le reste du texte, "de L." signifie "de Launay". Mais je ne vois pas bien ce que "mach. de Launay" pourrait vouloir dire », écrivit Lorette.

Ils réfléchissaient tous les trois quand Gabriel donna un coup de poing sur le pupitre.

— Mon Dieu ! Attendez voir ! s'écria-t-il en reprenant le *Dictionnaire pittoresque et historique* posé sur le pupitre.

Devant le regard perplexe des deux autres, il se mit à tourner frénétiquement les pages de l'épais volume.

— Je suis sûr d'avoir vu quelque chose tout à l'heure, attendez… Oui ! C'est ça ! Le système hydraulique des cascades et des jets d'eau du château de Brunoy est alimenté par une machine, dont l'inventeur est l'ingénieur Pierre-Joseph Laurent ! La « mach. de L. », c'est la *machine de Laurent* ! La machine hydraulique qui anime les grandes eaux du château de Brunoy !

82.

Sous les torrents de Neptune

À cinq lieues de la capitale, perdu entre deux grandes forêts de peupliers qui l'enveloppaient d'ombre et de silence, le paisible village bordait la rivière d'Yerres. Il devait être minuit quand Récif et Gabriel dépassèrent enfin la Pyramide de Monsieur, un monument qui ressemblait plutôt à un obélisque et que le comte de Provence avait récemment fait ériger sur la route pour annoncer l'entrée de son domaine.

Pour éviter de faire du bruit, Gabriel et Récif firent passer leurs chevaux au pas et descendirent l'avenue par ses bas-côtés, où s'alignait une double rangée de tilleuls. Au bout de l'allée, la haute grille du château se dessina dans le clair-obscur.

— Attachons les chevaux derrière ce bosquet, proposa le Renégat.

Ils arrimèrent les bêtes à un arbre et se mirent en marche vers l'entrée du parc. Par-delà un jardin à la française en amphithéâtre, la demeure de Montmartel se dressait de l'autre côté de la rivière.

— Il a l'air de n'y avoir personne, murmura Récif en inspectant le paysage entre les barreaux.

— Le comte de Provence n'occupe pas ce château-là, mais le plus petit, qui est sur la gauche, là-bas. Qu'il soit là ou pas, il y aura sûrement du monde à l'intérieur. Il va falloir être prudents !

— Tout semble calme. Ils doivent dormir. Allez ! Ne perdons pas de temps : escaladons la grille !

Imitant le pirate, Gabriel se hissa au sommet et se laissa glisser de l'autre côté, le long des barreaux. Il sortit de sa poche le plan établi par l'ingénieur géographe Georges-Louis Le Rouge pour le comte de Provence et le montra au pirate.

— Regarde, le pont est en bas à droite !

Devant eux, descendant la colline en trois terrasses successives, le parc du château de Brunoy s'étendait au milieu de ses grandes eaux. Rêvant de rivaliser avec le palais de Versailles, Pâris de Montmartel s'était attaché à faire bâtir ce somptueux jardin borné de marronniers séculaires, et n'avait pas hésité à détourner la rivière !

Empruntant l'allée de droite, les deux amis descendirent vers la première terrasse, où s'élevait, entre deux jets d'eau, une splendide statue de Neptune, qui semblait jaillir d'un grand bloc de rochers. Cette colossale figure du dieu de la Mer tenait dans ses mains une urne d'où l'eau se répandait et formait à ses pieds une puissante cascade. C'était un spectacle extraordinaire et prodigieusement orgueilleux à la fois.

— Regarde, fit Gabriel en désignant un étang rectangulaire près d'eux. C'est le réservoir dans lequel la machine de Laurent propulse l'eau depuis le canal !

Quand ils furent à mi-pente, ils aperçurent le Petit Château sur leur gauche. Gabriel remarqua que deux voitures étaient garées près des écuries, et il montra au pirate la lumière qui vacillait à plusieurs fenêtres de l'étage.

— Ils sont trop loin pour nous voir, le rassura Récif. Allez, viens, continuons !

Redoublant néanmoins de prudence, ils reprirent leur descente vers le pont.

De l'autre côté de la rivière, les détails du Grand Château leur apparurent plus clairement, sous le voile azurin de la nuit. Celui-ci n'avait aucune fenêtre allumée. Il semblait presque abandonné. Construit de pierres et de briques, le Grand Château abritait pourtant cinquante appartements de maître. La large bâtisse était dominée par une tourelle qui surplombait la rivière et, de l'autre côté du château, on devinait au loin les vastes communs qui entouraient sa cour : une ferme, une faisanderie, des potagers, une maison d'intendance, une salle de garde…

Bientôt, les deux chercheurs – l'un de trésor, l'autre de vérité – arrivèrent en bas du parc, devant le canal où se déversait bruyamment l'eau de l'imposante cascade.

— Là-bas ! murmura Gabriel. La machine est juste avant le pont, dans le prolongement du canal !

Au même moment, ils entendirent des voix derrière eux, et des bruits de pas qui approchaient sur les graviers. Récif fit aussitôt signe à son ami de le suivre, et ils enjambèrent à la hâte la balustrade qui encerclait le jardin.

Tapis dans l'ombre, ils regardèrent en direction du Petit Château. Deux sentinelles, qui portaient l'uniforme de la compagnie de gardes du corps de Monsieur, habit bleu, culotte et bas rouges, apparurent dans les ombres, à l'autre bout du canal.

Sans faire de bruit, le Renégat sortit les deux pistolets qu'il avait à sa ceinture.

Les paroles des deux soldats qui patrouillaient se firent plus claires, et Gabriel et Récif purent bientôt entendre leur conversation, par-delà le bruit de la cascade.

— ... et en ce moment, avec le prix du grain, vois-tu, mes dépenses en pain pour ma femme et mes enfants représentent près de la moitié de ce que je touche à la semaine. Nous ne pouvons plus vivre de la sorte ! En trois ans à peine, cette portion de mes dépenses a plus que triplé !

Ils n'étaient plus qu'à quelques pas, et Gabriel se tendit en voyant les pouces du pirate appuyer sur le chien de ses deux pistolets.

— ... j'ai douze ans de service, et j'essaie d'obtenir un congé absolu pour dérangement de santé. Avec ce qu'il se passe, je n'ai pas la moindre envie de devoir un jour tirer sur l'un de nos concitoyens, tu comprends ? Je suis de leur côté, moi, comme les gardes-françaises !

Les deux sentinelles étaient juste devant eux, à présent. Gabriel, la mâchoire serrée, retint son souffle quand leurs jambes passèrent devant les colonnes de la balustrade.

— Allons ! Tu sais bien que les gardes-françaises ont reçu les faveurs du duc d'Orléans pour changer de camp.

— Tu ne vas pas te mettre, toi aussi, à croire à toutes ces fausses nouvelles ! Les gardes-françaises se sont rangés du côté du peuple parce que cela fait des années que...

Les voix se dissipèrent à mesure que les soldats s'éloignaient.

Récif remisa ses pistolets et essuya les gouttes de sueur qui avaient coulé à son front.

Sans prendre de risque, ils attendirent que les gardes eussent disparu pour descendre d'un pas rapide vers le pont qui enjambait l'Yerres.

— Là ! chuchota le journaliste en désignant la petite bâtisse.

Les deux hommes longèrent les pieds du pont et s'approchèrent du bâtiment dont les fondations se partageaient entre la terre et l'eau.

Fébrile, Gabriel actionna la poignée.

— C'est fermé ! maugréa-t-il à voix basse.

Récif lui fit signe de se pousser.

— Tu sais crocheter les serrures ? demanda le journaliste.

— Non. Je sais les enfoncer.

Le Renégat leva la jambe et donna un coup de pied dans la porte. Le bois humide céda sans peine et le battant s'ouvrit.

— Voilà.

— C'est bien aussi, dit Gabriel en haussant les épaules.

Ils pénétrèrent à l'intérieur.

Il régnait dans l'obscurité une forte odeur de pierre mouillée. Récif sortit une torche de sa besace et l'alluma avec un briquet. La pièce apparut enfin dans la lumière orangée.

Devant eux, la machine de Laurent, qui occupait le côté droit du bâtiment, était une œuvre d'art ! Installé sur une belle charpente et composé de huit corps de pompes aspirantes, l'appareil hydraulique du célèbre ingénieur fontainier était une merveille de technique. Ses larges pompes, qui alimentaient à elles seules toutes les grandes eaux de Brunoy, étaient actionnées par de fortes mais gracieuses roues étoilées qui, entraînées par l'eau de la rivière, tournaient avec très peu de frottement. Gabriel songea que ce mouvement continu était un enchantement pour les yeux et les oreilles.

— La cache doit se trouver dans le mur, à deux pieds à droite des manivelles ! rappela-t-il en contournant la plate-forme de bois.

Récif le suivit et approcha la torche de la paroi.

Aussitôt, ils distinguèrent quatre larges pierres, posées en vrac sur le sol mouillé, au milieu d'un petit tas de terre fraîche. Dans le mur au-dessus d'elles, ils virent la cache. Comme un écrin creusé dans la paroi, elle devait faire quatre pieds de hauteur, de largeur et de profondeur.

Mais elle était vide.

Les deux compères poussèrent un soupir de déception. Ils avaient été si près du but !

— Maudit Guibert ! cracha le pirate.

— Nous sommes arrivés trop tard, confirma Gabriel en baissant les épaules.

— Retournons voir chez lui ! Je ne suis pas prêt à abandonner, moussaillon !

83.

Le château de Beauté

On pouvait voir en ce temps-là, à l'extrémité orientale du vaste bois de Vincennes, les ruines d'une ancienne demeure de légende : le château de Beauté.

Bâti en 1373 par le roi Charles V, désireux de se construire un refuge à l'écart de Vincennes et de la capitale, il avait été érigé sur une colline du lieu-dit Beauté-sur-Marne, sur les vestiges, disait-on, d'une ancienne forteresse mérovingienne. Entouré d'une enceinte à pont-levis, le château avait compté un donjon carré de quatre étages, un grand corps de logis et une splendide chapelle. Après son père, Charles VI y avait logé encore fréquemment, puis Charles VII l'avait offert à sa favorite, la célèbre Agnès Sorel, réputée pour être la plus belle femme du royaume. Après la mort de celle-ci, le château de Beauté était devenu une simple place forte du domaine royal. Laissé à l'abandon, il avait subi les altérations et les lents outrages du temps. Peu à peu, la forteresse de Beauté s'était écroulée et, envahie par la nature sauvage et belle, il ne restait plus désormais de cette ancienne résidence royale que les vestiges de ses remparts et de son donjon, les murailles englouties de ses caves.

Il était deux heures après minuit quand, dans la pénombre de ces ruines oubliées, la silhouette du Loup des Cordeliers apparut, comme sortant des enfers.

Le sabre au fourreau, le spectre nocturne se faufila entre les décombres de la forteresse, des sous-sols de laquelle il s'était extirpé, et c'était un spectacle lugubre que celui de ce fantôme noir qui semblait flotter au milieu des vieilles pierres, traversant les rayons de lune, son visage recouvert d'une ample capuche.

Arrivé de l'autre côté de l'ancienne porte du château, le Loup resta un instant à l'abri pour s'assurer que personne n'était alentour. C'eût été fort peu probable : cette partie du bois de Vincennes restait un domaine de chasse, or celle-ci était, dans les environs de Paris, réservée au roi et aux princes. Les gardes-chasse, en ce temps, étaient plus sévères avec les braconniers que la maréchaussée ne l'était avec les assassins, si bien que ces régions étaient presque toujours désertes !

Voyant que tout était calme, le Loup se dirigea vers le parc de Beauté, puis il ouvrit la grille d'une vieille barrière rouillée et pénétra dans l'enclos arboré que formaient deux bras de la rivière de Marne. Après quelques pas au milieu des ormes, ce justicier sans visage s'agenouilla et se mit à siffler par trois fois. Les notes aiguës résonnèrent au cœur de la nuit, comme une incantation funeste.

Quelques instants plus tard, dans un bruissement de feuilles, une silhouette sortit de l'ombre, et c'était celle d'un animal qui galopait à vive allure.

L'imposant loup noir aux yeux d'ambre se jeta vers son maître et lui manifesta sa joie en se frottant frénétiquement contre lui, trépignant, glissant contre ses flancs et lui donnant de chaleureux coups de museau en poussant de petits jappements. Il se montra même si familier que, s'il n'avait eu cette gueule formidable, ces oreilles bien droites, ces hautes pattes et ces larges pieds, on eût dit un grand chien domestique.

Après ces effusions, le Loup des Cordeliers sortit de sous sa cape un sac de toile dont il extirpa de gros morceaux de viande crue. Il les jeta sur le sol et la bête se précipita aussitôt sur son repas en grognant de délectation.

C'était là un rituel que le fantôme de Paris devait accomplir chaque soir, afin de s'assurer que son animal ne s'échappait point de son enclos pour partir à la chasse ou s'approcher de la ville voisine.

Debout à quelques pas de son fidèle compagnon, le justicier le regarda un instant encore puis, le cœur lourd, il referma la barrière derrière lui. Abandonnant la bête au silence de la nuit, il retourna vers les ruines du château de Beauté.

S'insinuant lui-même dans les ombres avec l'agilité d'un animal, le Loup revint à l'endroit précis où il était apparu et se mit à descendre une échelle de corde qui s'enfonçait dans les antiques caves de la forteresse.

Là, caché derrière un rideau de vigne vierge, il s'engouffra prestement dans un tunnel qui conduisait vers les entrailles de la terre. Reprenant la torche qu'il avait laissée accrochée à la paroi, ce visiteur clandestin suivit le chemin qu'il empruntait chaque soir, jusqu'à l'entrée d'une longue galerie de pierres brutes, voûtée, au milieu de laquelle attendait une sorte de petit wagon, de ceux dont on se servait jadis pour transporter le calcaire dans les souterrains de Paris.

Les roues du chariot étaient guidées par des ornières creusées à même le sol et revêtues de plaques métalliques. À l'aide d'une corde fixée au mur, sur laquelle il commença à tirer, le Loup des Cordeliers entama le retour vers son repaire parisien et disparut bientôt dans le ventre secret de la capitale.

84.

Une nouvelle déconvenue

Il faisait nuit noire quand Récif et Gabriel, qui avaient rallié Paris au galop, attachèrent leurs chevaux dans la rue Portefoin. Sans faire de bruit, ils escaladèrent le mur pour entrer dans le jardin de l'hospice des Enfants-Rouges.

— Il y a de la lumière ! murmura le pirate en désignant la maison de l'abbé. Ah, satané Guibert ! Tu n'emporteras pas le trésor au paradis ! Ni même aux enfers qui t'attendent !

Gabriel fit un signe de tête vers l'hôpital.

— Attends ! Regarde ! Il y a deux voitures dans la cour !

— Tu crois que son complice l'a rejoint ? demanda le Salétin. Les scélérats ! Ils sont en train de se partager le trésor !

Se glissant derrière un bosquet, ils s'approchèrent pour observer la scène de plus près.

— Pouah ! grogna Récif, dépité. C'est ton ami le commissaire et toute sa chie-en-lit !

Gabriel grimaça.

— Reste là, je vais aller voir.

— Tu plaisantes ? rétorqua le pirate. Me prendrais-tu pour un aspirant, misérable paltoquet ?

Le jeune homme lui donna une tape sur l'épaule en ricanant.

— Tu préfères venir avec moi ?

— Sans façon ! Les tristes à pattes me donnent de l'urticaire ! Va ! Mais fais vite, faquin ! On me connaît plus pour mon ardeur que pour ma patience !

— Tu m'en diras tant !

Gabriel sortit de sa cachette et se dirigea au cœur de la nuit vers la demeure de l'abbé. On avait disposé des lanternes tout autour et quatre gardes étaient en train de fouiller le dedans comme le dehors.

— Ah ! Vous voilà ! s'écria le commissaire Guyot en voyant le journaliste arriver. Où étiez-vous passé ?

— Eh bien, à la poursuite de l'abbé Guibert, comme vous, visiblement !

— Où est-il ? s'emporta le policier.

— Il n'est pas là ?

— Vous voyez bien que non ! Que me cachez-vous encore, monsieur Joly ? Je vous avais pourtant mis en garde, il me semble !

Gabriel croisa les bras sur la poitrine.

— Comment osez-vous m'accuser de vous cacher quelque chose, alors que c'est justement grâce à mes révélations que vous êtes ici ? Auriez-vous su que l'abbé avait empoisonné ce pauvre Tavernier, si je ne vous l'avais point fait savoir ?

— Mais pourquoi diable ne m'avez-vous pas attendu à Charenton ? Il me semble que vous aviez des explications à me donner !

— Parce que le temps pressait, commissaire, et que la police a des lenteurs que la presse ne peut guère souffrir !

Guyot secoua la tête. Il sembla néanmoins se détendre.

— Vous êtes presque aussi doué pour la comédie que pour la littérature, jeune homme ! Alors ? Où est-il, ce maudit abbé Guibert ?

— Je vous assure que je n'en ai pas la moindre idée. Pour tout dire, j'espérais le trouver ici, comme vous. Je suis déjà venu tout à l'heure, mais il n'était pas là.

— Vous êtes venu ici ?

— Oui. Ah, d'ailleurs, j'ai trouvé ceci, glissa innocemment Gabriel en sortant le carnet de sa poche.

— Vous… Vous êtes parti avec un indice ? s'offusqua le policier, que la colère gagnait de nouveau. Vous n'êtes pas croyable !

— Je l'ai seulement emprunté. Mais voyez : je vous le rends volontiers.

Guyot lui arracha le cahier des mains.

— Vous savez que je pourrais vous faire enfermer pour cela ?

— À la Bastille ?

— Ne faites pas le malin !

— Allons, commissaire ! Je vous ai fait gagner un temps précieux : j'ai décrypté ce qui est inscrit sur ce carnet. Je vous remettrai demain un rapport détaillé, par écrit, conformément à notre accord.

— Demain ? Vous n'êtes pas sérieux !

— Si vous voulez le décryptage plus promptement, faites-le faire par vos inspecteurs ! Ils sont payés, eux, après tout ! Toutefois, je ne suis pas certain qu'ils auront fini avant que je vous le remette moi-même. C'est assez tordu. Allons, puisque Guibert n'est pas ici et qu'il n'est de bonne compagnie qui ne se quitte, je vous laisse.

— Pardon ? Mais… mais où allez-vous ? s'écria le commissaire.

— Eh bien, je vais dormir ! Il ne peut penser droit, celui qui dort trop peu !

Gabriel, mimant la désinvolture, fit un geste d'adieu et se mit en route vers la sortie principale, préférant ne pas attirer l'attention des policiers sur le bosquet où le pirate se cachait peut-être encore.

— Vous aurez mon rapport demain, c'est promis ! s'écria-t-il alors qu'il s'éloignait sans vergogne sous le regard perplexe du policier.

Dans la rue, s'assurant qu'on ne l'avait pas suivi, il s'empressa de rejoindre le pirate. Récif avait détaché les chevaux et l'attendait dans l'ombre. Gabriel lui expliqua la situation.

— On ne risque pas de revoir Guibert ici ! se lamenta le Salétin. Et encore moins le trésor ! Il a dû repérer les policiers et rebrousser chemin ! Il est peut-être loin, à l'heure qu'il est !

— Si seulement nous savions qui est son complice, l'homme à la cape noire ! Il y a fort à parier qu'ils sont ensemble.

— Le commissaire ne t'a rien dit à ce sujet ? demanda Récif.

— Je t'avoue que j'ai préféré écourter notre entrevue. Mais je pense de toute façon qu'il en sait moins que nous.

— Nous ne savons presque rien !

— Nous savons tout de même que le complice de Guibert a été enfermé lui aussi à la Bastille avec Tavernier, mais il y a plus longtemps… C'est déjà une piste ! Et puis, il y a cette histoire de gant rouge. Je ne m'avouerai pas vaincu tant que je n'aurai pas découvert toute la vérité sur cette affaire ! lança le journaliste d'une voix solennelle.

— Moi non plus, s'amusa le pirate, dont les motifs n'étaient pas tout à fait les mêmes.

— Allons, le matin approche ! Je vais rentrer chez moi rédiger le rapport pour le commissaire et dormir au moins une heure ou deux.

— Un rapport ? Tu ne vas pas tout lui dire, j'espère ? s'inquiéta Récif.

— Je m'y suis engagé ! Mais rassure-toi, je ne mentionnerai pas ta discrète collaboration…

Une moue préoccupée se dessina sur le visage du pirate.

— Dis-moi, Gabriel, tu ne comptes quand même pas laisser le commissaire trouver le trésor avant nous ? Nous avons conclu un marché, je te rappelle ! J'ai accepté de t'aider, mais je veux ma part du butin !

— Nous aurons toujours une journée d'avance sur lui. S'il y a un trésor, je ne te cache pas que l'idée de ne pas le remettre au commissaire me met fort mal à l'aise, mais je tiendrai parole. Je te laisserai prendre ta part en détournant les yeux. Après tout, sans toi, je n'aurais pas pu faire tout cela.

— Rassure-toi, je n'ai pour ma part aucun scrupule !
Cet argent sera mieux entre nos mains qu'entre celles
de l'abbé Guibert et de son complice !

— Sans doute. Maintenant, laisse-moi rentrer chez
moi !

— Tsss… Je viens avec toi, bougre d'âne ! Je ne te
quitte plus tant que cette histoire n'est pas terminée !

85.

L'auberge du Compas d'or

Après que Gabriel eut rédigé son rapport, les deux hommes s'étaient endormis à même le sol, dans le nouvel appartement du journaliste, rue Dauphine. Les meubles n'ayant pas encore été livrés, la chambre était entièrement vide, sans le moindre confort. Il n'y avait là que quelques livres et la malle qu'il avait rapportée de Liège.

Il devait être huit heures du matin et le soleil illuminait déjà la pièce quand le pirate fut tiré de son sommeil par des bruits venus de la porte. Se frottant le crâne, il s'appuya sur son coude et jeta un coup d'œil vers l'entrée. Quelque chose avait glissé sur le plancher.

Le Renégat se redressa dans un grognement, tituba vers la porte et ramassa l'enveloppe qu'on avait passée en dessous.

Intrigué, il ouvrit la poignée et jeta un coup d'œil dans le couloir. Personne.

— Gabriel ! lança-t-il en retournant dans l'appartement.

Le jeune homme, qui dormait à poings fermés, sursauta, les yeux hagards.

— Quoi ? Hein ? Que se passe-t-il ?

— Réveille-toi ! Quelqu'un vient de glisser une lettre sous ta porte, fit Récif en lui donnant un petit coup de pied dans les jambes.

— Fais voir ! grogna le journaliste en se levant.

Il ouvrit la lettre à la hâte, devinant déjà ce qu'il allait y trouver. Sa prémonition fut confirmée par le dessin tracé sur le papier.

— Regarde ! dit-il en tendant la feuille au pirate.

Le sceau du Loup des Cordeliers apparaissait au bas du parchemin, en signature d'un message lapidaire :

Guibert est à l'auberge du Compas d'or, rue Montorgueil.

Gabriel reprit la note et la regarda de plus près. Du bout des doigts, il caressa la surface du papier.

— Qu'est-ce qu'il y a ? demanda le pirate, intrigué.

— Non… Rien…

— Tu crois encore que c'est Terwagne, c'est ça ?

— Je ne sais pas, mais une chose est sûre : le Loup continue de nous espionner et essaie de nous aider !

— Eh bien tant mieux ! Allons-y ! ordonna Récif.

Quelques minutes plus tard, ils sautaient dans un fiacre en direction de la rive droite.

La rue Montorgueil était l'une des artères les plus fréquentées de la capitale. Au pied des anciens remparts, elle avait jadis servi de décharge à ciel ouvert, si bien que cet amoncellement d'ordures qui l'avait recouverte pendant des siècles lui avait donné une hauteur singulière, que l'on devinait encore par la forme grimpante de sa chaussée. Chacune des portes cochères de la rue Montorgueil abritait deux ou trois boutiques, marchands de marrons, marchands de vin, chapiers, sabotiers, mais on y trouvait surtout de nombreux poissonniers, car c'était le chemin par lequel on s'en revenait de la marée pour aller aux halles. Plusieurs venelles attenantes en avaient d'ailleurs hérité leur nom, tels la rue Poissonnière ou le passage du Saumon…

C'était aussi dans cette rue fort agitée que se trouvait le bureau central des chaises à porteurs, que les Parisiens surnommaient « pots de chambre », et sur lesquels on traversait la ville, soulevé à bout de bras par quatre personnes, les « singes » à l'avant, les « lapins » à l'arrière.

Enfin, on y croisait aussi de nombreuses filles publiques, qui avaient gardé l'habitude d'arpenter le quartier des anciennes murailles, à la bordure desquelles on les cantonnait autrefois, ce qui leur avait donné le nom de « bordelières », d'où était issu le terme « bordel ». L'une des rues qui croisaient cette voie s'était d'ailleurs longtemps appelée rue Tire-Vit, car c'était là que certains messieurs venaient se faire dorloter l'appareil, mais la pudeur des temps modernes l'avait récemment rebaptisée rue Tire-Boudin…

La célèbre auberge du Compas d'or, quant à elle, était installée au numéro 64, depuis la fin du XVIe siècle. À la fois cabaret et relais de poste, fréquentée en leur temps par des clients aussi illustres que Ronsard, Du Bellay, Racine, Boileau ou Molière, elle était toujours pleine, notamment parce que sa cour abritait les diligences qui partaient chaque vendredi pour Dreux, Creil et Gisors, et que, par commodité, cochers et passagers y logeaient fréquemment.

Récif et Gabriel se firent déposer devant la porte à double vantail. Au mur était suspendue l'enseigne de l'auberge, en forme de compas.

— On y est, moussaillon, chuchota le pirate en regardant la façade blanche. Tu ne trouves pas que ça sent déjà l'or ?

— Je trouve surtout que ça sent les ennuis, répliqua le journaliste.

Passant l'entrée, ils arrivèrent dans la cour de l'auberge, et c'était, en plein Paris, comme un avant-goût de campagne. On eût dit une cour de ferme, vivante, grasse de l'odeur de la paille fraîche, envahie de pigeons qui roucoulaient au bord des fenêtres et de chats qui s'étiraient sur l'abreuvoir. L'immense écurie ajourée, où pouvaient tenir plus de soixante bêtes, se distinguait par sa magnifique charpente d'une haute portée, qui reposait sur des piliers en belle maçonnerie. Les postillons, les garçons d'attelage et les palefreniers qui s'affairaient à l'intérieur ne prêtèrent aucune attention aux deux arrivants.

Sans tarder, Récif et Gabriel se dirigèrent vers la tourelle carrée, qui abritait, au rez-de-chaussée, la salle commune et, dans les étages, dix-neuf chambres garnies.

Poussant la porte vitrée, ils pénétrèrent dans ladite salle des voyageurs. La décoration intérieure plongeait elle aussi ses visiteurs dans un décor rural, imitant celui d'un gentil manoir de hameau, avec ses poutres et solives – où, pour l'authenticité sans doute, s'entrecroisaient d'épaisses toiles d'araignée –, et sur ses murs couleur de café on ne trouvait point les grands miroirs qui faisaient le raffinement d'un Procope, mais tout un arsenal de casseroles en cuivre et de tableaux champêtres. Du côté rue se trouvaient, dans un alignement hasardeux, les tables à manger, les chaises à dossier de paille et les tabourets, au milieu desquels couraient déjà les serveurs pour porter leur déjeuner aux clients d'importance. De l'autre, on apercevait la cuisine, avec sa haute cheminée où, devant d'énormes bûches flamboyantes, tournaient les broches de volailles et de rôtis fumants.

— Les cuisines ne ferment jamais, ici, murmura Récif à l'oreille de son compagnon. Je suis prêt à parier que Guibert est arrivé après minuit. Nous avons dû le rater de peu, hier, au château…

S'avançant dans la fumée, ils se dirigèrent vers le comptoir en bois qu'un gros homme aux joues bien rouges était en train d'essuyer avec un vieux chiffon.

— Bonjour, monsieur, nous venons voir l'abbé Guibert.

— Eh bien ! s'étonna l'aubergiste. Il est demandé, celui-là, aujourd'hui !

Récif et Gabriel échangèrent un regard circonspect.

— Que lui voulez-vous ? reprit l'homme.

— Ce n'est pas tes affaires, répliqua le pirate. Tu sais qui je suis ?

Le gros cabaretier le toisa, sembla hésiter, puis répondit d'un haussement d'épaules.

— Deuxième étage, chambre bleue.

— Merci.

Les deux amis grimpèrent jusqu'à l'étage susdit. Quand ils furent devant la chambre, Récif écarta gentiment son compagnon.

— Il est préférable que tu me laisses faire, dit-il avec un petit sourire.

Il frappa. Aucune réponse. Avec la même aisance que la veille, le pirate enfonça la porte d'un monumental coup de pied.

La chambre, volets fermés, apparut dans la pénombre, éclairée d'une seule bougie. L'abbé Guibert était installé à une table, une plume dans la main. Sur le lit, de l'autre côté de la pièce, un coffre. Un vieux coffre en bois, cerclé de fer forgé, et couvert de terre.

L'abbé, d'abord pétrifié par cette soudaine effraction, se leva d'un bond et dévisagea les deux intrus avec panique. Puis il jeta un coup d'œil furtif vers la table, où était posé un poignard.

Récif traversa aussitôt la chambre pour l'intercepter, à la manière d'un tigre en chasse. Mais Guibert avait eu le temps de se saisir du couteau et tenta d'éventrer son assaillant. La lame frôla le torse du Renégat. Celui-ci, avec l'agilité d'un lutteur, parvint à attraper le bras de l'abbé et passa derrière lui pour tenter de le soumettre.

Sous le regard effaré de Gabriel, qui ne savait comment intervenir, ce fut un vrai combat de force. D'une main, Récif devait empêcher l'abbé de le poignarder à la gorge et, de l'autre, il l'étranglait.

Alors que ses yeux s'injectaient de sang, Guibert se débattit avec rage et, par deux fois, il sembla sur le point d'échapper à la prise de son adversaire et de pouvoir l'éventrer. Alors, dans un mouvement brusque et puissant, Récif lui brisa la nuque.

Il y eut un bruit terrible de craquement d'os, et Guibert s'écroula sur le sol, sans vie.

Gabriel eut la présence d'esprit de fermer la porte derrière lui, pour éviter qu'un client de l'auberge ne voie cette scène en passant dans le couloir.

Debout au-dessus du cadavre de l'abbé Guibert, Récif lui envoya un crachat en plein visage.

— Tiens ! C'est de la part de tous les enfants de la Pitié, maudit rat de cale !

La glaire coula sur la cicatrice du macchabée, comme avaient coulé tant de larmes sur les joues des petits garçons qu'il avait jadis torturés.

Gabriel, qui n'avait jamais connu pareille scène, resta figé un long moment.

— Le coffre ! lança le pirate en enjambant le cadavre, comme s'il se fût agi d'une vulgaire poupée de chiffon.

Il s'approcha du lit et ouvrit la malle.

Quand le couvercle fut abaissé, le Renégat sembla se pétrifier sur place.

Gabriel, reprenant ses esprits, vint à ses côtés et regarda à l'intérieur du coffre.

Posé sur le fond, il y avait un gant rouge.

Un gant rouge, et rien d'autre.

— Ce n'est pas possible ! balbutia le jeune homme en l'inspectant.

Correspondant de nouveau à une main droite, le gant était en tout point identique à celui qu'ils avaient trouvé chez Guibert.

— Son complice ! gronda Récif d'un air enragé. Il a dû venir avant nous et récupérer le trésor !

Le Renégat referma le coffre d'un geste de dépit, puis retourna vers le cadavre de Guibert. Se mettant à genoux, il commença à le fouiller. Entre les replis de sa soutane, il trouva à sa taille une bourse, qu'il arracha d'un coup sec et ouvrit. Elle contenait une trentaine de louis d'or, soit plus de sept cents livres. C'était certes une jolie somme, mais bien ridicule à côté de la valeur escomptée du trésor de Montmartel !

En se redressant dans un soupir, Récif aperçut une enveloppe sur la table. Il jeta un coup d'œil interrogateur vers Gabriel, puis il alla l'ouvrir.

— Qu'est-ce que c'est ? le pressa son ami.

— Des lettres de change ! répliqua le pirate, dont les yeux s'étaient mis à briller.

Il les feuilleta une par une, puis se tourna vers le journaliste.

— Le nom du porteur n'est pas encore inscrit. Guibert devait être sur le point d'y mettre le sien…

Il regarda encore la liasse, semblant ne pas croire ce qu'il voyait.

— Gabriel…

— Quoi ?

— Il y en a pour cinq cent mille livres au moins ! murmura le Salétin, stupéfait.

— Tu… tu es sûr ?

Récif acquiesça, tandis qu'un sourire se dessinait sur ses lèvres.

— Et le nom du tireur ? Regarde le nom du tireur ! le pressa le jeune homme. Cela doit être celui du complice !

Le pirate secoua la tête.

— Je te parle de cinq cent mille livres, et tout ce qui t'intéresse, c'est le nom du tireur ?

— Tu sais bien que je ne fais pas ça pour l'argent ! Alors ? Qui est-ce ?

— Un certain M. Fontaine, négociant à Dieppe.

Gabriel s'était attendu à un autre nom. Celui-là ne lui disait rien.

— Tu n'as pas l'air de te rendre compte ! s'amusa Récif. On va se partager cinq cent mille livres de lettres de change, parbleu ! As-tu idée de ce que cela représente ? Tu pourrais créer ton propre journal, avec une somme pareille !

Gabriel resta impassible. Non seulement la chose lui semblait irréelle mais, surtout, il n'avait pas la moindre intention de garder cette somme pour lui.

— Il faut que tu y ailles, Récif. Je dois faire venir le commissaire Guyot. Tu ne peux pas rester là, dit-il en lui montrant le cadavre de Guibert.

— Qu'est-ce que tu vas lui dire ?

— La vérité. Je vais lui dire que Guibert a attaqué, et qu'il a fallu se défendre.

— Tu vas lui dire que tu l'as tué, *toi* ?

— Tu préfères que je lui dise que c'était toi ?

— Et les lettres de change ? dit Récif en montrant l'enveloppe sur la table.

— Quelles lettres de change ? répliqua Gabriel en feignant l'ignorance.

Récif lui adressa un clin d'œil entendu, prit le paquet et se dirigea vers la porte.

— Avant de sortir, tu devrais peut-être dire deux mots à l'aubergiste, lui suggéra le journaliste. Il t'a vu entrer avec moi…

— Ne t'inquiète pas, j'en fais mon affaire.

Une heure plus tard, le commissaire Guyot avait investi l'auberge avec un inspecteur, quatre gardes et le chirurgien du roi. Tout ce petit monde s'affairait entre la chambre et la salle commune, d'où on avait fait sortir les clients.

— Et donc, vous lui avez… brisé la nuque ? répéta le policier, incrédule, en dévisageant Gabriel.

Assis sur le lit, le journaliste fit une moue désolée.

— Il a essayé de me poignarder. Je n'avais pas le choix.

— Et dans le coffre, il n'y avait rien d'autre que ce gant rouge ? Comme chez lui ?

— Comme chez lui.

— Cela vous évoque quelque chose ?

— En dehors de l'évident mais peu probable rapport à l'habit d'un cardinal, non, rien. Vous ?

— Rien non plus ! grogna le commissaire.

Il resta immobile un instant, puis il prit une grande inspiration et se mit à tourner en rond dans la chambre.

— Et votre rapport ? lança-t-il en s'immobilisant. Ne deviez-vous pas me le remettre ce matin ?

Gabriel, qui avait oublié ce détail, chercha dans sa poche et en sortit les trois feuilles qu'il avait noircies aux dernières heures de la nuit.

— Tenez.

Le commissaire entreprit de les lire aussitôt.

— C'est une histoire à dormir debout ! grommela-t-il. Et vous n'avez pas la moindre piste concernant ce mystérieux complice ? L'homme à la cape noire ?

— En dehors du fait qu'il a lui aussi été embastillé avec Tavernier, aucune. Vous avez interrogé l'aubergiste à ce sujet ? demanda Gabriel avec un soupçon d'inquiétude.

Il espérait que Récif avait su convaincre le gaillard de ne pas mentionner sa présence.

— Il m'a expliqué qu'un homme était venu très tôt ce matin pour voir l'abbé Guibert, mais qu'il ne lui avait pas donné son nom. Quand je lui ai demandé de le décrire, il m'a immédiatement précisé que ce visiteur avait… une grande cape noire « avec un large col » !

— Et il a su vous le décrire ? le pressa Gabriel.

— La cinquantaine, plutôt petit, des cheveux blancs tirés en arrière. C'est tout ce qu'il a pu me dire.

— C'est déjà ça.

— Vous voulez que j'interroge à Paris tous les hommes de petite taille qui ont les cheveux blancs tirés en arrière ? railla le commissaire.

— Non. Mais si l'on se concentre sur ceux qui ont été emprisonnés à la Bastille dans une cellule voisine de celle de Tavernier, cela doit considérablement réduire le nombre des suspects.

— Cela risque d'être très long, monsieur Joly.

— « Il faut parfois de longues semaines pour résoudre les affaires judiciaires. » Ce sont vos propres mots, commissaire. Vous me les avez dits dans votre bureau.

Guyot se décida enfin à sourire.

— J'oubliais que vous aviez une mémoire redoutable, jeune homme.

Gabriel hocha la tête en souriant à son tour. Oui. Il avait une mémoire redoutable. Et elle allait maintenant lui servir.

86.

La charte-partie

Récif, assis à sa table habituelle au dernier étage du Château-Rouge, regarda les lettres de change que l'aspirant venait de lui rapporter. Ses frères Renégats n'étaient pas encore là ; il n'y avait personne d'autre avec lui que cet aspirant à la titanesque silhouette, et les flammes vacillantes des bougies faisaient danser leurs ombres sur les murs du cabaret enfumé.

— Tu... tu es sûr ? demanda le pirate en levant son visage crispé vers le mastodonte qui attendait fébrilement devant lui.

— Certain. C'est des faffiots à la manque, faits par un lopheur[1]. Foutre, c'est du bon travail, mais c'est pas des vrais ! Y correspondent à aucune créance. Le tireur, Fontaine, c'est monsieur Personne. L'existe pas. C'est qu'un tas de papelards. T'en tireras pas un sou, Récif !

---

1. Faux-monnayeur, fabricant de faux papiers.

Le pirate frappa la table d'un grand coup de poing, et le choc fit trembler dans un tintement métallique les quelques bibelots qui s'y trouvaient. Ainsi, l'abbé Guibert s'était fait duper par son complice et, par répercussion, Récif venait de voir s'évaporer dans les nuées les cinq cent mille livres dont il avait rêvé toute la nuit !

Le pirate, d'ordinaire si réfléchi, éprouvait une telle frustration qu'il en avait perdu son aplomb proverbial. D'un geste rageur, il déchira les fausses lettres de change et les jeta sur la table.

— Ch'uis désolé, Récif.

— Tu n'y es pour rien, l'aspirant ! J'aurais dû m'en douter. La chose était trop belle.

Prenant une profonde inspiration, il s'efforça de retrouver son calme, puis il attrapa à sa taille la bourse de l'abbé Guibert et en vida le contenu devant lui. Après les deux louis d'or qu'il avait donnés la veille à l'aubergiste en échange de son silence, il en restait vingt-huit, soit un peu moins de sept cents livres. C'était toujours une somme honnête mais, en songeant aux millions qu'il avait convoités, il secoua la tête d'un air dépité.

Peu à peu, la véritable nature de ce pirate endurci finit par reprendre le dessus, et il se mit à sourire.

— Tu parles d'un trésor, marmonna-t-il en se moquant de lui-même. Bah !

Divisant les pièces en deux tas égaux, il donna quatorze louis d'or à l'aspirant.

— Tiens. C'est notre moitié. Occupe-toi de la répartition. Une part par aspirant, une part et quart pour mes frères, une part et demie pour la caisse commune, et deux parts pour moi. L'autre moitié, je vais l'apporter moi-même à Gabriel Joly.

— Tu donnes la moitié du butin à ton pistonné ? s'exclama l'aspirant.

Récif pencha la tête et le dévisagea d'un regard noir.

— Écoute-moi bien, mon garçon. D'abord, c'est notre manière de fonctionner : quand une affaire vient de l'extérieur, le butin est *toujours* partagé en deux, entre celui qui a apporté l'affaire, et nous. En l'occurrence, c'est le journaliste qui m'a apporté cette affaire, entendu ? Ensuite, et c'est là le plus important : un aspirant ne doit *jamais* questionner les décisions d'un Renégat. Si je te reprends une seule fois à le faire, il ne te restera plus qu'à aller postuler chez les Rufians. Tu n'auras pas ta place parmi nous. M'as-tu bien entendu ?

Le colosse acquiesça. Il connaissait les règles. La communauté des Renégats était égalitaire, certes, mais il fallait faire ses preuves pour la rejoindre, et tant qu'on ne l'avait pas intégrée, on n'avait guère son mot à dire. On apprenait. C'était le prix de l'équité.

Récif se leva calmement et sortit de la petite pièce.

87.

Fragile
comme un château de papier

— Robespierre a été for... formidable ! s'écria Desmoulins dans son transport habituel. Oh, mes amis, vous auriez dû le voir ! Quand Lally-Tollendal a proposé une motion pour raffermir durement l'autorité publique et que les députés ont applaudi ce projet li... liberticide, Maximilien s'y est opposé avec véhémence. « Il faut aimer la paix, mais aussi il faut aimer la liberté ! » leur a-t-il lancé. Ah ! je le reconnais bien là, lui qui était déjà d'une grande... grande droiture, d'une implacable rigueur, quand nous étions sur les bancs du collège Louis-le-Grand ! Il est promis à une belle carrière !

— Mais toi aussi, Camille ! répliqua Danton en lui donnant une tape amicale dans le dos. Momoro m'a dit que ta *France libre* continuait de rencontrer un joli succès ! Nous allons faire de grandes choses ensemble ! De grandes choses ! Et M. Duplessis n'aura d'autre choix que de te laisser prendre la main de sa fille Lucile ! Parbleu, il te suppliera, même !

L'étage flamboyant du Procope commençait à s'emplir de ses visiteurs du soir et Gabriel, la tête penchée vers la fenêtre qui donnait sur la cour du Commerce-Saint-André, n'écoutait pas vraiment la conversation de ses amis. Le regard perdu au-dehors, dans le ballet incessant des passants, il songeait à ce jour de mai où, tout juste arrivé à Paris, il avait découvert ces lieux pour la première fois. Il s'était passé tant de choses, en trois mois ! Bercés par une étrange mélancolie, les souvenirs lui revenaient en cascade et, au milieu d'eux, toujours, le visage de ce petit bohémien dont il avait pris la défense ce jour-là. Pourquoi pensait-il à lui, maintenant ? Était-ce à cause de la fortune incroyable que Récif s'apprêtait à partager avec lui, et qu'il comptait offrir, lui, aux plus démunis ? Une telle richesse avait-elle un sens, en pareille période, si elle n'était pas redistribuée ?

La France, au lendemain de la capitulation de la Bastille, était entrée dans une période pleine d'incertitude. Une seule chose était sûre : ce que l'on appellerait bientôt l'Ancien Régime s'était effondré. Ici et là, on commençait à rejeter l'idée même de monarchie, on envisageait de bannir le mot « royal » du vocabulaire et, peu à peu, la philosophie des Lumières s'incarnait dans le cours de l'histoire. Le peuple semblait, par son attitude, s'estimer véritable souverain du pays mais, en réalité, la force politique était pratiquement passée, en une nuit, de la main de l'aristocratie à celle de la bourgeoisie. On annonçait le retour imminent de Necker, une nouvelle qui rassurait les Français, mais on parlait

aussi des troubles violents qui gagnaient la province...
La Constitution n'était pas encore faite et, déjà, des
bruits couraient sur la formation, au sein de la noblesse,
d'une contre-révolution, d'un complot aristocratique,
dont certains députés auraient fait partie, et qui risquait
bientôt de s'opposer au fameux Club breton de l'abbé
Sieyès et de Robespierre. Quant au roi et à son frère,
le comte de Provence, leur silence laissait imaginer les
plus sombres desseins.

— Et Mlle Terwagne s'est encore fait remarquer !
reprit Desmoulins.

— Comment ça ? demanda le journaliste, que le
nom de la Liégeoise avait soudain sorti de sa rêverie.

— Au beau milieu de la séance, elle s'est levée, et
elle est par... partie en courant, comme si elle avait
vu un fantôme !

— Tiens donc...

— À propos de fantôme, intervint Danton en jetant
ses dés sur le tablier de trictrac. Gabriel ? Où en es-tu
de ton Loup des Cordeliers ?

Le jeune homme se contenta de répondre par un
vague sourire.

— Oh ! Ça, ça veut dire que notre journaliste d'enquête a trouvé quelque chose ! s'exclama Georges.

— J'ai une question à te poser, Danton, fit Gabriel,
plutôt que de confirmer les soupçons de son ami.

— À ce sujet ?

— Plus ou moins. Ton associé, Me Paré... A-t-il
déjà été emprisonné à la Bastille ?

— Jules-François, à la Bastille ? Pauvre bougre !
Non, jamais !

L'idée que Paré pût être le complice de l'abbé Guibert, si étonnante qu'elle eût été, n'avait cessé de hanter Gabriel ces dernières heures. N'était-ce pas lui qui s'était chargé du transfert de Tavernier à Charenton ?

— Tu es sûr ? insista-t-il.

— Absolument certain ! Pourquoi ?

Le journaliste était sur le point de répondre quand il vit apparaître le tricorne de Récif en haut de l'escalier.

Traversant le salon du Procope de son pas majestueux, le pirate vint jusqu'à leur table, sous le regard inquiet des autres clients.

— Bonjour, messieurs. Je vois que vous travaillez encore d'arrache-pied ! railla-t-il.

— Nous devisions de liberté ! répliqua Danton en déplaçant ses dames vers la sixième case du jeu de trictrac, qu'on appelait le « coin bourgeois ».

— Ce doit être éprouvant, commenta le pirate d'un air faussement admiratif. Gabriel, puis-je te voir un instant en privé ?

Le journaliste s'excusa auprès de ses amis et le suivit vers le petit salon isolé, à mi-étage.

— Comment vas-tu, moussaillon ? demanda Récif.

— Eh bien, je suis évidemment hanté par des milliers de questions, mais disons que ça va. Et toi ?

Le pirate fit une grimace.

— J'espère que tu n'as pas dit à tes deux avocats préférés que tu allais devenir riche.

— Non. Pourquoi ?

— Les lettres de change de Guibert étaient fausses, dit-il dans un soupir où se lisait tant du dépit qu'une sorte d'amusement résigné.

Gabriel écarquilla les yeux.

— Fausses ?

— Oui. L'abbé Guibert s'est fait berner par son complice ! Et du coup… nous aussi ! Nous ne sommes pas plus riches qu'hier, et plutôt que d'or, nous voilà couverts de ridicule.

Le jeune homme resta silencieux un moment, puis il éclata de rire, bientôt rejoint par le Renégat.

— Au fond, ce n'est pas plus mal, lâcha Gabriel en se frottant les cheveux. Tout cet argent…

— Tu plaisantes ? le coupa Récif. Je n'ai pas encore fait une croix dessus, moi ! Le trésor ne s'est pas évaporé ! Il est entre les mains de l'homme à la cape noire, et je compte bien le récupérer !

— Nos chances de le retrouver sont bien faibles.

— Allons ! Nous finirons par mettre la main dessus. Haut les cœurs ! Un pirate n'abandonne jamais ! Et un journaliste d'enquête ?

— Non plus, acquiesça Gabriel.

— Tu vas écrire un article sur tout ça ?

— Non.

Le Salétin eut un geste de surprise.

— Pourquoi ? Ça pourrait te rapporter un peu d'argent, pour te consoler.

— Nous n'avons pas encore le fin mot de l'histoire. Mais ne t'inquiète pas ! En attendant, je peux au moins écrire un article sur le traitement des insensés dans les hospices. Ce que j'ai vu à la maison de Charenton réclame une enquête fouillée sur l'utilisation de la commotion électrique. Au fond, c'est un sujet autrement important que cette histoire de trésor…

— Pour tes lecteurs, peut-être ! répliqua le pirate.

Plongeant la main à sa taille, Récif posa la bourse de quatorze louis d'or sur la table.

— Tiens. C'est la moitié de ce qu'il reste de la fortune de l'abbé Guibert. Ça te revient de droit.

— L'argent d'un mort ? fit le jeune homme, écœuré.

Récif ricana.

— Ah ! Le zèle de ta bienséance me fera toujours rire, Gabriel ! Ce n'est pas l'argent d'un mort, c'est l'argent d'un violeur d'enfants, qui a en outre empoisonné le pauvre Tavernier. Si l'idée de garder cet argent te dérange, tu n'auras qu'à le donner aux pauvres, ou le mettre dans la caisse de ton district !

Gabriel hésita, puis il ramassa les lourdes pièces.

— C'est ce que je vais faire.

— Tant mieux. Alors ? On se met à la recherche du complice ?

— Pas aujourd'hui, Récif ! Je t'aiderai à le trouver, je t'en fais la promesse, non pas parce que le trésor m'intéresse, tu le sais, mais parce que je tiens à découvrir la vérité sur toute cette affaire. Mais là, je suis fatigué, et j'ai... quelque chose à faire.

Le pirate le toisa longuement puis, d'une voix soudain plus grave, il lui demanda :

— Tu te souviens de la première conversation que nous avons eue, au Château-Rouge, le jour où nous nous sommes rencontrés ?

— Bien sûr ! Je m'en souviens parfaitement, répondit Gabriel. Ce jour-là, tu m'as dit que je devais aller au-devant de mon destin. Je ne l'ai jamais oublié.

— Je t'ai aussi dit que le temps ferait peut-être de nous des amis... Aujourd'hui, c'est chose faite.

— Aujourd'hui ? répondit Gabriel. Pourquoi ?

— Quand je t'ai dit que les lettres de change étaient fausses, tout à l'heure, j'ai vu dans tes yeux que tu me croyais, sur parole. Sans le moindre doute. Tu ne m'as pas demandé de preuves. Peu de personnes auraient cru un Renégat sur parole, s'agissant du partage d'un trésor.

Le Salétin sortit de sa poche un petit paquet de papiers déchirés qu'il laissa retomber sur la table comme un tas de sable. C'étaient les restes des lettres de change.

— Ces petits bouts de papier que tu ne m'as pas demandés scellent notre amitié, moussaillon. Mais ils symbolisent aussi sa fragilité. Faisons en sorte, toi et moi, que notre amitié ne se déchire jamais.

Gabriel hocha lentement la tête, la gorge nouée.

88.

Soudain les arbres frissonnent

Dans la douceur de l'air nocturne, les rayons d'une lune rousse recouvraient de leur teinte pourpre les toits de la banlieue parisienne. De ce côté-ci de la porte d'Enfer, les silhouettes des deux châteaux de Montrouge semblaient veiller, telles des sentinelles, à la quiétude du hameau. Tout était si calme, d'ailleurs, que ce silence, sous la caresse inquiétante d'une brise, enveloppait les rues d'une gothique et menaçante atmosphère. Tout juste entendait-on au loin un raclement métallique régulier et le souffle nerveux d'un cheval s'agitant dans quelque écurie. Ici, un chat noir, les oreilles couchées par la crainte, traversa la rue en frôlant le sol. La nuit faisait son œuvre.

Il était un peu plus de minuit quand une ombre se dessina sur le mur d'une maison de la rue qui menait à Bagneux et commença à grandir. Comme surgie des ténèbres, la silhouette du Loup des Cordeliers apparut à l'angle de la bâtisse de pierre, dans le bruissement de sa longue cape noire. Avec la mobilité feutrée d'un vaisseau flottant sur les eaux tranquilles d'un grand lac, le spectre s'avança entre les rayons de lune, vers une fenêtre d'où provenait une timide lumière orangée.

Tapi dans l'ombre comme un fauve à l'affût, sans faire de bruit, le justicier approcha son visage de la vitre et regarda à l'intérieur de cette petite maison de Montrouge.

Debout devant la table de son salon, de dos, un homme de petite taille, le cheveu blanc, était en train de regarder l'incroyable trésor qu'il avait versé devant lui. Des pièces par milliers, des bijoux étincelants, une montagne d'or qui scintillait sous la flamme d'un chandelier… D'un geste lent, l'homme plongea la main droite dans un épais tas de pièces, en prit une poignée puis, relevant le bras, il les laissa glisser une par une entre ses doigts gantés de rouge.

Jamais le Loup des Cordeliers n'avait vu pareille fortune et, à travers les carreaux de la fenêtre, il imaginait aisément le sourire retors de l'homme contemplant son butin. Cet homme machiavélique que le Loup avait suivi jusqu'ici, comme une proie. Le poing du justicier se resserra sur le pommeau de son sabre, ses épaules se soulevèrent et tout son corps se raidit. À cet instant, sans doute aurait-il pu entrer dans cette maison et accomplir son destin. Un coup de lame, et tout était fini. L'envie, d'ailleurs, le dévorait, pressante, envahissante, et c'était une lutte que d'y résister. Mais il était trop tôt.

Il lui manquait une preuve irréfutable.

Le Loup, la mâchoire serrée et la gorge nouée, prit une profonde inspiration et, obéissant à la raison plutôt qu'à la fureur qui l'habitait, commença à reculer pour retourner sous l'abri familier des ombres, ses fidèles compagnes.

Le visage enfoui sous l'épaisse capuche de cette vieille cape corse qu'il chérissait tant, le fantôme s'éloigna de la maison de Montrouge pour regagner Vincennes et le passage secret du château de Beauté.

Un jour, l'heure serait venue. Un jour…

89.

À visage découvert

Gabriel, installé dans un large fauteuil au milieu de la pénombre, les yeux perdus dans le vide, attendait. Autour de lui, tout était calme et silencieux, si silencieux qu'il lui semblait entendre les battements de son propre cœur. Car celui-ci battait plus fort qu'il ne l'avait jamais fait.

Depuis une heure qu'il était là, fébrile, immobile au milieu des ombres, mille images étaient revenues à sa mémoire. Des images anciennes, et des images nouvelles. Si une partie du puzzle s'était enfin assemblée dans son esprit, l'énigme lui était apparue plus complexe que jamais, car chaque réponse apportait de nouvelles questions, chaque solution produisait de nouveaux mystères et, pour chaque pièce qui trouvait sa place, une autre apparaissait aussitôt. Dans ce flot incessant d'interrogations, Gabriel Joly n'avait qu'une seule certitude : il avait démasqué le Loup.

Cette certitude, toutefois, le laissait en proie à la plus troublante indécision : qu'allait-il faire ? Quelles devraient être les conséquences de cette incroyable vérité ?

Il en était là de ses pensées quand, une heure après minuit, la porte dérobée à laquelle il n'avait cessé de faire face s'ouvrit enfin.

Le corps tendu, les poings serrés sur les accoudoirs du fauteuil, Gabriel retint sa respiration et regarda la silhouette qui s'extirpait du souterrain.

Ainsi, le Loup de Cordeliers, son sabre dépassant à peine de sa longue cape noire, émergea au cœur des ténèbres, et alors Gabriel se mit à trembler. Le justicier, se croyant à l'abri, ne l'avait pas encore vu, et c'était un spectacle formidable que celui de cette figure crépusculaire, dont l'image l'avait hanté de si nombreuses semaines, et qui était maintenant debout sous ses yeux, à quelques pas à peine.

Le Loup des Cordeliers.

Pétrifié, le journaliste ne respirait même plus, mais quand, malgré l'obscurité, il vit enfin le fantôme baisser sa capuche, il ne put retenir un sourire.

Ainsi, il ne s'était pas trompé, et cela lui apporta la plus vive et la plus complexe émotion.

— Bonsoir, Lorette, murmura-t-il dans un souffle.

La bibliothécaire, la main agrippée à sa capuche, sursauta en poussant un petit cri de stupeur.

— Qui est là ? s'exclama-t-elle.

La surprise qui gagna alors Gabriel fut presque aussi grande que celle qui, sous son regard, venait d'envahir la jeune femme.

— Tu... tu n'es pas vraiment muette ? bredouilla le journaliste.

Il y eut un court instant de silence, étourdissant d'éternité, puis, dans un geste d'accablement, Lorette Printemps baissa la tête en avant et se laissa lentement basculer vers le mur à côté d'elle, où elle posa son front en fermant les yeux. C'était sans doute pour elle comme si une immense vitre sans tain venait de se briser à ses pieds, comme si la paroi de l'imprenable forteresse dans laquelle elle s'était réfugiée depuis si longtemps s'était soudain effondrée.

— Qu'est-ce que tu fais là, Gabriel ? maugréa-t-elle entre ses dents serrées, sans même le regarder.

Le jeune homme se leva doucement, les gestes hésitants.

— Je suis venu voir le Loup dans sa tanière, répondit-il d'une voix où se mêlaient des sentiments contradictoires de tendresse, de gêne et d'inquiétude.

Redressant peu à peu la tête, Lorette se tourna vers lui, et alors elle lui parut plus gracieuse, plus radieuse que jamais. Libérés de leur capuche, ses longs cheveux bruns étaient retombés en cascade sur sa figure délicate et cuivrée, et laissaient apparaître, entre de fines mèches, le bleu intense de ses yeux tristes.

— Comment as-tu su ? soupira la bibliothécaire, que cette mise au jour avait plongée dans un profond désespoir.

— Ne m'en veux pas. Et ne t'en veux pas non plus, répondit le jeune homme. Tu as pris bien des précautions, Lorette, pour préserver ton secret, mais tu as fait une erreur en voulant nous aider. Une toute petite erreur.

— Laquelle ?

Gabriel esquissa un timide sourire.

— Tu as pris chaque fois le soin de travestir ton écriture sur les lettres que tu m'as envoyées et, de fait, je ne l'ai pas reconnue. Mais quand j'ai étudié ton dernier message, celui où tu nous indiquais où se trouvait l'abbé Guibert, j'ai remarqué un détail qui ne pouvait pas échapper à quelqu'un qui a étudié l'imprimerie.

— Quoi donc ? le pressa-t-elle.

— Le papier. Un papier de chiffon vergé, fabriqué à la main et… filigrané. L'emblème représenté par le filigrane a disparu depuis longtemps. Six roses en deux rangées, et la devise *Librando liberat*, « elle libère en pesant ». C'est l'emblème que Jean-René de Longueil, marquis de Maisons, avait fait graver sur le papier qu'il fit fabriquer pour son laboratoire de chimie. Je ne sache pas qu'il reste une seule de ces feuilles vierges, à part peut-être… dans le coffre que ledit marquis a légué au couvent des Cordeliers, et dont le contenu s'est retrouvé dans ta bibliothèque secrète, ma chère Lorette. Lorsque je suis venu ici, ma certitude n'était pas tout à fait complète. Tu viens de la confirmer en ôtant ta capuche. Tu es le Loup des Cordeliers. Je t'avais sottement omise de ma liste de suspects, en négligeant la possibilité que tu aies entendu les confidences que j'ai faites un jour, dans la salle théologique, aux cinq personnes que j'ai jusqu'ici soupçonnées.

La jeune femme secoua la tête, puis elle fit quelques pas vers lui. Son visage s'était crispé davantage, et des flammes menaçantes dansaient au fond de ses grands yeux.

— Que comptes-tu faire, maintenant ? demanda-t-elle en le dévisageant. Me dénoncer ?

— Non… Non ! Mais j'ai tant de questions à te poser ! Je voudrais comprendre. Ces meurtres, ce sabre, ce loup, ce costume… Ton rapport avec le huitième prisonnier. La Corse…

— Et si je ne veux pas t'expliquer ? répliqua la bibliothécaire, toujours aussi froidement.

— Alors il faudra que tu me tues, moi aussi, lâcha le jeune homme. Parce que je n'aurai de cesse que de découvrir la vérité, Lorette.

Sans prononcer d'autre parole, la jeune femme le fixa longuement, et c'était comme si elle le jugeait en silence, pesant le pour et le contre d'une funeste décision qu'elle s'apprêtait à prendre.

Gabriel, rêvant de pouvoir enfin la serrer dans ses bras, fit un pas vers elle, mais Lorette attrapa le pommeau de son sabre à sa taille et sortit la lame sous les yeux écarquillés du journaliste.

— Qu'est-ce… qu'est-ce que tu fais ? bégaya-t-il en reculant.

La jeune femme, le front baissé, leva la pointe de son sabre vers la gorge de Gabriel.

Le journaliste, prenant conscience que l'anonymat du Loup des Cordeliers était plus important que tout aux yeux de Lorette, sentit un frisson glacial lui parcourir l'échine. Jusqu'où serait-elle capable d'aller pour protéger son secret ?

Le visage de la bibliothécaire s'était figé dans une férocité, une âpreté que Gabriel n'y avait jamais vues, et il frémit en songeant que ce devait être la figure véritable de ce fantôme assassin. Ce spectre nocturne qui, tant de fois, avait tranché la gorge de ses ennemis.

Titubant à reculons, le jeune homme finit par se retrouver coincé contre le mur de la cave.

— Je ne te dénoncerai pas, promit-il, le regard implorant.

Mais Lorette, la mine toujours aussi grave, continua d'avancer vers lui pas après pas, ses yeux plongés dans les siens, jusqu'à ce que le métal froid de son arme vînt se poser sur la poitrine de Gabriel.

— Qu'est-ce que tu fais, Lorette ? répéta-t-il.

La pointe du sabre appuyait de plus en plus fortement sur le torse du jeune homme.

— Je voudrais seulement comprendre, supplia-t-il.

Le temps sembla se suspendre dans les entrailles du couvent des Cordeliers. Et alors, au milieu des ombres dansantes et du silence pesant qu'abritait son antre, soudain, la jeune femme laissa de fragiles larmes couler sur ses joues. Et dans ces larmes, il y avait l'indicible souffrance d'un terrible secret.

À SUIVRE...

Remerciements

Mes travaux de recherche sur *Le Loup des Cordeliers* ont commencé en juin 2015 – alors que j'écrivais *J'irai tuer pour vous* – et j'en ai terminé la rédaction à Paris en juillet 2019.

Je tiens avant tout à remercier tous ceux qui m'ont permis de réunir la base documentaire nécessaire sur l'époque riche et fascinante de la Révolution française, et en particulier Pascal Brouillet, docteur en histoire et maître de conférences à Sciences-Po, Olivier Coquard, agrégé d'histoire et docteur ès lettres, Jean-Claude Bonnet, directeur de recherche émérite au CNRS et mémoire vivante de notre bon Louis-Sébastien Mercier, Vincent Milliot, professeur d'histoire moderne à l'université Paris-8, Michael O'Dea, professeur émérite de littérature française du XVIIIe siècle à l'université Lyon-2 et chercheur à l'IHRIM, et enfin Pierre Mollier, conservateur du musée du Grand Orient de France, pour son éclairage avisé et ses précieux conseils, ainsi que pour son scoop : l'incroyable tableau de loge des Neuf Sœurs de 1787, issu des archives « russes ».

Merci aussi à tous ces amis qui me portent chaque jour sur leurs épaules de géants : la bande à Mazza, la bande à Ragazzoli, la bande à Renaud, la bande du Zombie Chopper Run et celle des Spitfires. À mes parents, toujours, qui sont un exemple de générosité.

Merci aux éditions XO, à Bernard Fixot, Renaud et Édith Leblond, pour leur confiance et leur enthousiasme, et à Sarah Hirsch, pour sa patience et son concours salvateur.

Un immense merci, enfin, à Tiphaine, mon adorable typhon, tout comme à mes deux incroyables enfants, Zoé et Elliott, qui rendent chaque jour la vie beaucoup plus belle.

Bibliographie documentaire

Je tiens ici à rendre hommage à tous les auteurs, journalistes et documentalistes dont le travail et les écrits à travers les siècles m'ont aidé à réunir la somme de documentation nécessaire à la rédaction du *Loup des Cordeliers*. J'ai pris un immense plaisir à lire les ouvrages anciens (souvent pleins de descriptions savoureuses et parfois de contre-vérités historiques amusantes) comme les études modernes plus rigoureuses, qui m'ont permis, je l'espère, de ne point raconter trop de sottises sur l'aspect historique de ce roman.

J'ai été ébloui par le travail titanesque et passionnant accompli par la bibliothèque Newberry de Chicago, qui a numérisé plus de 38 000 journaux et pamphlets datant de la période révolutionnaire, ainsi que par celui des patients artisans de la BNF, qui font de *Gallica* une source d'information incontournable (un clin d'œil particulier aux fraternels anonymes qui y ont rendu disponible et exploitable l'intégralité du « fichier bossu ») !

AVENEL Henri, *Histoire de la presse française depuis 1789 jusqu'à nos jours*, Flammarion, 1900.

BEAUMONT-MAILLET Laure, « Le grand couvent des Cordeliers de Paris », in *École pratique des hautes études, 4ᵉ section, Sciences historiques et philologiques* [en ligne], 1973.

BECLARD Léon, *Sébastien Mercier, sa vie, son œuvre, son temps*, Champion, 1903.

BERTAUD Jean-Paul, *La Vie quotidienne en France au temps de la Révolution*, Hachette, 1989.

BIARD Michel, *Parlez-vous sans-culotte ?*, Tallandier, 2009.

BLANC Louis, *Histoire de la Révolution française*, Pagnerre & Furne, 1869.

BONNET Jean Claude (dir.), *Louis-Sébastien Mercier, un hérétique en littérature*, Mercure de France, 1995.

BOUGEART Alfred, *Les Cordeliers*, H. Delesques, 1891.

BOURNON Fernand, *La Bastille*, Imprimerie nationale, 1893.

BROUILLET Pascal, « La compagnie de maréchaussée de l'Île-de-France et la garde de Paris », in *Métiers de police. Être policier en Europe, XVIIIᵉ-XXᵉ siècles*, Presses universitaires de Rennes, 2015.

BRUNET Charles, *Marat, dit l'Ami du peuple*, Poulet-Malassis, 1862.

BUSTARRET Claire, « Usages des supports d'écriture au XVIIIᵉ siècle : une esquisse codicologique », in *Genesis* [en ligne], 2012.

CAMPAN Henriette, *Mémoires de Madame Campan, première femme de chambre de Marie-Antoinette*, Mercure de France, 1999.

CARBONNIÈRES Philippe de, *Paris sous la Révolution et l'Empire*, Parigramme, 2015.

CHAGNIOT Jean, « Le guet et la garde de Paris à la fin de l'Ancien Régime », in *Revue d'histoire moderne et contemporaine* [en ligne], 1973.

CHEVALLIER Pierre, *Histoire de la franc-maçonnerie française*, Fayard, 1974.

CHUQUET Arthur, *Dumouriez*, Hachette, 1915.

COQUARD Olivier, *Lumières et révolutions*, PUF, 2014.

COUSIN D'AVALLON Charles-Yves, *Merciériana, ou Recueil d'anecdotes sur Mercier*, Krabbe, 1834.

DARNTON Robert, *Un tour de France littéraire. Le monde du livre à la veille de la Révolution*, Gallimard, 2018.

DE COCK Jacques, *Les Cordeliers dans la Révolution française*, Fantasques éditions, 2001.

DESPRAT Jean-Paul, *Mirabeau*, Perrin, 2008.

DUBOIS-CORNEAU Robert, *Pâris de Monmartel*, Jean-Fontaine, 1917.

FAVIER Jean (dir.), *Chronique de la Révolution*, Larousse, 1988.

FOUGERET, *Histoire générale de la Bastille*, Gauvain, 1834.

FUNCK-BRENTANO Frantz, *Légendes et archives de la Bastille*, Hachette, 1898.

FURET François, *La Révolution*, Hachette, 1988.

GALLO Max, *Révolution française*, t. I et II, XO Éditions, 2008.

GALLOIS Léonard, *Histoire des journaux et des journalistes de la Révolution française*, Bureau de la Société de l'industrie fraternelle, 1846.

GAXOTTE Pierre, *La Révolution française*, Fayard, 1970.

HIVERT-MESSECA Gisèle et Yves, *Femmes et franc-maçonnerie*, Dervy, 2015.

HURTAUT & MAGNY, *Dictionnaire historique de la ville de Paris et de ses environs*, Moutard, 1779.

JOHNSON Charles, *A General History of the Pyrates*, T. Warner, 1724.

KAPLAN Steven, « Note sur les commissaires de police de Paris au XVIIIe siècle », in *Revue d'histoire moderne et contemporaine*, t. XXVIII, n° 4, 1981.

LACOUR Léopold, *Les Origines du féminisme contemporain*, Plon, 1900.

LAWDAY David, *Danton*, Albin Michel, 2012.

LE MAIRE Jean-Baptiste Charles, *La Police de Paris en 1770, mémoire inédit*, Hachette et BNF, 2017.

LENNOX G., *Danton*, Sandoz et Fischbacher, 1878.

LENÔTRE G., *La Vie à Paris pendant la Révolution*, Calmann-Lévy, 1936.

LEPAGE Auguste, *Les Cafés politiques et littéraires de Paris*, E. Dentu, 1874.

LEUWERS Hervé, *Camille et Lucile Desmoulins, un rêve de république*, Fayard, 2018.

— , *La Révolution française et l'Empire*, PUF, 2011.

MARTIN Jean-Clément, *Robespierre, la fabrication d'un monstre*, Perrin, 2016.

MATHIEZ Albert, *Le Club des Cordeliers pendant la crise de Varennes*, H. Champion, 1910.

MAVIDAL M.-J. (dir.), *Archives parlementaires de 1787 à 1860*, Librairie administrative de Paul Dupont, 1877.

MELLIÉ Ernest, *Les Sections de Paris pendant la Révolution*, Paris, 1898.

MERCIER Louis-Sébastien, *Tableau de Paris*, t. I et II, et *Le Nouveau Paris*, Jean-Claude Bonnet (dir.), Mercure de France, 1994.

MOLLIER Pierre, *Le Régulateur du maçon*, À l'Orient, 2004.

PORSET Charles, *Franc-maçonnerie, Lumières et Révolution*, Édimaf, 2014.

— (éd.), édition augmentée de *La Loge des Neuf Sœurs. Une loge maçonnique d'avant 1789*, de Louis Amiable, Édimaf, 2001.

RIGAUD Lucien, *Dictionnaire du jargon parisien*, Ollendorff, 1878.

ROUDINESCO Élisabeth, *Théroigne de Méricourt, une femme mélancolique sous la Révolution*, Albin Michel, 2010.

RUAULT Nicolas, *Gazette d'un Parisien sous la Révolution*, Perrin, 1976.

SAINT-AGNÈS Yves de, *Guide du Paris révolutionnaire*, Perrin, 1989.

SCHIAPPA Jean-Marc, *La Révolution française*, Librio, 2005.

SCHMIDT Adolphe, *Paris pendant la Révolution d'après les rapports de la police secrète*, Champion, 1880.

SOBOUL Albert, *La Révolution française*, PUF, 1965.

TALMEYR Maurice, *La Franc-maçonnerie et la Révolution française*, Hades, 2016.

THIERS Adolphe, *Histoire de la Révolution française*, Furne & Cie, 1839.

WALTER Gérard, *Marat*, Albin Michel, 2012.

Table des matières

LIVRE PREMIER
Au district des Cordeliers, où l'on voit comment
le jeune Gabriel embrassa sa vocation
et perdit sa virginité

LIVRE DEUXIÈME
La France libre,
**ou comment le jeune Gabriel devint
un journaliste d'enquête**

LIVRE TROISIÈME
Le secret de Montmartel, où Gabriel lève le voile sur bien des mystères